Umschlagentwurf: Wolf D. Zimmermann

Zeichnungen: Ruth und Harald Bukor

Veröffentlicht im Mai 1964

Fischer Bücherei KG, Frankfurt am Main und Hamburg
Gesamtherstellung: Hanseatische Druckanstalt GmbH, Hamburg
Printed in Germany

MITARBEITER DIESES BANDES

Prof. Dr. Dr. h. c. HEINRICH BEHNKE (Münster): Algebraische Zahlen, Infinitesimalrechnung im R^1, Infinitesimalrechnung im R^n.

Prof. Dr. REINHOLD REMMERT (Göttingen): Topologie, Zahlen, Ziffern und Ziffernsysteme.

Studienrat HANS-GEORG STEINER (Münster): Kardinal- und Ordinalzahlen, Logik und Methodologie, Mathematische Grundlagenforschung, Mengen-Abbildungen-Strukturen.

Prof. Dr. HORST TIETZ (Hannover): Algebra, Funktionentheorie, Gleichungen.

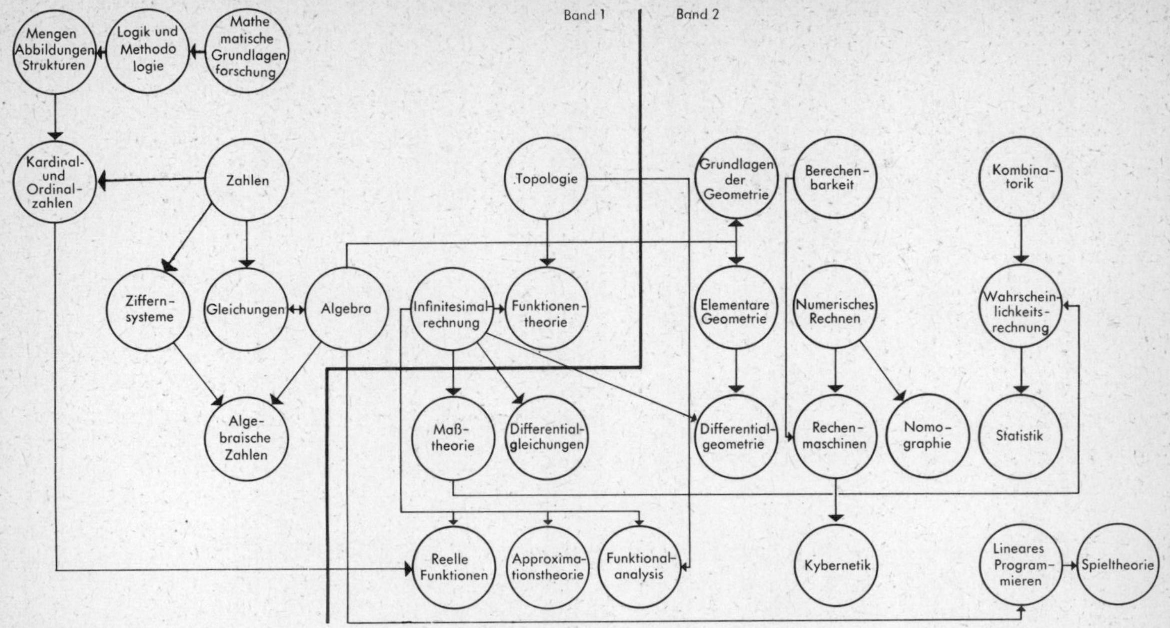
Band 1
Band 2
Mengen Abbildungen Strukturen
Logik und Methodo logie
Mathe matische Grundlagen forschung
Kardinal- und Ordinal- zahlen
Zahlen
Ziffern- systeme
Gleichungen
Algebra
Alge- braische Zahlen
Topologie
Infinitesimal- rechnung
Funktionen- theorie
Maß- theorie
Differential- gleichungen
Reelle Funktionen
Approxima- tionstheorie
Funktional- analysis
Grundlagen der Geometrie
Elementare Geometrie
Differential- geometrie
Berechen- barkeit
Numerisches Rechnen
Rechen- maschinen
Nomo- graphie
Kybernetik
Kombina- torik
Wahrschein- lichkeits- rechnung
Statistik
Lineares Program- mieren
Spieltheorie

EINLEITUNG

Das Mathematik-Lexikon besteht aus zwei Bänden. Dem bisweilen als schwierig empfundenen Zugang zur Mathematik mußte eine rücksichtsvolle Breite der Darstellung entgegenkommen; gleichzeitig konnte nur eine anspruchsvolle Weite der Themen dem enzyklopädischen Charakter dieser Reihe einerseits und der zentralen Position der Mathematik zwischen Natur- und Geisteswissenschaften andererseits gerecht werden: Neben den ›klassischen‹ Disziplinen soll der Leser ebenso Gebiete finden, die sich mit der Frage nach der Wahrheit mathematischer Aussagen befassen und daher die Brücke zu Philosophie und Geistesgeschichte schlagen, wie auch solche, die in enger Berührung mit modernen Anwendungsproblemen stehen. Es war jedoch wünschenswert, den ersten Band für sich allein lesbar zu halten. Diese Forderung und die Umfangsgrenzen jedes Teiles bedingten die Aufteilung der Themen auf die beiden Bände:

1. Band: *Grundlagen, Algebra, klassische Analysis;*
2. Band: *Spezialgebiete der Analysis, Geometrie, Anwendungsgebiete.*

Die Aufteilung erfordert einige Erklärungen, die wir mit den nötigen Erläuterungen für den Aufbau des Lexikons überhaupt (vgl. Übersicht S. 6) verbinden.

GRUNDLAGEN. Es erschien zweckmäßig, einen Artikel der »Sprache der Mathematik« zu widmen. Nach moderner Auffassung läßt sich die ganze Mathematik auf den Begriff der Menge gründen. Auf dieser Basis ist auch eine konsequente und einheitliche »Sprache der Mathematik« möglich; sie wird in → Mengen, Abbildungen, Strukturen entwickelt. Die Antinomien, die am Ende des vorigen Jhs. die eigenartige Unschärfe des naiven Mengenbegriffes offenbarten, gaben den Anstoß zu einer umfangreichen Überprüfung der logischen Grundlagen der Mathematik. Damit begann ein Prozeß, in dessen Verlauf die → mathematische Grundlagenforschung entstand, gleichzeitig aber die Logik selbst sich zu einer großen mathematischen Theorie entwickelte (→ Logik und Methodologie). – Ein mathematisches Urphänomen ist die Möglichkeit des Zählens; mit seiner Hilfe werden Anzahlen verglichen, aber auch endliche Mengen durch Numerieren geordnet. In der Mengenlehre führt die Ausdehnung dieser Prozesse auf endliche Mengen zur Theorie der → Kardinal- u. Ordinalzahlen.

Nebenstehend: Übersicht über die Bände Mathematik 1 und 2
Die Pfeile geben nicht die logischen Zusammenhänge wieder, sondern empfehlen zur Erleichterung des Verständnisses eine Reihenfolge bei der Lektüre der beiden Bände.

Algebra. Von der ursprünglichen Bedeutung, eine Theorie der Lösungsmethoden von Gleichungen darzustellen, hat sich die → Algebra weit entfernt; sie ist heute die Strukturtheorie von Rechengesetzen. Es schien daher nützlich, die an sich interessanten Probleme, die durch → Gleichungen verschiedener Arten gestellt werden, in einem elementaren Artikel vorwegzunehmen. Als Teilbarkeitstheorie der natürlichen und der ganzen algebraischen Zahlen aufgefaßt, gehört die Zahlentheorie zur Algebra. Ihr elementarer Teil hat sich teilweise an der Frage entwickelt, ob unser dekadisches Ziffernsystem Besonderheiten gegenüber anderen möglichen Ziffernsystemen besitzt. In diesem Sinne vermitteln die Artikel → Zahlen und → Ziffern und Ziffernsysteme elementare Zahlentheorie, während der Abschnitt → algebraische Zahlen der Teilbarkeitstheorie in algebraischen Zahlkörpern gewidmet ist.

Klassische Analysis. Als Kernstück der Mathematik wird üblicherweise die Analysis verstanden, die sich am Differential- und Integralkalkül ausgebildet hat. Ihre klassischen Bestandteile sind die → Infinitesimalrechnung, die hier in die Theorien der Funktionen von einer und mehreren Veränderlichen unterteilt wurde, und die → Funktionentheorie, in der für die Untersuchung einer bedeutsamen Klasse von Funktionen besonders befriedigende Resultate und mächtige Methoden bereitgestellt werden. Die zugrunde liegenden Zahlbereiche, die reellen und die komplexen Zahlen, lassen sich aus den natürlichen Zahlen gewinnen; ein Aufbau des Zahlensystems von den natürlichen bis hinauf zu interessanten Erweiterungen des Körpers der komplexen Zahlen wird im Artikel → Zahlen durchgeführt. Die Klärung der Vorstellung vom Infinitesimalen, die den intuitiven Kern der Analysis bildet, führte zu neuen fruchtbaren Entwicklungen in der Mathematik; eine der wichtigsten Konsequenzen ist die Entstehung der → Topologie, in der das »Benachbartsein« im Raume einer strengen Analyse unterzogen wird. Diese moderne Theorie ist dadurch zum Fundament der gesamten Analysis und Geometrie geworden.

Spezialgebiete der Analysis. Der klassische Integralbegriff läßt Erweiterungen zu; diese Möglichkeit hängt eng mit der Frage zusammen, welchen Punktmengen eines Raumes man auf vernünftige Weise einen »Inhalt« zuschreiben kann. Die sich hiermit beschäftigende → Maßtheorie hat weitreichende Anwendungen gefunden. In der Theorie der → reellen Funktionen wird über die Erfordernisse der Infinitesimalrechnung hinaus die gegenseitige Bedingtheit der Eigenschaften von Funktionen untersucht. Da Funktionen, die in vernünftigem Sinne wenig voneinander abweichen, als »benachbart« anzusehen sind, läßt sich die

Topologie auf gewisse Mengen von Funktionen anwenden. Viele Fragen der Analysis finden ihre natürliche Formulierung in dieser Vorstellung; sie deckt wichtige Zusammenhänge auf und führt so zu weitgehenden und fruchtbaren Verallgemeinerungen der klassischen Analysis. Dieser von Hilbert für die Theorie der Integralgleichungen aufgestellten Konzeption widmet sich die → Funktionalanalysis. Die für die gesamte Analysis grundlegende Methode, eine Funktion durch andere Funktionen zu approximieren, führt zum Hauptproblem der → Approximationstheorie: welche Beziehungen bestehen zwischen der Güte der Approximation und gewissen vorgeschriebenen Eigenschaften der approximierten Funktion?

GEOMETRIE. Das Kapitel → elementare Geometrie befaßt sich mit dem Anschauungsraum: seine Beschreibbarkeit durch Vektoren und die Eigenschaften seiner Projektionen werden diskutiert; damit wird einerseits seine zeichnerische Erfassung durch die darstellende Geometrie, andererseits die projektive Geometrie berührt. In algebraischer Auffassung ermöglicht der Vektorbegriff die Einführung von Räumen höherer Dimensionen. Die Methoden der Infinitesimalrechnung gestatten das Studium von Kurven und Flächen im Anschauungsraum. Das ist der elementare Teil der → Differentialgeometrie. Die schon von Gauß getroffene Feststellung, daß es Eigenschaften solcher räumlichen Gebilde gibt, auf die der umgebende Raum ohne Einfluß ist, führte zu der Konzeption von gekrümmten Räumen und ihrer »Geometrien«, die für die moderne Mathematik und Physik so fruchtbar geworden ist. – Durch die Einsicht in die Möglichkeit allgemeiner Räume wurde der Glaube an die Denknotwendigkeit der Geometrie des realen Raumes erschüttert. Dadurch erhielt das seit Euklid die Geometer erregende Parallelenproblem eine überraschende Wendung: man fand »Räume«, in denen alle Axiome der euklidischen Geometrie erfüllt sind außer dem Parallelenaxiom, dessen Unbeweisbarkeit aus den übrigen Axiomen damit bewiesen war. Die verbleibende Aufgabe, das Fundament der euklidischen Geometrie auf strenge Weise zu erneuern, wurde um die Jahrhundertwende durch Hilbert gelöst. Diese berühmte Untersuchung ist in dem Sinne der Beginn der modernen Mathematik, als durch sie das so ungemein fruchtbare Bestreben ausgelöst wurde, jede mathematische Disziplin zu axiomatisieren: dadurch wurde die Mathematik nicht nur einer strengen logischen Darstellung fähig, sondern auch erstaunliche Tragweiten der Theorien wurden offenbar. Die Frage nach den möglichen Geometrien wird in derjenigen Disziplin untersucht, die seit Hilbert als → Grundlagen der Geometrie bezeichnet wird.

Einleitung

ANWENDUNGSGEBIETE. Ein klassisches Anwendungsgebiet der Analysis bilden → Differentialgleichungen. Die → Kombinatorik beschäftigt sich mit der Bestimmung der Elementezahl gewisser endlicher Mengen und liefert damit auch Methoden für die elementare → Wahrscheinlichkeitsrechnung. Fragen nach der Wahrscheinlichkeit des Zutreffens von Aussagen über eine Menge von Individuen, deren Eigenschaften nur teilweise bekannt sind, ist die → Statistik gewidmet. – Umfangreiche Rechnungen zu erleichtern, war von jeher eine Notwendigkeit für die Anwendung der Mathematik; mit der Rationalisierung von Rechenprozessen befaßt sich das → Numerische Rechnen, für spezielle Fragen stellt die → Nomographie graphische Verfahren zur Verfügung, während die Entwicklung technischer Rechenhilfen in neuester Zeit die Beherrschbarkeit numerischer Rechnungen ins Gigantische gesteigert hat. Interessant ist die Anwendbarkeit der mathematischen Logik auf diese modernen → Rechenmaschinen; die von ihnen eröffneten Möglichkeiten führen zu der Frage, welche Probleme überhaupt einer → Berechenbarkeit zugänglich sind. Da Rechenmaschinen ein »Gedächtnis« besitzen, liegt die Frage nahe, ob man ihnen auch andere Fähigkeiten (Lernen usw.) von Lebewesen aufprägen kann; an solchen Forschungen ist die → Kybernetik entstanden, eine Disziplin, welche Analogien zwischen dem lebenden Organismus und technischen Gebilden herzustellen versucht. – Die → Spieltheorie stellt sich die Aufgabe, für ein nach Regeln ablaufendes Spiel Verhaltensweisen zu entwickeln, die einen optimalen Gewinn garantieren. Diese Theorie ist dadurch besonders wichtig geworden, daß sie Modelle für das Wirtschaftsleben liefert. Das Problem der Spieltheorie führt auf die Aufgabe, »extremale« Lösungen eines Systems von (meist linearen) Gleichungen und Ungleichungen zu finden. Hierfür Methoden zu entwickeln, bemüht sich das → lineare Programmieren. Die effektive Anwendung dieser modernen Theorien ist nur durch die neue Rechentechnik möglich geworden.
Der hiermit kurz angedeutete Inhalt kann natürlich – auch nicht annähernd – die ganze Mathematik ausschöpfen, umfaßte doch schon die von 1904 bis 1935 erschienene Enzyklopädie der mathematischen Wissenschaften mehr als 18000 Seiten. Und wie gewaltig ist seitdem die Mathematik noch angewachsen! Wir konnten uns nur um eine Einführung bemühen, die einen Einblick in das Wesen eines weiten Teiles unserer Wissenschaft gibt. Es sei noch bemerkt, daß die skizzierte Einteilung der Mathematik in Gebiete und Gebietsgruppen nicht frei von Willkür ist; sie hat vornehmlich darstellungstechnische Bedeutung und mag ebenso berechtigt sein wie jede Zerlegung einer lebendigen Wissenschaft in Teilgebiete.

Algebra. ›Algebra et Almucabala‹ lautet die latinisierte Form von ›Algabr walmukabalah‹, des Titels eines um 820 n. Chr. entstandenen arabischen Lehrbuches, durch das die abendländische Mathematik mit den indisch-arabischen Ziffern bekannt wurde. Nicht nur der Titel des Buches, sondern auch der Name des Autors lebt in der heutigen Fachsprache fort: Al-Khwarizmi wurde zu *Algorithmus* und damit zum Inbegriff jeder Rechenvorschrift schlechthin. Tatsächlich bedeutet der arabische Titel etwa ›Das Hinüberbringen‹ und meint die rechnerische Behandlung von Gleichungen. Diese Bedeutung — in weitestem Sinne — behielt die *Algebra* bis ins 19. Jh. hinein.
Jedoch die Entdeckung mathematischer Objekte wie Vektoren, Matrizen usw., mit denen ähnlich wie mit Zahlen gerechnet werden kann, erweiterte einerseits den Forschungsbereich der Algebra und wurde andererseits als Hinweis darauf erkannt, daß hinter den verschiedenen Rechenobjekten ein gemeinsamer Kern vorhanden ist, dessen Aufdeckung Resultate erbringen muß, die für alle speziellen Objekte gültig sind. So trat der *axiomatische Standpunkt*, der für die Grundlagen der euklidischen Geometrie so augenfällig fruchtbar wurde, auf weniger sensationelle, aber ebenso nachhaltige Weise in die Algebra ein: nicht die Rechenobjekte selbst (Zahlen, Matrizen usw.), sondern ihre Beziehungen untereinander, nicht der inhaltliche Sinn der Rechenoperationen, sondern die formalen Regeln, denen sie gehorchen, sind interessant. Dieser Entschluß zur Abstraktion schafft aber nicht nur für die Gegebenheiten und Schlußweisen der Algebra eine einheitliche Sprache; diese erweist sich vielmehr als das der Mathematik schlechthin adäquate Ausdrucksmittel. So kann man geradezu von einer Algebraisierung der Gesamtmathematik sprechen, ein Vorgang, der in dem gewaltigen Werk von *N. Bourbaki* (Deckname für einen sich ständig erneuernden Kreis bedeutender französischer Mathematiker) sichtbar wird: das Programm der ›Éléments de Mathématique‹ ist eine Darstellung der Gesamtmathematik, basierend auf dem weitangelegten Fundament einfacher Strukturen und aufsteigend zu immer komplizierteren, aber prinzipiell aus den Grundstrukturen aufgebauten Strukturen. Ob dieses Programm — es wird seit zwei Jahrzehnten in einer ständig wachsenden Serie von Bänden ausgeführt — jemals einen Abschluß findet, ist nicht so entscheidend wie die Tatsache, daß das konsequent strukturelle Denken nicht nur unter den auseinanderstrebenden Einzeldisziplinen der Mathematik Ordnung schafft und ihnen die gemeinsame Sprache gibt, sondern auch — weit davon entfernt, nur einem pedantischen Ordnungsstreben zu dienen — bereits ungeahnte Impulse in den verschiedensten Gebieten gegeben hat.

Dieser Bedeutungswandel der Algebra ist der Grund, weshalb die → Gleichungen unter einem gesonderten Sachwort abgehandelt werden, während wir in diesem Kapitel die wichtigsten *algebraischen Strukturen* diskutieren wollen.
Das geläufigste Rechenobjekt — die Menge **R** der reellen → Zahlen — vertritt eine recht komplizierte algebraische Struktur, selbst wenn man nur die vier Grundrechenarten — Addition, Subtraktion, Multiplikation, Division — betrachtet. Man addiert und subtrahiert, ohne die Möglichkeit der Multiplikation auszunutzen; es erscheint daher ratsam, zunächst nur eine Verknüpfung zu studieren.
A. Algebraische Strukturen mit einer Verknüpfung. I. Eine *Verknüpfung* setzt eine Menge M von Rechenobjekten voraus und besteht in einer Vorschrift, nach der je zwei Elementen a und b aus M ein drittes als Resultat der Verknüpfung zugeordnet wird. Dieses heißt a + b oder a · b, wenn die Verknüpfung Addition bzw. Multiplikation heißt; will man sich aber auf solche einschränkenden, weil spezialisierenden Bezeichnungen nicht festlegen, so greift man zu einem neutralen Symbol — etwa a ⊤ b — für das Resultat der Verknüpfung von a und b.
Auf dieser allgemeinen Stufe, auf der nur die Ausführbarkeit von Verknüpfungen vorausgesetzt wird, spricht man von einer *algebraischen Struktur* (→ Mengen, Abbildungen, Strukturen).
a) Beispiele algebraischer Strukturen:
1. **N** mit Addition,
2. **N** mit Multiplikation,
3. **N** mit a ⊤ b := kleinstes gemeinsames Vielfaches von a und b,
4. **N** mit a ⊤ b := b,
5. **Z** mit Addition,
6. **Z** mit Multiplikation,
7. **R** mit Addition,
8. **R** mit Multiplikation,
9. im Raum sei je zwei Punkten ihr Mittelpunkt zugeordnet,
10. die Vektoren des Raumes mit der Addition,
11. die Vektoren des Raumes mit der vektoriellen Multiplikation,
12. die Abbildungen einer Menge $\mathfrak{M}$ in sich mit dem *Komponieren,* d. h. Hintereinanderausführen als Verknüpfung; wenn also f und g Abbildungen von $\mathfrak{M}$ in sich sind, so ist ihre Komposition f ∘ g erklärt durch (f ∘ g) (x) := f [g (x)] für alle x aus $\mathfrak{M}$,
13. die bijektiven Abbildungen einer Menge $\mathfrak{M}$ auf sich mit der Komposition als Verknüpfung,

14. ist $\mathfrak{M}$ selbst eine algebraische Struktur mit der Verknüpfung $\top$, so kann man diese Verknüpfung auf die Selbstabbildungen von $\mathfrak{M}$ übertragen:

$$(f \top g)(x) := f(x) \top g(x) \text{ für alle } x \text{ aus } \mathfrak{M},$$

15. als *Matrix* bezeichnet man ein rechteckiges Zahlenschema; beispielsweise ist $\begin{pmatrix} a_{11} & a_{12} & a_{13} \\ a_{21} & a_{22} & a_{23} \end{pmatrix}$ eine Matrix mit 2 *Zeilen* und 3 *Spalten*; die Beschreibung der Zahlen a_{ik} durch Doppelindizes (i, k) ist zweckmäßig: der erste Index (Zeilenindex) gibt die Zeile, der zweite Index (Spaltenindex) die Spalte an, in der das jeweilige Element steht (z. B. steht a_{21} im Schnittpunkt der zweiten Zeile mit der ersten Spalte); *Multiplikation* nennt man nun die folgende Verknüpfung zweier Matrizen A und B, wobei die Spaltenanzahl von A übereinstimmen muß mit der Zeilenanzahl von B: AB *ist die Matrix, deren Elemente durch* $\sum_j a_{ij} b_{jk}$ *gewonnen werden;* beschränkt man sich insbesondere auf quadratische Matrizen einer Zeilen- und Spaltenzahl, so wird diese Menge mit der erklärten Verknüpfung eine algebraische Struktur.

Diese Fülle von Beispielen – sie ließe sich beliebig erweitern (→ Mengen, Abbildungen, Strukturen) – entspricht der extremen Allgemeinheit der Definition. Um so erstaunlicher ist es, daß man schon auf dieser Stufe allgemeingültige Sätze beweisen kann.

b) Das werde belegt durch eine Beobachtung, die man an den obigen Beispielen machen kann. In manchen Fällen gibt es *neutrale Elemente*, das sind Elemente e, die bei Verknüpfung kein Element verändern, für die also $e \top a = a \top e = a$ für jedes a aus der betrachteten algebraischen Struktur gilt: in 1., 5., 7. ist dies die Null, in 2., 3., 6., 8. die Eins, in 10. der Nullvektor, in 12. und 13. die *Identität* (das ist die Abbildung, die jedes Element sich selbst zuordnet), in 14. ist dies, falls $\mathfrak{M}$ selbst ein neutrales Element e besitzt, die (konstante) Abbildung, die jedem x aus $\mathfrak{M}$ den Wert e zuordnet, und in 15. schließlich die *Einheitsmatrix*

$$a_{ik} = \begin{cases} 1 \text{ für } i = k, \\ 0 \text{ für } i \neq k. \end{cases}$$

In den Fällen 4., 9. und 11. dagegen existiert kein neutrales Element. Da die Verknüpfung nicht kommutativ zu sein braucht – $a \top b$ und $b \top a$ sind nicht notwendig gleich –, ist es sinnvoll, nicht sofort nach neutralen, sondern erst nach einseitig-neutralen Elementen zu fragen: *linksneutral* heißt ein Element $'e$, wenn $'e \top a = a$ für alle a gilt; neutral ist also ein Element genau dann, wenn es sowohl linksneutral als auch – in analoger Bedeutung – *rechtsneutral* ist.

Die Beispiele 4., 9., 11., in denen kein neutrales Element existiert, zeigen nun in bezug auf diesen schwächeren Begriff das folgende Verhalten: In 9. und 11. gibt es auch kein einseitig-neutrales Element, dagegen ist in 4. jedes Element links- und keines rechtsneutral. Bei diesen Beispielen fällt auf: Es kann einseitig-neutrale Elemente in unbestimmter Anzahl (keines, eines, mehrere) geben; es scheint jedoch nicht vorzukommen, daß es etwa mehrere linksneutrale Elemente und gleichzeitig ein rechtsneutrales Element gibt. Die sich aufdrängende Vermutung ist nun tatsächlich richtig auf Grund des Satzes: *Gibt es ein linksneutrales Element* $'e$ *und ein rechtsneutrales* e', *so sind diese notwendig identisch!* Der Beweis ist trivial: das ›Produkt‹ $'e \top e'$ ist – wegen der Linksneutralität von $'e$ – gleich e' und – wegen der Rechtsneutralität von e' – gleich $'e$.

c) Gibt es in einer algebraischen Struktur ein neutrales Element e, so ist die Frage interessant, ob es zu einem vorgegebenen Element a ein *Linksinverses* gibt, d. h. ein Element $^*a$, für das $^*a \top a = e$ gilt; entsprechend ist a^* *rechtsinvers* zu a, wenn $a \top a^* = e$ gilt, und *invers* zu a, wenn es simultan beide Eigenschaften besitzt. Allgemeine Aussagen über solche Elemente sind nur dann möglich, wenn die Verknüpfung $\top$ gewissen Rechenregeln genügt.

II. a) Es liegt nahe, solche Rechenregeln zu diskutieren, die Aussagen über die Abhängigkeit von der Reihenfolge der Verknüpfungen in mehrfachen ›Produkten‹ machen. Die einfachste solche ›Klammerregel‹ ist das *assoziative Gesetz*

$$(a \top b) \top c = a \top (b \top c).$$

Von unseren Beispielen genügen alle außer 9., 11. und 14. diesem Gesetz; in 14. hängt seine Gültigkeit davon ab, ob sie in $\mathfrak{M}$ besteht oder nicht. Wichtig ist besonders Beispiel 12.: *die Komposition von Abbildungen ist eine assoziative Verknüpfung.* Der Beweis ergibt sich aus der Definition der Komposition: für jedes Element x aus der abzubildenden Menge und drei Abbildungen f, g, h gilt

$$(f \circ (g \circ h))(x) = f((g \circ h)(x)) = f(g(h(x))),$$
$$((f \circ g) \circ h)(x) = (f \circ g)(h(x)) = f(g(h(x)));$$

die Abbildungen $f \circ (g \circ h)$ und $(f \circ g) \circ h$ sind also gleich, weil sie für jedes x dasselbe Bild liefern. Eine algebraische Struktur, in der das assoziative Gesetz gilt, heißt *Halbgruppe.*

b) In einer Halbgruppe kann es zu einem Element höchstens ein Inverses geben nach folgendem Satz: *Gibt es zu einem Element* a *einer Halbgruppe mit neutralem Element* e *ein Linksinverses* $^*a$ *und ein Rechtsinverses* a^*, *so sind diese identisch.* Beweis: $^*a = {^*a} \top e = {^*a} \top (a \top a^*) = ({^*a} \top a) \top a^* = e \top a^* = a^*$.

III. Dem axiomatischen Standpunkt entspricht es, daß bei der ursprünglichen Aufgabe der Algebra, Gleichungen zu lösen, die

Frage nach der Existenz von Lösungen den Vorrang vor der früher so wichtigen Entwicklung von Lösungsmethoden gewonnen hat. Somit verdienen algebraische Strukturen, in denen diese Lösbarkeit gewährleistet ist, besonderes Interesse. Fundamental für die ganze Mathematik, und zwar sowohl in bezug auf ihre innere Entwicklung als auch auf ihre Anwendbarkeit in den Naturwissenschaften, ist der Gruppenbegriff. *Eine Gruppe ist definitionsgemäß eine Halbgruppe, in der jede Gleichung* $x \top a = b$ *und jede Gleichung* $a \top x = b$ *genau eine Lösung besitzt.* Zur Nachprüfung, ob konkret gegebene algebraische Strukturen Gruppen sind, ist es gelegentlich nützlich, zu wissen, daß diese Definition abgeschwächt werden kann.

a) 1. Von unseren Beispielen sind Gruppen die folgenden: 5., 7., 10., 13.; Beispiel 14. gibt eine Gruppe, wenn $\mathfrak{M}$ bereits Gruppenstruktur besitzt; nimmt man in 8. die Null heraus, beschränkt man sich also auf die Menge $\mathbf{R}^* := \mathbf{R} - \{0\}$, so erhält man eine Gruppe bezüglich der Multiplikation; in 15. schließlich ist die Teilmenge der Matrizen, deren *Determinanten* (→ Gleichungen, B) von Null verschieden sind, eine Gruppe (die sog. *lineare Gruppe*), als deren *Grad* man die Zeilenzahl der Matrizen bezeichnet.

2. Beispiel 13. gibt für den Fall endlicher Mengen $\mathfrak{M}$ die sog. *symmetrischen Gruppen*, deren Elemente, die bijektiven Abbildungen von $\mathfrak{M}$, *Permutationen* heißen. Da es auf das Wesen der permutierten Objekte nicht ankommt, ist es bequem, für sie natürliche Zahlen zu wählen. Ist also $\mathfrak{M} = \{1, 2, \ldots, n\}$, so wird die zugehörige symmetrische Gruppe mit $\mathfrak{S}_n$ bezeichnet, und ihre Elemente, die Permutationen, werden in der Form

$$\begin{pmatrix} 1 & 2 & \ldots & n \\ i_1 & i_2 & \ldots & i_n \end{pmatrix}$$

geschrieben; damit ist gemeint, daß 1 in i_1, 2 in i_2, ..., n in i_n übergeht; $i_1, i_2, \ldots, i_n$ sind also die Zahlen 1, 2, ..., n in einer für die jeweilige Permutation typischen Reihenfolge. Die Permutation

$$\sigma = \begin{pmatrix} 1 & 2 & 3 & 4 & 5 \\ 1 & 3 & 4 & 5 & 2 \end{pmatrix}$$

läßt sich einfach durch die Figur

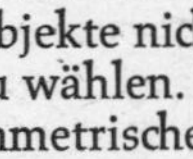

beschreiben; dasselbe, nur schreibtechnisch einfacher, meint die *Zyklenschreibweise* $\sigma = (2\ 3\ 4\ 5)$. Offenbar ist $\sigma^4 = \varepsilon$ (identische Abbildung). Entsprechend werden allgemein Zyklen definiert, und die Länge k eines *Zyklus* σ ist seine *Ordnung*, d. h. es ist $\sigma^k = \varepsilon$, und kein kleinerer positiver Exponent hat diese Eigenschaft. Zweierzyklen heißen *Transpositionen*. Aus Zyklen kann man jede Permutation aufbauen; es gelten folgende Sätze: *Jede Permutation ist Produkt elementfremder Zyklen; jede Permutation ist Produkt von Transpositionen.* Beispielsweise ist

$$\begin{pmatrix} 1 & 2 & 3 & 4 & 5 \\ 5 & 3 & 4 & 2 & 1 \end{pmatrix} = (15)\,(234) = (15)\,(23)\,(34).$$

Die Darstellung als Produkt von Transpositionen ist auf viele Weisen möglich; jedoch zeigt sich, daß die Anzahlen der Transpositionen, die in den verschiedenen Produktdarstellungen einer gegebenen Permutation σ vorkommen, immer gerade oder immer ungerade sind. Dementsprechend heißt σ selbst *gerade* oder *ungerade*. Die $\mathfrak{S}_n$ enthält je $\frac{1}{2}n!$ gerade bzw. ungerade Permutationen. Die geraden Permutationen für sich genommen bilden selbst eine Gruppe, die *alternierende Gruppe* $\mathfrak{A}_n$.

b) 1. Die Hauptaufgabe der Gruppentheorie ist ebenso einfach zu stellen wie schwer zu behandeln: man möchte alle Gruppen kennen, so daß es also möglich sein sollte, zu jeder konkret gegebenen Gruppe ihr wohlbestimmtes Modell in dieser Sammlung von Gruppen zu finden. Das Wort *Modell* bedeutet dabei, daß zwei Gruppen als gleich – oder, wie man besser sagt: *isomorph* – anzusehen sind, wenn sie sich nur in der Schreibweise unterscheiden; damit ist genauer gemeint: die Gruppen $\mathfrak{G}_1$ und $\mathfrak{G}_2$ sind isomorph, wenn es eine bijektive Abbildung $\varphi\colon \mathfrak{G}_2 \to \mathfrak{G}_1$ gibt, derart, daß für beliebige a und b aus $\mathfrak{G}_2$ stets gilt: $\varphi\,(a \top b) = \varphi\,(a) \top \varphi\,(b)$.

Hier wird übrigens die Bedeutung des indifferenten Verknüpfungszeichens $\top$ klar, das auf beiden Seiten der Gleichung verschiedenen Sinn hat: links die Verknüpfung in $\mathfrak{G}_2$, rechts die Verknüpfung in $\mathfrak{G}_1$; beispielsweise ist $\varphi\,(a) := \log a$ wegen $\varphi\,(a \cdot b) = \varphi\,(a) + \varphi\,(b)$ ein Isomorphismus zwischen der multiplikativen Gruppe $\mathbf{R}^+$ der positiven und der additiven Gruppe $\mathbf{R}$ aller reellen Zahlen, auf dem die praktische Bedeutung des logarithmischen Rechnens beruht.

2. Man muß sich damit begnügen, mit möglichst vielen Gruppen bekannt zu werden und bei einer konkret gegebenen Gruppe zu prüfen, ob sie in irgendeiner Weise aus solchen bekannten Gruppen aufgebaut ist.

α. Man beherrscht die *endlich-erzeugten abelschen Gruppen*. Dabei heißt ›endlich-erzeugt‹, daß sich alle Elemente der Gruppe als Produkte aus gewissen endlich vielen dieser Elemente gewinnen lassen, und ›abelsch‹ bedeutet, daß die Verknüpfung kommutativ ist, daß also stets b $\top$ a =

$= a \top b$ gilt. Der sog. *Basissatz* besagt, daß sich jede solche Gruppe in einfacher Weise — als sog. direktes Produkt — aus zyklischen Gruppen zusammensetzt.

Das *direkte Produkt* zweier Gruppen $\mathfrak{G}_1$ und $\mathfrak{G}_2$ erhält man in der Paarmenge $\mathfrak{G}_1 \times \mathfrak{G}_2$ durch die Verknüpfung

$$(a_1, b_1) \top (a_2, b_2) := (a_1 \top a_2, b_1 \top b_2).$$

β. Eine Gruppe heißt *zyklisch*, wenn sie von einem Element a erzeugt wird. Beispiel 5., die additive Gruppe **Z** der ganzen Zahlen, ist eine unendliche zyklische Gruppe. Zu jeder natürlichen Zahl n erhält man eine zyklische Gruppe $\mathbf{Z}_n$ aus n Elementen — oder, wie man sagt, von der Ordnung n —, wenn man in der Menge $\{0, 1, \ldots, n-1\}$ eine Verknüpfung erklärt durch

$$i \top j := \begin{cases} i + j & \text{, wenn } i + j < n; \\ i + j - n, & \text{wenn } i + j \geq n. \end{cases}$$

Alle diese zyklischen Gruppen $\mathbf{Z}, \mathbf{Z}_1, \mathbf{Z}_2, \mathbf{Z}_3, \mathbf{Z}_4, \ldots$ werden vom Element 1 erzeugt. Wichtig ist der einfach zu beweisende Satz, daß *jede zyklische Gruppe zu genau einer von diesen isomorph ist.*

γ. Zum Studium des Aufbaus von Gruppen dient ein großer Katalog subtiler Begriffe, mit denen das Bestehen verschiedenster Situationen beschrieben wird.

Beispielsweise sind *Untergruppen* einer Gruppe nicht schlechthin interessant, es kommt vielmehr darauf an, wie eine solche in der Obergruppe liegt. Und gerade in dieser Frage konzentriert sich die ganze Kompliziertheit nicht-abelscher Gruppen.

Jede Untergruppe $\mathfrak{U}$ in einer Gruppe $\mathfrak{G}$ definiert in $\mathfrak{G}$ zwei Äquivalenzrelationen (→ Mengen, Abbildungen, Strukturen): zwei Elemente sind *rechtskongruent* bzw. *linkskongruent modulo* $\mathfrak{U}$, wenn sie sich um einen rechten bzw. linken Faktor aus $\mathfrak{U}$ unterscheiden. Eine Äquivalenzrelation $a \sim b$ in $\mathfrak{G}$ heißt *mit der Gruppenstruktur von* $\mathfrak{G}$ *verträglich*, wenn aus $a \sim b$, $c \sim d$ stets $a \top c \sim b \top d$ folgt. Die beiden zu $\mathfrak{U}$ gehörenden Äquivalenzrelationen sind nun genau dann mit der Gruppenstruktur von $\mathfrak{G}$ verträglich, wenn sie identisch sind. Eine Untergruppe mit dieser Eigenschaft heißt *Normalteiler*. Die Verträglichkeit der durch einen Normalteiler $\mathfrak{N}$ definierten Äquivalenzrelationen in der Gruppe $\mathfrak{G}$ hat zur Folge, daß die Menge der Äquivalenzklassen auf natürliche Weise wieder eine Gruppe bildet, die sog. *Quotientengruppe* $\mathfrak{G}/\mathfrak{N}$. Ordnet man jedem Element von $\mathfrak{G}$ diejenige Äquivalenzklasse zu, in der es liegt, so ist dies eine Abbildung $\varphi: \mathfrak{G} \to \mathfrak{G}/\mathfrak{N}$ mit der Eigenschaft $\varphi(a \top b) = \varphi(a) \top \varphi(b)$, die man als *Homomorphie* bezeichnet. Da φ außerdem offenbar surjektiv ist, ist $\mathfrak{G}/\mathfrak{N}$ ein homomorphes Bild von $\mathfrak{G}$.

Ist beispielsweise $n\mathbf{Z}$ in $\mathbf{Z}$ die Untergruppe aus allen Vielfachen von n, so ist $\mathbf{Z}/n\mathbf{Z}$ die zyklische Gruppe $\mathbf{Z}_n$. Wichtig ist die Umkehrung, daß *jedes homomorphe Bild einer Gruppe* $\mathfrak{G}$ *zu einer Quotientengruppe von* $\mathfrak{G}$ *nach einem geeigneten Normalteiler isomorph ist.*
Ein wichtiger Normalteiler in jeder Gruppe $\mathfrak{G}$ ist die *Kommutatorgruppe* $\mathfrak{K}$: rechnet man in $\mathfrak{G}$ so, als ob $\mathfrak{G}$ abelsch wäre, so rechnet man in Wahrheit in $\mathfrak{G}/\mathfrak{K}$. Die Kommutatorgruppe gibt also ein Maß für die Nicht-Kommutativität von $\mathfrak{G}$; sie ist insbesondere am kleinsten, d. h. sie besteht nur aus dem neutralen Element, wenn $\mathfrak{G}$ abelsch ist.
Auch ein Normalteiler $\mathfrak{N}$ kann auf verschiedene, in ihrer Gesamtheit kaum übersehbare Weisen in einer Gruppe $\mathfrak{G}$ liegen. Die einfachste Möglichkeit ist, daß $\mathfrak{G}$ zum direkten Produkt von $\mathfrak{N}$ mit $\mathfrak{G}/\mathfrak{N}$ isomorph ist. Die sog. Theorie der *Gruppenerweiterungen* beschäftigt sich mit der allgemeinen Frage, welche Gruppen einen gegebenen Normalteiler mit gegebener Quotientengruppe enthalten.
δ. Das oben formulierte Hauptproblem der Gruppentheorie zerlegt sich nun in zwei große Teilprobleme: das eben genannte Erweiterungsproblem und die Bestimmung aller Gruppen ohne (nicht-triviale) Normalteiler. Solche Gruppen sind die Elementarbausteine, aus denen alle Gruppen aufgebaut sind; sie heißen daher *einfach.* Auch die Bestimmung aller einfachen Gruppen ist ein Problem, dessen Lösung heute kaum möglich erscheint. Immerhin ist es kürzlich ›zur Hälfte‹ gelöst worden: eine umfangreiche Arbeit von J. G. Thompson gipfelt in dem Resultat, daß man alle einfachen Gruppen von ungerader Ordnung bereits kennt. Wir meinen die zyklischen Gruppen von Primzahlordnung. Diese sind abelsch, und jede einfache abelsche Gruppe ist zu einer von diesen isomorph. Es gibt aber auch nicht-abelsche einfache Gruppen. Der *Abelsche Satz* (→ Gleichungen), daß sich Gleichungen höheren als 4. Grades im allgemeinen nicht mehr durch Wurzeloperationen lösen lassen, ist eine Konsequenz des gruppentheoretischen Satzes, daß die Gruppen $\mathfrak{A}_n$ für $n > 4$ stets einfach sind; davon, daß diese Gruppen nicht-abelsch sind, überzeugt man sich leicht; die $\mathfrak{A}_5$ – sie hat die Ordnung $\frac{1}{2} \cdot 5! = 60$ – ist sogar die kleinste einfache nicht-abelsche Gruppe. So bedeutsam diese Beispiele auch sein mögen, sie geben keineswegs alle einfachen Gruppen wieder.
3. Besonderes Interesse erfahren die *Gruppen endlicher Ordnung.* Der sie betreffende Teil des Hauptproblems, zu jeder natürlichen Zahl N alle Gruppen der Ordnung N anzugeben, ist ebenfalls von einer Lösung weit entfernt.

α. In diesem Zusammenhang ist eine einfache Feststellung zunächst verblüffend: Ist $\mathfrak{G} = \{a_1, \ldots, a_N\}$ eine endliche Gruppe, so bewirkt jedes Element a_i eine Permutation $\begin{pmatrix} a_1, \ldots, a_N \\ a_i a_1, \ldots, a_i a_N \end{pmatrix}$ von $\mathfrak{G}$; jedem a_i aus $\mathfrak{G}$ ist somit ein Element der $\mathfrak{S}_N$ zugeordnet, und diese Abbildung ist, wie man leicht erkennt, eine isomorphe Abbildung von $\mathfrak{G}$ in $\mathfrak{S}_N$; mit anderen Worten: durch die symmetrischen Gruppen und ihre Untergruppen erhält man sämtliche endlichen Gruppen. Der scheinbare Widerspruch zu obiger Bemerkung löst sich durch das Eingeständnis, daß die Struktur der symmetrischen Gruppen – trotz ihres so konkreten Charakters – sehr undurchsichtig ist.

β. Wenn N die Zahl 1 oder eine Primzahl ist, gibt es nur die zyklische Gruppe von dieser Ordnung. Für $N = 1, 2, 3, 5, 7$ beispielsweise gibt es nur eine Gruppe dieser Ordnung. Für $N = 4$ erhält man außer der zyklischen nur eine weitere, die *Kleinsche Vierergruppe* $\mathfrak{V}_4$; man kann sie etwa als die Untergruppe – sogar Normalteiler – $\{(1), (12)(34), (13)(24), (14)(23)\}$ der $\mathfrak{S}_4$ beschreiben; sie ist nicht zyklisch, aber abelsch. Für $N = 6$ gibt es außer der zyklischen wieder nur eine Gruppe, die $\mathfrak{S}_3$: sie ist die erste nicht-abelsche Gruppe.

c) Zum Schluß sei noch ein Teilgebiet der Gruppentheorie erwähnt, das besonders für die Anwendung in der modernen Physik bedeutsam geworden ist: die *Darstellungstheorie.* Als *Darstellung einer Gruppe* $\mathfrak{G}$ bezeichnet man einfach eine homomorphe Abbildung von $\mathfrak{G}$ in eine lineare Gruppe. Die Anwendbarkeit dieser Theorie beruht auf folgendem Grundgedanken: Ein physikalischer Vorgang wird oft durch Lösungen gewisser linearer Differentialgleichungen beschrieben; zu deren Aufstellung benötigt man ein geeignetes Koordinatensystem; die Symmetrien des betrachteten physikalischen Systems spiegeln sich wider in der Vielzahl von anderen gleichberechtigten Koordinatensystemen; die Transformationen des Raumes, durch die diese Koordinatensysteme ineinander übergeführt werden, bilden eine Gruppe, welche in klarer Weise die genannten Symmetrien beschreibt. Übt man nun eine solche Transformation auf die Koordinaten aus, so erfahren die Lösungen der Differentialgleichungen auch Transformationen, die sich in ihrer Gesamtheit als eine Darstellung dieser Gruppe $\mathfrak{G}$ erweisen. Aus der Kenntnis aller Darstellungen kann man nun gewisse Aussagen über die Lösungen gewinnen, ohne die Differentialgleichungen selbst lösen zu müssen. Es sei noch erwähnt, daß die Darstellungstheorie eine überraschende Brücke zur Analysis schlägt, dadurch, daß sie zu einer tiefliegenden Verallgemeinerung der Theorie der sog. *fastperiodischen Funktionen* führt.

B. Algebraische Strukturen mit zwei Verknüpfungen. Unter dem Gesichtspunkt dieser allgemeinen Begriffe sind von den vier Grundrechenoperationen der reellen Zahlen nur die Addition und die Multiplikation selbständige Verknüpfungen, mit denen die Menge **R** auf zwei verschiedene Weisen eine Halbgruppe wird, während ihre Umkehrungen, Subtraktion und Division, durch die im Gruppenbegriff geforderte Lösbarkeit von Gleichungen erfaßt werden.

Addition und Multiplikation sind aber noch nicht unabhängig voneinander: die Regel über das Ausmultiplizieren von Klammern gibt an, wie beide Verknüpfungen miteinander verzahnt sind. Allgemein sind algebraische Strukturen mit zwei Verknüpfungen nur dann interessant, wenn diese untereinander in einem vernünftigen Sinne ›verträglich‹ sind. Das Klammernrechnen, die sog. *Distributivität,* ist das bei weitem wichtigste Beispiel dafür.

In Analogie zum Zahlenrechnen nennen wir in einer algebraischen Struktur mit zwei Verknüpfungen diese beiden Operationen im folgenden Addition und Multiplikation und bezeichnen sie mit den Symbolen + und · .

I. Distributivität. Auch hier empfiehlt es sich, nicht sofort alle Regeln zusammenzustellen, die man bei den reellen Zahlen gewohnt ist. Schon in der Menge **Z** der ganzen Zahlen ist die Division nicht immer ausführbar; aber gerade diese negative Feststellung macht ja den Teilbarkeitsbegriff erst interessant, so sehr, daß sich ihm die Theorie der → algebraischen Zahlen widmet. Eine Theorie, in der die Möglichkeit der Division vorausgesetzt wird, würde also solche wichtigen algebraischen Strukturen nicht erfassen.

Den hinreichend allgemeinen Begriff gibt folgende Definition: *Eine algebraische Struktur mit den beiden Verknüpfungen + und · heißt Ring, wenn sie bezüglich der Verknüpfung + eine abelsche Gruppe und bezüglich der Verknüpfung · eine Halbgruppe ist und beide Verknüpfungen durch die Distributivgesetze*

$$a \cdot (b + c) = a \cdot b + a \cdot c, \quad (a + b) \cdot c = a \cdot c + b \cdot c$$

gekoppelt sind.

In der Schreibweise dieser Distributivgesetze kommt die übliche Konvention zum Zuge, daß die Multiplikation den Vorrang vor der Addition habe (sonst müßte man beispielsweise $(a \cdot c) + (b \cdot c)$ statt $a \cdot c + b \cdot c$ schreiben). Ist die Multiplikation kommutativ, so genügt natürlich eines der beiden Distributivgesetze.

a) Das neutrale Element der additiven Gruppe eines Ringes $\mathfrak{R}$ wird *Nullelement* genannt und mit o bezeichnet. Für jedes Element a aus $\mathfrak{R}$ gilt

$$o + a = a, \quad o \cdot a = o.$$

Die axiomatische Betrachtungsweise läßt diese beiden Eigenschaften des Nullelementes in unterschiedlicher Bedeutung erscheinen: die erste ist lediglich die Definition der 0 als neutrales Element der Addition, die zweite ist eine allgemeingültige Aussage. Diese ist beweisbar, und zwar wesentlich als Folge der Distributivität: wegen $0 + 0 = 0$ gilt nämlich

$$0 \cdot a = (0 + 0) \cdot a = 0 \cdot a + 0 \cdot a;$$

$0 \cdot a$ löst also die Gleichung $0 \cdot a + x = 0 \cdot a$; dasselbe leistet das Nullelement 0; da solche Gleichungen in einer Gruppe nur eine Lösung besitzen, folgt $0 \cdot a = 0$.

b) Gegenüber der multiplikativen Verknüpfung braucht ein Ring kein neutrales Element zu haben. Hat er eins, so ist es eindeutig bestimmt und heißt das *Einselement* des Ringes.

c) In einem Ring sind nach a) die speziellen Gleichungen $0 \cdot x = b$ für $b \neq 0$ stets unlösbar. Das muß man beachten, wenn man die Möglichkeit der Division axiomatisch fixieren will: man kann die Lösbarkeit von Gleichungen $a \cdot x = b$ nur für $a \neq 0$ fordern! Diese Forderung bewirkt, daß $\mathfrak{R}$ nach Herausnahme des Nullelements, also $\mathfrak{R}^* := \mathfrak{R} - \{0\}$, bezüglich der Multiplikation eine Gruppe ist. Solche Ringe heißen *Körper*. Die reellen Zahlen bilden also den Körper **R**; dagegen ist der Ring **Z** der ganzen Zahlen kein Körper.

II. Beispiele. a) Auf den Ring **Z** und den Körper **R** wurde bereits mehrfach Bezug genommen. Allgemein bekannt sind ferner (→ Zahlen) der Körper **P** der rationalen Zahlen – er ist der kleinste Körper, der den Ring **Z** umfaßt – und der Körper **C** der komplexen Zahlen. Im Gegensatz zu diesen Beispielen ist der Körper **Q** der *hamiltonschen Quaternionen* nicht kommutativ.

b) Nicht-kommutativ ist ferner für $n > 1$ der Ring, den man aus der multiplikativen Halbgruppe der quadratischen Matrizen von n Zeilen erhält, wenn man als Addition diejenige Verknüpfung erklärt, die zwei Matrizen A und B die Matrix $A + B$ zuordnet, deren Elemente c_{ik} die Summen aus den entsprechenden Elementen von A und B sind: $c_{ik} = a_{ik} + b_{ik}$. Der Matrizenring hat ein Einselement, die Einheitsmatrix.

c) Auch in jeder zyklischen Gruppe $\mathbf{Z}_n$ (siehe oben A III b 2 β) ist eine weitere Verknüpfung möglich, durch die sie zu einem Ring wird: ›Produkt‹ zweier Zahlen i und j sei der Rest, den $i \cdot j$ bei Teilung durch n läßt. Da auch die frühere Verknüpfung ganz analog mittels $i + j$ beschrieben werden kann, nennt man diese beiden Verknüpfungen wieder Addition und Multiplikation und bezeichnet sie, wenn kein Mißverständnis zu befürchten ist, durch + und ·. Diese *Restklassenringe modulo* n bilden das für die elementare Zahlentheorie adäquate algebraische Hilfsmittel. *Wenn* p *eine Primzahl ist – und nur dann! —, ist der Ring* $\mathbf{Z}_p$ *sogar ein Körper:* es gibt also endliche Körper (sog. *Galois-Felder*).

d) Die Menge der Polynome mit Koeffizienten aus einem Ring $\mathfrak{R}$ bildet in geläufiger Weise wieder einen Ring: den *Polynomring* $\mathfrak{R}$ [x] *über* $\mathfrak{R}$. Man kann also aus $\mathfrak{R}$ [x] wieder einen Ring $\mathfrak{R}$ [x] [y] konstruieren usw. Diese Konstruktion ist unabhängig von der Reihenfolge, in der ›die Unbestimmten adjungiert‹ werden.

III. Nicht-kommutative Ringe. a) So wichtig die in den Beispielen II a und II b genannten nicht-kommutativen Strukturen sind, so sehr entzieht sich das Phänomen des Nicht-Kommutativen einem allgemeinen Überblick. Um so bedeutsamer sind einige Strukturaussagen allgemeinen Charakters, von denen hier die beiden folgenden, die sich heute sogar relativ einfach beweisen lassen, angeführt seien.

1. Satz von *Wedderburn: Es gibt keinen nicht-kommutativen Körper aus endlich vielen Elementen.* — Dagegen zeigt das Beispiel II c, daß endliche kommutative Körper existieren.

2. Satz von *Frobenius: Der Quaternionenkörper* **Q** *ist der einzige nicht-kommutative Oberkörper über dem Körper* **R** *der reellen Zahlen, wenn man voraussetzt, daß jedes Element des Oberkörpers mit jeder reellen Zahl vertauschbar und Nullstelle eines Polynoms mit reellen Koeffizienten ist.* — Dieser Satz fand in neuerer Zeit ein tiefliegendes Gegenstück in einem Satz von *Pontrjagin,* durch den die Körper **R**, **C** und **Q** topologisch charakterisiert werden.

b) Es sei noch erwähnt, daß man in der Theorie der sog. *Algebren* oder *hyperkomplexen Systeme* eine gewisse Handhabe besitzt, um nicht-kommutative Ringe zu studieren; die sich ergebende Theorie ist eine Erweiterung der Darstellungstheorie von Gruppen auf Ringe.

c) Neuerdings sind algebraische Strukturen mit zwei Verknüpfungen von großem Interesse — beispielsweise für die Grundlagen der Geometrie, für die sogar das assoziative Gesetz der Multiplikation nicht erfüllt ist, sondern durch schwächere Forderungen ersetzt wird. Ein bekanntes Beispiel für solche nicht-assoziativen Algebren sind die Vektoren des Anschauungsraumes mit der Vektoraddition und der äußeren (vektoriellen) Multiplikation: das Assoziativgesetz wird hier ersetzt durch die *Lagrangesche Identität*

$$\mathfrak{a} \times (\mathfrak{b} \times \mathfrak{c}) + \mathfrak{b} \times (\mathfrak{c} \times \mathfrak{a}) + \mathfrak{c} \times (\mathfrak{a} \times \mathfrak{b}) = 0;$$

solche Strukturen heißen *Liesche Ringe.*

IV. Körper. Von nun ab seien alle Ringe und Körper kommutativ.

a) In jedem Körper $\mathfrak{K}$ gibt es einen kleinsten Unterkörper; dieser ist als Durchschnitt aller Unterkörper wohlbestimmt: er heißt

Primkörper von $\mathfrak{K}$. Er ist notwendig der Körper $\mathbf{P}$ der rationalen Zahlen oder ein Galois-Feld $\mathbf{Z}_p$. In letzterem Falle heißt p die *Charakteristik* von $\mathfrak{K}$, in ersterem Falle erteilt man $\mathfrak{K}$ die Charakteristik Null.

b) Man kennt sämtliche endlichen Körper. Nach III a 1 sind sie notwendig kommutativ. Sie lassen sich durch die Anzahl ihrer Elemente vollständig kennzeichnen: Ist p die Charakteristik des Galois-Feldes, so ist die Anzahl seiner Elemente eine Potenz von p. *Umgekehrt gibt es zu jeder Primzahlpotenz genau ein Galois-Feld mit dieser Anzahl von Elementen. Die multiplikativen Gruppen der endlichen Körper sind sämtlich zyklisch.*

c) Der Ring $\mathbf{Z}$ ist im Körper $\mathbf{P}$ enthalten. Eine entsprechende Feststellung ist keineswegs für alle Ringe richtig. Beispielsweise kann der Ring $\mathbf{Z}_6$ nicht in einen Körper eingebettet werden. Denn in $\mathbf{Z}_6$ ist 2 ein sog. *Nullteiler* wegen $2 \cdot 3 = 0$, und daraus würde in einem Oberkörper wegen der Existenz von 2^{-1} folgen

$$0 = 2^{-1} \cdot 0 = 2^{-1} \cdot (2 \cdot 3) = (2^{-1} \cdot 2) \cdot 3 = 1 \cdot 3 = 3,$$

was nicht stimmt.

Man sieht: Damit ein Ring $\mathfrak{R}$ in einen Körper einbettbar ist, darf er keine Nullteiler enthalten. Diese Eigenschaft – man sagt, $\mathfrak{R}$ sei ein *Integritätsring* – ist aber *nicht nur notwendig, sondern auch hinreichend für die Einbettbarkeit in einen Körper.* Der Beweis wird durch Konstruktion eines kleinsten Körpers erbracht, der $\mathfrak{R}$ umfaßt, ebenso wie dies im Spezialfall der Konstruktion von $\mathbf{P}$ aus $\mathbf{Z}$ (→ Zahlen) geläufig ist.

d) Von großer Bedeutung ist die Frage nach sämtlichen Unterkörpern eines Körpers und den Beziehungen zwischen ihnen. Wegen ihrer Beziehungen zur Gleichungstheorie haben wir sie in einigen Fällen im Abschnitt über → Gleichungen skizziert.

V. Ringe und Ideale. a) Die Konstruktion der Ringe $\mathbf{Z}_n$ kann man etwas anders beschreiben, als es in II c geschehen ist: die in $\mathbf{Z}$ durch $n\mathbf{Z}$ (s. o. A III b 2 γ) definierte Äquivalenzrelation ist nicht nur mit der additiven, sondern auch mit der multiplikativen Struktur verträglich. Die Äquivalenz $a \sim b$ bedeutet hier nämlich: $a - b$ ist teilbar durch n; mit einer beliebigen ganzen Zahl c ist dann auch $c \cdot (a - b)$ teilbar durch n, d. h. $ca \sim cb$. Ist also $c \sim d$, so folgt ebenso $cb \sim db$, also $ca \sim db$. Dadurch überträgt sich nicht nur die additive, sondern auch die multiplikative Struktur von $\mathbf{Z}$ auf $\mathbf{Z}_n = \mathbf{Z}/n\mathbf{Z}$, das somit zu einem Ring wird.

b) Um diese Konstruktion in einem beliebigen Ring $\mathfrak{R}$ nachvollziehen zu können, braucht man eine Teilmenge $\mathfrak{J}$ von $\mathfrak{R}$ mit folgenden beiden Eigenschaften: 1. $\mathfrak{J}$ ist eine Untergruppe bezüglich der additiven Struktur von $\mathfrak{R}$; 2. mit $a \in \mathfrak{J}$ und $c \in \mathfrak{R}$ ist stets $ac \in \mathfrak{J}$. Solche Teilmengen heißen *Ideale.* Der Name stammt aus der Zahlentheorie: in obigem Beispiel kann das Ideal n$\mathbf{Z}$ von $\mathbf{Z}$ aus einer beliebigen Zahlenmenge, deren größter gemeinsamer Teiler n ist, erzeugt gedacht werden; in der Theorie der → algebraischen Zahlen treten aber auch Ringe auf, in denen es zu einer gegebenen Zahlenmenge gar keinen größten gemeinsamen Teiler zu geben braucht; das von einer solchen Zahlenmenge erzeugte Ideal selbst ist aber ein vollwertiger Ersatz für den möglicherweise nicht existierenden größten gemeinsamen Teiler, so daß *E. Kummer* dafür den Begriff der *idealen Zahl* geprägt hat. Die Äquivalenzklassen eines Ringes $\mathfrak{R}$ nach einem Ideal $\mathfrak{J}$ heißen auch *Restklassen* in Analogie zu unserem Beispiel, in welchem eine solche Klasse genau aus denjenigen Zahlen besteht, die bei Teilung durch n denselben Rest ergeben. *Die Menge* $\mathfrak{R}/\mathfrak{J}$ *der Restklassen* — und das ist das Ziel dieser Betrachtungen — *trägt nun auf natürliche Weise wieder Ringstruktur.* Ordnet man jedem Element von $\mathfrak{R}$ die Restklasse nach $\mathfrak{J}$ zu, in der es liegt, so erhält man — analog wie für Gruppen — eine homomorphe Abbildung des Ringes $\mathfrak{R}$ auf den *Restklassenring* $\mathfrak{R}/\mathfrak{J}$.

c) 1. Die Besonderheit, daß in unserem Beispiel das Ideal n$\mathbf{Z}$ durch den größten gemeinsamen Teiler n definiert ist, drückt man dadurch aus, daß man sagt: n$\mathbf{Z}$ ist ein *Hauptideal.* In einem Ring mit Einselement ist entsprechend ein Ideal $\mathfrak{J}$ ein Hauptideal, wenn es aus den Vielfachen eines Elementes d besteht. Dafür ist auch die Schreibweise (d) statt $\mathfrak{J}$ üblich; insbesondere ist also n$\mathbf{Z}$ = (n) in $\mathbf{Z}$.

2. In $\mathbf{Z}$ ist jedes Ideal Hauptideal. Ringe mit dieser Eigenschaft heißen *Hauptidealringe.*

Für $\mathbf{Z}$ ist diese Eigenschaft eine Folge des *euklidischen Divisionsalgorithmus* (→ Zahlen). Es gibt wichtige Ringe, in denen ein Analogon zu diesem Algorithmus möglich ist; beispielsweise ist dies der Fall für jeden Polynomring $\mathfrak{K}$ [x] über einem Körper $\mathfrak{K}$. Solche Ringe heißen daher *euklidisch. Jeder euklidische Ring ist Hauptidealring.*

d) Für ein Ideal $\mathfrak{J}$ in einem Ring $\mathfrak{R}$ ist es bedeutsam, ob der Restklassenring $\mathfrak{R}/\mathfrak{J}$ spezielle Eigenschaften besitzt.

1. In einem Ring $\mathfrak{R}$ mit Einselement ist beispielsweise *ein Ideal* $\mathfrak{J}$ *genau dann maximal* — d. h. ein Ideal, das $\mathfrak{J}$ echt umfaßt, ist notwendig der ganze Ring $\mathfrak{R}$ —, *wenn* $\mathfrak{R}/\mathfrak{J}$ *ein Körper ist.* Mithin ist die Behauptung (s. o. II c), für eine Primzahl p sei $\mathbf{Z}_p = \mathbf{Z}/(p)$ ein Körper, äquivalent mit der Feststellung, daß das Hauptideal (p) in $\mathbf{Z}$ maximal ist. Diese wiederum ergibt sich daraus, daß p keinen ›echten Teiler‹ besitzt (bis auf solche Teiler, die in allen Elementen des Ringes aufgehen, sog. *Einheiten,* hier 1 und — 1) oder, was dasselbe ist, daß (p) ein maximales Hauptideal ist — d. h., daß es außer dem ganzen

Ring kein *Hauptideal* gibt, das (p) echt umfaßt —; in **Z** ist aber jedes Ideal Hauptideal, (p) also schlechthin maximal. Die Eigenschaft von p, keinen echten Teiler zu besitzen, hat auch in beliebigen Ringen einen Sinn: Elemente mit dieser Eigenschaft heißen *unzerlegbar* oder *irreduzibel*, und wie oben ergibt sich, daß *ein Element genau dann irreduzibel ist, wenn es ein maximales Hauptideal erzeugt.*

2. Eine Primzahl p in **Z** hat außer der Unzerlegbarkeit eine weitere Eigenschaft: ist p Teiler eines Produktes, so teilt es bereits einen Faktor. Sie ist mit der Unzerlegbarkeit von p äquivalent. Diese Äquivalenz besteht aber keineswegs in beliebigen Ringen — nicht einmal in Hauptidealringen; hat nämlich in einem Ring $\mathfrak{R}$ das Element a diese Eigenschaft, so ist das gleichbedeutend damit, daß der Restklassenring $\mathfrak{R}/(a)$ ein Integritätsring ist, während die Unzerlegbarkeit von a in einem Hauptidealring bedeutet, daß $\mathfrak{R}/(a)$ ein Körper ist. Die in Rede stehende Eigenschaft ist es gerade, die man mehr oder weniger direkt benötigt, wenn man im Ring $\mathfrak{R}$ die Eindeutigkeit der Faktorzerlegung in Primzahlen beweist (→ Zahlen). Man nennt in beliebigen Ringen Elemente mit dieser Eigenschaft *prim*. Auch Ideale heißen prim, wenn ihr Restklassenring ein Integritätsring ist. Nach obigem ist also *ein Element genau dann Primelement, wenn es ein Primideal erzeugt. In einem Integritätsring mit Einselement ist jedes Primelement unzerlegbar. In einem Hauptidealring ist jedes unzerlegbare Element prim.*

3. An der Frage, wie sich der Hauptsatz der elementaren Zahlentheorie (→ Zahlen A III d) auf allgemeine Ringe übertragen läßt, haben wir uns bei der Einführung unserer Begriffe orientiert. Wir wollen uns nun dieser Frage selbst zuwenden und beschränken uns dabei auf Integritätsringe mit Einselement. Solche Ringe, in denen der genannte Hauptsatz gilt, in denen sich also jedes Element auf genau eine Weise als Produkt von unzerlegbaren Elementen schreiben läßt, heißen *ZPE-Ringe.*

In ZPE-Ringen sind unzerlegbare Zahlen und Primzahlen identisch. Hat umgekehrt ein Ring diese Eigenschaft, so ist die Zerlegung seiner Elemente in Primfaktoren auf höchstens eine Weise möglich. Die Möglichkeit selbst wird gesichert durch eine weitere Annahme, die für sog. *Noethersche Ringe* charakteristisch ist. Es ist wichtig, zu entscheiden, ob ein gegebener Ring ein ZPE-Ring ist. Dies ist der Fall für Integritäts-Hauptidealringe, insbesondere also für euklidische Ringe; weitere wichtige Beispiele sind die Polynomringe $\mathfrak{R}[x_1, x_2, \ldots, x_n]$, wenn der Koeffizientenring $\mathfrak{R}$ selbst ZPE-Ring ist *(Satz von Gauß).*

e) Zum Schluß sei noch die *Bewertungstheorie* genannt, in der gewisse topologische Eigenschaften von Ringen algebraisch erfaßt werden. Durch solche Methoden werden neuerdings ungemein fruchtbare Brücken zwischen Algebra und Analysis geschlagen.

C. Lineare Algebra. In der elementaren analytischen Geometrie erweist sich der Vektorbegriff als das adäquate Beschreibungsmittel. Durch ihn wird die Geometrie algebraischen Methoden zugänglich, weil gewisse geometrische Operationen sich in vektorieller Sprache als Verknüpfungen im algebraischen Sinn erweisen. Die Rechenregeln, denen diese Verknüpfungen genügen, sind also lediglich algebraische Interpretationen geometrischer Sätze. Will man die zugehörige algebraische Struktur studieren, so wird man von diesen Verknüpfungen und einigen dieser Rechenregeln als Axiomen ausgehen und ohne Rückgriff auf die geometrische Herkunft der Begriffe und Axiome die Theorie deduktiv entwickeln. Sie ist wegen ihrer breiten Anwendbarkeit außerordentlich wichtig. Unter anderem bejaht sie in klarer Weise die Frage, ob es etwa eine siebendimensionale Geometrie gäbe, und wenn diese Antwort scheinbar nicht befriedigt, so deswegen, weil sie sich lediglich auf die mathematische Existenz, d. h. die widerspruchsfreie Möglichkeit, und nicht auf die physikalische Realität bezieht.

I. Vektorräume. a) Von den Verknüpfungen, die in der analytischen Geometrie mit Vektoren vorgenommen werden, hebt man zunächst die beiden *affinen Operationen* heraus: die Addition von Vektoren und die Multiplikation eines Vektors mit einer Zahl. Vom algebraischen Standpunkt aus ist die Menge der Vektoren nun nicht eine algebraische Struktur mit zwei Verknüpfungen in dem bisher dargelegten Sinne; denn die Multiplikation mit einer Zahl ordnet ja dieser und einem Vektor einen neuen Vektor als Resultat zu, so daß zur Erklärung dieser Verknüpfung nicht nur die Menge V der Vektoren, sondern noch eine zweite – der Körper **R** der reellen Zahlen – erforderlich ist. Diese Verknüpfung ist eine Abbildung von $\mathbf{R} \times V$ in V und wird daher auch als *äußere Verknüpfung* bezeichnet, im Gegensatz zu unseren bisherigen ›*inneren*‹ Verknüpfungen, zu denen auch die Vektoraddition gehört, die ja eine Abbildung von $V \times V$ in V darstellt (→ Mengen, Abbildungen, Strukturen).

In Anlehnung an die genannten geometrischen Gegebenheiten sind die Benennungen in der folgenden, rein algebraischen Definition gewählt: *Eine additiv geschriebene abelsche Gruppe* V *heißt Vektorraum und ihre Elemente Vektoren, wenn jeder Zahl* α *und jedem Element* a *von* V *ein weiteres Element* αa *von* V *zugeordnet ist und für diese Zuordnung stets gilt:*

$$(\alpha + \beta)\,a = \alpha a + \beta a,$$
$$\alpha\,(a + b) = \alpha a + \alpha b,$$
$$(\alpha\beta)\,a = \alpha\,(\beta a),$$
$$1a = a.$$

Bemerkung: Wir werden hier unter ›Zahl‹ stets eine reelle oder — ausnahmsweise — komplexe Zahl verstehen, obgleich die Theorie möglich und interessant ist, wenn man ›Zahlen‹ eines beliebigen Körpers zuläßt. Man kann sogar auf die Körpereigenschaft der Zahlenmenge verzichten und nur voraussetzen, daß sie einen Ring bilden: man spricht dann von einem *Modul;* diese überaus wichtige Verallgemeinerung der Theorie der Vektorräume ist jedoch erheblich komplizierter, so daß wir uns auf jene beschränken wollen.

b) Daß es Vektorräume wirklich gibt, zeigen die folgenden Beispiele:

1. Für eine natürliche Zahl n ist $\mathbf{R}^n$ die Menge der n-tupel $(\alpha_1, \ldots, \alpha_n)$ mit reellen α_i; durch Einführung der Verknüpfungen

$$(\alpha_1, \ldots, \alpha_n) + (\beta_1, \ldots, \beta_n) := (\alpha_1 + \beta_1, \ldots, \alpha_n + \beta_n),$$
$$\alpha\,(\alpha_1, \ldots, \alpha_n) := (\alpha\alpha_1, \ldots, \alpha\alpha_n)$$

wird $\mathbf{R}^n$ ein Vektorraum, ein sog. *Zahlenraum.*

2. Die Menge aller Polynome bildet mit den auf natürliche Weise definierten Verknüpfungen einen Vektorraum.

c) Nun sei V ein beliebiger Vektorraum.

1. Sind $a_1, \ldots, a_N$ irgendwelche seiner Vektoren, so haben auch alle *Linearkombinationen* $\alpha_1 a_1 + \cdots + \alpha_N a_N$ mit beliebigen Zahlen α_i einen Sinn und sind Vektoren aus V. Man nennt nun eine Vektormenge $\{a_1, \ldots, a_N\}$ *Erzeugendensystem* von V, wenn man alle Vektoren aus V als solche Linearkombinationen erhalten kann.

2. Hat ein Vektorraum ein solches Erzeugendensystem aus endlich vielen Vektoren, so sagt man, er habe *endliche Dimension.* Beispielsweise sind die Zahlenräume $\mathbf{R}^n$ endlich-dimensional, da die Vektormenge

$$\{(1, 0, \ldots, 0), (0, 1, \ldots, 0), \ldots, (0, 0, \ldots, 1)\}$$

wegen

$$(\alpha_1, \ldots, \alpha_n) = \alpha_1\,(1, \ldots, 0) + \cdots + \alpha_n\,(0, \ldots, 1)$$

ein Erzeugendensystem ist. Andererseits ist der Raum aller Polynome von unendlicher Dimension, weil es Polynome beliebig hohen Grades gibt. Wir wollen uns im folgenden auf endlich-dimensionale Vektorräume beschränken, nicht so sehr, weil die unendlich-dimensionalen erheblich schwieriger zu behandeln wären, sondern weil diese in den interessanten Anwendungen meistens noch mit topologischen Eigenschaften versehen sind; die Theorie der *topologischen Vektorräume* gestattet es erst, Vektorräume unendlicher Dimension befriedigend zu studieren.

3. Eine Vektormenge heißt *linear-unabhängig,* wenn sie in folgendem Sinne keine überflüssigen Vektoren enthält: die Gesamtheit ihrer Linearkombinationen ist umfassender als

diejenigen, die man jeweils aus ihren echten Teilmengen bilden kann.

4. α. Es zeigt sich nun leicht, daß jeder Vektorraum V ein linear-unabhängiges Erzeugendensystem besitzt. Für ein solches ist der Name *Basis* gebräuchlich. Von entscheidender Bedeutung ist nun der Satz, daß *alle Basen von* V *aus gleichviel Vektoren bestehen.* Diese Anzahl ist also eine Eigenschaft des Vektorraumes, und man nennt sie seine *Dimension.*

β. Das oben angeführte Erzeugendensystem des Zahlenraumes $\mathbf{R}^n$ ist beispielsweise eine Basis, so daß sich der $\mathbf{R}^n$ als n-dimensional erweist.

γ. Ein erster Zusammenhang mit der Matrizentheorie (s. o. A I a 15 u. A III a 1) ergibt sich folgendermaßen: Ist $\{a_1, \ldots, a_n\}$ eine Basis des Vektorraumes V und ist das Vektorsystem $\{b_1, \ldots, b_n\}$ durch $b_i = \sum_{k=1}^{n} \alpha_{ik} a_k$, $i = 1, \ldots, n$, gegeben, so ist dieses genau dann wieder eine Basis, wenn die Determinante der Matrix

$$\begin{pmatrix} \alpha_{11} \ldots \alpha_{1n} \\ \ldots\ldots\ldots \\ \alpha_{n1} \ldots \alpha_{nn} \end{pmatrix}$$

von Null verschieden, diese Matrix also invertierbar ist. Durch Zwischenschalten geeigneter Basen, die den Übergang zwischen diesen beiden Basen übersichtlich machen, kann man ein einfaches rechnerisches Verfahren zum Invertieren von Matrizen gewinnen.

d) 1. Ist V ein Vektorraum, so sind die *linearen Funktionen* φ auf V interessant, d. h. Abbildungen von V in **R** mit den Eigenschaften

$$\varphi(a + b) = \varphi(a) + \varphi(b), \varphi(\alpha a) = \alpha\varphi(a).$$

Wenn $\{a_1, \ldots, a_n\}$ eine Basis von V ist und der beliebige Vektor a sich darstellt als $a = x_1a_1 + \cdots + x_na_n$ – die wohlbestimmten Zahlen $x_1, \ldots, x_n$ heißen *Koordinaten von* a *bezüglich der gegebenen Basis* –, so ist eine solche lineare Funktion φ nichts anderes als

$$\varphi(a) = \beta_1x_1 + \cdots + \beta_nx_n$$

mit gewissen Zahlen β_i, genauer: $\beta_i = \varphi(a_i)$.

2. Da man mit Funktionen auf natürliche Weise rechnen kann, erweist sich die Gesamtheit V^* aller linearen Funktionen auf V wieder als ein Vektorraum von derselben Dimension. Er heißt *Dualraum* zu V, und V ist seinerseits (aber nur bei der hier vorausgesetzten endlichen Dimension!) dual zu V^*.

3. Diese Dualität zwischen V und V^* gestattet es nun, jeden Teilvektorraum U von V zu beschreiben durch den Teilraum U_0 von V^*, bestehend aus denjenigen linearen Funktionen, die

auf allen Vektoren von U verschwinden. Das ist nichts anderes als die in der analytischen Geometrie geläufige Beschreibungsweise von Ebenen oder Geraden durch lineare Gleichungen oder Gleichungssysteme. Das sog. *Dualitätsprinzip* der linearen Algebra besagt nun, daß diese Zuordnung $U \to U_0$ der Teilvektorräume von V und derjenigen von V^* bijektiv ist und Summe und Durchschnitt vertauscht:

$$(U + W)_0 = U_0 \cap W_0, \quad (U \cap W)_0 = U_0 + W_0;$$

dabei bedeutet $U + W$ den kleinsten Teilvektorraum von V, der $U \cup W$ umfaßt.

II. Lineare Abbildungen. a) Sind V_1, V_2 zwei Vektorräume, so sind *lineare Abbildungen* φ: $V_1 \to V_2$ interessant; sie sind analog definiert wie im Spezialfall $V_2 = \mathbf{R}$ die linearen Funktionen auf V_1. Die Linearität ist also nichts anderes als ein anderer Name für Vektorraum-Homomorphie.

b) Es gilt nun der naheliegende Satz, daß *zwei Vektorräume genau dann isomorph,* d. h. linear und bijektiv, *aufeinander abbildbar sind, wenn sie dieselbe Dimension besitzen.* Damit ist insbesondere gesagt, daß jeder (endlich-dimensionale!) Vektorraum genau einem Zahlenraum $\mathbf{R}^n$ isomorph ist, so daß man in diesen algebraische Modelle für alle diese Vektorräume besitzt.

c) Ist wieder φ eine beliebige lineare Abbildung von V_1 in V_2, so kann man sie nach Fixierung von Basen $\{a_1, \ldots, a_n\}$ in V_1 und $\{b_1, \ldots, b_m\}$ in V_2 beschreiben durch die Matrix des Gleichungssystems

$$\varphi\,(a_i) = \sum_{k=1}^{m} \alpha_{ik} b_k, \qquad i = 1, \ldots, n.$$

Wählt man andere Basen, so wird dieselbe Abbildung durch eine andere Matrix beschrieben; solche Matrizen heißen *äquivalent. Die Matrizen* A *und* B *sind genau dann äquivalent, wenn es invertierbare Matrizen* P *und* Q *gibt, derart, daß* $B = PAQ$ *gilt.* Handlicher ist folgendes Kriterium: Jede Matrix A ist genau einer *Normalform*

$$\begin{pmatrix} 1 & 0 & \ldots & 0 & 0 & \ldots & 0 \\ 0 & 1 & \ldots & 0 & 0 & \ldots & 0 \\ \vdots & \vdots & & \vdots & \vdots & & \vdots \\ 0 & 0 & \ldots & 1 & 0 & \ldots & 0 \\ 0 & 0 & \ldots & 0 & 0 & \ldots & 0 \\ \cdot & \cdot & \cdots & \cdot & \cdot & \cdots & \cdot \\ 0 & 0 & \ldots & 0 & 0 & \ldots & 0 \end{pmatrix}$$

äquivalent; die Anzahl der Einsen in der Normalform von A heißt der *Rang von* A. *Zwei Matrizen sind nun genau dann äquivalent, wenn sie dieselben Zeilenanzahlen, Spaltenanzahlen und Ränge haben.*

d) Interessanter sind die linearen Abbildungen *eines* Vektorraumes in sich.

1. Hier ist nur eine gemeinsame Basis wählbar, so daß Matrizen, die zur selben Abbildung gehören, einer schärferen Bedingung unterworfen sind. Zwei solche Matrizen heißen *ähnlich*. *A und B sind genau dann ähnlich, wenn es eine invertierbare Matrix P gibt, derart, daß* $B = PAP^{-1}$ *gilt.*

2. Wichtig sind Vektoren, die unter einer solchen linearen Abbildung φ von V in sich ihre ›Richtung‹ beibehalten, das heißt nur mit einem Zahlenfaktor multipliziert werden: $\varphi(a) = \alpha a$. Ein solcher Vektor a heißt *Eigenvektor*, der Faktor α *Eigenwert* der Abbildung φ. Die Eigenwerte findet man als Lösungen der *charakteristischen Gleichung* $\text{Det}(A - xI) = 0$; dabei ist A die φ beschreibende Matrix zu irgendeiner Basis, I die Einheitsmatrix und x die Unbekannte, mit der I zur Bildung von xI elementweise zu multiplizieren ist. Die Eigenvektoren erhält man anschließend, in dieser Basis ausgedrückt, durch Lösen linearer Gleichungssysteme für ihre Koordinaten.

3. *Beispiele* linearer Abbildungen. Der Einfachheit halber sei V ein zweidimensionaler Vektorraum mit der Basis $\{a_1, a_2\}$. Eine lineare Abbildung φ von V in sich ist — wegen der Linearität — bekannt, wenn man ihre Wirkung auf die Basisvektoren kennt. Wir geben folgende spezielle Abbildung φ an: $\varphi(a_1) = \alpha_1 a_1 + \varepsilon a_2$, $\varphi(a_2) = \alpha_2 a_2$; dabei sind α_1, α_2 und ε reelle Zahlen, die letztere insbesondere sei Null oder Eins. Als Eigenwerte ergeben sich jetzt α_1 und α_2. Diese Abbildung läßt sich anschaulich einfach beschreiben. Für $\varepsilon = 0$ wird das aus a_1 und a_2 gebildete Parallelogramm in Richtung der Kanten verzerrt (Abb. 1); sind insbesondere die Eigenwerte α_1 und α_2 gleich, so ist diese Verzerrung eine *Ähnlichkeitsabbildung* der ganzen Ebene. Für $\varepsilon = 1$ dagegen wird das genannte Parallelogramm noch zusätzlich einer *Scherung* unterworfen; dabei genügt es sogar, $\alpha_1 = \alpha_2$ anzunehmen (in Abb. 2 wurde der Fall $\alpha_1 = \alpha_2 = 1$ gezeichnet). Diese Beispiele lassen sich offenbar ohne Mühe auf Vektorräume beliebiger Dimensionen ausdehnen.

4. Es läßt sich nun beweisen, daß diese Beispiele hinreichend allgemein sind: *ist* φ *eine beliebige lineare Abbildung des Vektorraumes V in sich, so setzt sich V zusammen aus solchen Teilvektorräumen, daß* φ *auf jedem von ihnen eine Scherung ist.* Es ist hierbei jedoch zu bemerken, daß die Verzerrungsfaktoren α_i im allgemeinen komplexe Zahlen sind, weil sie als Eigenwerte von φ aus der charakteristischen Gleichung gewonnen werden, die nicht notwendig nur reelle Lösungen zu haben braucht. Damit verliert natürlich die oben gegebene

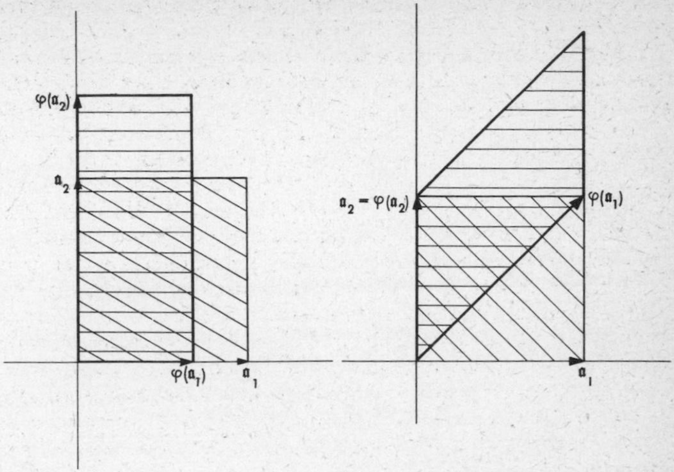

Lineare Abbildung eines 2-dimensionalen Vektorraumes

Abb. 1:

$\varphi(\mathfrak{a}_1) = \frac{2}{3}\,\mathfrak{a}_1$

$\varphi(\mathfrak{a}_2) = \frac{3}{2}\,\mathfrak{a}_2$

Abb. 2: Scherung

$\varphi(\mathfrak{a}_1) = \mathfrak{a}_1 + \mathfrak{a}_2$

$\varphi(\mathfrak{a}_2) = \mathfrak{a}_2$

Deutung etwas an Anschaulichkeit. Beispielsweise läßt sich eine *Drehung* φ der Ebene um den Winkel λ in einer geeigneten Basis, die jedoch aus ›komplexen‹ Vektoren besteht, durch die Matrix

$$\begin{pmatrix} e^{i\lambda} & 0 \\ 0 & e^{-i\lambda} \end{pmatrix}$$

beschreiben.

Der genannte allgemeine Satz hat zur Folge, daß sich zu jeder linearen Selbstabbildung φ eines Vektorraumes eine Basis finden läßt, in der φ durch eine besonders einfache Matrix, die sog. *Jordansche Normalform* von φ, beschrieben wird, deren Berechnung sich aus der skizzierten Theorie ergibt. Daraus folgt dann die Lösung des Ähnlichkeitsproblems für Matrizen: *zwei Matrizen sind genau dann ähnlich, wenn sie dieselbe Jordansche Normalform besitzen.*

III. Euklidische Vektorräume. a) Die bisher dargelegte Theorie ist der affinen Geometrie nachgebildet. Um von dieser zur euklidischen Geometrie zu gelangen, muß man die Längen- und Winkelmessung, vektoriell gesprochen: das skalare Produkt, mit heranziehen. Um etwas Analoges in einem beliebigen Vektorraum V durchführen zu können, braucht man ein algebraisches Analogon des skalaren Produktes. Dieses wird durch folgende Definition gegeben: Eine Funktion f auf $V \times V$ heißt *Bilinearform* auf V, wenn sie linear in beiden Argumenten ist, d. h.

$$f(\alpha x, y) = f(x, \alpha y) = \alpha \cdot f(x, y),$$
$$f(x_1 + x_2, y) = f(x_1, y) + f(x_2, y),$$
$$f(x, y_1 + y_2) = f(x, y_1) + f(x, y_2).$$

Eine Bilinearform f heißt *Skalarprodukt*, wenn sie *symmetrisch* und *positiv definit* ist, d. h. wenn stets gilt:

$$f(y, x) = f(x, y) \text{ und } f(x, x) > 0 \text{ für } x \neq 0.$$

Schließlich heißt ein Vektorraum mit vorgegebenem Skalarprodukt *euklidisch*.

b) Bezogen auf irgendeine Basis des n-dimensionalen Vektorraumes V ist eine Bilinearform gegeben durch

$$f(x, y) = \sum_{i,k=1}^{n} \alpha_{ik}\, \xi_i \eta_k,$$

wobei die ξ_i und η_k die Koordinaten der Vektoren x und y bezüglich dieser Basis sind. Die Matrix aus den Koeffizienten α_{ik} beschreibt also gemeinsam mit der Basis die Bilinearform vollständig. Zwei Matrizen heißen *kongruent*, wenn sie Matrizen derselben Bilinearform bezüglich verschiedener Basen sind.

Es gilt der Satz: *Die Bilinearform f ist genau dann Skalarprodukt, wenn ihre Matrix bezüglich einer beliebigen Basis die folgenden Eigenschaften hat:* $\alpha_{ik} = \alpha_{ki}$ *für alle* i *und* k; *alle Hauptminoren sind positiv;* dabei ist *Hauptminor* der Matrix die Determinante einer Teilmatrix

$$\begin{pmatrix} \alpha_{11} & \alpha_{12} & \dots & \alpha_{1m} \\ \alpha_{21} & \alpha_{22} & \dots & \alpha_{2m} \\ \dots & \dots & \dots & \dots \\ \alpha_{m1} & \alpha_{m2} & \dots & \alpha_{mm} \end{pmatrix}$$

mit einer Zeilenanzahl m zwischen 1 und n.

c) Zu jeder symmetrischen Bilinearform f gibt es nun eine Basis von V, in der die Matrix von f die Gestalt

$$\begin{pmatrix} +1 & \dots & 0 & 0 & \dots & 0 & 0 & \dots & 0 \\ \vdots & \ddots & \vdots & \vdots & & \vdots & \vdots & & \vdots \\ 0 & \dots & +1 & 0 & \dots & 0 & 0 & \dots & 0 \\ 0 & \dots & 0 & -1 & \dots & 0 & 0 & \dots & 0 \\ \vdots & & \vdots & \vdots & \ddots & \vdots & \vdots & & \vdots \\ 0 & \dots & 0 & 0 & \dots & -1 & 0 & \dots & 0 \\ 0 & \dots & 0 & 0 & \dots & 0 & 0 & \dots & 0 \\ \vdots & & \vdots & \vdots & & \vdots & \vdots & \ddots & \vdots \\ 0 & \dots & 0 & 0 & \dots & 0 & 0 & \dots & 0 \end{pmatrix}$$

besitzt. Es gilt der sog. *Trägheitssatz von Sylvester*, daß *eine symmetrische Matrix nur einer solchen Normal-*

matrix kongruent ist. Ist f insbesondere ein Skalarprodukt, so ist seine Normalmatrix die Einheitsmatrix. Es gibt also im wesentlichen nur ein Skalarprodukt. Eine zugehörige Basis heißt *Orthonormalbasis.*

Untersucht man in einem euklidischen Vektorraum eine vom Skalarprodukt verschiedene symmetrische Bilinearform, so *kann man für sie die obige Normalform sogar in einer Orthonormalbasis erreichen,* mit der Einschränkung, daß die Glieder $+1$ durch geeignete positive, die Glieder -1 durch geeignete negative Zahlen zu ersetzen sind. Die Bestimmung dieser Normalform für eine vorgegebene symmetrische Bilinearform bezeichnet man als *Hauptachsentransformation.*

d) In einem euklidischen Vektorraum V sind nun solche linearen Selbstabbildungen φ, sog. *Isometrien,* interessant, die das Skalarprodukt f invariant lassen, für die also stets $f(\varphi(x), \varphi(y)) = f(x, y)$ gilt. *Zu jeder solchen Isometrie φ gibt es nun eine Orthonormalbasis von V, derart, daß φ einige dieser Basisvektoren festläßt, andere in ihr Negatives überführt (Spiegelung) und die restlichen zu je zweien einer gewöhnlichen ebenen Drehung um geeignete Drehwinkel unterwirft.*

IV. Zum Schluß sei noch erwähnt, daß man ebenso wie Bilinearformen auch *Multilinearformen* auf einem Vektorraum definieren kann. Diese sog. *Tensoren* haben interessante algebraische Eigenschaften; das gilt insbesondere für die in den Anwendungen vornehmlich bedeutsamen sog. *alternierenden Tensoren.* Diese bilden die natürliche Verallgemeinerung des vektoriellen Produktes der elementaren analytischen Geometrie.

Algebraische Zahlen. Als Beispiele irrationaler Zahlen (d. h. Zahlen, die nicht in der Form m/n mit ganzrationalen m und n dargestellt werden können) werden dem Lernenden zuerst etwa Zahlen vom Typ $\sqrt{2}$ oder $\sqrt[3]{5}$ oder aber Zahlen wie π und e begegnen. Doch die zuerst genannten irrationalen Zahlen sind von ganz anderer Art als π und e. Jene sind algebraische, diese transzendente Zahlen. So genügt $\sqrt{2}$ der Gleichung $x^2 - 2 = 0$, entsprechend $\sqrt[3]{5}$ der Gleichung $x^3 - 5 = 0$; π und e genügen nicht solchen Gleichungen. Dementsprechend wird definiert: Eine komplexe Zahl α heißt eine *algebraische Zahl,* wenn sie Nullstelle eines Polynoms

$$P(x) = a_n x^n + a_{n-1} x^{n-1} + \cdots + a_1 x + a_0$$

mit rationalen Koeffizienten ist. Die rationalen Zahlen sind insbesondere algebraische Zahlen. Denn ist z. B. r eine rationale Zahl, so ist sie Nullstelle des Polynoms

$$P(x) = x - r.$$

Der Beweis, daß andererseits schon $\sqrt{2}$ keine rationale Zahl ist, ergibt sich einfach so: Wäre $\sqrt{2} = \frac{p}{q}$ mit zueinander teilerfremden p und q, so wäre $2q^2 = p^2$, also p gerade und damit q ungerade. Die linke Seite der Gleichung ist durch 2, aber durch keine höhere Potenz von 2 teilbar, die rechte Seite dagegen mindestens durch 2^2. Damit ist ein Widerspruch zu unserer Annahme, $\sqrt{2}$ wäre rational, hergeleitet.

Zu den algebraischen Zahlen gehören auch nicht-reelle Zahlen, z. B. i, die Einheit der imaginären Zahlen, denn sie genügt der Gleichung

$$x^2 + 1 = 0.$$

Der Begriff ›algebraische Zahl‹ läßt sich zum Begriff ›algebraisch über einem Körper K‹ erweitern. Ein Element α aus einem Körper L, der den Körper K enthält, heißt *algebraisch über* K, wenn es Nullstelle eines Polynoms mit Koeffizienten ist, die Elemente des Körpers K sind (→ Algebra). *Hier soll nur von algebraischen Zahlen berichtet werden.*

Ist nun α eine Nullstelle von P (x), so ist es auch eine Nullstelle von S (x) = P (x) Q (x), wo Q (x) ein beliebiges Polynom mit rationalen Koeffizienten ist. Die Gesamtheit der Polynome mit rationalen Koeffizienten bezeichnen wir fernerhin mit **P** [x]. Auch das Polynom S (x) gehört zu **P** [x]. Also gibt es zu jeder algebraischen Zahl α unendlich viele Polynome aus **P** [x], von denen α Nullstelle ist. Doch ist eines unter ihnen ausgezeichnet. Es ist *das zu α gehörige normierte irreduzible Polynom.* Dazu bedarf es mehrerer Erklärungen.

Sind P (x) und Q (x) aus **P** [x] beliebig vorgegeben und ist Q (x) $\neq$ 0, so gibt es dazu eindeutig zwei Polynome G_1 (x) und G_2 (x) aus **P** [x], wobei G_2 (x) *niederen Grad* hat als Q (x) oder identisch 0 ist, so daß

(1) $$P(x) = G_1(x)\,Q(x) + G_2(x).$$

Es ist dies die Division der Polynome aus **P** [x]. Sie gestaltet sich genauso wie die Division ganzer (rationaler) Zahlen. Ist in (1) das Polynom G_2 (x) identisch 0, so sagen wir, Q (x) teile P (x), in Formeln: $Q(x) \mid P(x)$. Jedes Polynom hat triviale Teiler, nämlich alle rationalen Zahlen $s \neq 0$, da $P(x) = s \cdot [1/s \cdot P(x)]$ und hierin $1/s \cdot P(x)$ wieder ein Polynom aus **P** [x] ist. Außerdem sind alle diejenigen Polynome Teiler von P (x), die man bekommt, wenn man P (x) mit einer rationalen Zahl $r \neq 0$ multipliziert. Sie heißen zu P (x) *assoziierte Polynome* und haben dieselben Nullstellen. In der Tat ist ja

$$P(x) = 1/r \cdot [r \cdot P(x)].$$

Diese so gewonnenen Zerlegungen von P (x) als Produkt zweier Polynome entsprechen den trivialen Zerlegungen bei den ganzen rationalen Zahlen $6 = (-1) \cdot (-6) = (-6) \cdot (-1)$. Man bezeichnet sie als *nicht echte Zerlegungen.* Ein Polynom aus **P** [x] heißt *irreduzibel,* wenn es keine echten Zerlegungen *in* **P** [x] aufweist; sonst aber wird es als *reduzibel* bezeichnet. Also: $x^2 - 1$ ist reduzibel, weil $x^2 - 1 = (x + 1)(x - 1)$; aber: $x^2 + 1$ ist irreduzibel in **P** [x]. Jedes Polynom aus **P** [x] läßt sich in ein Produkt irreduzibler Faktoren zerlegen (wie die ganzen Zahlen in ein Produkt von Primzahlen). *Und diese Zerlegung ist* (wie bei ganzen Zahlen) *eindeutig* bis auf die Reihenfolge und den Übergang zu assoziierten Polynomen, analog zu $10 = 2 \cdot 5 = 5 \cdot 2 = (-5)(-2)$. **P** [x] bildet also einen ZPE-Ring, d. h. **P** [x] ist ein Integritätsring, in dem sich jedes Element mit der oben charakterisierten Eindeutigkeit als Produkt irreduzibler Elemente darstellen läßt.

Es gibt zu jeder algebraischen Zahl irreduzible Polynome in **P** [x], von denen sie Wurzel ist. Ist nun α Wurzel der irreduziblen Polynome P_1 (x) und P_2 (x), so sind die beiden Polynome zueinander assoziiert, gehen also durch Multiplikation mit einer rationalen Zahl auseinander hervor. Wenn wir nun P_1 (x) mit dem kleinsten gemeinsamen Vielfachen der Nenner seiner Koeffizienten (dem sog. *Generalnenner*) multiplizieren, so kommen wir zu einem assoziierten Polynom P_1^* (x), dessen Koeffizienten *ganze* Zahlen sind. Dividieren wir schließlich P_1^* (x) durch den größten gemeinsamen Teiler aller seiner Koeffizienten, so ist das entstehende Polynom P_0 (x) wieder ein ganzzahliges, irreduzibles Polynom, hat aber außerdem noch teilerfremde Koeffizienten. Es ist offenbar das einzige Polynom dieser Art, das α als Nullstelle hat, denn es gelingt nicht, P_0 (x) durch Multiplikation mit irgendeiner rationalen Zahl zu einem ebensolchen Polynom zu machen. *Wir haben mit* P_0 *das zu* α *gehörige normierte irreduzible Polynom gewonnen.* Die anderen irreduziblen Polynome P (x), die α als Wurzel haben, sind genau die rationalen Vielfachen von P_0 (x). Alle diese Polynome haben dieselben Nullstellen. Gemäß dem Fundamentalsatz der Algebra (→ Gleichungen) sind es genau so viele wie der Grad n dieser Polynome. Neben $\alpha = \alpha_1$ treten also noch $\alpha_2, \ldots, \alpha_n$ auf. Sie alle sind voneinander verschieden und heißen die zu α *konjugierten Nullstellen;* n heißt der *Grad* von α. Und es ist $P(x) = a_n (x - \alpha)(x - \alpha_2) \cdot \ldots \cdot (x - \alpha_n)$. Sind neben α auch $\alpha_2, \ldots, \alpha_n$ reell, so heißt α *total-reell.* Beispiel: $\sqrt{2}$ als Nullstelle von $x^2 - 2 = 0$. Die konjugierte Nullstelle ist $-\sqrt{2}$. Algebraische Zahlen 2ten Grades (quadratische Zahlen) sind, wenn reell, immer auch total-reell. Bei algebraischen Zah-

len höheren Grades trifft dies aber keineswegs zu. So ist $\sqrt[3]{5}$ reell, aber die konjugierten Zahlen, nämlich $e^{2\pi i/3}\sqrt[3]{5}$ und $e^{4\pi i/3}\sqrt[3]{5}$, sind nicht reell.
Multipliziert man in der Darstellung

$$P(x) = a_n (x - \alpha)(x - \alpha_2) \cdot \ldots \cdot (x - \alpha_n)$$

die Faktoren und sammelt nach Potenzen von x, so erhält man $P(x) = a_n [x^n + s_{n-1}(\alpha, \ldots, \alpha_n) x^{n-1} + \cdots + s_1(\alpha, \ldots, \alpha_n) x + s_0(\alpha, \ldots, \alpha_n)]$. Dabei ist $s_{n-1}(\alpha, \ldots, \alpha_n) = -(\alpha + \alpha_2 + + \cdots + \alpha_n), \ldots, s_0(\alpha, \ldots, \alpha_n) = (-1)^n \alpha \cdot \alpha_2 \cdot \ldots \cdot \alpha_n$. Die Polynome s_ν sind alle symmetrisch in $\alpha, \ldots, \alpha_n$ und heißen die *elementarsymmetrischen Funktionen.* Mit ihrer Hilfe zeigt man: *Sind* α *und* $\beta \neq 0$ *algebraische Zahlen, so sind es auch* $\alpha \pm \beta$, $\alpha \cdot \beta$, α/β. Die Gesamtheit aller algebraischen Zahlen bildet also einen Körper. Es liegt nun nahe, sich zu fragen, ob die Nullstellen von Polynomen mit algebraischen Zahlen als Koeffizienten nicht-algebraische Zahlen sein können. Dem ist nicht so. Es gilt: Die Nullstellen eines Polynoms

(2) $$S(x) = \gamma_r x^r + \cdots + \gamma_1 x + \gamma_0$$

mit algebraischen γ_i, $i = 0, 1, \ldots, r$, sind wieder algebraische Zahlen. Beispiel: $x^2 - \sqrt{2} = 0$ hat als Nullstellen $\sqrt[4]{2}$ und $-\sqrt[4]{2}$, zwei Nullstellen des Polynoms $x^4 - 2 = 0$, das in **P** [x] irreduzibel ist.
Da die rationalen Zahlen insbesondere algebraisch sind, so sind mit α auch die Zahlen $P_1(\alpha) = r_s'\alpha^s + r_{s-1}'\alpha^{s-1} + \cdots + + r_1'\alpha + r_0'$, wo die r_j', $j = 0, 1, \ldots, s$, rational sind, auch algebraisch und ebenso die Zahlen

(3) $$\beta = \frac{P_1(\alpha)}{P_2(\alpha)},$$

wo entsprechend $P_2(\alpha) = r_t''\alpha^t + r_{t-1}''\alpha^{t-1} + \cdots + r_1''\alpha + + r_0''$, $r_t'' \neq 0$ und $P_2(\alpha) \neq 0$. Die Gesamtheit dieser Zahlen β bildet einen Körper (→ Algebra). Er ist der kleinste Körper, der die rationalen Zahlen und α enthält, und wird mit **P** (α) bezeichnet. Es ist nun überraschend, daß alle Zahlen β aus **P** (α) eine Darstellung

(4) $$\beta = r_{n-1}\alpha^{n-1} + \cdots + r_1\alpha + r_0$$

mit geeigneten rationalen r_i und n = Grad α zulassen. Man achte insbesondere darauf, daß Zähler und Nenner der rechten Seite von (3) α in beliebig hoher Potenz enthalten können, während in (4) die Potenzen von α, die zur Darstellung von β benötigt werden, nicht über $n - 1$ hinausgehen. Zum Beweise wird das Polynom

$$P_1(x) = r_s'x^s + \cdots + r_1'x + r_0'$$

durch das zu α gehörige irreduzible Polynom $P_0(x)$ dividiert.

Es ist

$$P_1(x) = Q_0(x)\,P_0(x) + Q_1(x),$$

wo $Q_1(x)$ ein Polynom aus **P** [x] von niedrigerem Grad als n ist. So folgt nun

$$P_1(\alpha) = Q_1(\alpha),$$

womit der Zähler von β in (3) schon auf einen Ausdruck reduziert ist, der α nur in Potenzen kleiner als n enthält. Ähnlich läßt sich beweisen, daß $\frac{1}{P_2(\alpha)} = P_3(\alpha)$ ist, wo $P_3(\alpha)$ die algebraische Zahl α auch nur in niederer Potenz als n enthält. Auf $Q_1(\alpha)\,P_3(\alpha)$ ist nun noch einmal die obige Überlegung anzuwenden. Dann ist β in der Gestalt (4) dargestellt. Diese einfache Darstellung aller Zahlen β aus **P** (α) ist überdies noch eindeutig. Hätte nämlich β zwei solche Darstellungen, so ergäbe sich α durch Subtraktion als Nullstelle eines Polynoms aus **P** [x] mit niederem als n-tem Grade, was der Definition von n widerspricht.

Die reellen algebraischen Zahlen sind unter der Gesamtheit der reellen Zahlen sehr dünn verteilt. Die Gesamtheit der algebraischen Zahlen ist noch abzählbar — also erst recht sind es die reellen algebraischen Zahlen —, während in jedem noch so kleinen Intervall der reellen Zahlen nicht-abzählbar viele reelle Zahlen liegen (→ Zahlen).

So wie unter den rationalen Zahlen die ganzen rationalen Zahlen ausgezeichnet sind, so unter den algebraischen die *ganzen algebraischen Zahlen*. Sie lassen sich charakterisieren als der *größte* Bereich algebraischer Zahlen, der folgende naheliegende Forderungen erfüllt:

1. Gehören α und β dazu, so sollen auch $\alpha + \beta$, $\alpha - \beta$, $\alpha \cdot \beta$ dazugehören.
2. Wenn eine ganze algebraische Zahl rational ist, so soll sie eine ganze rationale Zahl sein.
3. Mit der Zahl α sollen auch ihre Konjugierten ganze algebraische Zahlen sein.

Diese Forderungen führen zunächst dazu, daß die elementarsymmetrischen Funktionen mit α und ihren Konjugierten als Argumenten ganz-rationale Werte haben müssen; also ist das normierte irreduzible Polynom von α:

$$P_0(x) = (x - \alpha)(x - \alpha_2) \cdot \ldots \cdot (x - \alpha_n) =$$
$$= x^n + a_{n-1}x^{n-1} + \cdots + a_0.$$

So kommen wir zur Definition: α *heißt eine ganze algebraische Zahl, wenn das zugehörige normierte irreduzible Polynom lautet*

$$x^n + a_{n-1}x^{n-1} + \cdots + a_1x + a_0.$$

Beispiele:

1. Die ganzen rationalen Zahlen m sind ganze algebraische Zahlen; denn sie haben als ihr normiertes Polynom $x - m$.
2. $\sqrt{2}$ und $\sqrt[3]{5}$ sind ganze algebraische Zahlen; denn ihre Polynome sind $x^2 - 2$ bzw. $x^3 - 5$.
3. $\frac{\sqrt{2}}{2}$ ist nicht ganz; denn das zugehörige Polynom ist $2x^2 - 1$.

Zu jeder algebraischen Zahl α gibt es eine ganze rationale Zahl s derart, daß $s\alpha$ ganz-algebraisch ist. Denn ist

$$(5) \qquad a_n x^n + a_{n-1} x^{n-1} + \cdots + a_1 x + a_0$$

das normierte, α zugeordnete Polynom, so multiplizieren wir (5) mit a_n^{n-1} (ändern dadurch die Nullstellen nicht) und substituieren $x' = a_n x$. Dann wird aus (5) ein Polynom

$$(6) \qquad x'^n + b_{n-1} x'^{n-1} + \cdots + b_1 x' + b_0$$

mit ganzzahligen b_i, so daß (6) wieder normiert ist. Die Nullstellen sind $\beta = a_n\alpha$, $\beta_2 = a_n\alpha_2, \ldots, \beta_n = a_n\alpha_n$. Als Nullstelle von (6) ist β ganz-algebraisch, was zu beweisen war.
Die ganzen algebraischen Zahlen bilden wegen der Durchführbarkeit der ersten drei elementaren Rechenoperationen (Eigenschaft 1., s. o.) einen *Integritätsring* J (→ Algebra). Sie bilden aber natürlich keineswegs einen Körper, weil schon die Zahlen 1/n, die notwendig in einem solchen Körper liegen, nicht ganz sind. Infolgedessen ist die Aussage: α teilt β (in Zeichen α/β) unter den ganzen algebraischen Zahlen eine Besonderheit, wie es auch schon bei den ganzen rationalen Zahlen der Fall ist. So kommt man dazu, eine Theorie der Teilbarkeit analog der elementaren *Teilbarkeitstheorie* in Integritätsringen J (α) aufzustellen, die aus den ganzen algebraischen Zahlen eines Körpers **P** (α) bestehen. (In dem einfachsten nicht trivialen Falle $\alpha = \sqrt{m}$, wo m eine ganze rationale Zahl und kein Quadrat ist, enthält der Bereich J (α) stets den im Art. »Zahlen« mit Z ($\sqrt{m}$) bezeichneten Integritätsring; für zahlreiche m ist er aber umfassender als dieser.) Doch bereitet die Beantwortung der Frage nach der eindeutigen Zerlegbarkeit in unzerlegbare Zahlen (›*Primzahlen*‹) eine Reihe von Schwierigkeiten. Zunächst kann es außer 1 und -1 noch weitere ganze algebraische Zahlen in **P** (α) geben, die Teiler von 1 sind. Z. B. in **P** (i), dem Körper der Zahlen $r_0 + ir_1$, wo r_0 und r_1 alle rationalen Zahlen durchlaufen, liegt die ganze algebraische Zahl i. Es ist aber $i \cdot (-i) = 1$; die Zahlen i und $-i$ teilen also die Zahl 1. Solche Zahlen nennt man *Einheiten*. In J (i) gibt es nun genau vier Einheiten, nämlich 1, -1, i, $-i$. Aber schon in J ($\sqrt{2}$) gibt es

sogar unendlich viele. Das folgt so: $1 + \sqrt{2}$ gehört zu $\mathbf{P}(\sqrt{2})$ und auch zu $J(\sqrt{2})$. Es ist nun

(7) $$(-1 + \sqrt{2})(1 + \sqrt{2}) = -1 + 2 = 1.$$

Da $1 + \sqrt{2} > 1$, so ist infolgedessen $(1 + \sqrt{2})^m > (1 + \sqrt{2})^n$, wenn $m > n$. Alle Potenzen von $1 + \sqrt{2}$ sind also verschieden, alle sind natürlich ganze algebraische Zahlen des Körpers $\mathbf{P}(\sqrt{2})$, und alle sind Teiler der Zahl 1, denn wir können ja die Gleichung (7) beliebig potenzieren.

Jede Einheit ε aus $J(\alpha)$ teilt jede andere Zahl aus $J(\alpha)$; denn es ist $\varepsilon\varepsilon' = 1$ und $a = 1 \cdot a = \varepsilon(\varepsilon' a)$. Und so wie wir p und $-p$ in der Zahlentheorie der ganzen rationalen Zahlen als nicht wesentlich verschieden ansehen, so bezeichnen wir in $J(\alpha)$ β und $\beta' = \varepsilon\beta$ als *assoziiert.* Da die letzte Gleichung in $\beta = \varepsilon'\beta'$ überführbar ist, ist die Beziehung ›assoziiert‹ symmetrisch. Sie ist außerdem reflexiv ($\beta = 1 \cdot \beta$) und transitiv (aus $\beta' = \varepsilon\beta$ und $\beta'' = \eta\beta'$ folgt nämlich $\beta'' = [\varepsilon\eta]\,\beta$ und, da $\varepsilon\eta$ wieder eine Einheit ist, die Assoziiertheit von β und β''). Also ist die Assoziiertheit eine *Äquivalenzrelation.*

Jedes β aus $J(\alpha)$ hat als Teiler die Einheiten und die zu β assoziierten Zahlen aus $J(\alpha)$. *Unzerlegbar* in $J(\alpha)$ werden wir eine Zahl β nennen, wenn sie keinen weiteren Teiler aufweist; $\sqrt{2}$ ist in $J(\sqrt{2})$ eine solche unzerlegbare Zahl, ebenso 3, dagegen nicht 2 ($2 = \sqrt{2} \cdot \sqrt{2}$). Die Eigenschaft einer ganzen algebraischen Zahl, unzerlegbar zu sein, gilt also nur relativ zu demjenigen Integritätsring ganzer algebraischer Zahlen, den wir gerade betrachten, wie wir soeben am Beispiel der Zahl 2 gesehen haben. 2 ist im Integritätsring $\mathbf{Z}$ der ganzen rationalen Zahlen unzerlegbar, aber zerlegbar in $J(\sqrt{2})$.

In einem solchen Integritätsring aber kann man die Frage nach der *eindeutigen Zerlegbarkeit*

$$\beta = \pi_1\pi_2 \ldots \pi_s$$

stellen, wobei die π_i unzerlegbare Zahlen sind. Natürlich hat man auf jeden Fall die Freiheit der Reihenfolge. Ebenso hat man die Freiheit des Übergangs zu assoziierten Zahlen; denn wählt man Einheiten $\varepsilon_1, \ldots, \varepsilon_s$ derart, daß $\varepsilon_1 \cdot \ldots \cdot \varepsilon_s = 1$, so gilt natürlich auch

$$\beta = (\varepsilon_1\pi_1)(\varepsilon_2\pi_2) \cdot \ldots \cdot (\varepsilon_s\pi_s).$$

Beispielsweise ist die eindeutige Zerlegung zwar vertraut von den ganzen rationalen Zahlen $\mathbf{Z}$, aber auch da gilt schon

$$21 = 3 \cdot 7 = (-3)(-7) = (-7)(-3) = 7 \cdot 3.$$

Es gibt noch weitere *algebraische Körper,* bei denen innerhalb dieser trivialen Freiheitsgrade die Eindeutigkeit der Zerlegung gilt. Dazu gehören $J(i)$, $J(\sqrt{-3})$, $J(\sqrt{2})$, $J(\sqrt{-2})$.

Aber es ist keineswegs allgemein so. Schon die ganzen Zahlen in $\mathbf{P}(\sqrt{-5})$, also die Elemente von $J(\sqrt{-5})$ gestatten allgemein n i c h t eine eindeutige Zerlegung. So ist in $J(\sqrt{-5})$

(8) $$21 = 3 \cdot 7 = (1 + 2\sqrt{-5})(1 - 2\sqrt{-5}).$$

Die Faktoren in der Mitte und rechts sind alle unzerlegbar in $J(\sqrt{-5})$. Das beweist man mit Hilfe der *Norm* $N(\alpha) = \alpha \cdot \alpha'$, wo α' die zu α *konjugiert-komplexe* Zahl ist. Da man in $J(\sqrt{-5})$ die ganzen Zahlen in der Form $n_1 + n_2\sqrt{-5}$ darstellen kann, ferner die konjugiert-komplexe Zahl jeweils $n_1 - n_2\sqrt{-5}$ ist, so kann man $N(\alpha)$ auch definieren als $n_1^2 + 5n_2^2$. Somit ist $N(\alpha)$ eine ganze rationale Zahl. Für diese Normfunktion gilt

$$N(\alpha)\,N(\beta) = N(\alpha \cdot \beta).$$

Damit ist leicht die Unzerlegbarkeit von $3, 7, 1 \pm 2\sqrt{-5}$ zu beweisen. Nun gibt es in $J(\sqrt{-5})$ als Einheiten nur ± 1. Infolgedessen können 3 und 7 weder mit $1 + 2\sqrt{-5}$ noch mit $1 - 2\sqrt{-5}$ assoziiert sein. Die Zerlegung von 21 in $J(\sqrt{-5})$ ist also auch in dem erweiterten Sinne mehrdeutig.

Die gewonnene Einsicht erlangt man auch aus folgender Tatsache: *Die unzerlegbare Zahl* 3 *aus* $J(\sqrt{-5})$ *teilt das Produkt* $(1 + \sqrt{-5})(1 - \sqrt{-5})$, *ohne in* $J(\sqrt{-5})$ *einen der Faktoren zu teilen,* während bei eindeutiger Darstellung gelten müßte: *Teilt die unzerlegbare Zahl* p *das Produkt* $a \cdot b$, *so teilt* p *wenigstens einen der Faktoren.*

Nun versteht man auch, weshalb wir von unzerlegbaren Zahlen und nicht von Primzahlen gesprochen haben. Die Primzahlen im Integritätsring **Z** der ganzen rationalen Zahlen haben zwei Eigenschaften: 1. Sie sind unzerlegbar. 2. Wenn sie ein Produkt teilen, so teilen sie mindestens einen der Faktoren. Die vier oben aufgeführten Zahlen in $J(\sqrt{-5})$ haben nur die erste, aber nicht die zweite Eigenschaft.

Die Einsicht, die wir aus (8) gewonnen haben, können wir auch folgendermaßen erklären: Die Zahlen 3 und $\alpha = 1 + 2\sqrt{-5}$ sind unzerlegbar, sie sind nicht assoziiert und haben dennoch einen gemeinsamen Teiler, der aber n i c h t i n $J(\sqrt{-5})$ l i e g t. Beide Zahlen haben als Teiler

$$\varrho = \sqrt{2 + \sqrt{-5}}.$$

Das ist wiederum eine ganze algebraische Zahl. Ihre normierte irreduzible Gleichung ist

$$x^4 - 4x^2 + 9 = 0.$$

Und es gilt

$$\sqrt{2+\sqrt{-5}}\cdot\sqrt{2-\sqrt{-5}}=3,$$

$$\sqrt{2+\sqrt{-5}}\,\sqrt{-2+3\sqrt{-5}}=1+2\sqrt{-5}$$

(bei geeigneter Festsetzung des jeweils umfassenden Wurzelzeichens).
Eine Teilbarkeitstheorie läßt sich weder in *Ringen*, wo Nullteiler auftreten können und dann die Division mehrdeutig ist, noch in *Körpern* aufstellen, weil dort jede Zahl durch jede (außer durch 0) teilbar ist. Eine Teilbarkeitstheorie gibt es nur für Integritätsringe; allerdings da auch für beliebige Integritätsringe, die keine Körper sind, und nicht nur, wie hier betrachtet, für Integritätsringe von ganzen algebraischen Zahlen, die in einem Körper **P** (α) liegen.
In den Integritätsringen vermögen wir nun nicht die Eindeutigkeit der Zerlegung in unzerlegbare Elemente nachträglich dadurch wiederherzustellen, daß wir weitere Zahlen dem Integritätsring zufügen, wie etwa ϱ zu J $(\sqrt{-5})$, und dann schließlich zu einem neuen Integritätsring gelangen. Ein solches Bemühen geeigneter *Adjunktionen* ist nämlich deshalb nicht zweckmäßig, weil in bezug auf die neugewonnenen Zahlen wieder die Erscheinung der *mehrdeutigen Zerlegbarkeit* auftreten könnte. Statt dessen werden in den Integritätsringen J (α) *Ideale* eingeführt. Betrachten wir etwa in J $(\sqrt{-5})$ diejenigen Zahlen, die durch ϱ teilbar sind. Dazu gehören 3 und $\alpha = 1 + 2\sqrt{-5}$. Die Gesamtheit dieser Zahlen hat die Eigenschaften, daß

1. mit zwei Zahlen β und γ auch β + γ dazugehört,
2. mit β auch λβ dazugehört, wobei λ eine beliebige Zahl aus J $(\sqrt{-5})$ ist.

Eine Menge von Zahlen aus einem Integritätsring mit den beiden entsprechenden Eigenschaften nennt man ein *Ideal* des Integritätsringes. Im Integritätsring J $(\sqrt{-5})$ gibt es also ein Ideal, das dort die nicht in J $(\sqrt{-5})$ liegende Zahl ϱ vertritt.
Die Eigenschaft einer Zahlenmenge, ein Ideal zu sein, hängt also von dem betrachteten Integritätsring ab. Eine Erzeugungsart für Ideale haben wir schon kennengelernt. Eine zweite sind die *Linearformen* in den Integritätsringen J (α). Sind $\alpha_1, \ldots, \alpha_r$ beliebige Zahlen aus J (α), so bilden

$$\xi_1\alpha_1 + \cdots + \xi_r\alpha_r,$$

wobei die $\xi_1, \ldots, \xi_r$ alle Zahlen aus J (α) durchlaufen, ein Ideal.
Es gilt sogar der Satz, daß *in unseren speziellen Integritätsringen jedes Ideal sich als Wertmenge einer Linearform wie als*

Menge der Vielfachen einer (nicht notwendig zu J gehörigen) *ganzen algebraischen Zahl darstellen läßt.*
Ideale lassen sich multiplizieren. So kann man auch die Zerlegung von Idealen eines Integritätsringes J (α) in nicht mehr zerlegbare Faktoren vornehmen. Diese Faktoren — *Primideale* genannt — haben dann wieder die beiden Eigenschaften der gewöhnlichen Primzahlen. Jedes Ideal eines Integritätsringes J (α) läßt sich nämlich als Produkt endlich vieler Primideale darstellen, und diese Darstellung ist dann schon eindeutig.

Funktionentheorie. Es war vornehmlich der Gedanke *Eulers*, die komplexen Zahlen, die sich für die Behandlung algebraischer → Gleichungen als unentbehrlich erwiesen hatten, auch für das Studium allgemeiner Funktionen nutzbar zu machen. Der überwältigende Erfolg, der sich in einer ungeahnten Fülle interessanter Beziehungen und brauchbarer Formeln widerspiegelte, vermochte aber nicht die Unsicherheit des Fundamentes zu verbergen, auf dem er beruhte. Die Nachfolger Eulers besaßen nicht seinen genialen Blick, der ihn trotz fragwürdiger, ja falscher Methoden stets nur richtige Resultate finden ließ, sondern scheuten sich, den schwankenden Boden zu betreten: sie mußten ihn erst befestigen, bevor sie den verlockenden Weg des Meisters beschreiten konnten. Das war ein langer Prozeß, der erst durch *Gauß* und *Cauchy* auf befriedigende Weise vorangetrieben wurde. Waren nun die komplexen Zahlen anerkanntes Allgemeingut der Mathematiker geworden, so betraf ein neuer Zweifel die Frage nach der Art der Funktionen, für welche die neue Theorie zuständig sein sollte: die Entdeckung *Fouriers* (→ Infinitesimalrechnung im $\mathbf{R}^1$, XXVI), daß man aus elementaren Funktionen durch Grenzprozesse überaus pathologische Funktionen gewinnen kann, machte ja die bisherige Auffassung, daß eine Funktion ein Rechenausdruck sei, hinfällig. Diese Frage wurde durch *Weierstraß* geklärt, der forderte, daß die *›analytischen‹ Funktionen* (wie er sie nannte) durch Potenzreihen darstellbar sein müssen, und auf diese Definition seine großartige Theorie des ›analytischen Gebildes‹ gründete. Inzwischen waren die seit langem im Mittelpunkt des Interesses stehenden *elliptischen Integrale* durch den genialen Gedanken *Abels*, das einfachste von ihnen als ›uniformisierende‹ Variable für alle elliptischen Integrale einzuführen, in die Theorie der elliptischen Funktionen eingebaut worden, wodurch die störende Mehrdeutigkeit dieser Integrale auf natürliche Weise behoben wurde. Es war *Riemann*, der dennoch die Theorien der elliptischen Funktionen und elliptischen Integrale als gleichberechtigt ansah und die Mehrdeutigkeit der letzteren durch die fundamentale Idee der ›Riemannschen Fläche‹ auflöste. Sein geometrischer Standpunkt führte ihn dazu, die ›analytischen‹ Funktionen durch ihre Abbildungseigenschaften zu definieren, ein Ausgangspunkt, der mit dem Weierstraßschen kaum in Einklang zu bringen schien. So entstand ein tiefer Einschnitt zwischen der ›analytischen‹ Funktionentheorie der Weierstraßschen und der ›geometrischen‹ Funktionentheorie der Riemannschen Richtung. Diese Trennung dauerte bis zum Beginn des 20. Jhs., bis *Goursat* 1905 die sensationelle Äquivalenz (s. u. B II) zwischen den beiden Definitionen nachweisen konnte.

Wir werden in A mit dem *Weierstraß*schen Ansatz beginnen, weil sich mit ihm sofort interessante Zusammenhänge zwischen elementaren Funktionen aufweisen lassen, die unmittelbar die Überlegenheit der komplexen gegenüber der reellen Analysis augenfällig machen. — In B und C wird dagegen die *Cauchy-Riemann*sche Auffassung entwickelt, die sich am elegantesten für den Aufbau der Theorie eignet; im Anschluß daran werden die *Γ-Funktion*, die *Riemannsche Zeta-Funktion* und die *elliptischen Funktionen* untersucht und ihre wichtigsten Eigenschaften aufgestellt und begründet. — Auf die gewonnenen Beispiele stützt sich die Schilderung der Idee der *Riemannschen Fläche*, die in D skizziert wird. Der letzte Abschnitt E widmet sich den Anfängen der *Funktionentheorie von mehreren Veränderlichen.*

A. Potenzreihen. I. Fortsetzung reeller Funktionen; elementare Funktionen. Viele in der → Infinitesimalrechnung eingeführte Funktionen lassen sich auf natürliche Weise zu *komplexen Funktionen* (d. h. zu Funktionen, deren Argumente und Werte komplexe Zahlen sind) fortsetzen. Beispielsweise hat jedes Polynom — allgemeiner: jede rationale Funktion — einen unmittelbaren Sinn für komplexe Werte der Variablen; denn die Menge **C** der komplexen Zahlen ist ein Körper (→ Zahlen, → Algebra), was nichts anderes besagt, als daß man mit diesen Zahlen die Grundrechenoperationen in geläufiger Weise ausführen kann. Aber auch gewisse durch Grenzprozesse definierte Funktionen lassen sich so ins Komplexe fortsetzen; denn die komplexen Zahlen haben, wie die Rechenregeln für ihren Betrag zeigen, auch metrische Eigenschaften, die denen der reellen Zahlen völlig analog sind.

Betrachten wir z. B. eine Potenzreihe $\sum_{0}^{\infty} a_n x^n$ mit positivem (endlichen oder unendlichen) Konvergenzradius r, wobei die Koeffizienten a_n vorläufig noch reell sind! Sie stellt im Intervall $-r < x < +r$ eine Funktion f dar als Limes der Partialsummen S_n mit $S_n(x) = \sum_{k=0}^{n} a_k x^k$. Diese haben als Polynome einen Sinn auch für komplexe Werte der Variablen. Aber auch ihr Grenzverhalten ist evident. Denn wie im Reellen folgt aus der absoluten Konvergenz einer Reihe ihre Konvergenz, und nach Voraussetzung konvergiert $\sum_0^\infty |a_n| \varrho^n$ für jedes positive $\varrho < r$; folglich – *es ist üblich, mit z eine komplexe Variable zu bezeichnen* – konvergiert die Reihe $\sum_0^\infty a_n z^n$ für jedes z mit $|z| < r$. Damit ist die Funktion f auf natürliche Weise als *Grenzfunktion* dieser Reihe – man schreibt wieder einfach $f(z) = \sum_0^\infty a_n z^n$ – ins Komplexe fortgesetzt, und zwar für alle z, die im ›*Konvergenzkreis*‹ $|z| < r$ liegen.

a) Die Fruchtbarkeit dieser Fortsetzung gewisser reeller Funktionen ins Komplexe erhellt bereits bei der Behandlung elementarer Funktionen. So bekommt man für die Funktionen

$$e^z = 1 + z + \frac{z^2}{2!} + \frac{z^3}{3!} + \frac{z^4}{4!} + \ldots,$$

$$\cos z = 1 - \frac{z^2}{2!} + \frac{z^4}{4!} + \ldots,$$

$$\sin z = z - \frac{z^3}{3!} + \ldots$$

unmittelbar die für alle z gültigen Beziehungen

(1) $$\cos z = \frac{1}{2}(e^{iz} + e^{-iz}), \ \sin z = \frac{1}{2i}(e^{iz} - e^{-iz}),$$

die im Reellen kein Analogon besitzen. *Man benötigt also zur Einführung der sog. ›Elementartranszendenten‹ nur eine einzige Funktion: die Exponentialfunktion.* Durch einfache Regeln über die Multiplikation absolut konvergenter Reihen bestätigt man ferner das Additionstheorem

(2) $$e^{z_1+z_2} = e^{z_1} e^{z_2},$$

aus dem u. a. folgt, daß $e^{-z} = \frac{1}{e^z}$ ist und daß daher e^z den Wert Null nicht annimmt. Die Zerlegung von z in Real- und Imaginärteil sei $z = x + iy$; aus (2) und (1) folgt damit

(3) $$e^z = e^x e^{iy}, \ e^{iy} = \cos y + i \sin y,$$
$$\text{also } |e^{iy}| = 1 \text{ und } |e^z| = e^x.$$

Es sei umgekehrt $w \neq 0$ eine beliebige komplexe Zahl. In $w = |w| \cdot \omega$ hat ω den Betrag 1, und es gibt daher genau ein y in $0 \leq y < 2\pi$, für das $\omega = \cos y + i \sin y = e^{iy}$ gilt; da es ferner genau ein reelles x mit $|w| = e^x$ gibt, bildet die Funktion e^z also den zur reellen Achse parallelen Streifen $0 \leq y < 2\pi$ bijektiv

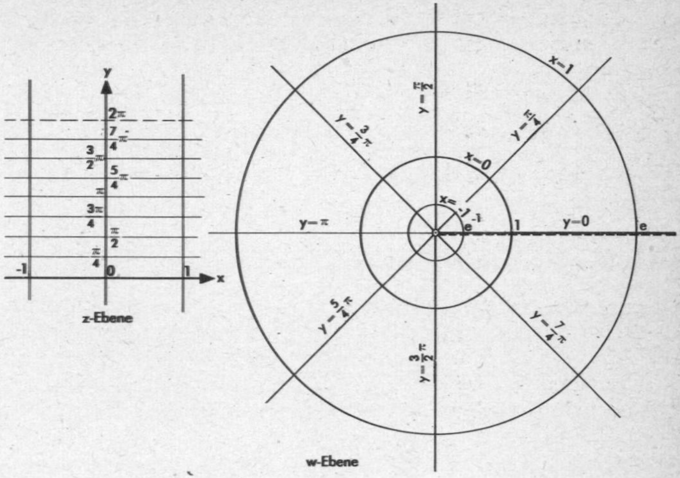

Abb. 3: Die Abbildung $w = e^z$

auf die im Nullpunkt ›*gelochte*‹ *w-Zahlenebene* $\mathbb{C}^* := \mathbb{C} - \{0\}$ ab (Abb. 3); dabei gehen insbesondere die Geraden $y = \text{const.}$ in die Halbgeraden $\arc w = y$ (für $y = \pi$ erhält man also die negativ-reelle Achse) und die Strecken $x = \text{const.}$ in die Kreise $|w| = e^x$ über. Die Exponentialfunktion ist wegen (3) periodisch mit der Periode $2\pi i$. Insbesondere werden sämtliche Lösungen der Gleichung $e^z = 1$ durch die Zahlen $2\pi i n$, n ganz, gegeben; und die Gleichung $e^z = w$ mit $w \neq 0$ hat daher genau die Lösungen $l + 2\pi i n$, n ganz, wenn l die wohlbestimmte in dem genannten Parallelstreifen liegende Lösung ist. Diese spezielle Lösung nennt man den *Hauptwert des natürlichen Logarithmus* von w und bezeichnet sie mit $\ln w$.

b) Damit hat man die *Umkehrfunktion* der *Exponentialfunktion* erhalten: es gilt $e^{\ln w} = w$; und $z = \ln w$ bildet $\mathbb{C}^*$ bijektiv auf den Streifen $0 \leq \operatorname{Im} z = y < 2\pi$ ab. Diese Abbildung hat aber eine unschöne Eigenschaft: sie ist auf der positiv-reellen Achse unstetig. Aus (3) folgt nämlich

$$\ln w = \ln |w| + i \arc w,$$

und der zweite Summand liegt nahe bei 0 oder bei $2\pi i$, wenn w sich in der Nähe der positiv-reellen Achse oberhalb bzw. unterhalb von ihr befindet. Das liegt offenbar daran, daß man sich bei der Definition von $\ln w$ etwas gewaltsam unter allen Lösungen $\ln |w| + i \arc w + 2\pi i n$ von $e^z = w$ für die eine entschieden hat, die man für $n = 0$ erhält. Die Unstetigkeit von $\arc w$ kann man aber dadurch kompensieren, daß man die verfügbare ganze Zahl n in Abhängigkeit von w sich auf geeignete Weise ebenfalls unstetig ändern läßt. Das ist jedoch nur ›im Kleinen‹ möglich: für alle w existiert keine solche Bestimmung.

Dieser Mißstand liegt in der Natur der Sache, und er wird auch dadurch nicht beseitigt, daß man den Logarithmus als ›*mehrdeutige Funktion*‹ auffaßt: eine Vorstellung, die mit der fundamentalen Definition des Funktionsbegriffes in Widerspruch steht. Dennoch steckt in dieser Vorstellung ein fruchtbarer Kern, den man wie folgt realisieren kann. Man nimmt statt der einen gelochten w-Ebene $\mathbf{C}^*$ unendlich viele Exemplare von ihr, die man mit ganzen Zahlen numeriert: $\mathbf{C}_n^*$, $-\infty < n < +\infty$, schneidet jede dieser Ebenen längs der positiv-reellen Achse auf und verheftet sie paarweise so, daß das untere Ufer des Schnittes von $\mathbf{C}_n^*$ mit dem oberen Ufer des Schnittes von $\mathbf{C}_{n+1}^*$ punktweise identifiziert wird (Abb. 4). Dadurch erhält man über $\mathbf{C}^*$ eine sog. *Riemannsche Fläche* $\mathcal{L}$, deren Punkte durch Zahlenpaare (w, n) beschrieben werden können: diese Bezeichnung besagt, daß der Punkt (w, n) im ›*Blatt*‹ $\mathbf{C}_n^*$ von $\mathcal{L}$ ›über‹ dem Punkt $w \in \mathbf{C}^*$ liegt. Der Sinn dieser Konstruktion besteht nun darin, daß man den Logarithmus auf befriedigende Weise nur definieren kann als *Abbildung* $\mathcal{L} \to \mathbf{C}$ (und nicht als Abbildung $\mathbf{C}^* \to \mathbf{C}$): *die Argumente sind also nicht Zahlen, sondern Punkte der Riemannschen Fläche* $\mathcal{L}$.

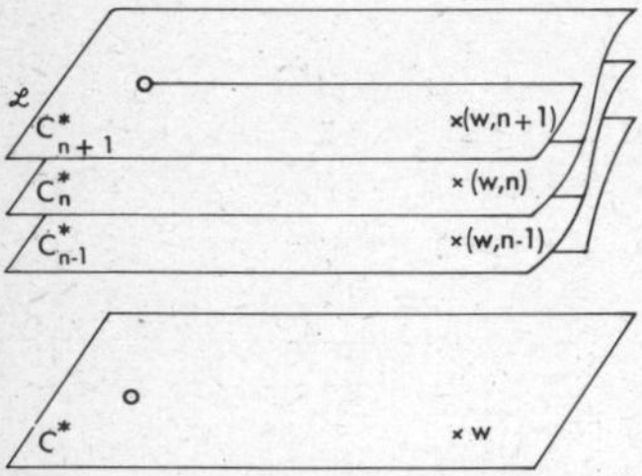

Abb. 4: Die Riemannsche Fläche des Logarithmus

Die fragliche Definition liegt auf der Hand:

$$\textbf{(4)} \qquad \ln(w, n) := \ln w + 2\pi i n.$$

Hier ist die störende Unstetigkeit aufgelöst: denn beim Übergang vom n-ten ins (n + 1)-te Blatt von $\mathcal{L}$ springt der erste Summand, der Hauptwert, um $-2\pi i$, der zweite aber um $+2\pi i$.

Es muß zugegeben werden, daß man traditionsgemäß meistens ln w statt ln (w, n) schreibt; jedoch ist eine ungenaue Schreibweise erträglich, wenn sie mit einer richtigen Konzeption verbunden ist.

Die Tatsache, daß der durch (4) definierte natürliche Logarithmus nicht $\mathbf{C}^*$, sondern $\mathcal{L}$ als Definitionsbereich hat, drückt man in der Sprechweise aus, $\mathcal{L}$ ›*uniformisiere*‹ den Logarithmus. Mit Hilfe von $\mathcal{L}$ gelingt es aber auch, die Umkehrfunktionen der *trigonometrischen Funktionen* zu uniformisieren, was nichts anderes bedeutet, als daß man sie durch den Logarithmus ausdrücken kann. Beispielsweise gilt nach (1) für den Tangens:

$$w = \operatorname{tg} z = \frac{1}{i}\,\frac{e^{iz} - e^{-iz}}{e^{iz} + e^{-iz}} = \frac{1}{i}\,\frac{e^{2iz} - 1}{e^{2iz} + 1},$$

also

$$z = \operatorname{arc\,tg} w = \frac{1}{2i} \ln \frac{1 + iw}{1 - iw}.$$

c) Der Logarithmus gestattet es auch, der *allgemeinen Potenz* z^a für komplexe Zahlen a und z einen Sinn zu geben, den sie bis jetzt nur für ganzzahlige Exponenten besitzt: Durch die Definition

(5) $$z^a := e^{a \ln z}, \quad z \neq 0,$$

wird z^a gleichfalls zu einer Funktion auf der Riemannschen Fläche $\mathfrak{L}$ (die wir diesmal der z-Ebene überlagern). Jedem Wert z entsprechen also i. a. unendlich viele Werte z^a, die sich um Potenzen von $e^{2\pi i a}$ als Faktoren unterscheiden. Nur endlich viele sind es genau dann, wenn es eine ganze Zahl q gibt, derart, daß aq ganz ist, d. h. wenn a rational ist: $a = \frac{p}{q}$, p und q ganz, aus (2) folgt dann $\left(z^{\frac{p}{q}}\right)^q = e^{p \ln z} = z^p$, also stimmt unsere Definition im Falle rationaler Exponenten mit der üblichen ›Wurzel‹definition überein. Als Riemannsche Fläche kann man daher eine ›kleinere‹ als $\mathfrak{L}$ wählen: man benötigt nur p Blätter, die man ebenso wie bei $\mathfrak{L}$ verheftet, um schließlich noch die freien Ufer des ersten und letzten Blattes zu identifizieren (Abb. 5). — Aus (5) ergibt sich noch

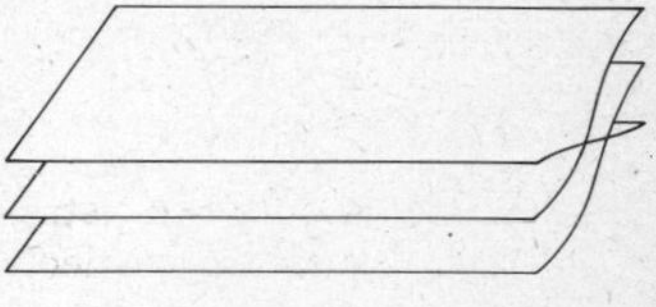

Abb. 5: Die Riemannsche Fläche von $z^{\frac{p}{q}}$ für q = 3

$$z_1^a \cdot z_2^a = (z_1 \cdot z_2)^a,$$
$$z^a \cdot z^b = z^{a+b},$$
$$(z^a)^b = z^{ab};$$

diese Beziehungen sind so zu verstehen, daß sie bei geeigneter Wahl der Werte der Potenzen richtig sind.

II. Potenzreihen. a) Nun betrachten wir *Potenzreihen* mit beliebigen komplexen Koeffizienten. Eine Reihe $\sum_0^\infty a_n z^n$ konvergiert wieder in einem bestimmten Kreise $|z| < r$ und divergiert für alle z mit $|z| > r$, während für $|z| = r$, also auf der sog. *Konvergenzgrenze*, keine allgemeine Aussage über das Konvergenzverhalten möglich ist; beispielsweise ist für die Reihen $\sum_1^\infty z^n$ und $\sum_1^\infty \frac{z^n}{n^2}$ in beiden Fällen $r=1$, die erste Reihe konvergiert aber für kein z auf $|z| = 1$, die zweite dagegen für jedes solche z.

Wie im Reellen (→ Infinitesimalrechnung im $\mathbf{R}^1$, III) errechnet sich der *Konvergenzradius* aus den Koeffizienten nach der *Cauchyschen Formel*

$$r = \frac{1}{\overline{\lim} \sqrt[n]{|a_n|}}, \tag{6}$$

wobei hierunter $r = 0$ zu verstehen ist, wenn der $\overline{\lim}$ nicht existiert, und $r = \infty$, wenn er 0 ist. Von Interesse sind nur solche Potenzreihen, die nicht nur für $z = 0$ konvergieren, für die also $r > 0$ ist, was wir stets annehmen wollen. Dann ist also der Konvergenzkreis $K_r := \{z \mid |z| < r\}$ ein *Gebiet* (→ Topologie), und wie im Reellen beweist man, daß die Konvergenz im Innern absolut und in jedem Kreis K_ρ mit $\rho < r$ gleichmäßig ist.

b) 1. Jedenfalls wird in K_r durch $f(z) = \sum_0^\infty a_n z^n$ eine *Funktion* definiert. Solche Funktionen besitzen wichtige Eigenschaften. Sei k der erste Index $n > 0$, für den $a_n \neq 0$ ist, so kann man schreiben

$$f(z) = a_0 + a_k z^k \left[1 + \frac{1}{a_k} z (a_{k+1} + a_{k+2} z + \cdots)\right];$$

sicher aber gibt es einen Radius $\delta > 0$, so daß

$$\left| \frac{1}{a_k} z (a_{k+1} + a_{k+2} z + \cdots) \right| \leq \frac{1}{2}$$

ist für $z \in K_\delta$, und daher wird in K_δ von f der Wert a_0 nur für $z = 0$ angenommen. Anders ausgedrückt: nimmt f einen Wert an unendlich vielen Stellen an, die sich zum Nullpunkt häufen, so gibt es kein solches k; also ist f konstant. *Zwei Potenzreihen, die in einer solchen Punktmenge übereinstimmen, sind also identisch, d. h. koeffizientenweise gleich; insbesondere ist eine Potenzreihe nur dann konstant, wenn alle* a_n *mit* $n > 0$ *verschwinden.* Ist f nicht konstant, so ist dagegen der obige Index k wohlbestimmt: er heißt die *Ordnung* oder *Vielfachheit*, in welcher f für $z=0$ den Wert a_0 annimmt.

2. Man gelangt weiter zu dem wichtigen Ergebnis, daß f in jedem Punkt von K_r *differenzierbar* ist, was nichts anderes bedeutet, als daß der Grenzwert $\lim\limits_{h \to 0} \frac{f(z+h) - f(z)}{h}$ existiert; und zwar ist dieser Differentialquotient durch

$$f'(z) = \sum_0^\infty (n+1) a_{n+1} z^n$$

gegeben. Zum Beweise zeigt man zunächst mit (6), daß diese Potenzreihe denselben Konvergenzradius wie die ursprüngliche Reihe besitzt, und verifiziert dann durch direkte Abschätzung, daß sie den fraglichen Grenzwert darstellt. Da f′ wieder eine Potenzreihe ist, folgt sofort die Existenz a l l e r Differentialquotienten von f. Ferner kann die Ordnung von f im Nullpunkt auch beschrieben werden als die niedrigste Ableitungsordnung n, für die $f^{(n)}(0) \neq 0$ ist.

c) Für die allgemeineren Potenzreihen $\sum_{0}^{\infty} a_n (z - z_0)^n$ gilt Entsprechendes. Im Falle $r > 0$ definieren sie eine Funktion im Kreis $|z - z_0| < r$. Der Mittelpunkt $z = z_0$ dieses Kreises übernimmt dann die Rolle, die vorhin der Punkt $z = 0$ spielte. Insbesondere ist damit auch die *Ordnung (Vielfachheit)* erklärt, in der eine Funktion an der beliebigen Stelle $z = z_0$ den Wert a_0 annimmt.

B. Holomorphe Funktionen. Um das Wesen der Funktionentheorie zu erkennen, muß man sich vor Augen halten, daß eine Funktion a priori keinen Sinn hat, bevor nicht der zu ihrer Definition gehörende *Definitionsbereich* festgelegt ist; so sind zwei Funktionen mit verschiedenen Definitionsbereichen durchaus verschiedene Objekte, auch wenn sie in allen den Definitionsbereichen gemeinsamen Punkten gleiche Werte haben. Wenn wir hier trotzdem eine solche subtile Unterscheidung nicht durchführen werden, so liegt das nicht an der dazu erforderlichen bezeichnungstechnischen Akribie, sondern daran, daß *die Funktionen der Funktionentheorie so starke Eigenschaften aufweisen, daß sie ihren ›natürlichen Definitionsbereich‹ selbst bestimmen*; das liegt an dem gleich zu besprechenden Identitätssatz, der besagt, daß eine solche Funktion, die ›im Kleinen‹ bekannt ist, auf höchstens eine Weise ›ins Große‹ fortgesetzt werden kann.

I. Das Interesse, welches die durch Potenzreihen darstellbaren Funktionen verdienen, führt zur Fixierung der Funktionen, die das Objekt der Funktionentheorie bilden: *eine Funktion heißt holomorph, wenn ihr Definitionsbereich ein Gebiet* (d. h. eine offene, zusammenhängende Punktmenge) $G \subseteq \mathbf{C}$ *ist, und wenn sie um jeden Punkt* a *von* G in einer passenden Umgebung *in eine Potenzreihe* $\sum b_n (z - a)^n$ *entwickelt werden kann.* Wir sagen kurz: die Funktion ist in G holomorph.

a) Der Identitätssatz — er ergibt sich leicht aus dem entsprechenden Satz über Potenzreihen (s. o. A II b 1) — sagt aus: *Stimmen zwei in einem Gebiet* G *holomorphe Funktionen auf einer Punktmenge überein, die in* G *einen Häufungspunkt besitzt, so sind sie identisch.* Insbesondere ist damit unser Ausgangspunkt, reelle Potenzreihen ins Komplexe fortzusetzen, gerechtfertigt: *diese Fortsetzung* (sie ist holomorph; s. u. B I b) *zu einer holomorphen Funktion kann nur so geschehen!* Ferner: ist f_1 in G_1, f_2 in G_2 holomorph, gilt $G_1 \subseteq G_2$ und stimmt f_2 auf G_1 mit f_1 überein, so ist f_2 die einzige Funktion mit diesen Eigenschaften. Das ist der präzise Sinn unserer Aussage, daß eine im Kleinen holomorphe Funktion auch im Großen festgelegt ist: sie läßt sich in ein größeres Gebiet, wenn überhaupt, nur auf eine Weise holomorph fortsetzen.

b) Beispiele holomorpher Funktionen sind die Konstanten und, weniger trivial, die Potenzreihen in ihren Konvergenzkreisen. Letztere Behauptung besagt also, daß eine Reihe $\Sigma\, a_n z^n$ mit dem Konvergenzradius r für jedes $a \in K_r$ nach Potenzen von $z - a$ umgebildet werden kann, daß also eine Potenzreihe $\Sigma\, b_n (z-a)^n$ existiert, so daß beide Reihen in einem gewissen Kreis um a dieselbe Funktion darstellen (Abb. 6). Der nicht schwere Beweis hierfür ist jedoch unnötig, weil dieses Ergebnis als Nebenresultat aus der Differenzierbarkeit der Potenzreihen hervorgehen wird (s. u. B II b 1).

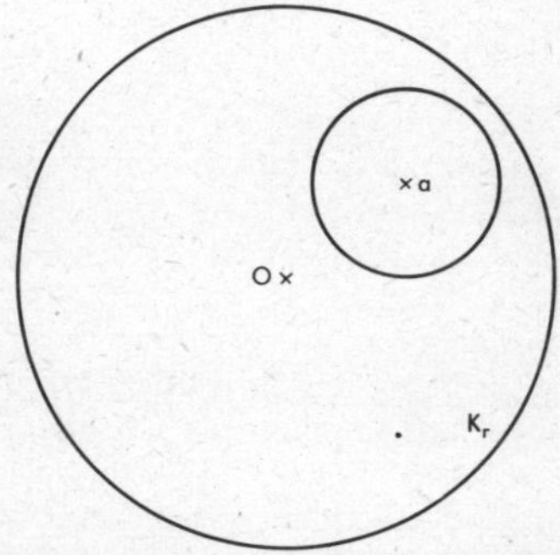

Abb. 6: Zur Holomorphie von Potenzreihen

II. Cauchys Theorie. Die Differenzierbarkeit der durch Potenzreihen dargestellten Funktionen erklärt häufig bereits ohne Mühe, weshalb eine Potenzreihe aufhört zu konvergieren, eine Frage, die im Reellen unbeantwortet bleiben muß. Das einfachste Beispiel ist die für $|x| < 1$ bestehende Beziehung $\frac{1}{1+x^2} = \sum_0^\infty (-1)^n x^{2n}$. Im Reellen ist die linke Seite eine Funktion, die für alle x erklärt ist und für $x = \pm 1$ keine Besonderheiten aufweist. Die entsprechende komplexe Funktion $\frac{1}{1+z^2}$ ($|z| < 1$) ist jedoch in der Nähe der Punkte $\pm\, i$, die auf der Konvergenzgrenze liegen, nicht mehr beschränkt und läßt sich daher in keinen größeren Kreis zu einer differenzierbaren Funktion fortsetzen. Für $|z| > 1$ muß die Reihe daher, auch im Reellen, durchweg divergieren. – Daß aber nun umgekehrt die Möglichkeit einer differenzierbaren Fortsetzung in einen größeren Kreis automatisch die Konvergenz der Potenzreihe in diesem zur Folge hat, ist eine tieferliegende Tatsache. Wir beweisen sie zugleich mit einem andern Satz.

Es ist nämlich *ein fundamentales Resultat, daß die* — für holomorphe Funktionen evidente — *Differenzierbarkeit ihrerseits die Holomorphie zur Folge hat,* so daß die obige Definition zu folgender viel befriedigenderen äquivalent ist: *Eine in einem Gebiet differenzierbare Funktion heißt holomorph.*

Dieser Satz, der im Reellen kein Analogon besitzt, zeigt, daß die Differenzierbarkeit im Komplexen eine viel stärkere Eigenschaft als im Reellen ist, hat sie doch (wenn sie in einem Gebiet vorliegt) zur Folge, daß die betreffende Funktion dort um jeden Punkt durch eine Potenzreihe dargestellt werden kann, insbesondere also auch beliebig oft differenzierbar ist. Der Beweis für diese erstaunliche Tatsache kann jedoch nicht direkt geführt werden, sondern bedarf eines merkwürdigen Umweges über grundlegende Integralsätze. Bis zum Beweis der Äquivalenz der beiden Definitionen wollen wir Holomorphie im Sinne der letzteren verstehen.

a) Der Cauchysche Integralsatz: f sei im Gebiet G holomorph. Ist $\mathfrak{C}$ ein System von geschlossenen Kurven in G, die in G ein beschränktes Teilgebiet beranden, so gilt stets

$$\int_{\mathfrak{C}} f(z)\, dz = 0.$$

Das bedeutet in hinreichender Allgemeinheit folgendes: $\mathfrak{C}$ besteht aus endlich vielen geschlossenen Kurven γ mit vorgegebenem Durchlaufungssinn derart, daß diese Kurven den Rand eines oder mehrerer beschränkter Gebiete G* von G bilden, so daß G* bei Durchlaufung von $\mathfrak{C}$ im vorgegebenen Sinne stets zur Linken liegt (Abb. 7). Die Punktmenge G* wird im folgenden kurz als das *Innere* von $\mathfrak{C}$ bezeichnet; von jedem ihrer Punkte sagen wir, er werde von $\mathfrak{C}$ *umschlossen.* Außerdem besitze jede der Kurven γ eine im reellen Sinne stetig differenzierbare Parameterdarstellung z (t) (→ Differentialgeometrie, Bd. 2), wobei also der Punkt z (t) die Kurve γ in der gegebenen Richtung einmal durchläuft, wenn t etwa von 0 bis 1 variiert, und in z (t) = x (t) + iy (t) die reellen Funktionen x (t) und y (t) stetig differenzierbar sind. Das Integral über $\mathfrak{C}$ ist nun definiert als Summe der Integrale über die Kurven γ, und ein solches kann

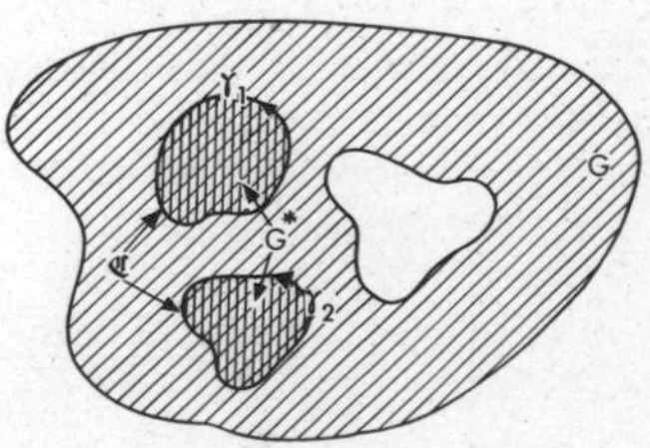

Abb. 7: Zum Cauchyschen Integralsatz

wie folgt durch gewöhnliche reelle Integrale definiert werden: ist f (z) = u (x, y) + iv (x, y) die Zerlegung von f in Real- und Imaginärteil, so sei

$$\int_\gamma f(z)\,dz := \int_0^1 \big[u\,[x(t), y(t)]\,x'(t) - v\,[x(t), y(t)]\,y'(t)\big]\,dt$$
$$+\, i \int_0^1 \big[u\,[x(t), y(t)]\,y'(t) + v\,[x(t), y(t)]\,x'(t)\big]\,dt\,.$$

Der Beweis des Cauchyschen Integralsatzes wird durch einfache, aber scharfsinnige Abschätzungen erbracht, wobei die Holomorphie von f im Sinne unserer zweiten Definition lediglich als Differenzierbarkeit verwendet wird.

1. Der Satz wird falsch, wenn man die Voraussetzung, daß $\mathfrak{C}$ in G berandet, fallen läßt. Beispielsweise ist die Funktion $\frac{1}{z}$ in $\mathbf{C}^*$ holomorph, und die im positiven Sinne durchlaufene Kreislinie S_ϱ vom Radius ϱ um den Nullpunkt berandet in $\mathbf{C}^*$ nicht, da der Nullpunkt nicht zu $\mathbf{C}^*$ gehört. Da S_ϱ die Parameterdarstellung $\varrho e^{2\pi i t}$ besitzt, errechnet man leicht die von ϱ unabhängige (!) Beziehung $\int_{S_\varrho} \frac{1}{z}\,dz = 2\pi i$.

2. Wählt man als Integranden aber eine Funktion f, die auch in einer ganzen Umgebung eines bestimmten Punktes außer evtl. in ihm selbst holomorph ist, aber (im Gegensatz zu obigem Beispiel) dort beschränkt bleibt, so zeigt eine simple Abschätzung, daß wieder $\int_{S_\varrho} f(z)\,dz = 0$ gilt.

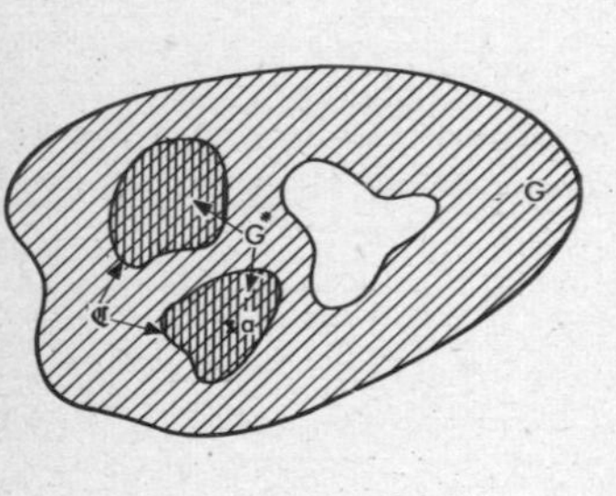

Abb. 8: Zur Cauchyschen Integralformel

b) Die Cauchysche Integralformel. Diese Bemerkungen haben wichtige Konsequenzen: f sei in G holomorph, $\mathfrak{C}$ ein berandendes Kurvensystem in G und a ein Punkt im Innern von $\mathfrak{C}$ (Abb. 8). Dann existiert jedenfalls

$$\int_{\mathfrak{C}} \frac{f(z) - f(a)}{z - a}\,dz.$$

Der Integrand ist in G holomorph außer in a, ist dort aber beschränkt, weil sein Grenzwert für z → a wegen der Differenzierbarkeit von f existiert; folglich verschwindet das Integral. Daraus ergibt sich

$$\int_{\mathfrak{C}} \frac{f(z)}{z-a}\,dz = f(a) \int_{\mathfrak{C}} \frac{dz}{z-a}\,.$$

Das rechte Integral hat aber nach dem Beispiel aus B II a 1 den Wert $2\pi i$, wie man erkennt, wenn man den Nullpunkt durch a ersetzt und bedenkt, daß wegen des Cauchyschen Integralsatzes $\mathfrak{C}$ durch eine Kreislinie S um a ersetzt werden darf. Damit haben wir bewiesen den *Satz über die Cauchysche Integraldarstellung: f sei im Gebiet G holomorph, $\mathfrak{C}$ berande in G die Punktmenge G*. Dann besteht in G* für f die Integralformel*

$$f(z) = \frac{1}{2\pi i} \int_{\mathfrak{C}} \frac{f(\zeta)}{\zeta - z} d\zeta, \; z \in G^*.$$

Dieser Satz, der u. a. besagt, daß *eine holomorphe Funktion in einer Punktmenge bereits durch ihre Werte auf dem Rande bestimmt ist,* führt zu einer Fülle wichtigster Folgerungen.

1. Als erste beweisen wir die bereits aufgestellte Behauptung, daß unsere beiden Holomorphiedefinitionen äquivalent sind. f sei im Gebiet G holomorph und $a \in G$. Der Radius ϱ sei so gewählt, daß der abgeschlossene Kreis $|z-a| \leq \varrho$ ganz in G liegt. Für ein festes z im Innern dieses Kreises und beliebige ζ auf seinem Rande ist $\left|\frac{z-a}{\zeta-a}\right|$ ein von der besonderen Wahl von ζ unabhängiger Wert und kleiner als 1, die geometrische Reihe

$$\frac{f(\zeta)}{\zeta - z} = \frac{f(\zeta)}{\zeta - a} \; \frac{1}{1 - \frac{z-a}{\zeta - a}} = \sum_{n=0}^{\infty} \frac{f(\zeta)}{(\zeta - a)^{n+1}} (z-a)^n$$

also in ζ gleichmäßig konvergent. Die Reihe darf daher gliedweise integriert werden. Es folgt

$$f(z) = \frac{1}{2\pi i} \int_{|\zeta - a| = \varrho} \frac{f(\zeta)}{\zeta - z} d\zeta = \sum_{n=0}^{\infty} a_n (z-a)^n \text{ für } |z-a| < \varrho$$

mit

$$a_n = \frac{1}{2\pi i} \int_{|\zeta - a| = \varrho} \frac{f(\zeta)}{(\zeta - a)^{n+1}} d\zeta.$$

2. Wir haben damit nicht nur die verlangte Äquivalenz bewiesen, sondern auch gezeigt, daß *die Potenzreihe um den beliebigen Punkt* $a \in G$ *im größten Kreise konvergiert, der noch in G liegt.* Diese Tatsache gestattet es, den *Konvergenzradius* einer Potenzreihe durch eine Eigenschaft der dargestellten Funktion zu charakterisieren: eine durch eine Potenzreihe dargestellte Funktion läßt sich in das ganze Innere des Konvergenzkreises, hingegen in keinen zum Konvergenzkreis konzentrischen und ihn umfassenden Kreis holomorph fortsetzen.

3. Sodann sei der *Riemannsche Hebbarkeitssatz* angeführt: die oben betrachtete Situation, daß f in einer Umgebung von a außer in a selbst holomorph und beschränkt ist, kann auf

triviale Weise ›verbessert‹ werden: f läßt sich stets in a holomorph fortsetzen (man sagt: a sei eine *hebbare Singularität* von f).
4. Ein verwandter Satz ist der *Satz von Liouville,* der einen ersten Einblick in die einschneidende Wirkung gibt, welche die Differenzierbarkeit, die ja eine Eigenschaft im Kleinen ist, auf das Verhalten einer Funktion im Großen ausübt. Es handelt sich um die folgende Aussage: *Jede in der ganzen Ebene holomorphe und beschränkte Funktion ist konstant.*
5. Sie gestattet es, den *Fundamentalsatz der Algebra* auf einfachste Weise zu erhalten: Sei nämlich p ein Polynom, das keine Nullstellen besitzt; dann ist $\frac{1}{p}$ in **C** holomorph und, da $\lim\limits_{|z|\to\infty} \frac{1}{p(z)} = 0$ ist, beschränkt, also konstant; dasselbe gilt daher auch für p. Damit ist bewiesen, daß jedes nicht-konstante Polynom mindestens eine Nullstelle besitzt. Durch algebraische Schlüsse folgt daraus, daß es genau so viele Nullstellen hat – jede in ihrer Vielfachheit gezählt –, wie sein Grad angibt (→ Gleichungen).
c) Der Residuensatz. Er befaßt sich mit der Situation, daß eine Funktion f in einem Gebiet G bis auf isolierte Singularitäten holomorph ist. Zunächst der Fall *einer* solchen Singularität: f sei also in G holomorph außer an der Stelle $z_0 \in G$. Ist dann $\mathfrak{C}$ ein in G berandendes, die Stelle z_0 umschließendes System von Kurven und S_ϱ eine Kreislinie vom Radius ϱ um z_0, so beranden $\mathfrak{C}$ und der negativ durchlaufene Kreis S_ϱ eine Punktmenge, in der f holomorph ist; es gilt also, wenn S_ϱ wieder positiv durchlaufen wird,

$$\frac{1}{2\pi i}\int_{\mathfrak{C}} f(z)\,dz = \frac{1}{2\pi i}\int_{S_\varrho} f(z)\,dz.$$

Die rechte Seite ist also von ϱ unabhängig und folglich allein vom Verhalten der Funktion in der Nähe der Singularität z_0 bestimmt; man nennt diese Zahl daher *Residuum* von f im Punkte z_0 und schreibt $\operatorname{Res}\limits_{z_0} f$. Bei hebbaren Singularitäten verschwindet das Residuum; ebenso bei Singularitäten der Form $f(z) = \frac{1}{(z-z_0)^n}$ mit $n > 1$; für $n = 1$ gilt dagegen (s. o. II a 1) $\operatorname{Res}\limits_{z_0} \frac{1}{z-z_0} = 2\pi i$. Liegen im Innern $I(\mathfrak{C})$ von $\mathfrak{C}$ mehrere isolierte Singularitäten z_j vor, so erhält man

$$\frac{1}{2\pi i}\int_{\mathfrak{C}} f(z)\,dz = \sum_{z_j \text{ in } I(\mathfrak{C})} \operatorname{Res}_{z_j} f,$$

wobei die Summe über alle (notwendig endlich vielen) z_j zu nehmen ist, die von $\mathfrak{C}$ umschlossen werden. Dieser Residuensatz ist also eine Erweiterung des *Cauchyschen Integralsatzes.*

1. Die Fruchtbarkeit dieses Satzes werde wie folgt belegt: f sei in G holomorph und nicht konstant. Die Stellen, an denen f einen vorgegebenen Wert a annimmt, liegen wegen des Identitätssatzes in G isoliert; sie sind also isolierte Singularitäten der Funktion $\frac{f'(z)}{f(z) - a}$. Ihr Residuum an einer solchen Stelle z_0 errechnet sich leicht als die Vielfachheit, in der f in z_0 den Wert a annimmt. $\frac{1}{2\pi i} \int_{\mathfrak{C}} \frac{f'(z)}{f(z) - a} dz$ ist also gleich der Summe der Vielfachheiten der a-Stellen, die von $\mathfrak{C}$ umschlossen werden, wenn nur auf $\mathfrak{C}$ keine solche Stelle liegt.

2. Läßt man jetzt a variieren, so erkennt man unmittelbar, daß das Integral im Kleinen stetig von a abhängt; andererseits ist es eine natürliche Zahl, also konstant für hinreichend benachbarte Werte von a. Das bedeutet: *Ist* f *in* G *holomorph und* $\mathfrak{C}$ *ein in* G *berandendes Kurvensystem, so gibt es zu jedem Wert* a, *den* f *auf* $\mathfrak{C}$ *nicht annimmt, eine ganze Umgebung, deren Werte von* f *innerhalb* $\mathfrak{C}$ *ebenso oft angenommen werden wie* a. Insbesondere bewirkt dieses Resultat, daß jeder Wert von f innerer Punkt (→ Topologie) der Wertmenge f (G), diese also wieder ein *Gebiet* ist. Das ist der *Satz von der Gebietstreue: Ein Gebiet wird durch eine dort holomorphe, nicht konstante Funktion stets wieder auf ein Gebiet abgebildet.*

3. In diesem Satz ist enthalten das *Maximumprinzip: Eine im Gebiet* G *holomorphe Funktion, deren Betrag in einem Punkte von* G *maximal wird, ist konstant.* — Ein Wert mit Maximalbetrag kann ja nicht innerer Punkt der Wertmenge sein; diese ist also kein Gebiet, was nur eintreten kann, wenn f konstant ist.

4. Ferner ermöglicht die Gebietstreue holomorpher Funktionen das *Komponieren* (= Zusammensetzen, Verketten) solcher Funktionen, wobei man wieder holomorphe Funktionen erhält. — Ist f in G holomorph und *schlicht* (= injektiv), existiert also die *Umkehrfunktion* f^*: $f^* (G) \rightarrow G$, so ist diese wieder holomorph, weil f' in G keine Nullstelle besitzt.

III. a) Zu den genannten Abbildungseigenschaften holomorpher Funktionen tritt noch eine weitere, die für die Anwendungen bedeutsam ist: Sie betrifft den *differentialgeometrischen Charakter* einer solchen Abbildung: *Ist* f *in* G *holomorph und schlicht, so ist die Abbildung* f: G → f (G) *direktkonform.* D. h. sind γ_1, γ_2 zwei Kurven, die sich im Punkte a ∈ G schneiden, so schneiden sich die Bildkurven f (γ_1), f (γ_2) in f (a) unter demselben Winkel. – Hiervon gilt auch die Umkehrung: *Jede direkt-konforme, injektive Abbildung eines Gebietes ist holomorph.*

b) Die Frage, welche Gebiete konform aufeinander abgebildet werden können, ist also äquivalent mit der Frage, ob es zu zwei Gebieten eine im ersten holomorphe Funktion gibt, deren Werte die Punkte des zweiten sind, wobei jeder nur einmal angenommen wird. Hierfür gilt der wichtige *Riemannsche Abbildungssatz: Jedes einfach zusammenhängende Gebiet* G, *das von* **C** *verschieden ist, kann auf den Einheitskreis konform abgebildet werden.* Für **C** ist das nicht möglich. – Hierbei bedeutet die Voraussetzung über G, daß es mit dem Kreis topologisch äquivalent ist; das ist offenbar notwendig, weil jede holomorphe Funktion stetig ist.

Um die Gesamtheit aller konformen Abbildungen eines solchen Gebietes auf den Einheitskreis zu überblicken, genügt es, alle *konformen Selbstabbildungen* dieses Kreises zu kennen. Diese werden gegeben durch alle Funktionen $z \to \frac{az + b}{\bar{b}z + \bar{a}}$ mit $a\bar{a} - b\bar{b} = 1$. Die konformen Abbildungen der Ebene **C** dagegen – sie sind nach obigem Satz notwendig Selbstabbildungen – sind die Funktionen $z \to az + b$ mit $a \neq 0$.

C. Meromorphe Funktionen. I. a) Mit dem Holomorphiebegriff haben wir wichtige Funktionen erfaßt, jedoch ebenso wichtige bleiben außerhalb dieser Klasse. Beispielsweise ist die Funktion $\frac{1}{z}$ nicht in der Klasse aller in der ganzen Ebene **C** holomorphen Funktionen enthalten; allgemeiner ist das der Fall für jede rationale Funktion, die kein Polynom ist; noch allgemeiner: jede *Reziproke* $f = \frac{1}{g}$ einer in **C** holomorphen Funktion g gehört nicht dazu, wenn g Nullstellen besitzt. Denn an einer Nullstelle z_0 von g ist die Funktion $\frac{1}{g}$ gar nicht erklärt und auch nicht holomorph fortsetzbar, weil sie dort nicht beschränkt ist. Jedenfalls sind solche Stellen isolierte Singularitäten von f, wenn g nicht die Nullfunktion [$g(z) = 0$ für alle $z \in$ **C**] ist.

1. Es sind jedoch *isolierte Singularitäten* sehr spezieller Art: *die Funktion* $\frac{1}{f}$ *ist dort durch den Wert* 0 *holomorph ergänzbar,* was keineswegs immer für eine isolierte Singularität einer sonst holomorphen Funktion f der Fall ist. Z. B. hat $f(z) = e^{+\frac{1}{z}}$ im Nullpunkt eine solche Singularität, und die Reziproke $e^{-\frac{1}{z}}$ ist dort nicht holomorph ergänzbar, weil sie nicht beschränkt

ist. Zur Unterscheidung heißen die genannten speziellen isolierten Singularitäten ›*Pole*‹ oder auch ›*außerwesentlich*‹ im Gegensatz zu den anderen, ›*wesentlichen*‹.
2. Übrigens haben Funktionen mit *wesentlichen Singularitäten* die Eigenschaft, daß sie *in jeder Umgebung einer solchen Stelle jedem Wert beliebig nahekommen;* sie brauchen ihn jedoch nicht anzunehmen, wie das Beispiel $e^{-\frac{1}{z}}$ zeigt: diese Funktion hat keine Nullstelle, konvergiert aber gegen Null, wenn z auf der positiv-reellen Achse gegen den Nullpunkt strebt. Mit der subtilen Frage nach dem Verhältnis zwischen den angenommenen Werten und solchen ›Zielwerten‹ wesentlich singulärer Funktionen beschäftigt sich u. a. die große *Theorie der Wertverteilung.*
b) Eine Funktion f, die in einem Gebiet G bis auf Pole holomorph ist, heißt dort *meromorph.* Sie ist es genau dann, wenn an jeder Stelle von G sie selbst oder ihre Reziproke $\frac{1}{f}$ holomorph (oder wenigstens holomorph ergänzbar) ist. Noch ist es nicht korrekt, von ihr als Funktion in G zu reden; denn sie hat ja an den Polen keinen Funktionswert. Diese Unschönheit wird nun dadurch beseitigt, daß man allen diesen Funktionen an ihren Polen einen *Funktionswert* zuschreibt, den man zur Wertebene hinzunehmen muß, weil er ja keine komplexe Zahl sein kann. Diesen zusätzlichen ›Wert‹ nennt man den *unendlich fernen Punkt.* Man darf sich dabei nichts Spekulativ-Unklares denken, eine Mißdeutung, die durch den konventionsbedingten Namen suggeriert werden könnte: dieser Punkt ∞ ist eben lediglich ein zur Menge **C** der komplexen Zahlen adjungierter Punkt, der aber keine Zahl ist, was bedeutet, daß man mit ihm nicht wie mit den komplexen Zahlen rechnen kann.
1. Als *Ordnung* oder *Vielfachheit* k einer Polstelle z_0 einer meromorphen Funktion f bezeichnet man die Ordnung der Nullstelle, welche $\frac{1}{f}$ dort besitzt. Diese natürliche Zahl k ist offenbar dadurch charakterisiert, daß $(z-z_0)^k f(z)$ im Punkte z_0 holomorph ergänzbar ist durch einen von Null verschiedenen Wert α_0.
2. Folglich besitzt diese Funktion eine *Entwicklung*

$$(z-z_0)^k f(z) = \alpha_0 + \alpha_1 (z-z_0) + \alpha_2 (z-z_0)^2 + \ldots,$$

und das bedeutet eine in der Umgebung von z_0 – außer in z_0 selbst – gültige Darstellung

$$f(z) = \frac{\alpha_0}{(z-z_0)^k} + \cdots + \frac{\alpha_{k-1}}{z-z_0} + \alpha_k + \alpha_{k+1}(z-z_0) + \ldots,$$

eine sog. *Laurent-Reihe.* (Man kann Laurent-Reihen auch aufstellen für Funktionen mit wesentlichen isolierten Singularitäten, allgemeiner für Funktionen, die in einem Kreisring holomorph sind; solche Reihen unterscheiden sich von den obigen dadurch, daß der sog. ›Hauptteil‹, d. h. der Reihenanteil, der aus Summanden mit negativen Exponenten für $z - z_0$ besteht, unendlich viele Glieder enthält.)

3. Durch gliedweise Integration erkennt man, daß α_{k-1} (der Koeffizient von $\frac{1}{z - z_0}$ in der Laurent-Reihe von f an der Polstelle z_0) *gerade das Residuum ist, das* f *dort besitzt.* Diese Beziehung ermöglicht eine rechnerische Auswertung des *Residuensatzes* für meromorphe Funktionen.

4. Damit erhält man noch eine Erweiterung eines früheren Satzes: Ist f im Gebiet G meromorph und $\mathfrak{C}$ ein in G berandendes Kurvensystem, auf dem kein Pol und keine Stelle liegt, an der f einen vorgegebenen Wert a annimmt, so ist

$$\frac{1}{2\pi i}\int\limits_{\mathfrak{C}} \frac{f'(z)}{f(z) - a}\, dz$$

gleich der Differenz aus den Anzahlen der innerhalb $\mathfrak{C}$ *gelegenen* a-*Stellen und Pole von* f, *jeweils in ihrer Vielfachheit gezählt.*

Es sei noch erwähnt, daß der *Identitätssatz* wörtlich auch für meromorphe Funktionen gilt.

II. Im folgenden sollen einige der wichtigsten in der Zahlenebene **C** meromorphen Funktionen besprochen werden.

a) Die Gammafunktion (→ Infinitesimalrechnung im $\mathbf{R}^1$, XXVII 7). 1. Für reelle und positive Werte von z ist die Definition der *Eulerschen Gammafunktion*

(7) $$\Gamma(z) = \int\limits_0^\infty t^{z-1} e^{-t}\, dt$$

bekannt. Es gilt

(8) $$\Gamma(z + 1) = z \cdot \Gamma(z) \quad \text{und} \quad \Gamma(1) = 1,$$

also $\Gamma(n) = (n - 1)!$ für jede natürliche Zahl n.

Dieselben Abschätzungen, durch welche die Konvergenz des uneigentlichen Integrals (7) bewiesen wird, zeigen, daß es auch in der ganzen Halbebene $\operatorname{Re} z > 0$ erklärt ist. Die Differentiation von (7) unter dem Integralzeichen läßt sich leicht rechtfertigen; folglich ist Γ für $\operatorname{Re} z > 0$ holomorph und somit die holomorphe Fortsetzung der reellen Gammafunktion in diese Halbebene, und die Funktionalgleichung (8) bleibt dort bestehen. Sie gestattet es, Γ weiter fortzusetzen: setzt man $\Gamma(z) = \frac{1}{z}\Gamma(z + 1)$, so ist die rechte Seite holomorph für alle $z \neq 0$ in der Halbebene $\operatorname{Re} z > -1$; durch Iteration dieses Prozesses erhält man

$$\Gamma(z) = \frac{1}{z(z+1)\dots(z+n)}\Gamma(z+n+1) \tag{9}$$

und damit die holomorphe Fortsetzung von Γ in die ganze Ebene außer an den Stellen $0, -1, -2, -3, \dots$. Diese isolierten Singularitäten $-n$ ($n = 0, 1, 2, \dots$) sind wegen (9) einfache Pole mit den Residuen $\frac{(-1)^n}{n!}$. Γ ist folglich in der ganzen Ebene meromorph.

2. Die Pole von $\Gamma(z)$ kann man kompensieren durch eine *ganze* – d. h. in der ganzen Ebene holomorphe – Funktion. Eine solche ist $\mathfrak{H}(z) := z\prod_{\nu=1}^{\infty}\left(1+\frac{z}{\nu}\right)\cdot e^{-\frac{z}{\nu}}$, wobei die Faktoren $e^{-\frac{z}{\nu}}$ die Konvergenz des unendlichen Produktes erzwingen. Man kann nun zeigen, daß die ganze Funktion $e^{Cz}\mathfrak{H}(z)\,\Gamma(z)$, wobei C die sog. *Eulersche Konstante* bedeutet, die als Grenzwert

$$C := \lim_{n\to\infty}\left(1+\frac{1}{2}+\dots+\frac{1}{n}-\ln n\right) = 0{,}57721\dots$$

definiert ist, beschränkt und folglich konstant ist; sie ist also überall gleich ihrem Wert an der Stelle $z = 0$, der sich zu 1 ergibt. Daher ist

$$\frac{1}{\Gamma(z)} = e^{Cz}z\prod_{1}^{\infty}\left(1+\frac{z}{n}\right)e^{-\frac{z}{n}} \tag{10}$$

eine ganze Funktion, woraus folgt, daß Γ keine Nullstellen besitzt. Zugleich folgt die Produktformel

$$\Gamma(z) = \frac{e^{-Cz}}{z}\prod_{1}^{\infty}\frac{e^{\frac{z}{n}}}{1+\frac{z}{n}}$$

die man auch in der Form

$$\Gamma(z) = \lim_{n\to\infty}\frac{n^z n!}{z(z+1)\dots(z+n)}$$

schreiben kann. Rechnet man $\frac{1}{\Gamma(z)\cdot\Gamma(1-z)}$ mittels (8) und (10) aus, so erhält man

$$\frac{1}{\Gamma(z)\,\Gamma(1-z)} = -\frac{1}{z}\,\frac{1}{\Gamma(z)\,\Gamma(-z)} = z\prod_{1}^{\infty}\left(1-\frac{z^2}{n^2}\right).$$

Dies ist eine ganze Funktion, deren Nullstellen alle ganzen Zahlen sind; dieselbe Eigenschaft hat die Funktion $\sin \pi z$. Man kann sogar zeigen, daß beide Funktionen bis auf den Faktor π übereinstimmen:

$$\frac{\sin \pi z}{\pi z} = \prod_{1}^{\infty}\left(1 - \frac{z^2}{n^2}\right);$$

für die Gammafunktion bedeutet das

(11) $$\Gamma(z)\,\Gamma(1-z) = \frac{\pi}{\sin \pi z},$$

insbesondere

$$\Gamma\left(\frac{1}{2}\right) = \sqrt{\pi}\,.$$

3. Das *asymptotische Verhalten* der Gammafunktion, d. h. ihre Werte für große Werte von z, wird durch die *Stirlingsche Formel* beschrieben, die wir für die beiden Fälle vermerken, daß z auf der positiv-reellen bzw. auf der imaginären Achse nach Unendlich strebt. Wir setzen also $z = x + iy$ und betrachten die Situationen $y = 0, x \to +\infty$ und $x = 0, |y| \to \infty$. Im ersten Falle gilt die ›klassische‹ Stirlingsche Formel

$$\lim_{x \to +\infty} \frac{\Gamma(x)}{\sqrt{\frac{2\pi}{x}}\left(\frac{x}{e}\right)^x} = 1\,;$$

im zweiten Falle ergibt sich

$$\lim_{|y| \to \infty} \frac{|\Gamma(iy)|}{\sqrt{\frac{2\pi}{|y|}}\, e^{-\frac{\pi}{2}|y|}} = 1$$

und

$$\lim_{|y| \to \infty}\left(\operatorname{arc}\Gamma(iy) - |y|\,(\ln|y| - 1) + \frac{\pi}{4}\right) = 0.$$

Während also die Gammafunktion auf der positiv-reellen Achse exponentiell anwächst, geht sie auf der imaginären Achse exponentiell gegen Null, jedoch stark oszillierend, d. h. mit unbeschränkt wachsendem Arcus.

4. Von grundsätzlichem methodischen Interesse ist noch die *Hankelsche Methode* zur meromorphen Fortsetzung der Gammafunktion. Ihr Grundgedanke ist dieser: Die Integralform (7) gilt nur für $\operatorname{Re} z > 0$, weil das uneigentliche Integral sonst divergiert; daran aber ist nicht der unendliche Integrationsweg schuld (der Faktor e^{-t} erzwingt immer die Konvergenz), sondern lediglich die Singularität $t = 0$ des Faktors t^{z-1}; in der komplexen t-Ebene kann man aber den Integrationsweg so verschieben, daß er nicht mehr durch den Nullpunkt geht, und erhält so eine für alle z gültige Formel, deren Zusammenhang mit der Gammafunktion sich aus dem *Cauchyschen Integralsatz* ergibt. Die *Durchführung* sieht so aus: In (7) hat t^{z-1}, da t positive Werte durchläuft, die Bedeutung $e^{(z-1)\ln t}$, wobei der Logarithmus natürlich als Hauptwert (d. h. reell) gemeint ist; t durchläuft also im ersten Blatt der Riemannschen Fläche des Logarithmus das obere Ufer. Nimmt man statt (7)

dasjenige Integral, das mit demselben Integranden längs des unteren Ufers in umgekehrter Richtung genommen ist, so erhält man

$$\int_{\infty}^{0} t^{z-1}\, e^{-t}\, dt,$$

wobei diesmal $t^{z-1} = e^{(z-1)(\ln t + 2\pi i)}$ zu nehmen ist. Dies Integral hat also den Wert

$$-\, e^{2\pi i (z-1)}\, \Gamma(z) = -\, e^{2\pi i z}\, \Gamma(z).$$

Die Summe beider Integrale ergibt somit

$$\text{(12)} \qquad \Gamma(z) = \frac{\mathfrak{I}(z)}{1 - e^{2\pi i z}} \text{ mit } \mathfrak{I}(z) = \int_{\mathfrak{L}'} t^{z-1}\, e^{-t}\, dt,$$

wobei $\mathfrak{L}'$ den in Abb. 9 angegebenen Weg in der t-Ebene bezeichnet und t^{z-1} in der oben geschilderten Bedeutung zu verstehen ist. Die Loslösung des Integrationsweges von der Stelle $t = 0$ geschieht nun dadurch, daß man statt $\mathfrak{L}'$ als Integrationsweg den Weg $\mathfrak{L}$ aus Abb. 9 nimmt; eine Erweiterung des Cauchyschen Integralsatzes zeigt, daß die Funktion $\mathfrak{I}(z)$ sich dabei nicht ändert. *Das so modifizierte Integral ist jedoch für alle Werte von z konvergent und stellt offenbar $\mathfrak{I}(z)$ als ganze Funktion dar.*

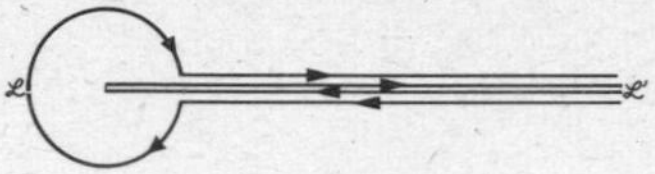

Abb. 9: Zur Fortsetzung der Gammafunktion

Für ganzzahlige Werte von z hat t^{z-1} auf beiden Ufern des Weges dieselben Werte, das Integral ist also nur längs der Kreislinie zu nehmen und kann daher leicht nach dem *Residuensatz* ausgewertet werden; dadurch erhält man eine Bestätigung unserer früheren Feststellungen über die *Pole der Gammafunktion,* die ja unter den Nullstellen des Nenners in (12) vorkommen müssen, d. h. ganze Zahlen sind.

Aus (11) und (12) folgt noch

$$\frac{1}{\Gamma(1-z)} = \frac{1}{\pi} \sin \pi z\, \Gamma(z) = \frac{\sin \pi z}{\pi(1 - e^{2\pi i z})}\, \mathfrak{I}(z) = -\frac{e^{-\pi i z}}{2\pi i}\, \mathfrak{I}(z),$$

die *Hankelsche Formel* für $\frac{1}{\Gamma}$ als ganze Funktion.

b) Die Riemannsche Zetafunktion (→ Infinitesimalrechnung im $\mathbf{R}^1$, XXVII 7). 1. *Dirichlet-Reihen* nennt man Reihen der Form $\sum_1^{\infty} \frac{a_n}{n^z}$. Die einfachste definiert für $\operatorname{Re} z > 1$ die Riemannsche Zetafunktion

$$\zeta(z) := \sum_1^{\infty} \frac{1}{n^z}$$

als holomorphe Funktion. Sie ist vornehmlich für das Problem der *Primzahlverteilung* von Bedeutung, wie bereits die einfach zu beweisende Beziehung zeigt:

$$\zeta(z) = \prod_p \frac{1}{1 - \frac{1}{p^z}}, \tag{13}$$

wobei das Produkt über alle positiven Primzahlen zu nehmen ist.

2. Die funktionentheoretische Untersuchung dieser Funktion setzt mit einer Beziehung zur *Gammafunktion* ein: Die Substitution $t \to nt$ in (7) ergibt

$$\frac{\Gamma(z)}{n^z} = \int_0^\infty t^{z-1} e^{-nt}\, dt,$$

woraus man durch Summation über n, die rechts unter dem Integralzeichen erlaubt ist und dort eine geometrische Reihe ergibt,

$$\Gamma(z)\,\zeta(z) = \int_0^\infty \frac{t^{z-1}}{e^t - 1}\, dt$$

erhält. Die rechte Seite ist wieder wegen der Singularität des Integranden bei $t = 0$ nur für $\mathrm{Re}\, z > 1$ konvergent. Die bereits für die Gammafunktion angewandte Methode gestattet, auch diese Funktion als meromorphe Funktion in die ganze z-Ebene fortzusetzen. Man erhält

$$\Gamma(z)\,\zeta(z) = \frac{1}{1 - e^{2\pi i z}}\, \mathfrak{K}(z) \tag{14}$$

mit

$$\mathfrak{K}(z) := \int_{\mathfrak{L}} \frac{t^{z-1}}{e^t - 1}\, dt,$$

wobei $\mathfrak{L}$ den Weg aus Abb. 9 bezeichnet. $\mathfrak{K}(z)$ ist offenbar wieder eine ganze Funktion, und dadurch definiert (14) die Zetafunktion als überall meromorphe Funktion. Als Pole – und zwar einfache – kommen höchstens die Nullstellen des Nenners, also die ganzen Zahlen in Frage. Diese sind für $0, -1, -2, \ldots$ bereits Pole von Γ; also muß ζ dort holomorph sein. An den Stellen $2, 3, \ldots$ liegt aber auch kein Pol von ζ, da ζ ja für $\mathrm{Re}\, z > 1$ holomorph ist. Die einzige Singularität der Zetafunktion ist also ein einfacher Pol bei $z = 1$, dessen Residuum sich leicht zu $+1$ ergibt.

3. *Riemann* hat die von ihm gefundene Formel (14) dadurch zu einer berühmten *Funktionalgleichung* ausgebaut, daß er den Integrationsweg $\mathfrak{L}$ von $\mathfrak{K}(z)$ auf bestimmte Weise deformierte, wobei zwar immer neue Pole des Integranden ins Innere des Integrationsweges gelangen, deren Residuensumme jedoch gegen $\mathfrak{K}(z)$ konvergiert, weil das Integral selbst nach Null strebt. Die genannte Funktionalgleichung lautet

$$\text{(15)} \qquad \pi^{-\frac{z}{2}}\,\Gamma\left(\frac{z}{2}\right)\zeta(z) = \pi^{-\frac{1-z}{2}}\,\Gamma\left(\frac{1-z}{2}\right)\zeta(1-z);$$

die linke Seite ist also invariant gegenüber der Substitution $z \to 1 - z$, das ist eine *Spiegelung* an der ›*kritischen Geraden*‹ $\operatorname{Re} z = \frac{1}{2}$.

4. Dieser Name erklärt sich aus der bis jetzt unbewiesenen *Vermutung von Riemann, daß die ›nicht-trivialen‹ Nullstellen der Zetafunktion sämtlich auf dieser Geraden liegen.* Die genaue Kenntnis der Nullstellen würde es gestatten, einige für die Verteilung der Primzahlen bedeutsamen Abschätzungen erheblich zu verschärfen. Die ›trivialen‹ Nullstellen bestimmen sich wie folgt: Nach (13) ist $\zeta(z) \neq 0$ für $\operatorname{Re} z > 1$, und da die Gammafunktion keine Nullstellen besitzt, ist die linke Seite in (15) für $\operatorname{Re} z > 1$ holomorph und von Null verschieden; folglich besitzt $\zeta(1-z)$ in dieser Halbebene genau die Pole von $\Gamma\left(\frac{1-z}{2}\right)$ als – einfache – Nullstellen; das sind die Stellen $z = 3, 5, 7, \ldots$; in der Halbebene $\operatorname{Re} z < 0$ liegen also die ›trivialen‹ Nullstellen $-2, -4, -6, \ldots$ von $\zeta(z)$. Die ›nicht-trivialen‹ Nullstellen – *es gibt unendlich viele* – gehören daher dem ›*kritischen Streifen*‹ $0 \leq \operatorname{Re} z \leq 1$ an, dessen Mittellinie die ›kritische Gerade‹ bildet.

c) Elliptische Funktionen. 1. Diese Funktionen haben ihren Namen daher, daß der historische Beginn ihres Studiums mit der Berechnung des Umfanges einer Ellipse einsetzte. Dieser Zusammenhang ist nicht evident, wenn man von der funktionentheoretischen Definition ausgeht, die so lautet: ω_1 und ω_2 seien zwei komplexe Zahlen mit nicht reellem Verhältnis (im einfachsten Falle also $\omega_1 = 1$, $\omega_2 = i$); *eine – bzgl.* (ω_1, ω_2) *– elliptische Funktion ist eine in* **C** *meromorphe Funktion* f *mit den Perioden* ω_1 *und* ω_2. Für jedes z und beliebige ganze Zahlen n_1 und n_2 gilt also $f[z - (n_1\omega_1 + n_2\omega_2)] = f(z)$.

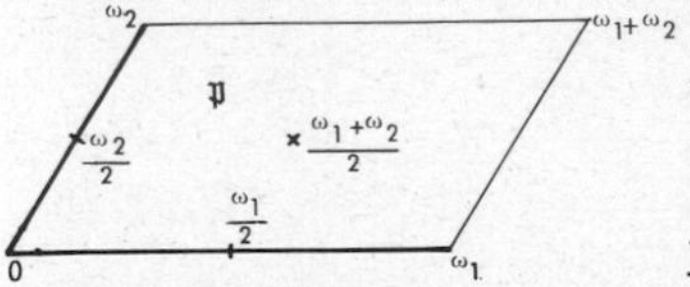

Abb. 10: Zur Periodizität elliptischer Funktionen

Im folgenden sind die *Perioden* ω_1 und ω_2 fest vorgegeben, so daß der Zusatz ›bzgl. (ω_1, ω_2)‹ fortgelassen werden darf.

Eine elliptische Funktion nimmt also sämtliche Werte, deren sie überhaupt fähig ist, bereits im ›*Periodenparallelogramm*‹ $\mathfrak{P}$ (Abb. 10) an, zu dem die stark gezeichneten Teile seiner Berandung hinzuzunehmen sind: *jeder Punkt* z *der Ebene* *ist zu genau einem Punkt z' von $\mathfrak{P}$ in dem Sinne äquivalent, daß jede elliptische Funktion sich in z ebenso wie in z' verhält.*

2. Aus dem *Satz von Liouville* und dem *Residuensatz* ergibt sich unmittelbar, daß *jede nicht-konstante elliptische Funktion* f notwendig Pole besitzen muß, deren Residuensumme in $\mathfrak{P}$ verschwindet, und *alle Werte gleich oft annimmt; diese Anzahl heißt* O r d n u n g *von* f *und ist notwendig* ≥ 2.

3. Eine elliptische Funktion der Ordnung 2 ist die *Weierstraßsche* $\wp$*-Funktion:* Sie hat im Nullpunkt einen Pol 2. Ordnung mit der Entwicklung $\wp(z) = \frac{1}{z^2} + az + \ldots$, durch die sie vollständig bestimmt ist. Man erhält daraus unschwer die in der ganzen Ebene gültige Darstellung

$$\wp(z) = \frac{1}{z^2} + \sum_{\omega}{}' \left\{ \frac{1}{(z-\omega)^2} - \frac{1}{\omega^2} \right\},$$

wobei über alle von Null verschiedenen Perioden $\omega = n_1\omega_1 + n_2\omega_2$ zu summieren ist. Man folgert, daß $\wp$ eine »gerade« Funktion ist: $\wp(-z) = \wp(z)$, und daß $\wp' = -2 \sum_{\omega} \frac{1}{(z-\omega)^3}$ (Summation über alle Perioden ω) eine »ungerade« Funktion ist: $\wp'(-z) = -\wp'(z)$, und zwar eine elliptische Funktion der Ordnung 3 mit den einfachen Nullstellen $\frac{\omega_1}{2}, \frac{\omega_2}{2}, \frac{\omega_1+\omega_2}{2}$, die daher die einzigen Stellen sind, an denen $\wp$ seine Werte in höherer als erster Ordnung (und zwar doppelt) annimmt; *diese Werte bezeichnet man mit* e_1, e_2, e_3.

4. Durch die Funktionen $\wp$ und $\wp'$ sind nun sämtliche elliptischen Funktionen bestimmt; es gilt nämlich der einfach zu beweisende Satz, daß *man in der Form* $f = R_1(\wp) + R_2(\wp)\,\wp'$ *alle elliptischen Funktionen* f *erhält, wobei* R_1 *und* R_2 *beliebige rationale Ausdrücke sind.*

5. Das wichtigste Ergebnis jedoch lautet:

$$\wp'^2 = 4\,(\wp-e_1)\,(\wp-e_2)\,(\wp-e_3).$$

Diese *Differentialgleichung*, der die $\wp$-Funktion genügt, folgt unmittelbar durch Vergleich der Pole und Nullstellen beider Seiten. Sie ist der Grund für das häufige Auftreten elliptischer Funktionen in p h y s i k a l i s c h e n Anwendungen. Auch für die *konforme Abbildung* leistet die $\wp$-Funktion Wichtiges: *falls* ω_1 *reell und* ω_2 *rein-imaginär ist, bildet* $\wp$ *das Rechteck mit den Ecken* $0, \frac{\omega_1}{2}, \frac{\omega_2}{2}, \frac{\omega_1+\omega_2}{2}$ *konform auf eine Halbebene ab.*

In der Differentialgleichung kann man die Variablen $t := \wp(z)$ und z trennen (→ Differentialgleichungen, B IV a) und erhält

$$z(t) = \frac{1}{2} \int \frac{dt}{\sqrt{(t-e_1)(t-e_2)(t-e_3)}}.$$

Ein solches ›*elliptisches Integral*‹ ist insofern der einfachste Typ eines nicht elementar auswertbaren Integrals, als man gerade noch Integrale der Gestalt $\int \frac{dt}{\sqrt{t^2 + at + b}}$ elementar behandeln kann, während hier ein kubisches Polynom als Radikand auftritt. Außerdem haben wir hier den bereits erwähnten Grund für die Benennung der elliptischen Funktionen; denn der Ellipsenumfang wird durch ein dem obigen verwandtes ›elliptisches Integral‹ ausgedrückt.

6. Zu tieferem Eindringen in die Struktur elliptischer Funktionen und Integrale sind von *Legendre, Jacobi, Abel* und *Weierstraß* noch zahlreiche spezielle elliptische oder mit elliptischen verwandte Funktionen eingeführt worden.

7. Die Werte e_1, e_2, e_3 hängen natürlich ab von der Wahl der Perioden ω_1 und ω_2. Man kann nun aus den e_i gewisse Ausdrücke bilden, die nur vom Periodenverhältnis $\tau := \frac{\omega_2}{\omega_1}$ abhängen. Sie sind in der oberen τ-Halbebene meromorphe Funktionen mit der Besonderheit, gegenüber Substitutionen $\tau \rightarrow \frac{p\tau + q}{r\tau + s}$ (p, q, r, s ganze Zahlen mit $ps - qr = 1$) invariant zu sein, was nur bedeutet, daß man in der Ebene der Perioden ω_1 und ω_2 zu einem äquivalenten Periodenpaar übergeht. Solche Funktionen heißen *Modulfunktionen* und sind Spezialfälle sog. *automorpher Funktionen:* das sind meromorphe Funktionen, die invariant sind gegenüber gewissen Substitutionsgruppen. Ihr Studium ist für Analysis und Zahlentheorie von hoher Bedeutung.

D. Riemannsche Flächen. Wir haben bereits in A I b am Beispiel des *Logarithmus* gesehen, daß es holomorphe Funktionen gibt, deren natürlicher Definitionsbereich nicht ein Teil der Zahlenebene, sondern das ist, was wir eine Riemannsche Fläche nannten. Auf ihr kann man — ebenso wie in der Ebene — Funktionentheorie treiben, weil es einen Sinn hat, zu sagen, eine Funktion sei auf ihr holomorph. Das ist entscheidend: *als Riemannsche Flächen werden alle Punktmengen bezeichnet, auf denen holomorphe (oder meromorphe) Funktionen ›wachsen‹ können.* In diesem Sinne ist also jedes Gebiet der Zahlenebene **C** eine Riemannsche Fläche. Wir werden zunächst weitere Beispiele Riemannscher Flächen besprechen und schließlich — bei aller Verschiedenheit dieser Beispiele — ihre gemeinsamen Eigenschaften zum Begriff der *abstrakten Riemannschen Fläche* komprimieren, dem sie alle sich subsumieren.

I. Die Zahlenkugel. In C I b führten wir den ›Punkt ∞‹ ein und erteilten definierend einer meromorphen Funktion f diesen Wert an solchen Stellen, an denen $\frac{1}{f}$ verschwindet. $\frac{1}{f}$ ist aber die *Komposition* von f mit der Funktion $\frac{1}{z}$, der durch diese Definition im Punkt ∞ der Wert 0 zugeschrieben wird. Wir werden so dazu geführt, den Punkt ∞ nicht nur wie bisher als möglichen Wert, sondern auch als *Argument* gewisser Funktionen zuzulassen. Unsere Absicht ist, die Definition der Meromorphie (spezieller: der Holomorphie) so auszudehnen, daß wir von jeder im Punkt ∞ erklärten Funktion sagen können, ob sie dort meromorph oder sogar holomorph ist.

Es liegt nahe, zunächst unsere spezielle Funktion $\frac{1}{z}$ im Punkt ∞ als holomorph zu definieren. (Man beachte, daß uns diese Definition noch freisteht, weil Differenzierbarkeit in ∞ sinnlos ist.) Damit haben wir aber nur dann etwas gewonnen, wenn $\frac{1}{z}$ im Punkt ∞ auch *stetig* ist, d. h., wir sind gezwungen, den Punkt ∞, der bis jetzt lediglich zur Menge **C** hinzugefügt war, durch topologische Festsetzungen mit dieser Menge zu verschmelzen. Das geht aber auf natürliche Weise: Die Menge $\mathbf{C} \cup \{\infty\}$ wird offenbar durch unsere Abbildung $z \to \frac{1}{z}$ bijektiv auf sich abgebildet, und zwar so, daß einem Kreis um 0 das Äußere eines Kreises einschließlich des Punktes ∞ entspricht; solche Teilmengen von $\mathbf{C} \cup \{\infty\}$ haben wir also als *Umgebungen* des Punktes ∞ zu definieren, damit $\frac{1}{z}$ dort stetig ist. $\mathbf{C} \cup \{\infty\}$ wird so zu einem *topologischen Raum*, der mit der Oberfläche einer Kugel topologisch äquivalent ist, wie die *stereographische Projektion* (Abb. 11) (→ Differentialgeometrie, Band 2) zeigt. Man nennt $\mathbf{C} \cup \{\infty\}$ daher *›Zahlenkugel‹*; wir bezeichnen sie mit **P** *(komplex-projektive Gerade)*. Die Kugeloberfläche und daher auch **P** ist im Gegensatz zur Zahlenebene **C** *kompakt* (→ Topologie); eine topologische Eigenschaft, die zu schärfsten funktionentheoretischen Konsequenzen führen wird.

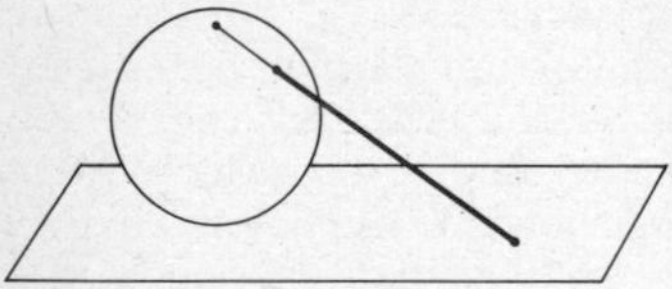

Abb. 11: Stereographische Projektion

Wir müssen noch definieren, wann eine im Punkt ∞ erklärte Funktion f dort meromorph oder holomorph ist. Wir schließen diese Definition an die eine, bereits als holomorph erklärte Funktion $t = \frac{1}{z}$ an: $f(z)$ legen wir dieselben Eigenschaften im Punkt ∞ zu, welche die Funktion $g(t) := f\left(\frac{1}{t}\right)$ in $t = 0$ besitzt. Damit ist klar, wann die Funktion f in ∞ holomorph ist oder einen Pol besitzt und in welcher Vielfachheit sie ihren Wert dort annimmt. *Damit haben wir* **P** *zu einer Riemannschen Fläche gemacht und können auf ihr Funktionentheorie treiben.*

Beispiele meromorpher Funktionen auf **P** sind die *Polynome:* $p(z) = a_n z^n + \cdots + a_0$ mit $n > 0$ und $a_n \neq 0$ hat als einzigen Pol den Punkt ∞, und zwar von der Vielfachheit n. Weitere Beispiele sind Quotienten von Polynomen, das sind die *rationalen Funktionen.* Holomorphe Funktionen auf **P** sind die *Konstanten,* und dies sind die einzigen! Denn die Kompaktheit von **P** hat zur Folge, daß eine auf **P** holomorphe Funktion *beschränkt* ist und daher nach dem *Satz von Liouville* (s. o. B II b 4) konstant. Daraus folgt aber unmittelbar, daß jede auf **P** meromorphe Funktion notwendig rational ist. Durch obige Beispiele wird also die ganze Funktionentheorie auf **P** beschrieben.

II. Die Riemannsche Fläche einer Funktion. Die in A I b angegebene Konstruktion der *unendlichblättrigen* Riemannschen Fläche des Logarithmus und die der daraus in A I c gewonnenen *endlichblättrigen* Riemannschen Fläche der Wurzelfunktion läßt sich wegen des *Identitätssatzes* für jede im Kleinen bekannte meromorphe Funktion f durchführen. Ist etwa die Funktion f in einem *Gebiet* $G_0 \subset$ **P** gegeben und läßt sie sich meromorph fortsetzen in ein Gebiet $G_1 \subset$ **P**, so kann es wie in den genannten Beispielen geschehen, daß diese Fortsetzung nicht im ganzen Durchschnitt $G_0 \cap G_1$ mit f übereinstimmt. Man ist dann gezwungen, den betreffenden Teil des Durchschnitts doppelt zu zählen (Abb. 12), so daß f also Funktion auf einer Punktmenge wird, die nicht Teilmenge von **P** ist, sondern zweiblättrig über **P** liegt. Setzt man f immer weiter fort – man kann diesen Prozeß zu einer präzisen Konstruktion ausgestalten –, so erhält man schließlich die zu f gehörige Riemannsche Fläche $\mathfrak{R}$, die i. a. mehrblättrig über **P** liegt. Dabei können – wie in unseren Beispielen der Nullpunkt – *Verzweigungspunkte* auftreten, das sind Punkte, um die sich $\mathfrak{R}$ mehrfach herumwindet. Von Interesse sind hier die Ver-

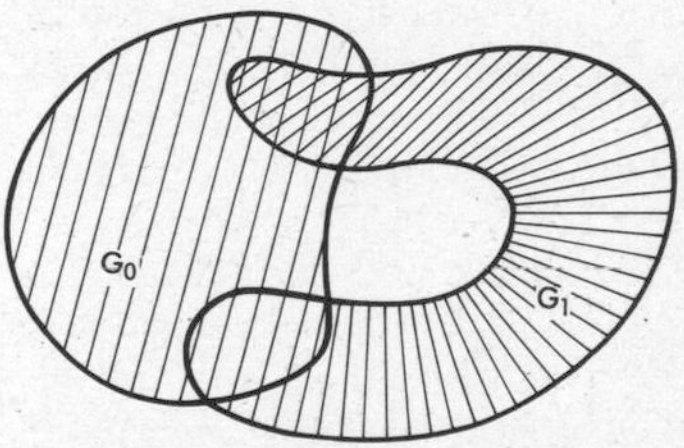

Abb. 12: Zur Mehrblättrigkeit bei analytischer Fortsetzung

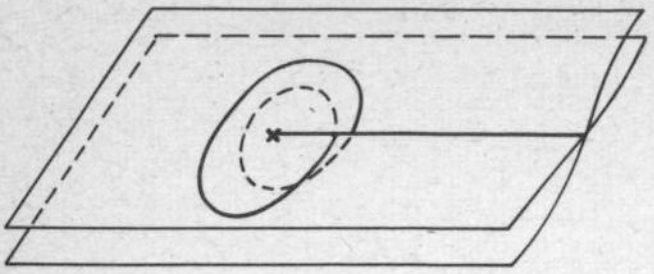

Abb. 13: Verzweigungspunkt der Ordnung 2

zweigungspunkte *endlicher Ordnung*, das sind solche, in denen die Windungen von $\mathfrak{R}$ nach einer Anzahl k von Umläufen in sich zurücklaufen (Abb. 13). $\mathfrak{R}$ verhält sich in der Nähe eines solchen Punktes also wie eine *Wurzelfläche*; das hat zur Folge, daß eine *Umgebung* dieses Punktes auf $\mathfrak{R}$ – er liege über dem Punkt $z_0 \in \mathbf{P}$ – durch $t = \sqrt[k]{z - z_0}$, wenn $z_0 \in \mathbf{C}$, und durch $t = \sqrt[k]{\frac{1}{z}}$, wenn $z_0 = \infty$, bijektiv auf eine Umgebung des Nullpunktes der t-Ebene abgebildet wird. Solche Verzweigungspunkte rechnet man mit zu $\mathfrak{R}$, wenn f in ihnen meromorph fortsetzbar ist, was bedeutet, daß $g(t) := f(t^k)$ in $t = 0$ diese Eigenschaft hat.

Auf der so gewonnenen Riemannschen Fläche $\mathfrak{R}$ von f gibt es zunächst zwei *meromorphe Funktionen:* f selbst und auch die Funktion z, die jedem Punkt von $\mathfrak{R}$ den Punkt $z \in \mathbf{P}$ zuordnet, über dem er liegt. Aber auch für andere auf $\mathfrak{R}$ definierte Funktionen hat es einen Sinn, zu sagen, sie seien meromorph: sie sind es per definitionem dann, wenn sie in jedem Nichtverzweigungspunkt von z, in jedem Verzweigungspunkt von der jeweiligen ›*Ortsuniformisierenden*‹, dem obigen t, meromorph abhängen.

Die *Selbstdurchdringungen*, die mehrblättrige Riemannsche Flächen aufweisen können, sind funktionentheoretisch belanglos: sie beruhen nur auf der Veranschaulichung, mittels deren man sich diese Flächen im dreidimensionalen Anschauungsraum über der Grundfläche **P** vorstellt.

a) Hier ist ein *Beispiel* angebracht, das mit den *elliptischen Funktionen* (s. o. C II c) eng verknüpft ist und zur Entwicklung der Funktionentheorie entscheidend beigetragen hat. Es handelt sich um eine *kompakte Riemannsche Fläche*, die nächst **P** am einfachsten ist, deren Funktionentheorie aber bereits Züge aufweist, welche die Funktionentheorie auf *allgemeinen Riemannschen Flächen* von der auf **P** oder **C** unterscheiden.

1. Fest vorgegeben sei ein *kubisches Polynom* P mit verschiedenen Nullstellen e_1, e_2, e_3, also

$$P(z) = 4(z - e_1)(z - e_2)(z - e_3),$$

wobei der Faktor 4 lediglich wegen eines erst später erkennbaren Zusammenhanges angebracht ist.

Wir betrachten die Riemannsche Fläche $\mathfrak{E}$ der Funktion $f = \sqrt{P}$.

Sie liegt zweiblättrig über P mit Verzweigungspunkten über e_1, e_2, e_3 und ∞. Man erkennt leicht, daß man im selben Blatt von $\mathfrak{E}$ bleibt, wenn man zwei Verzweigungspunkte umkreist. $\mathfrak{E}$ wird durch Abb. 14 dargestellt.

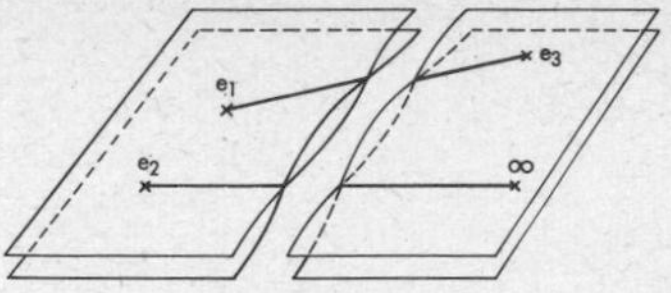

Abb.14: Das ›elliptische Gebilde‹ $\mathfrak{E}$

Die Funktionen f und z haben auf $\mathfrak{E}$ ihre Pole im Punkt ∞, und zwar von 3. bzw. 2. Ordnung, die nach unseren Definitionen in der *Ortsuniformisierenden* $t = \sqrt{\dfrac{1}{z}}$ gemessen wird. Von z wird auf $\mathfrak{E}$ jeder Wert aus P offenbar genau zweimal angenommen.

Sämtliche auf $\mathfrak{E}$ meromorphen Funktionen werden durch $R_1(z) + R_2(z) f(z)$ gegeben, wobei R_1 und R_2 *rationale Funktionen* sind. Jede auf $\mathfrak{E}$ holomorphe Funktion ist *konstant*.

2. Von besonderer Wichtigkeit ist nun das elliptische Integral

$$(16) \qquad u(z) := \int_{\infty}^{z} \frac{d\zeta}{f(\zeta)}$$

(man beachte, daß die Bezeichnung — analog, wie wir es beim Logarithmus bemerkten — nicht korrekt ist). Diese Funktion ist noch nicht definiert, solange der *Integrationsweg* in (16) nicht angegeben ist; er ist jedoch wegen des *Cauchyschen Integralsatzes* weitgehend frei wählbar. Aber nicht völlig! Denn von den drei in Abb. 15 eingezeichneten Wegen zwischen ∞ und z sind keine zwei äquivalent: die aus ihnen durch Aneinanderfügen gebildeten Wege sind zwar geschlossen, aber beranden nicht auf $\mathfrak{E}$. Diese topologische Eigenschaft unterscheidet $\mathfrak{E}$ von P. Man macht sie sich am leichtesten klar, indem man feststellt, daß $\mathfrak{E}$ topologisch einem *Torus* äquivalent ist (Abb. 16), auf dem die Meridiankreise offenbar nicht berandende geschlossene Kurven sind. Schneidet man $\mathfrak{E}$ also längs solcher Wege auf, so ist der Integrationsweg auf der zerschnittenen Fläche $\mathfrak{E}'$ frei wählbar. Man kann zeigen, daß man dieses Paar von Schnitten so ziehen kann, daß $\mathfrak{E}'$ von u bijektiv auf ein Parallelogramm $\mathfrak{P}$ der u-Ebene abgebildet wird, dessen Kanten die Integrale ω_1 und ω_2 über die beiden Schnitte sind. Integriert man aber in (16) über einen beliebigen Weg in $\mathfrak{E}$, so erhält man einen Integralwert, der sich von einem Wert aus $\mathfrak{P}$ um eine ganzzahlige Linearkombination von ω_1 und ω_2 unterscheidet. Die u-Ebene C_u wird also von den Werten des Integrals u einfach und lückenlos über-

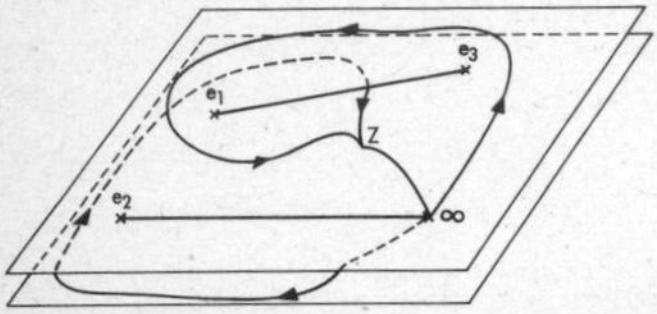

Abb. 15: Kurven auf dem elliptischen Gebilde

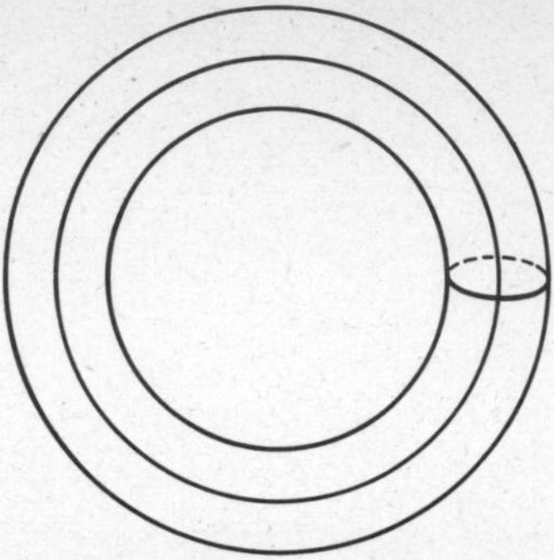

Abb. 16: Torus als topologisches Modell des elliptischen Gebildes

deckt. u *ist also, obgleich auf* $\mathfrak{E}$ *unbeschränkt holomorph fortsetzbar, keine Funktion auf* $\mathfrak{E}$. Umgekehrt kann aber jedem Wert u von $\mathbf{C}_u$ der Wert z zugeordnet werden, über dem auf $\mathfrak{E}$ ein Punkt liegt, an dem einer der von unserem Integral angenommenen Werte gleich u ist. *Damit wird* z *eine Funktion von* u. Und zwar ist sie offenbar doppeltperiodisch mit den Perioden ω_1 und ω_2, sie ist meromorph und hat in $\mathfrak{P}$ ihren einzigen – und zwar doppelten – Pol in u = o. Wir haben damit den angekündigten Zusammenhang mit den elliptischen Funktionen aufgedeckt: es ist $z = \wp(u)$ und, wie ebenso ersichtlich, $f = \wp'$.

Es war der geniale Gedanke von *N. H. Abel,* in der Untersuchung elliptischer Integrale, wie wir es skizziert haben, zur *Umkehrfunktion* überzugehen, wodurch die Theorie der *elliptischen Funktionen* entstanden und die Theorie der *algebraischen Funktionen* um fruchtbare Ideen bereichert worden ist. Man nennt daher das Integral (16) ein *Abelsches Integral 1. Gattung*; dieser Zusatz besagt, daß das Differential $\frac{dz}{f}$ in einem natürlichen Sinne, der hier nicht präzisiert zu werden braucht, auf ganz $\mathfrak{E}$ holomorph ist. Unser Ergebnis können wir wie folgt zusammenfassen: *das Abelsche Integral 1. Gattung uniformisiert das elliptische Gebilde* $\mathfrak{E}$. *Das bedeutet, daß die meromorphen Funktionen auf* $\mathfrak{E}$ *durch die Abbildung* $\mathbf{C}_u \rightarrow \mathfrak{E}$ *als meromorphe Funktionen von der Riemannschen Fläche* $\mathfrak{E}$ *auf die Zahlenebene* $\mathbf{C}_u$ *verpflanzt werden.*

b) Die Funktion $f = \sqrt{P}$, die wir soeben diskutierten, ist das erste nicht-triviale Beispiel einer *algebraischen Funktion.* Damit sind Funktionen f gemeint, die – für w eingesetzt – einer algebraischen Gleichung P (w, z) = o genügen, wobei P ein irreduzibles Polynom in zwei Veränderlichen ist.

Man kann zeigen, daß *die Riemannsche Fläche* $\mathfrak{R}$ *einer solchen algebraischen Funktion stets kompakt ist.* Das hat wieder zur Folge, daß *auf* $\mathfrak{R}$ *jede holomorphe Funktion konstant ist* und *jede nicht-konstante meromorphe Funktion alle Werte gleich oft annimmt;* diese Anzahl heißt *O r d n u n g d e r F u n k t i o n. Jede dieser Funktionen ist eine rationale Funktion der ›e r z e u g e n d e n‹ F u n k t i o n e n z und f.* Gibt es unter ihnen eine Funktion der Ordnung 1, so bildet sie $\mathfrak{R}$ bijektiv auf **P** ab und die Funktionentheorie auf $\mathfrak{R}$ ist mit der auf **P** identisch.

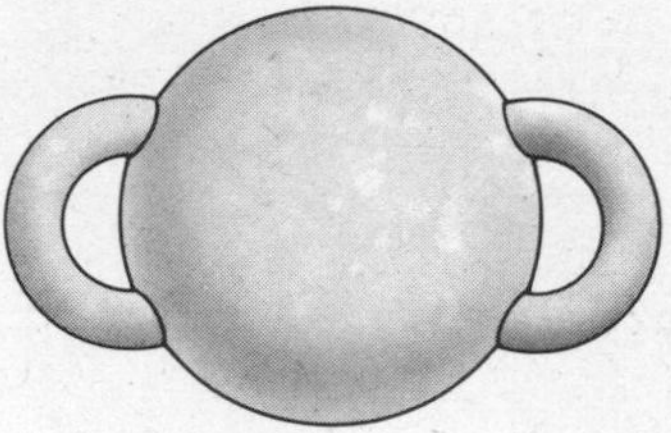

Abb. 17: Kugel mit 2 Henkeln als geschlossene Fläche vom Geschlecht p = 2

Gibt es aber keine solche Funktion, so gibt es auf $\mathfrak{R}$ wie auf $\mathfrak{C}$ geschlossene, nicht-berandende Kurven und folglich *A b e l s c h e D i f f e r e n t i a l e.* Diese bilden einen *k o m p l e x e n V e k t o r r a u m,* dessen Dimension p man das *G e s c h l e c h t* von $\mathfrak{R}$ nennt. $\mathfrak{R}$ *ist dann topologisch äquivalent zu einer Kugel mit* p *Henkeln* (Abb. 17). Für $\mathfrak{C}$ ist also p = 1. Für p > 1 genügen aber die Abelschen Integrale 1.

Gattung nicht mehr zur Uniformisierung von $\mathfrak{R}$, weil sie auf $\mathfrak{R}$ dieselben Werte in mehreren Punkten annehmen.

III. ABSTRAKTE RIEMANNSCHE FLÄCHEN. Unsere Beispiele Riemannscher Flächen $\mathfrak{R}$ haben, so verschieden sie im Speziellen sind, gemeinsame Eigenschaften: es sind Flächen, auf denen man Funktionentheorie treiben kann, weil zu jedem Punkt p von $\mathfrak{R}$ eine ortsuniformisierende Variable existiert, durch welche die Holomorphie von Funktionen, die auf $\mathfrak{R}$ in einer Umgebung von p erklärt sind, ausgedrückt wird.

Wir können also auf $\mathfrak{R}$ insbesondere von *U m g e b u n g e n* reden: $\mathfrak{R}$ ist ein *t o p o l o g i s c h e r R a u m.* $\mathfrak{R}$ ist ferner eine Fläche, d. h. eine *z w e i d i m e n s i o n a l e M a n n i g f a l t i g k e i t.* Zum letzten besitzt $\mathfrak{R}$ zu jedem Punkt Ortsuniformisierende, wofür man sagt, $\mathfrak{R}$ besitze eine *k o m p l e x e S t r u k t u r.* Die genaue Analyse dieser drei Gegebenheiten führt zu folgender Präzisierung:

$\mathfrak{R}$ ist ein *H a u s d o r f f - R a u m* (→ Topologie).

$\mathfrak{R}$ ist *l o k a l z w e i d i m e n s i o n a l - e u k l i d i s c h;* das bedeutet: Zu jedem Punkt p ∈ $\mathfrak{R}$ ist eine *U m g e b u n g* U (p) auf $\mathfrak{R}$ ausgezeichnet und eine f e s t e *A b b i l d u n g* t_p, durch die U (p) topologisch auf den Einheitskreis $|t_p| < 1$ der t_p-Ebene abgebil-

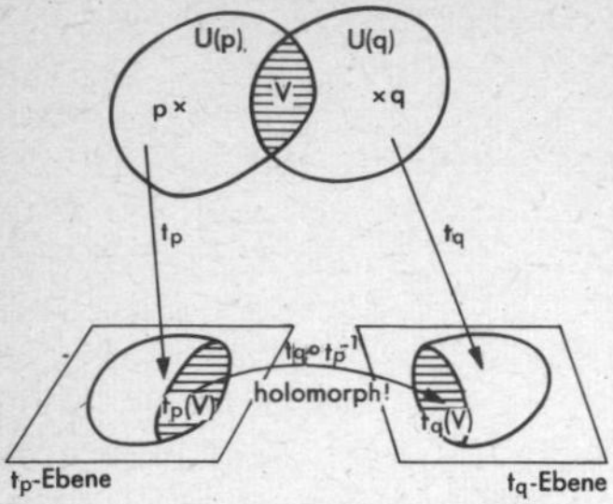

Abb. 18: Zum Begriff der Verträglichkeit

det wird. Man sagt, das Paar [U (p), t_p] sei die *Karte* von p auf $\mathfrak{R}$, und nennt die Gesamtheit der Karten den *Atlas* von $\mathfrak{R}$.

Die Karten von $\mathfrak{R}$ sind *holomorph-verträglich*; damit ist folgendes gemeint: Sind p und q beliebige Punkte auf $\mathfrak{R}$ mit nicht leerem $V := U(p) \cap U(q)$, so werden die Bilder $t_p(V)$ und $t_q(V)$ durch $t_q \circ t_p^{-1}$ holomorph aufeinander bezogen (Abb. 18).

Die letzte Eigenschaft von $\mathfrak{R}$, die man, wie gesagt, als *komplexe Struktur* bezeichnet, ist erforderlich, damit die folgende Definition sinnvoll ist: G sei ein Teilgebiet von $\mathfrak{R}$ und f: $G \rightarrow \mathbf{P}$ eine Funktion auf G; f *heißt holomorph in* G, *wenn in jedem Punkt* $p \in G$ *die in* $t_p\,[U(p) \cap G]$ *erklärte Funktion* $f \circ t_p^{-1}$ *holomorph von* t_p *abhängt.* f *ist meromorph in* G, *wenn in jedem Punkt* f *oder* $\frac{1}{f}$ *holomorph ist.*

Durch obige drei Eigenschaften wird, faßt man sie als Postulate auf, *die axiomatische Festlegung des Begriffes einer abstrakten Riemannschen Fläche gegeben.*

Diesem Begriff ordnen sich alle unsere Beispiele unter. Sie haben aber auch noch eine weitere Eigenschaft, die sie sehr wesentlich gegenüber einer abstrakten Riemannschen Fläche auszeichnet: *auf ihnen sind durch die Art ihrer Konstruktion nicht-konstante holomorphe Funktionen oder wenigstens meromorphe Funktionen bekannt!* Das ist auf einer abstrakten Riemannschen Fläche nicht der Fall: es sind nur im Kleinen holomorphe Funktionen, nämlich die Ortsuniformisierenden t_p, gegeben.

Der Theorie der Riemannschen Flächen gelingt es nun aber tatsächlich, *auf jeder abstrakten Riemannschen Fläche* $\mathfrak{R}$ *nicht-konstante meromorphe Funktionen zu konstruieren,* die also auf ganz $\mathfrak{R}$ (und nicht nur im Kleinen) erklärt sind. Ist $\mathfrak{R}$ nicht kompakt, so gibt es sogar nicht-konstante holomorphe Funktionen auf $\mathfrak{R}$. Ist $\mathfrak{R}$ dagegen kompakt, so gibt es nur meromorphe Funktionen. In jedem Falle gibt es auf $\mathfrak{R}$ sogar zwei solche Funktionen z und f, daß $\mathfrak{R}$ gerade die Riemannsche Fläche von f über $\mathbf{P}_z$ ist. Ist $\mathfrak{R}$ kompakt, so ist f eine algebraische Funktion von z; *kompakte Riemannsche Flächen sind also Riemannsche Flächen algebraischer Funktionen und umgekehrt.*

E. Funktionentheorie in mehreren Veränderlichen. Die Holomorphiedefinition läßt sich für Funktionen, die von mehreren komplexen Veränderlichen abhängen, in völliger Analogie zu einer Veränderlichen aussprechen. Die sich aus dieser Definition entwickelnde Theorie enthält teilweise Resultate, die zu den früheren analog sind. Beispielsweise gilt wieder der *Identitätssatz*, durch den vornehmlich das Interesse an holomorphen Funktionen motiviert ist: ist eine solche Funktion im Kleinen bekannt, so ist sie dadurch prinzipiell bereits im Großen festgelegt. Jedoch treten Phänomene auf, die sie wesentlich von der Theorie einer Veränderlichen unterscheiden.

Wir besprechen hier einige Aspekte der Theorie und diese, der Einfachheit halber, nur für zwei Veränderliche z und w, weisen jedoch darauf hin, daß dadurch gewisse Erscheinungen, die erst bei noch höheren Dimensionen vorkommen, für uns entfallen.

I. Holomorphe Funktionen. Der *Raum*, in dem die Definitionsbereiche unserer Funktionen liegen, ist also der Raum $\mathbf{C}^2$, dessen Punkte die *Paare* (z, w) *komplexer Zahlen* z und w sind. Ebenso wie der Raum **C** bis auf die Bezeichnung seiner Punkte identisch ist mit der gewöhnlichen Ebene $\mathbf{R}^2$ (›identisch‹ ist hier gemeint in bezug auf die metrische, also auch topologische Struktur, betrifft jedoch nicht die algebraische Struktur), ist unser Raum $\mathbf{C}^2$ identisch mit dem vierdimensionalen Raum $\mathbf{R}^4$. Das bewirkt gegenüber der Theorie einer Veränderlichen eine gewisse Unanschaulichkeit, die aber natürlich kein mathematisches Defiziens bedeutet.

Wir interessieren uns also für Funktionen, die in Gebieten des $\mathbf{C}^2$ definiert sind, und setzen fest: G sei ein Gebiet des $\mathbf{C}^2$ und $f: G \to \mathbf{C}$ eine dort erklärte Funktion; f heißt in G holomorph, wenn f in jedem Punkte von G differenzierbar ist. Mit Differenzierbarkeit ist die *totale Differenzierbarkeit* gemeint: zu jedem Punkt $(z, w) \in G$ gibt es zwei (von ihm abhängige) komplexe Zahlen a und b derart, daß

$$\frac{f(z+h, w+k) - f(z, w) - (ah + bk)}{|h| + |k|}$$

gegen Null strebt, wenn der Nenner $|h| + |k|$ das tut. – Diese Bemerkung ist wichtig, weil die (totale) Differenzierbarkeit eine stärkere Eigenschaft als die partielle Differenzierbarkeit ist (→ Infinitesimalrechnung im $\mathbf{R}^n$). Jedoch besagt ein tiefliegender *Satz von F. Hartogs*, daß für Holomorphie, d. h. Differenzierbarkeit in einem Gebiet, bereits die partielle Differenzierbarkeit hinreicht.

a) Da G ein *Gebiet* ist, gibt es um jeden seiner Punkte einen in G gelegenen *Dizylinder*. Lediglich zur Vereinfachung der Bezeichnung nehmen wir an, daß der aus G beliebig gewählte

Punkt der Nullpunkt (0, 0) sei. Ein Dizylinder um (0, 0) ist nun eine Punktmenge

$$D = \{(z, w) \mid |z| \leq r, |w| \leq s\}$$

mit geeigneten positiven Radien r und s; m. a. W.: D *ist das Produkt zweier Kreise in den Koordinatenebenen.* Da f in jeder einzelnen Variablen im gewöhnlichen Sinne holomorph ist, können wir die *Cauchysche Integralformel* (s. o. B II b) zweimal anwenden und erhalten

$$\textbf{(17)} \qquad f(z, w) = \left(\frac{1}{2\pi i}\right)^2 \int\limits_{|\omega|=s} \int\limits_{|\zeta|=r} \frac{f(\zeta, \omega)}{(\zeta - z)(\omega - w)} d\zeta \, d\omega$$

$$\text{für } |z| < r, |w| < s.$$

Hieraus erhält man wie in B II b 1 die Aussage, daß f sich in eine Potenzreihe $\sum\limits_{m,n=0}^{\infty} a_{mn} z^m w^n$ entwickeln läßt, die im Innern von D absolut und gleichmäßig konvergiert. Daß umgekehrt jede durch eine solche Reihe darstellbare Funktion holomorph ist, ist evident. Das bedeutet – wie bei einer Veränderlichen – die Äquivalenz der Holomorphie in G mit der Entwickelbarkeit in eine Potenzreihe um jeden Punkt von G.

b) An die *Cauchysche Integralformel* (17) knüpft sich noch eine interessante Feststellung: integriert wird nur über diejenigen Werte von f, die auf der Punktmenge $\{(\zeta, \omega) \mid |\zeta| = r, |\omega| = s\}$ angenommen werden. Diese Punktmenge – sie ist das Produkt der beiden Kreislinien in den Koordinatenebenen – liegt auf dem Rand von D, ist jedoch keineswegs mit ihm identisch; denn dieser ist eine dreidimensionale Punktmenge, jene jedoch nur zweidimensional. Man nennt sie die *Bestimmungsfläche des Dizylinders:* um eine beliebige holomorphe Funktion in einem Dizylinder zu kennen, benötigt man nur ihre Werte auf seiner Bestimmungsfläche. – Diese Erscheinung tritt nicht nur bei Dizylindern auf; die Bestimmung der Bestimmungsfläche einer Punktmenge ist im gegebenen Einzelfall ein schwieriges Problem.

c) Der *Identitätssatz* gilt für holomorphe Funktionen in mehreren Veränderlichen nach Inhalt und Beweis wörtlich wie bei einer Veränderlichen (s. o. B I a). Jedoch ist seine dort richtige Verschärfung, daß eine holomorphe Funktion bereits identisch verschwindet, wenn ihre Nullstellen sich in einem Holomorphiepunkt häufen, hier falsch, weil die Nullstellen holomorpher Funktionen in mehreren Veränderlichen nie isoliert liegen.

d) Dies ergibt sich (s. u. E I e 1) aus dem bemerkenswerten *Kontinuitätssatz:* In den Koordinatenebenen seien je zwei *Gebiete* fixiert, wie sie etwa von Abb. 19 wiedergegeben wer-

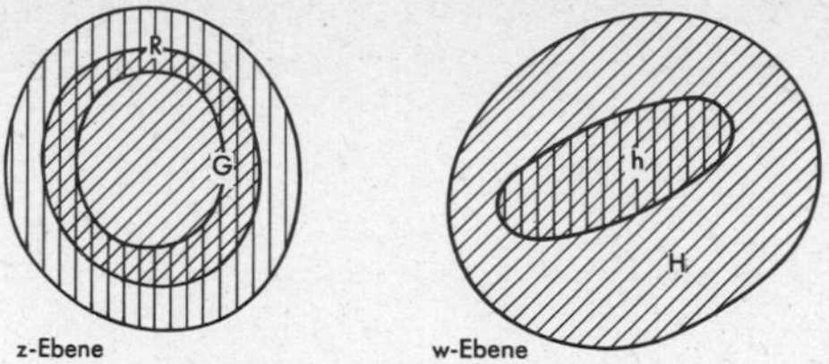

Abb. 19: Zum Kontinuitätssatz. Die Gebiete in den 2-dimensionalen Koordinatenebenen

den: in der z-Ebene G und das den Rand von G bedeckende Ringgebiet R, in der w-Ebene das Gebiet H und das Teilgebiet h. Im $\mathbf{C}^2$ werde das Gebiet $\mathfrak{G} = (G \times h) \cup (R \times H)$ gebildet. Es hat die Eigenschaft, daß *jede in* $\mathfrak{G}$ *holomorphe Funktion* f *in das Gebiet* $G \times H$ *holomorph fortsetzbar ist* (Abb. 20).

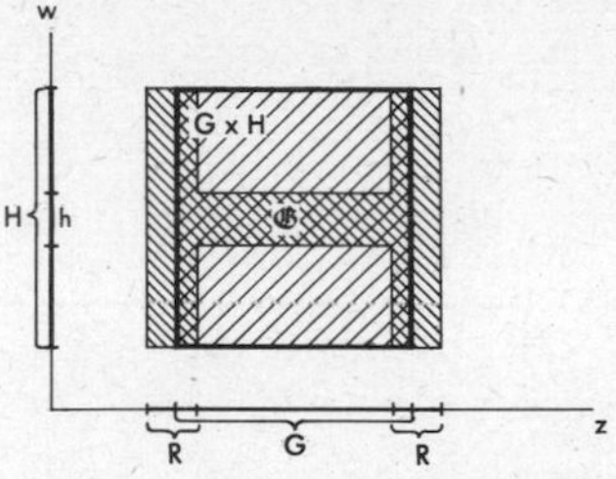

Abb. 20: Zum Kontinuitätssatz. 2-dimensionaler Schnitt durch den 4-dimensionalen (z, w)-Raum

Der Satz gibt ein wesentliches Phänomen der Funktionentheorie in mehreren Veränderlichen wieder: während es bei einer Veränderlichen zu jedem Gebiet eine dort holomorphe Funktion gibt, die in kein echtes Obergebiet holomorph fortsetzbar ist, *existieren hier Gebiete* G *und echte Obergebiete* G* *mit der Eigenschaft, daß jede in* G *holomorphe Funktion nach* G* *holomorph fortgesetzt werden kann.* Gebiete G, zu denen es kein solches G* gibt, nennt man *Holomorphiegebiete;* ihre Charakterisierung ist ein interessantes Problem.

Der Beweis ist einfach: Für $(z, w) \in G \times h$ gilt

$$f(z, w) = \frac{1}{2\pi i} \int_{\mathfrak{C}} \frac{f(\zeta, w)}{\zeta - z}\, d\zeta.$$

Die rechte Seite ist aber holomorph in $G \times H$.

e) Der Kontinuitätssatz hat wichtigste Konsequenzen.

1. Die Funktion f sei holomorph im Dizylinder $|z| < r$, $|w| < s$ außer im Nullpunkt (0, 0); dann ist sie in ihm holomorph ergänzbar.

Damit ist gezeigt, daß *holomorphe Funktionen keine isolierten Singularitäten besitzen.* Wendet man diese Aussage auf die Funktion $\frac{1}{f}$ an, wobei f eine holomorphe Funktion ist, so folgt auch die vorhin behauptete Tatsache, daß *die Nullstellen holomorpher Funktionen nicht isoliert liegen.*

Hier liegt auch der Grund dafür, daß meromorphes Verhalten in mehreren Veränderlichen nicht so einfach ist wie in einer. *Meromorphe Funktionen* sind definitionsgemäß Quotienten $\frac{f}{g}$ holomorpher Funktionen f und g. In einer Veränderlichen konnten wir einem solchen Quotienten an jeder Stelle einen Wert (evtl. ∞) zuschreiben, weil gemeinsame Nullstellen von f und g wegen ihrer Isoliertheit sich stets in dem Sinne kompensierten, daß $\frac{f}{g}$ oder $\frac{g}{f}$ dort holomorph fortsetzbar war. Das ist in mehreren Veränderlichen nicht mehr allgemein richtig, weil die Nullstellenmengen von f und g sich schneiden können, ohne lokal identisch zu sein. Das einfachste *Beispiel* ist die Funktion $\frac{z}{w}$: Die Nullstellenmengen von $f = z$ und $g = w$ sind die Ebenen $z = 0$ und $w = 0$, die sich in (0, 0) schneiden; außerhalb dieses Punktes wird man der Funktion auf der ›*Polfläche*‹ $w = 0$ den Wert ∞ zusprechen; in (0, 0) häufen sich also die Nullstellen und Polstellen unserer Funktion. Ein solcher Punkt ist also eine *Unbestimmtheitsstelle*, was eben besagt, daß der Funktion dort auf keine vernünftige Weise ein Wert zukommt. Damit entfällt übrigens die Berechtigung, meromorphe Funktionen noch als Funktionen zu bezeichnen; jedoch ist dieser Sprachgebrauch üblich und ungefährlich.

2. *Jede Funktion, die auf dem ganzen Rand eines Dizylinders holomorph ist, läßt sich in diesen hinein holomorph fortsetzen.* Dieser Satz, der die Unterschiede gegenüber der Theorie einer Veränderlichen vielleicht am prägnantesten aufweist, gilt auch für allgemeinere Gebiete als Dizylinder. Er besagt also insbesondere, daß die *Singularitätenmenge*, bis auf welche eine Funktion in einem solchen Gebiet holomorph ist, nicht ganz im Innern des Gebietes liegen kann, sondern sich bis zu dessen Rand erstreckt.

II. Nullstellenmengen holomorpher Funktionen. Von großer Wichtigkeit ist das Studium der Nullstellenmengen holomorpher Funktionen. Wie man bei Polynomen die Frage nach den Nullstellen reduzieren kann, wenn das zu untersuchende Polynom in Faktoren zerlegbar ist, wendet man auch hier ein *Reduktionsverfahren* an. Zuvor sei bemerkt, daß es im Wesen der Sache liegt, die Nullstellenmenge einer Funktion zunächst nur im Kleinen, d. h. in geeigneten Umgebungen eines Punktes zu untersuchen. Der Einfachheit halber sei dies der Nullpunkt (0, 0).

a) Die Funktion f sei also in einem den Nullpunkt enthaltenden Gebiet holomorph. Ist $f(0, 0) \neq 0$, so gibt es zu (0, 0) wegen der Stetigkeit von f eine ganze Umgebung, in der dasselbe gilt; dort ist dann aber auch $\frac{1}{f}$ holomorph. Solche Funktionen nennt man *Einheiten* in bezug auf (0, 0): sie besitzen in einer Umgebung von (0, 0) keine Nullstellen. Sei nun f keine Einheit, also f (0, 0) = 0, so kann es vorkommen, daß f in einer geeigneten Umgebung von (0, 0) das Produkt zweier ebensolcher Funktionen ist; dann heißt f *reduzibel*, andernfalls *irreduzibel* oder *Primfunktion*. Es läßt sich nun leicht zeigen, daß jede *Nichteinheit* f ein Produkt von endlich vielen Primfunktionen ist, wenn f nicht identisch verschwindet. *Für die Nullstellenmenge von* f *genügt es also, die Nullstellenmenge der Primfaktoren von* f *zu kennen, deren Vereinigungsmenge sie ist.*

Zwei Funktionen heißen *assoziiert*, wenn ihr Quotient eine Einheit ist. Die Nullstellenmengen assoziierter Funktionen sind offenbar identisch.

b) Sei also f eine Primfunktion; insbesondere ist also f (0, 0) = 0 und f (a, b) $\neq$ 0 für mindestens einen Punkt (a, b) aus einer Umgebung von (0, 0). Durch die *Koordinatentransformation*

$$z = a\zeta, \; w = b\zeta + \omega$$

geht f (z, w) in eine Funktion $f^*(\zeta, \omega)$ über, für die $f^*(0, 0) = 0$ und $f^*(1, 0) \neq 0$ ist. Wir schreiben wieder f (z, w) statt $f^*(\zeta, \omega)$ und dürfen also annehmen, daß f (0, 0) = 0, aber f (z, 0) $\not\equiv$ 0 ist. (Diese Annahme besagt also, daß die z-Koordinatenebene w = 0 nicht ganz zur Nullstellenmenge von f gehört.)

Unter den zuletzt genannten Bedingungen gilt nun der *Weierstraßsche Vorbereitungssatz: f ist assoziiert zu einer Funktion*

$$\textbf{(18)} \qquad z^n + f_1(w)\, z^{n-1} + \cdots + f_{n-1}(w)\, z + f_n(w),$$

wobei die f_i *holomorphe Funktionen der einen Veränderlichen* w *sind, die für* w = 0 *verschwinden.* Ist f *Primfunktion*, was für diesen Satz nicht notwendig ist, so ist also auch das Polynom (18) irreduzibel.

Unsere Frage nach der *Nullstellenmenge einer holomorphen Funktion* ist nunmehr reduziert auf die Untersuchung von Primfunktionen der Form (18), also auf Funktionen, die von einer Veränderlichen als Polynome abhängen.

c) Als weiteres wichtiges Hilfsmittel benötigen wir noch den *Satz über implizite Funktionen:*

f (z, w) sei holomorph in (0, 0), es sei f (0, 0) = 0, und f (z, 0) habe in z = 0 eine einfache Nullstelle. *Dann gibt es in der* w-*Ebene eine Umgebung von* w = 0 *und eine dort holomorphe Funktion* φ (w) *derart, daß durch* z = φ (w) *in einer geeigneten*

Umgebung von (0, 0) *die Nullstellenmenge von* f *beschrieben wird.*

Auf Funktionen f der Form (18) läßt sich dieser Satz nur anwenden, wenn n = 1 ist. Andernfalls gibt es für jedes w einer geeigneten Umgebung von w = 0 genau n Werte von z derart, daß f (z, w) = 0 ist. In Umgebungen solcher Punkte [statt (0, 0)] gilt dann obige Aussage, wenn nicht gleichzeitig $\frac{\partial f}{\partial z}$ verschwindet. $\frac{\partial f}{\partial z}$ kann aber nicht überall verschwinden, wo f verschwindet; das ergibt sich aus einem *Diskriminantensatz der Algebra,* angewandt auf das irreduzible Polynom f.

d) Die *Nullstellenmenge* einer beliebigen holomorphen Funktion f ist also im wesentlichen – d. h. bis auf die Nullstellen, an denen gleichzeitg die Diskriminante eines Primfaktors von f verschwindet – eine *zweidimensionale Mannigfaltigkeit* N_f. Mehr noch: sie ist eine *Riemannsche Fläche!* Denn die durch den *Satz über implizite Funktionen* für alle Punkte [φ (w), w] von N_f in gewissen Umgebungen erklärte Abbildung [φ (w), w] → w definiert, wie leicht zu sehen, auf N_f eine *komplexe Struktur.*

Beispielsweise ist die Nullstellenmenge der Funktion f (z, w) = = $z^2 - (w - e_1)(w - e_2)(w - e_3)$ nichts anderes als eine natürliche Einbettung des elliptischen Gebildes (s. o. D II a) in den vierdimensionalen Raum $\mathbf{C}^2$. Man spricht bei dieser Auffassung auch von einer *elliptischen Kurve,* weil die Gleichung f (z, w) = 0 – wären z und w lediglich reelle Variable – eine gewöhnliche Kurve in der Ebene darstellen würde.

Hierdurch ist ein Zusammenhang der Funktionentheorie mehrerer Veränderlicher mit der komplexen → Differentialgeometrie (Bd. 2) aufgewiesen. Er führt, ebenso wie die Frage nach den Eigenschaften allgemeinerer Punktmengen, auf denen Funktionentheorie sinnvoll ist, zu zahlreichen überaus subtilen Untersuchungen, die sich auf mächtige Methoden der modernen → Topologie und → Algebra stützen.

Gleichungen. Eine allgemein bekannte mathematische Fragestellung betrifft die Suche nach Lösungen von Gleichungen. Man findet sogar die Ansicht, daß die Aufgabe, Gleichungen zu lösen, der hauptsächliche Inhalt der Mathematik sei. Wenn dies auch ein offensichtliches Fehlurteil ist, hervorgerufen von der starken Betonung, welche dieser Aufgabe wegen ihres elementar verständlichen Charakters und ihrer Bedeutung für Schulunterricht und Praxis zuteil wird, so hat doch diese Fragestellung in hohem Maße die mathematische Forschung beeinflußt: die Einführung der komplexen → Zahlen ist ein markanter Beleg für diese Feststellung, sind doch diese Zahlen die Basis, auf der das imponierende Gebäude der → Funktionentheorie erwachsen ist.

A. EINE UNBEKANNTE. In der üblichen Auffassung ist eine Gleichung ein Gebilde der Form $f(x) = 0$, wobei $f(x)$ ein Rechenausdruck aus bekannten Größen und der Unbekannten x (→ Logik und Methodologie) ist; das Problem lautet: gesucht sind die Zahlen, die, als Werte für x in die linke Seite der Gleichung eingesetzt, diese befriedigen; eine solche Zahl heißt *Lösung* oder *Wurzel* der Gleichung; auch die Bezeichnung ›*Nullstelle* von f‹ wird gebraucht – sie entspricht der unten erwähnten funktionellen Auffassung des Lösungsproblems.

Das genannte Problem ist solange nicht scharf genug gestellt, wie nicht gesagt ist, aus welcher Menge von → Zahlen die Lösungen stammen sollen. Beispielsweise hat die Gleichung $x^5 + x^4 - x^3 - x^2 - 2x - 2 = 0$ keine *natürliche Zahl* als Lösung und die einzige *ganzzahlige* Lösung -1, dagegen die *reellen* Lösungen $-1, \sqrt{2}, -\sqrt{2}$ und in der Menge der *komplexen Zahlen* die Lösungen $-1, \sqrt{2}, -\sqrt{2}, i, -i$. Es gibt sogar Zahlensysteme, in denen diese Gleichung unendlich viele Lösungen zuläßt, beispielsweise hat sie unter den *Quaternionen* außer $-1, \sqrt{2}, -\sqrt{2}$ als Lösungen noch alle Quaternionen $ai + bj + ck$ mit reellen a, b, c, die der Bedingung $a^2 + b^2 + c^2 = 1$ genügen.

Ist die Aufgabe wie angegeben präzisiert, so wird man das Lösungsproblem zweckmäßig in zwei Teilprobleme zerlegen:

(A) *Hat die Gleichung überhaupt Lösungen?*

(B) *Wenn ja, wie findet man sie?*

Die wichtigsten Gleichungen, die wir zunächst behandeln, sind Gleichungen, von denen *komplexe Lösungen* gesucht werden. Damit wird gleichzeitig der Fall reeller Gleichungen erledigt, da man die gefundenen komplexen Lösungen daraufhin prüfen kann, welche von ihnen speziell reell sind.

I. BERECHNUNGSVERFAHREN. Ist für eine Gleichung die Existenz einer Lösung α [Problem (A)] gesichert, so gibt es zu ihrer Berechnung [Problem (B)] allgemeine Methoden, von denen die einfachste das sog. *Newtonsche Verfahren* ist. Man faßt dabei die Gleichung funktionell auf, d. h. man betrachtet statt der Gleichung $f(x) = 0$ die *Funktion* f; dabei wandelt sich die Auffassung: in der Gleichung ist x eine Unbekannte, und nur beim Einsetzen von Lösungen gibt das Gleichheitszeichen die Gleichheit zweier Zahlen an; dagegen kann in die Funktion *jeder* Wert eingesetzt werden, für den sie überhaupt definiert ist, und die Lösungen der Gleichung sind die Nullstellen der Funktion. Beim Newtonschen Verfahren setzen wir voraus, daß die Funktion f für alle (alle komplexen oder nur alle reellen) Werte von x definiert und stetig differenzierbar ist und daß an der (als existent angenommenen, wenn auch noch unbekannten) Nullstelle α zwar $f(\alpha) = 0$, aber die *Ableitung* (→ Infinitesimalrechnung) $f'(\alpha) \neq 0$ ist. Ausgehend von irgendeinem Wert x_0 bildet man nun $x_1 := x_0 - \frac{f(x_0)}{f'(x_0)}$, $x_2 := x_1 - \frac{f(x_1)}{f'(x_1)}$ usw. Wählt man den Ausgangswert x_0 genügend nahe bei α, so erhält man auf diese Weise eine Folge von Zahlen $x_0, x_1, x_2, \ldots, x_n, \ldots$, die gegen die Nullstelle α konvergiert.

II. Fundamentalsatz der Algebra. Zu Problem (A) ist der sog. *Fundamentalsatz der Algebra* das wichtigste Resultat. Er betrifft *algebraische Gleichungen*, d. h. Gleichungen $f(x) = 0$, in denen die Funktion f ein Polynom

$$f(x) := a_0 x^n + a_1 x^{n-1} + \cdots + a_{n-1} x + a_n$$

mit $a_0 \neq 0$ ist; er lautet: *Ist der Grad* n *einer algebraischen Gleichung positiv, so hat diese genau* n *Lösungen; dabei sind die Lösungen mit ihren Vielfachheiten* (s. u. D I b) *gezählt.* Sind die Koeffizienten $a_0, \ldots, a_n$ reell, so kann man schließen, daß mit der Lösung α auch die konjugiert-komplexe Zahl $\bar{\alpha}$ eine Lösung ist, und zwar mit derselben Vielfachheit. Eine reelle Gleichung, die keine reelle Lösung besitzt, für die also α und $\bar{\alpha}$ stets verschiedene Lösungen sind, hat demnach einen geraden Grad; m. a. W.: *Eine reelle algebraische Gleichung ungeraden Grades hat stets mindestens eine reelle Lösung.*

III. Anzahlen reeller Lösungen. Für reelle algebraische Gleichungen beantwortet der Fundamentalsatz das Problem (A) also nur unbefriedigend, da er keine genaue Auskunft über die reellen Lösungen gibt. Hier setzen die sog. *Vorzeichenregeln* ein, von denen wir die schärfste *(Sturm)* und die einfachste *(Descartes)* anführen:

a. *Satz von Sturm: Aus dem Polynom* f *und seiner Ableitung* f′ *erhält man durch den folgenden euklidischen Divisionsalgorithmus* (→ Zahlen, → Algebra) *weitere Polynome* $f_2, f_3, \ldots$; *das Verfahren bricht nach endlich vielen Schritten ab:*

$$\begin{aligned} f &= h_1 f' - f_2, && \text{Grad von } f_2 < \text{Grad von } f' \\ f' &= h_2 f_2 - f_3, && \vdots \\ f_2 &= h_3 f_3 - f_4, && \\ &\vdots && \text{Grad von } f_i < \text{Grad von } f_{i-1} \\ &\vdots && \\ f_{r-2} &= h_{r-1} f_{r-1} - f_r, && \vdots \\ f_{r-1} &= h_r f_r. && \vdots \end{aligned}$$

Mit w (x) bezeichne man die Anzahl der Vorzeichenwechsel in der Folge der Zahlen

$$f(x), f'(x), f_2(x), \ldots, f_r(x),$$

wobei etwa auftretende Nullen fortzulassen sind. Ist nun $a < b$ und $f(a) \neq 0$, $f(b) \neq 0$, so ist $w(a) - w(b)$ *die Anzahl der verschiedenen Lösungen von* $f(x) = 0$ *im Intervall* (a, b).

b. *Satz von Descartes: Die Anzahl der* (in ihren Vielfachheiten gezählten) *positiven Lösungen der Gleichung* $a_0x^n + a_1x^{n-1} + \cdots + a_n = 0$ *mit* $a_n \neq 0$ *ist ebenso groß wie die Anzahl der Vorzeichenwechsel in der Folge* $a_0, a_1, \ldots, a_n$ *oder um eine gerade Zahl kleiner.* Dasselbe gilt für die Anzahl der negativen Lösungen und die Folge

$$a_0, -a_1, a_2, -a_3, \ldots, (-1)^n a_n.$$

c. Beispiel: $x^3 - 2x - 5 = 0$.

$(1, 0, -2, -5)$ hat einen Vorzeichenwechsel: es gibt genau eine positive Lösung α (Descartes). Die ›*Sturmsche Kette*‹ besteht (bis auf unwesentliche positive Faktoren) aus den Polynomen $x^3 - 2x - 5$, $3x^2 - 2$, $4x + 15$, -1. An den Stellen 2 und 3 haben sie die Werte $(-1, 10, 23, -1)$ bzw. $(16, 25, 27, -1)$. Es ist also $w(2) = 2$, $w(3) = 1$, und folglich (Sturm) liegt die einzige positive Lösung α zwischen 2 und 3. Zur Berechnung von α nach dem Newtonschen Verfahren wähle man etwa $x_0 = 2{,}1$; man erhält $x_1 = 2{,}095$, einen Wert, der wegen $f(x_1) > 0$ und $f(2{,}094) < 0$ bereits lauter gültige Dezimalen aufweist.

IV. Spezielle Gleichungen. a. Die Lösungen der Gleichung $x^n = 1$ heißen die n-ten *Einheitswurzeln*. Reelle Einheitswurzeln sind nur die Zahl 1 oder die Zahlen 1 und -1, je nachdem n ungerade oder gerade ist. Man kann die n-ten Einheitswurzeln am einfachsten geometrisch in der Ebene der komplexen Zahlen beschreiben als die n Ecken desjenigen regulären n-Ecks, das dem Einheitskreis um den Nullpunkt einbeschrieben ist und dessen eine Ecke die Zahl 1 ist (Abb. 21). Es sind also (→ Zahlen, D; → Funktionentheorie, A I a) die Zahlen

$$\zeta_k = e^{\frac{2\pi k}{n} i} = \cos \frac{2\pi}{n} k + i \sin \frac{2\pi}{n} k, \quad k = 0, 1, \ldots, n-1.$$

Schreibt man etwa ζ statt ζ_1, so erhält man $\zeta_k = \zeta^k$, d. h.: die Einheitswurzeln sind Potenzen einer geeigneten unter ihnen. Eine Einheitswurzel mit dieser Eigenschaft heißt *primitiv*. Es gibt außer ζ_1 noch weitere primitive Einheitswurzeln. Im Fall $n = 9$ sind dies die Wurzeln

$$\zeta_1, \zeta_2, \zeta_4, \zeta_5, \zeta_7, \zeta_8;$$

ζ_3 hat diese Eigenschaft nicht, weil beispielsweise ζ_1 keine Potenz von ζ_3 sein kann; wäre nämlich $\zeta_1 = \zeta_3^k$, so würde das wegen $\zeta_3 = \zeta_1^3$ bedeuten: $\zeta_1 = \zeta_1^{3k}$, d. h. $\zeta_1^{3k-1} = 1$; da ζ_1 aber primitiv ist, müßte $3k-1$ durch 9 teilbar sein, was nicht geht, da $3k-1$ nicht einmal durch 3 teilbar ist.

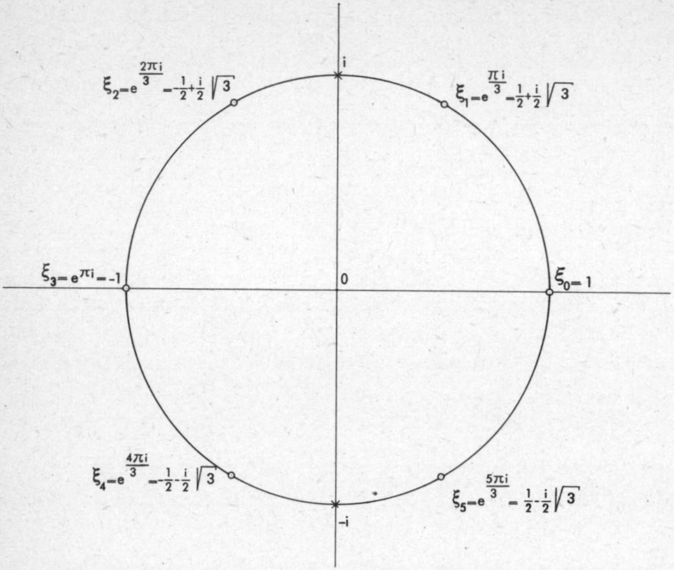

Abb. 21: Die n-ten Einheitswurzeln für $n = 6$

Ist ζ primitiv, so sind es ebenfalls gerade diejenigen Potenzen ζ^j, wo j zu n *teilerfremd* ist.

Beweis: Daß die Teilerfremdheit notwendig für die Primitivität ist, zeigt obiges Beispiel. Nun sei j zu n teilerfremd; die Behauptung besagt, daß sämtliche n-ten Einheitswurzeln unter $\zeta^j, \zeta^{2j}, \ldots, \zeta^{nj}$ vorkommen; das ist bewiesen, wenn gezeigt ist, daß diese paarweise verschieden sind, weil es nur n solche Zahlen gibt; sei aber $\zeta^{kj} = \zeta^{lj}$ mit $0 < k < l \leq n$, so würde folgen $\zeta^{(l-k)j} = 1$; da ζ primitiv ist, müßte $(l - k)\, j$, also bereits $l - k$ durch n teilbar sein; es ist aber $0 < l - k < n$, und daher ist n kein Teiler von $l - k$.

Es gibt also ebenso viele primitive n-te Einheitswurzeln, wie es zu n teilerfremde natürliche Zahlen j gibt, die nicht größer als n sind. Man bezeichnet diese Anzahl mit $\varphi(n)$. Ist $n = p_1^{m_1} p_2^{m_2} \cdots p_r^{m_r}$ die Zerlegung von n in Potenzen verschiedener Primzahlen, so erhält man den Wert dieser *Eulerschen* φ-*Funktion* (→ Ziffern und Ziffernsysteme) durch die Formel

$$\varphi(n) = n\left(1 - \frac{1}{p_1}\right)\left(1 - \frac{1}{p_2}\right) \cdots \left(1 - \frac{1}{p_r}\right).$$

b. Als *reine Gleichung* bezeichnet man eine Gleichung der Gestalt $x^n = a$. Wegen ihrer Bedeutung hat sich für Lösungen dieses Gleichungstyps das spezielle Symbol $\sqrt[n]{a}$ eingebürgert. Um ihm einen wohlbestimmten Sinn zu geben, muß man festlegen, welche der n Lösungen unter $\sqrt[n]{a}$ zu verstehen ist; es ist üblich, damit diejenige Lösung zu bezeichnen, deren *Arcus* ($= \alpha$ in der Darstellung $re^{i\alpha}$, $r > 0$, $0 \leq \alpha < 2\pi$) am kleinsten ist (→ Funktionentheorie A I a); gibt es also eine positive Lösung – es gibt dann offenbar genau eine –, so ist sie mit diesem Zeichen gemeint (also $\sqrt{1} = 1$ und nicht $\sqrt{1} = -1$). $\sqrt[n]{a}$ ist also *eine* Lösung von $x^n = a$; *alle* Lösungen erhält man in

$$\sqrt[n]{a},\ \zeta\sqrt[n]{a},\ \zeta^2\sqrt[n]{a},\ \ldots,\ \zeta^{n-1}\sqrt[n]{a},$$

wobei ζ eine primitive n-te Einheitswurzel ist.

c. Die *allgemeine Gleichung 1. Grades* $a_0x + a_1 = 0$ hat die Lösung $-\frac{a_1}{a_0}$.

d. Die *allgemeine Gleichung 2. Grades* $a_0x^2 + a_1x + a_2 = 0$ hat die Lösungen

$$\frac{1}{2a_0}\left(-a_1 + \sqrt{a_1^2 - 4a_0a_2}\right) \text{ und } \frac{1}{2a_0}\left(-a_1 - \sqrt{a_1^2 - 4a_0a_2}\right).$$

e. Die *allgemeine Gleichung 3. Grades* $a_0x^3 + a_1x^2 + a_2x + a_3 = 0$ wird durch die Substitution $x = y - \frac{a_1}{3a_0}$ in die einfachere Gleichung $y^3 + py + q = 0$ transformiert; deren sämtliche Lösungen sind

$$u + v,\ \varepsilon u + \varepsilon^2 v,\ \varepsilon^2 u + \varepsilon v,$$

wobei ε eine primitive 3. Einheitswurzel, also z. B.

$$\varepsilon = e^{\frac{2\pi i}{3}} = -\frac{1}{2} + \frac{i}{2}\sqrt{3},\ \varepsilon^2 = e^{\frac{4\pi i}{3}} = -\frac{1}{2} - \frac{i}{2}\sqrt{3},$$

ist sowie

$$u = \sqrt[3]{-\frac{q}{2} + \sqrt{\left(\frac{q}{2}\right)^2 + \left(\frac{p}{3}\right)^3}},$$

$$v = \sqrt[3]{-\frac{q}{2} - \sqrt{\left(\frac{q}{2}\right)^2 + \left(\frac{p}{3}\right)^3}}.$$

f. Die *allgemeine Gleichung 4. Grades* wird durch $x = y - \frac{a_1}{4a_0}$ in die Gleichung $y^4 + py^2 + qy + r = 0$ transformiert; diese wird gelöst durch die Werte

$$\sqrt{z_1}+\sqrt{z_2}+\sqrt{z_3},\quad \sqrt{z_1}-\sqrt{z_2}-\sqrt{z_3},$$
$$-\sqrt{z_1}+\sqrt{z_2}-\sqrt{z_3},\quad -\sqrt{z_1}-\sqrt{z_2}+\sqrt{z_3},$$

wobei z_1, z_2, z_3 die Lösungen der ›*kubischen Resolvente*‹ $z^3 + 2pz^2 + (4r - p^2)z - q^2 = 0$ sind.

g. Die Lösungen dieser Gleichungen lassen sich also durch *Wurzelzeichen* (›*Radikale*‹) ausdrücken. In der historischen Entwicklung der Gleichungstheorie findet man lange Zeit die Meinung, die Radikale seien genügend allgemein, um alle Lösungen algebraischer Gleichungen erfassen zu können, und diese Meinung wurde fast zur Gewißheit, als in der ersten Hälfte des 16. Jhs. die Italiener *Tartaglia*, *Cardano* und *Ferrari* die Lösungen der kubischen und biquadratischen Gleichungen durch Radikale fanden. Nach diesen Erfolgen setzte eine rege Suche nach den Lösungen der *Gleichung 5. Grades* ein; diese Suche dauerte fast 300 Jahre an, bis 1826 der 24jährige norwegische Mathematiker Niels Henrik *Abel* bewies, daß die Lösungen der allgemeinen Gleichung 5. Grades nicht durch Radikale ausgedrückt werden können (s. u. D II b 2).

B. Gleichungssysteme. Bisher haben wir nur Gleichungen mit einer Unbekannten behandelt. Die allgemeinste Situation liegt vor, wenn ein *Gleichungssystem* gegeben ist:
$f_1(x_1, \ldots, x_n) = 0, f_2(x_1, \ldots, x_n) = 0, \ldots, f_m(x_1, \ldots, x_n) = 0.$
Hierin bedeuten $f_1, f_2, \ldots, f_m$ gegebene Funktionen und $x_1, \ldots, x_n$ Unbekannte. Das Problem lautet: Gesucht sind alle Wertsysteme $(\alpha_1, \ldots, \alpha_n)$, für welche die Gleichungen $f_1(\alpha_1, \ldots, \alpha_n) = 0, \ldots, f_m(\alpha_1, \ldots, \alpha_n) = 0$ richtig sind. Es werden also diejenigen Zahlen-n-tupel $(\alpha_1, \ldots, \alpha_n)$ gesucht, welche *simultan* die gegebenen Funktionen annullieren. Daß man bei Vorgabe eines Gleichungssystems stets an dieses Problem denkt, ist eine Konvention; denn sinnvoll sind auch andere Fragestellungen, etwa die Frage nach denjenigen n-tupeln, die wenigstens eine der Gleichungen befriedigen. Stellt man die n-tupel als Punkte in einem n-dimensionalen Zahlenraum dar, so bilden die Punkte, die eine der Gleichungen erfüllen, eine höherdimensionale ›Fläche‹. Das Lösungsproblem bedeutet also in dieser geometrischen Interpretation die Bestimmung des Durchschnittes gegebener Flächen (dagegen bezieht sich die andere, ebenfalls als sinnvoll erkannte Frage auf die Bestimmung ihrer Vereinigungsmenge).

In dieser Allgemeinheit gehört das Problem in die Analysis, und zwar in die reelle oder komplexe Analysis, je nachdem reelle oder komplexe Lösungen gesucht werden. Sind die Gleichungen algebraisch, die Funktionen also Polynome, so liegt das Hauptproblem der *algebraischen Geometrie* vor, deren algebraische Hilfsmittel die sog. *Eliminationstheorie* liefert.

Im speziellen Falle, daß die Funktionen Polynome ersten Grades — sog. *Linearformen* — sind, läßt sich unser Problem mit den Methoden der *linearen*→ *Algebra* behandeln; das soll im folgenden geschehen.

Ein *lineares Gleichungssystem* hat die Gestalt

$$
(1) \quad
\begin{array}{l}
a_{11}x_1 + a_{12}x_2 + \cdots + a_{1n}x_n = b_1 \\
a_{21}x_1 + a_{22}x_2 + \cdots + a_{2n}x_n = b_2 \\
\dots\dots\dots\dots\dots\dots\dots\dots \\
a_{m1}x_1 + a_{m2}x_2 + \cdots + a_{mn}x_n = b_m;
\end{array}
$$

die Koeffizienten a_{ik} und b_i sind gegebene Zahlen, wobei der erste Index i angibt, daß es sich um Koeffizienten aus der i-ten Gleichung ($i = 1, 2, \ldots, m$) handelt, während der zweite Index k die Nummer der Unbekannten x_k ($k = 1, 2, \ldots, n$) bezeichnet, bei der a_{ik} als Faktor steht. Das *Gleichungssystem* heißt *homogen*, wenn die rechten Seiten verschwinden:

$$b_1 = b_2 = \cdots = b_m = 0.$$

Ein lineares Gleichungssystem braucht nicht lösbar zu sein; beispielsweise läßt sich das Gleichungssystem

$$
\begin{array}{l}
x_1 + x_2 = 0 \\
x_1 + x_2 = 1
\end{array}
$$

durch keine Wahl von x_1, x_2 befriedigen.

Ein homogenes Gleichungssystem ist dagegen stets lösbar: es besitzt immer die *triviale Lösung* $x_1 = x_2 = \cdots = x_n = 0$. Im allgemeinen hat ein homogenes System aber noch weitere Lösungen. Über ihre Gesamtheit läßt sich offenbar folgendes sagen: Ist $(a_1, a_2, \ldots, a_n)$ eine Lösung, so auch $(\alpha a_1, \alpha a_2, \ldots, \alpha a_n)$, wobei α eine beliebige Zahl ist; ist $(a_1^*, a_2^*, \ldots, a_n^*)$ eine weitere Lösung, so auch $(a_1 + a_1^*, a_2 + a_2^*, \ldots, a_n + a_n^*)$. Die Lösungsgesamtheit ist also ein *Vektorraum* im Sinne der linearen → Algebra und besitzt folglich eine wohlbestimmte *Dimension.*

Ist ein *inhomogenes Gleichungssystem* lösbar, so ist mit je zwei Lösungen $(a_1, \ldots, a_n)$, $(a_1^*, \ldots, a_n^*)$ offenbar $(a_1 - a_1^*, \ldots, a_n - a_n^*)$ Lösung des *zugeordneten homogenen Gleichungssystems*, das man aus dem gegebenen dadurch erhält, daß man die rechten Seiten aller Gleichungen durch 0 ersetzt; und umgekehrt: ist $(c_1, \ldots, c_n)$ Lösung dieses homogenen Systems, so ist mit $(a_1, \ldots, a_n)$ auch $(a_1 + c_1, \ldots, a_n + c_n)$ Lösung des inhomogenen Systems. Damit haben wir folgendes Resultat: *Ein homogenes Gleichungssystem ist stets lösbar; die Lösungsgesamtheit ist ein Vektorraum. Wenn ein inhomogenes Gleichungssystem lösbar ist, so erhält man sämtliche Lösungen, indem man alle Lösungen des zugehörigen homogenen Systems zu einer speziellen Lösung des inhomogenen addiert.*

Hiermit ist in gewissem Maße für homogene Systeme Problem (A) und (B), für inhomogene Systeme Problem (B) beantwortet. Das noch offene Problem (A) für inhomogene Systeme wird mit Hilfe des im folgenden besprochenen *Eliminationsverfahrens* geklärt.
Es beruht auf der Tatsache, daß man ein *System von ›Dreiecksgestalt‹*

$$
\begin{aligned}
a_{11}x_1 + a_{12}x_2 + \cdots + a_{1n}x_n &= b_1, \; a_{11} \neq 0 \\
a_{22}x_2 + \cdots + a_{2n}x_n &= b_2, \; a_{22} \neq 0 \\
\cdots\cdots\cdots\cdots\cdots & \;\cdots \\
a_{nn}x_n &= b_n, \; a_{nn} \neq 0
\end{aligned} \tag{2}
$$

sofort lösen kann: aus der letzten Gleichung ergibt sich der einzig mögliche Wert von x_n, aus der vorletzten sodann der einzig mögliche Wert von x_{n-1}, und so fortfahrend erhält man der Reihe nach die einzig möglichen Werte von $x_n, x_{n-1}, \ldots, x_2, x_1$; das System besitzt also genau eine Lösung, die unmittelbar angebbar ist.
Beim Eliminationsverfahren wird nun ein beliebig gegebenes lineares Gleichungssystem (1) durch sog. *elementare Umformungen* in ein äquivalentes Dreiecksystem umgeformt; dabei heißen zwei Systeme in denselben Unbekannten *äquivalent*, wenn sie dieselben Lösungen besitzen. Elementare Umformungen sind die folgenden beiden Operationen: Multiplikation einer Gleichung mit einer von Null verschiedenen Zahl, Addition zweier Gleichungen.

Ist $a_{11} \neq 0$, so addiert man das $\left(-\frac{a_{21}}{a_{11}}\right)$-fache der ersten Gleichung zur zweiten, ihr $\left(-\frac{a_{31}}{a_{11}}\right)$-faches zur dritten, ..., schließlich ihr $\left(-\frac{a_{m1}}{a_{11}}\right)$-faches zur letzten Gleichung und erhält so ein äquivalentes Gleichungssystem der Form

$$
\begin{aligned}
a_{11}x_1 + a_{12}x_2 + \cdots + a_{1n}x_n &= b_1 \\
a_{22}x_2 + \cdots + a_{2n}x_n &= b_2 \\
a_{32}x_2 + \cdots + a_{3n}x_n &= b_3 \\
\cdots\cdots\cdots\cdots\cdots & \cdots \\
a_{m2}x_2 + \cdots + a_{mn}x_n &= b_m,
\end{aligned}
$$

wobei der Einfachheit halber die neuen Koeffizienten wieder mit a_{ik} und b_i bezeichnet wurden. Ist hier $a_{22} \neq 0$, so wendet man dasselbe Verfahren auf die zweite bis m-te Gleichung an, usw. Die Annahme, daß $a_{11} \neq 0$ ist und daß im neuen System dasselbe für a_{22} gilt usw., kann offenbar durch einfaches Umnumerieren der Gleichungen und Unbekannten gerechtfertigt werden, solange es in den noch umzuformenden Gleichungen überhaupt einen von Null verschiedenen Koeffizienten a_{ik} gibt. Erst wenn das nicht mehr der Fall ist, bricht das Verfahren ab bei einem zum gegebenen äquivalenten Gleichungssystem der Form

$$
\begin{aligned}
a_{11}x_1 + \cdots\cdots\cdots + a_{1n}x_n &= b_1, \quad a_{11} \neq 0\\
a_{22}x_2 + \cdots\cdots + a_{2n}x_n &= b_2, \quad a_{22} \neq 0\\
\cdots\cdots\cdots\cdots\cdots\cdots&\\
a_{rr}x_r + \cdots + a_{rn}x_n &= b_r, \quad a_{rr} \neq 0\\
0 &= b_{r+1}\\
\cdots\cdots&\\
0 &= b_m.
\end{aligned} \tag{3}
$$

Die letzten Gleichungen $0 = b_{r+1}, \ldots, 0 = b_m$ beantworten nun das Problem (A): das ursprüngliche System (1) ist genau dann lösbar, wenn im äquivalenten System (3) diese letzten Gleichungen erfüllt sind. Daß diese Forderung für die Lösbarkeit notwendig ist, ist evident. Daß sie hinreicht, ist aber auch klar, da dann (3) ein System der Form (2) wird, wenn man den Unbekannten $x_{r+1}, x_{r+2}, \ldots, x_n$ willkürliche Werte erteilt. Eine Lösung erhält man beispielsweise, wenn man $x_{r+1} = \cdots = x_n = 0$ setzt. Sämtliche anderen ergeben sich durch Addition der Lösungen des zugehörigen homogenen Systems. Diese können durch *Linearkombination* (d. h. Multiplikation mit Zahlen und Addition) aus denjenigen aufgebaut werden, die man durch die Festsetzungen

$$
\begin{aligned}
x_{r+1} = 1, x_{r+2} = 0, \ldots, x_{n-1} = 0, x_n = 0;\\
x_{r+1} = 0, x_{r+2} = 1, \ldots, x_{n-1} = 0, x_n = 0;\\
\cdots\cdots\cdots\cdots\cdots\cdots\cdots\cdots\\
x_{r+1} = 0, x_{r+2} = 0, \ldots, x_{n-1} = 1, x_n = 0;\\
x_{r+1} = 0, x_{r+2} = 0, \ldots, x_{n-1} = 0, x_n = 1
\end{aligned}
$$

bekommt. Diese $n-r$ Lösungen bilden also eine *Basis* für den Vektorraum der Lösungen des homogenen Systems, dessen Dimension somit $n-r$ ist. Dieses homogene System, das zu (3) gehört, ist aber offensichtlich äquivalent zu dem zu (1) gehörigen homogenen System. Folglich ist dessen Lösungsraum, dessen Dimension d heiße, mit dem gefundenen Lösungsraum des zu (3) gehörigen homogenen Systems identisch. *Es ist insbesondere* $d = n-r$. Diese Beziehung enthält die folgende wichtige Bemerkung über die Anzahl r der nicht-trivialen Gleichungen in (3): man kann auf sehr viele Weisen das gegebene System (1) in ein äquivalentes der Form (3) umformen; in jedem Falle muß aber die Anzahl r der nicht-trivialen Gleichungen dieselbe sein. Diese Zahl, die also eine Eigenschaft des ursprünglichen Systems (1) ist, wird als sein *Rang* bezeichnet.

Von besonderer Bedeutung sind Gleichungssysteme (1), in denen die Anzahl m der Gleichungen gleich der Anzahl n der Unbekannten ist. *Genau dann hat ein solches System genau eine Lösung, wenn auch der Rang* r *gleich* n *ist.* Die einzige Lösung kann mit Hilfe der *Determinantentheorie* auch formelmäßig gewonnen werden. Das ist theoretisch bedeutsam; jedoch ist für praktische Berechnung das Eliminationsverfahren vorzuziehen. Eine *Determinante* ist eine Zahl, die aus den Zahlen eines quadratischen Zahlenschemas (›*Matrix*‹)

$$\begin{pmatrix} a_{11} & a_{12} & \cdots & a_{1n} \\ a_{21} & a_{22} & \cdots & a_{2n} \\ \cdot & \cdot & \cdot & \cdot \\ a_{n1} & a_{n2} & \cdots & a_{nn} \end{pmatrix}$$

gebildet und durch

$$\begin{vmatrix} a_{11} & a_{12} & \cdots & a_{1n} \\ a_{21} & a_{22} & \cdots & a_{2n} \\ \cdot & \cdot & \cdot & \cdot \\ a_{n1} & a_{n2} & \cdots & a_{nn} \end{vmatrix}$$

bezeichnet wird. Sie ist die Summe aus allen mit gewissen Vorzeichen versehenen Produkten, die man aus n Elementen a_{ik} so bilden kann, daß in jedem Produkt aus jeder Zeile und aus jeder Spalte der Matrix genau ein Element als Faktor auftritt. Jedes solche Produkt hat also die Form

$$a_{1\alpha}\, a_{2\beta} \ldots a_{n\omega},$$

wobei die zweiten Indizes α, β, ..., ω eine *Permutation* (= Vertauschung) der Ziffern 1, 2, ..., n sind. Als Vorzeichen erhält es + 1 oder − 1, je nachdem diese Permutation *gerade* oder *ungerade* ist, und das bedeutet, daß die Anzahl der Ziffernpaare aus der Indexfolge (α, β, ..., ω) gerade oder ungerade ist, für die in der gegebenen Reihenfolge der erste Index größer ist als der zweite. Angewandt auf unser Gleichungssystem (1), wobei m = n ist, liefert die Determinantentheorie folgende Aussagen: *Das Gleichungssystem ist genau dann auf genau eine Weise lösbar, der Rang also* n, *wenn die Determinante*

$$D := \begin{vmatrix} a_{11} & \cdots & a_{1n} \\ \cdot & \cdot & \cdot \\ a_{n1} & \cdots & a_{nn} \end{vmatrix}$$

nicht verschwindet. Ersetzt man in dem Zahlenschema die i-te *Spalte* $\begin{matrix} a_{1i} \\ a_{2i} \\ \vdots \\ a_{ni} \end{matrix}$, also die Koeffizienten von x_i in den verschiedenen Gleichungen, durch die rechten Seiten $\begin{matrix} b_1 \\ b_2 \\ \vdots \\ b_n \end{matrix}$, so erhält man ein neues Zahlenschema, dessen Determinante wir mit D_i bezeichnen. *Ist* D ≠ 0, *so wird die einzige Lösung des Gleichungssystems durch* die Formeln $x_1 = \frac{D_1}{D}, x_2 = \frac{D_2}{D}, \ldots, x_n = \frac{D_n}{D}$ gegeben (*Cramersche Regel*).

C. Diophantische Gleichungen. Eine Gleichung, für die nur ganze Zahlen als Lösungen gesucht werden, heißt *diophantisch*. Wir wollen einige Ergebnisse über solche Gleichungen zusammenstellen.

I. Ein erstes ist ein Satz von Gauss, der besagt, daß für eine algebraische Gleichung

$$x^n + a_1x^{n-1} + \cdots + a_{n-1}x + a_n = 0$$

mit ganzen Koeffizienten a_i und erstem Koeffizienten 1 *jede rationale Lösung bereits ganzzahlig* ist. Diese Bemerkung ist auch praktisch von Nutzen, wenn man die rationalen Lösungen sucht: diese sind unter den endlich vielen (ganzen) Teilern des letzten Gliedes a_n enthalten.

II. Als diophantische Gleichungen im eigentlichen Sinne bezeichnet man jedoch solche mit *mehreren Unbekannten*.

a. Der einfachste Fall ist

$$ax + by = c \text{ mit ganzen } a, b, c.$$

Notwendig für die Lösbarkeit ist, daß c durch den *größten gemeinsamen Teiler* d von a und b teilbar ist. Diese Bedingung ist aber auch hinreichend. Man kann nämlich mittels des euklidischen Algorithmus (→ Zahlen) d aus a und b in der Form

$$d = aA + bB \text{ mit ganzen Zahlen } A \text{ und } B$$

erhalten. Da d auch c teilt, also $c = c'd$ mit einer ganzen Zahl c' gilt, erhält man durch

$$c = a\,(c'A) + b\,(c'B)$$

eine Lösung $(c'A, c'B)$ der gegebenen Gleichung. Um sämtliche Lösungen zu bekommen, überlegt man sich wieder, daß je zwei sich um eine Lösung der homogenen Gleichung $ax + by = 0$ unterscheiden, die mit $a = a'd$, $b = b'd$ zu $a'x + b'y = 0$ äquivalent ist. Diese letztere hat aber wegen der Teilerfremdheit von a' und b' genau die ganzzahligen Lösungen $(nb', -na')$, wobei n eine beliebige ganze Zahl ist. Damit ergibt sich schließlich *als Lösungsgesamtheit der gegebenen diophantischen Gleichung die Menge der Zahlenpaare*

$$\left(\frac{cA + nb}{d}, \frac{cB - na}{d}\right), \text{ n } \textit{beliebig ganz.}$$

Die hier angeführte Methode des euklidischen Algorithmus führt bei formelmäßiger Durchführung auf die sog. *Kettenbrüche*, die auch sonst in der Theorie der diophantischen Gleichungen eine große Bedeutung haben.

Es sollen jetzt noch einige wichtige diophantische Gleichungen aufgeführt werden, die sich aus zahlentheoretischen Fragestellungen ergeben; dieser Zusammenhang ist ja wegen des zahlentheoretischen Charakters des Lösungsproblems diophantischer Gleichungen natürlich.

b. Am bekanntesten ist die diophantische Gleichung

$$x^n + y^n = z^n \text{ mit gegebenem } n \geq 2.$$

Ihre ganzzahligen Lösungen sind im Falle $n = 2$ die *pythagoräischen Zahlentripel.* Man erhält sie folgendermaßen: x und y können nicht beide ungerade sein, da die Summe zweier ungerader Quadratzahlen durch 2, aber nicht durch 4 teilbar ist, also kein Quadrat sein kann; sei etwa y gerade: $y = 2\,y_1$; die Gleichung lautet dann

$$4\,y_1^2 = z^2 - x^2 = (z - x)\,(z + x);$$

die beiden Faktoren rechts sind also gerade Zahlen 2 p bzw. 2 q; daraus folgt

$$z = p + q,\ x = q - p \text{ und } y_1^2 = pq;$$

spaltet man aus p und q die quadratischen Anteile ab, so müssen in beiden Zahlen die restlichen Faktoren gleich sein, damit das Produkt ein Quadrat ist:

$$p = mr^2,\ q = ms^2;$$

damit ergibt sich

$$x = m\,(s^2 - r^2),\ y = 2\,mrs,\ z = m\,(s^2 + r^2).$$

Jedes pythagoräische Tripel (x, y, z) läßt sich also mit geeigneten ganzen Zahlen m, r, s auf diese Weise schreiben; umgekehrt erkennt man unmittelbar, daß jedes Tripel dieser Form mit beliebigen ganzen Zahlen m, r, s pythagoräisch ist.

Für $n > 2$ behauptet die berühmte *Fermatsche Vermutung* die Unlösbarkeit (außer trivialen Lösungen, bei denen eine Unbekannte verschwindet) des Problems. Offenbar genügt es, diese Behauptung für $n = 4$ und für Primzahlexponenten $n = p > 2$ zu beweisen; der Beweis ist bis jetzt nur für den Exponenten 4 und die Primzahlexponenten p mit $2 < p < 4003$ erbracht worden; jeder Exponent erfordert ein spezielles Beweisverfahren, so daß an der allgemeinen Beweisbarkeit der Vermutung gezweifelt werden kann.

c. Von großer zahlentheoretischer Bedeutung sind die diophantischen Gleichungen

$$x^n + my = a,$$

die man auch als *Kongruenzen* (→ Zahlen)

$$x^n \equiv a \bmod m$$

schreibt, was nichts anderes bedeutet, als daß $x^n - a$ durch m teilbar sein soll. Je nachdem die Gleichung lösbar ist oder nicht, heißt a ein *n-ter Potenzrest* oder *Potenznichtrest modulo* m.

Der Spezialfall n = 2, also die Frage, ob eine Zahl a *quadratischer Rest* oder *Nichtrest modulo* m ist, hat zu besonders fruchtbaren Untersuchungen geführt. Zunächst kann das Problem auf Primzahlmoduln m = p > 2 reduziert werden. Für p > 2 ist aber nach *Euler* ein nicht durch p teilbares a quadratischer Rest oder Nichtrest, je nach dem $a^{\frac{p-1}{2}} - 1$ durch p teilbar ist oder nicht. Die tieferen Untersuchungen gipfeln in dem sog. *quadratischen Reziprozitätsgesetz* der Zahlentheorie.

d. Erwähnt sei schließlich noch der Fragenkreis des *Waringschen Problems*: *Fermat* hatte gezeigt, daß für a > 0 die diophantische Gleichung

$$x_1^2 + x_2^2 + x_3^2 + x_4^2 = a$$

stets lösbar ist; m. a. W.: jede positive Zahl ist Summe von vier Quadratzahlen. Waring stellte die Frage, ob ein solcher Darstellungssatz auch für Kuben gilt, und dies Problem wird durch den Satz gelöst, daß *jede Zahl als Summe von neun Kuben* geschrieben werden kann, daß also die diophantische Gleichung

$$x_1^3 + x_2^3 + \cdots + x_9^3 = a$$

stets lösbar ist. Für höhere Exponenten als 3 hat sich eine umfangreiche Theorie entwickelt.

D. Zur Theorie algebraischer Gleichungen. I. Wir wollen noch einmal auf die algebraischen Gleichungen zurückkommen und einige wichtige Aussagen besprechen, die im Zusammenhang stehen mit der eingangs angedeuteten Abhängigkeit des Lösungsproblems vom Zahlenbereich.

a. Ist dieser ein *Körper* K (→ Algebra), d. h. eine Menge von Zahlen, in der zwei Rechenoperationen + und · und ihre Umkehrungen ebenso wie beispielsweise im System der rationalen Zahlen ausführbar sind, so gilt der ›triviale‹ Teil des Fundamentalsatzes der Algebra (s. o. A II): *Jedes Polynom* n*-ten Grades, dessen Koeffizienten in* K *liegen, hat in* K *höchstens* n *Nullstellen.* Zum Beweis dividiere man das gegebene Polynom p (x) durch ein lineares Polynom $x - \alpha$:

$$p(x) = q(x)(x - \alpha) + \beta,$$

wobei α und β Konstanten aus K sind. An dieser stets möglichen Division erkennt man durch Einsetzen von α für x, daß α genau dann Nullstelle von p ist, wenn p den Linearfaktor $x - \alpha$ enthält. Sind nun α_1 und α_2 verschiedene Nullstellen von p, so folgt aus dem Bestehen der Zerlegung

$$p(x) = q(x)(x - \alpha_1),$$

daß q $(\alpha_2) = 0$ sein muß, da in einem Körper ein Produkt nur dann verschwindet, wenn das für einen Faktor gilt; q hat aber niedrigeren Grad als p, und das bewirkt, daß sich der Satz durch Induktion nach dem Grad der Gleichung gewinnen läßt.

Dieser Beweis benutzt die Tatsache, daß eine Gleichung $p(x) = p_1(x)\, p_2(x)$ zwischen Polynomen die entsprechenden Beziehungen $p(\alpha) = p_1(\alpha)\, p_2(\alpha)$ zwischen den Werten zur Folge hat; in algebraischer Terminologie sagt man dafür, daß das Einsetzen einer Zahl $\alpha \in K$ für x eine *homomorphe Abbildung* (→ Algebra) des Polynomringes K [x] in den Körper K darstellt. Dieser so selbstverständlich scheinende Sachverhalt beruht aber wesentlich auf der *Kommutativität* von K, d. h. auf der für beliebige $a, b \in K$ stets gültigen Beziehung $b \cdot a = a \cdot b$. Das eingangs angeführte Beispiel einer algebraischen Gleichung, die im System der Quaternionen unendlich viele Lösungen besitzt, zeigt, daß *für die Gültigkeit dieses Satzes die Kommutativität von* K *notwendig* ist: die Quaternionen bilden nämlich einen *Schiefkörper*, in dem also die Beziehung $b \cdot a = a \cdot b$ nicht ausnahmslos richtig ist, während die übrigen Rechenregeln, die für Körper charakteristisch sind, bestehen.

b. Da p (x) durch $x-\alpha$ teilbar ist, wenn α Nullstelle von p ist, kann man nach dem höchsten Exponenten k fragen, derart, daß p (x) durch $(x-\alpha)^k$ teilbar ist; er wird als *Vielfachheit* der Nullstelle α von p bezeichnet, und es ist leicht zu sehen, daß unser Satz über die Anzahl der Nullstellen sogar dann noch richtig bleibt, wenn jede Nullstelle in ihrer Vielfachheit gezählt wird.

c. Die wichtigsten Körper sind die *Körper* **P** *der rationalen,* **R** *der reellen* und **C** *der komplexen Zahlen.* In dem letzteren sind nach dem Fundamentalsatz der Algebra alle algebraischen Gleichungen mit komplexen Koeffizienten lösbar: *er ist algebraisch-abgeschlossen.*

II. Galoissche Theorie. a. Zum Studium einer Gleichung ist es zweckmäßig, Körper zu betrachten, die mit dieser Gleichung eng verknüpft sind, etwa den kleinsten Körper k, der die Koeffizienten der Gleichung enthält, und den kleinsten Körper K, der diesen Grundkörper k und sämtliche Nullstellen der gegebenen Gleichung enthält: die Beziehungen zwischen solchen Körpern geben wesentliche und oft tiefliegende Eigenschaften der Gleichung wieder. Wir wollen $k \subset$ **C** annehmen, da uns dann durch den Fundamentalsatz der Algebra die Existenz von K mit $K \subset$ **C** gesichert ist. (Aber auch ohne diese Annahme kann auf die Existenz eines solchen K geschlossen werden; es gilt nämlich der *Satz von Kronecker-Steinitz*: *Zu jedem Körper läßt sich ein algebraisch-abgeschlossener Oberkörper konstruieren.*)

Sind $\alpha_1, \ldots, \alpha_n$ die Nullstellen der gegebenen Gleichung $p(x) = 0$, so läßt sich jedes Element aus K durch Anwendung der rationalen Rechenoperationen $(+, -, \cdot, :)$ aus den α_i und den Elementen des Grundkörpers k gewinnen. Jedes Element $a \in K$ läßt sich also in der Form $a = r(\alpha_1, \ldots, \alpha_n)$ schreiben, wobei r ein rationaler Ausdruck mit Koeffizienten aus k ist; dabei ist für das Verständnis des Folgenden wichtig, daß es zu jedem a viele formal verschiedene Darstellungen durch solche rationale Ausdrücke gibt. Man sagt, K entstehe durch *Adjunktion* der $\alpha_1, \ldots, \alpha_n$ an k, und schreibt

$$K = k(\alpha_1, \ldots, \alpha_n).$$

Bei der Untersuchung der Gleichung $p(x) = 0$ ist es wichtig, zu überblicken, inwieweit die Nullstellen $\alpha_1, \ldots, \alpha_n$ gleichberechtigt sind; genauer: wir fragen nach *solchen Permutationen* σ *der* α_i, *die sich auf natürliche Weise zu einer Permutation aller Elemente von* K *fortsetzen lassen.* ›Auf natürliche Weise‹ bedeutet: besitzt $a \in K$ die Darstellung $a = r(\alpha_1, \ldots, \alpha_n)$ als rationaler Ausdruck in den α_i, so entsteht daraus durch die gegebene Vertauschung σ der α_i der rationale Ausdruck $r(\sigma\alpha_1, \ldots, \sigma\alpha_n)$, und dieser soll bei der zu konstruierenden Fortsetzung von σ auf ganz K eine Darstellung des Bildes σa von a sein. Diese *Zuordnung*

$$r(\alpha_1, \ldots, \alpha_n) \to r(\sigma\alpha_1, \ldots, \sigma\alpha_n)$$

der Darstellungen ist aber keineswegs immer eine (eindeutige!) Zuordnung der dargestellten Elemente; dazu dürfen nämlich nie zwei verschiedene rationale Ausdrücke in den α_i, die dasselbe Element aus K darstellen, nach der Vertauschung $\alpha_i \to \sigma\alpha_i$ verschiedene Elemente darstellen. Insbesondere muß also jede Beziehung

$$r(\alpha_1, \ldots, \alpha_n) = r_1(\alpha_1, \ldots, \alpha_n) + r_2(\alpha_1, \ldots, \alpha_n)$$

oder

$$r(\alpha_1, \ldots, \alpha_n) = r_1(\alpha_1, \ldots, \alpha_n) \cdot r_2(\alpha_1, \ldots, \alpha_n)$$

die entsprechende Beziehung

$$r(\sigma\alpha_1, \ldots, \sigma\alpha_n) = r_1(\sigma\alpha_1, \ldots, \sigma\alpha_n) + r_2(\sigma\alpha_1, \ldots, \sigma\alpha_n)$$

bzw.

$$r(\sigma\alpha_1, \ldots, \sigma\alpha_n) = r_1(\sigma\alpha_1, \ldots, \sigma\alpha_n) \cdot r_2(\sigma\alpha_1, \ldots, \sigma\alpha_n)$$

zur Folge haben. Erst dann hat das Symbol σa einen eindeutigen Sinn. Für beliebige $a, b \in K$ muß dann also

$$(\alpha) \qquad \sigma(a + b) = \sigma a + \sigma b,$$

$$(\beta) \qquad \sigma(a \cdot b) = \sigma a \cdot \sigma b$$

gelten; außerdem muß offenbar

$$(\gamma) \qquad \sigma a = a \text{ für jedes } a \in k$$

sein, d. h. *der Grundkörper* k *bleibt unter der Abbildung* σ *elementweise fest.*

Eine *Abbildung* $\sigma: K \rightarrow K$ mit den Eigenschaften (α), (β), (γ) ist *bijektiv*, d. h. je zwei verschiedene Elemente haben nie dasselbe *Bild* — denn aus $a \neq 0$ folgt $1 = \sigma(1) = \sigma(a \cdot a^{-1}) = \sigma a \cdot \sigma a^{-1}$, also $\sigma a \neq 0$. Im vorliegenden Falle tritt überdies jedes Element von K auch wirklich als Bild auf, wie man aus der Tatsache folgern kann, daß jedes α_i Bild eines passenden α_j ist. Man spricht daher von σ als einem *Automorphismus* von K relativ zum *Grundkörper* k. Umgekehrt bewirkt ein solcher Automorphismus σ eine Permutation der α_i; denn aus $p(\alpha) = 0$ folgt $p(\sigma\alpha) = 0$, weil $p(x)$ ein Polynom mit Koeffizienten aus k ist.

Die Gesamtheit dieser Permutationen oder, was dasselbe ist, *relativen Automorphismen von* K *über* k *hängt in starkem Maße von der gegebenen Gleichung ab und enthält daher wesentliche Informationen über deren Eigenschaften.* Das war die geniale Entdeckung, die der einundzwanzigjährige Evariste *Galois* 1832 kurz vor seinem gewaltsamen Tode niederschrieb.

Die *Galoissche Theorie* ist das angemessene Hilfsmittel zur Entscheidung vieler berühmter Probleme.

b. 1. Beispielsweise läßt sich die klassische Frage, ob eine geometrische Größe (Strecke, Winkel) aus anderen durch *Konstruktion mit Zirkel und Lineal* gewonnen werden kann, in die äquivalente algebraische Frage übersetzen, ob eine gewisse Zahl x sich aus gegebenen Zahlen allein durch rationale Rechenoperationen und Quadratwurzeln ausdrücken läßt; denn das Schneiden von Geraden und Kreisen führt, wie leicht zu sehen, stets nur auf höchstens quadratische Gleichungen. Die Galoissche Theorie beantwortet diese Frage nun dahingehend, daß x genau dann die gewünschte Eigenschaft hat, wenn die algebraische Gleichung niedrigsten Grades für x mit Koeffizienten, die rational in den gegebenen Zahlen sind, eine Potenz von 2 als Grad besitzt.

Das *Delische Problem,* zu einem gegebenen Würfel einen von doppeltem Volumen zu konstruieren, erweist sich damit für Zirkel und Lineal ebenso als unlösbar wie das Problem, einen beliebig gegebenen Winkel in drei gleiche Teile zu teilen; denn für beide Probleme sind die entsprechenden Gleichungen niedrigsten Grades kubisch. (Für spezielle Winkel — z. B. 90° — kann letztere Aufgabe jedoch lösbar sein; das liegt daran, daß das kubische Polynom dann eine rationale Nullstelle besitzt.) — Auch die Unmöglichkeit der Kreisquadratur steht fest, seit F. Lindemann 1882 bewies, daß π transzendent ist, also gar keiner algebraischen Gleichung genügt. — Schließlich gehört die *Kreisteilungstheorie* des 19jährigen *Gauß* (veröffentlicht in seinen ›Disquisitiones arithmeticae‹) hierher: die Frage, ob das *regelmäßige n-Eck* mit Zirkel und Lineal konstruierbar ist, führt auf die sog. Kreisteilungsgleichung; sie ist vom Grade $\varphi(n)$ (s. o. A IV a); ist $n = 2^m p_1^{m_1} \cdots p_r^{m_r}$, wobei die p_i verschiedene ungerade Primzahlen sind, so ist

$$\varphi(n) = 2^{m-1} p_1^{m_1-1} \cdots p_r^{m_r-1} (p_1 - 1) \cdots (p_r - 1),$$

und dies ist genau dann eine Potenz von 2, wenn $m_1 = \cdots = m_r = 1$ und jedes $p_i - 1$ eine Potenz von 2 ist; solche *Fermatschen Primzahlen* $2^\mu + 1$ sind 3, 5, 17, 257, 65537 (weitere sind nicht bekannt); *das* n-*Eck ist also genau dann konstruierbar, wenn* $n = 2^m \cdot p_1 \cdot \cdots \cdot p_r$ *ist, wobei die* p_i *verschiedene Fermatsche Primzahlen sind*; insbesondere ist also das 17-Eck konstruierbar, und diese Entdeckung von Gauß war so überraschend, daß seine Heimatstadt Braunschweig auf dem Sockel seines Denkmals einen 17-strahligen Stern eingravieren ließ.

2. Auch der *Abelsche Satz* (s. o. A IV g), daß *die allgemeine Gleichung 5. Grades nicht durch Radikale gelöst werden kann*, läßt sich aus der Galoisschen Theorie deduzieren. Wir wollen einen Beweis hierfür andeuten, um einen Einblick in das Wesen der Galois-Theorie zu geben. Zu diesem Zweck wollen wir die *Automorphismen*, mit denen sich die Theorie beschäftigt, in zwei extremen Fällen angeben, wobei zugleich die obige Feststellung belegt werden wird, daß sich die Unterschiede zwischen den betrachteten Gleichungen auf prägnante Weise als Unterschiede zwischen den zugehörigen Automorphismenmengen widerspiegeln.

Zunächst sei $x^n + u_1 x^{n-1} + \cdots + u_{n-1} x + u_n = 0$ die *allgemeine Gleichung* n-*ten Grades;* damit ist gemeint, daß die Koeffizienten u_i *Parameter* sind, die beliebige Werte annehmen können; diese Situation liegt ja vor, wenn man nach einer Formel für die Lösungen aller Gleichungen n-ten Grades sucht. Es erscheint plausibel und ist nicht schwer zu beweisen, daß die Lösungen einer allgemeinen Gleichung völlig gleichberechtigt sind und daß daher die uns interessierenden Permutationen σ keiner Bedingung unterworfen sind: m. a. W., sämtliche Permutationen der Wurzeln lassen sich zu Automorphismen fortsetzen, und zwar unabhängig davon, welcher Körper k (z. B. Unterkörper von **R**) als Grundkörper angesehen wird; diese n! Permutationen bilden die sog. *symmetrische Gruppe* $\mathfrak{S}_n$.

Der Fachausdruck ›Gruppe‹ (→ Algebra) bedeutet, daß man zwei solche Permutationen hintereinander ausführen – ›komponieren‹ – kann und dabei wieder eine Permutation erhält. Das ist offenbar auch allgemein der Fall für eine beliebige Gleichung: diejenigen Permutationen ihrer Wurzeln, die zu relativen Automorphismen des zugehörigen Oberkörpers K über dem Grundkörper k führen, bilden eine Gruppe, die *Galois-*

s c h e G r u p p e d e r G l e i c h u n g oder, was dasselbe ist, die *A u t o m o r p h i s m e n g r u p p e v o n* K *ü b e r* k.

Setzt man in die allgemeine Gleichung für die Koeffizienten spezielle reelle Zahlen ein, so werden die Lösungen i. a. nicht mehr gleichberechtigt sein, die Galoissche Gruppe wird also weniger Permutationen enthalten. Das einfachste Beispiel hierfür ist die reine Gleichung $x^n = a$ (s. o. AIVb), deren Lösungen aus einer von ihnen, etwa α, mittels einer primitiven n-ten Einheitswurzel ζ als $\alpha, \zeta\alpha, \zeta^2\alpha, \ldots, \zeta^{n-1}\alpha$ erhalten werden. Als Grundkörper k wählen wir diesmal den kleinsten Körper, der a und ζ enthält, weil dann einfach $K = k(\alpha)$ ist. Ein Automorphismus σ von K über k führt zunächst α wieder in eine Nullstelle über:

(4) $$\sigma\alpha = \zeta^h \cdot \alpha;$$

damit ist aber, da ζ unter σ fest bleibt, auch die Wirkung auf die übrigen Wurzeln bestimmt durch $\sigma(\zeta^i \cdot \alpha) = \zeta^i \cdot \sigma\alpha = \zeta^{i+h} \cdot \alpha$, σ also allein schon durch seine Wirkung auf α vollständig beschrieben.

Ist nun σ_0 derjenige Automorphismus, dessen Exponent h_0 unter allen in (4) vorkommenden Exponenten h mit $0 < h < n$ der kleinste ist, so ist jedes σ eine Potenz von σ_0. Denn aus $h = mh_0 + r$ mit ganzen Zahlen m und r, wobei der Rest r durch $0 \leq r < h_0$ eingeschränkt ist, folgt $(\sigma\sigma_0^{-m})\alpha = \sigma(\sigma_0^{-m}\alpha) = \sigma(\zeta^{-mh_0} \cdot \alpha) = \zeta^{-mh_0} \cdot \zeta^h \cdot \alpha = \zeta^r \cdot \alpha$; da aber $\sigma\sigma_0^{-m}$ wieder ein Automorphismus ist, würde sich aus $r > 0$ ein Widerspruch gegen die Definition von h_0 ergeben. *Alle Automorphismen sind also Potenzen eines geeigneten von ihnen,* wofür man auch sagt: *die Galoisgruppe der reinen Gleichung* (über dem gegebenen Grundkörper) *ist z y k l i s c h.* Insbesondere ist sie *k o m m u t a t i v* – für beliebige Elemente gilt $\sigma_2\sigma_1 = \sigma_1\sigma_2$ –, eine Eigenschaft, welche die symmetrische Gruppe $\mathfrak{S}_n$ für $n > 2$ nicht besitzt.

Der Körper $k(\alpha)$ entsteht aus k durch Adjunktion von $\alpha = \sqrt[n]{a}$.

Wir wollen an ihn ein weiteres Radikal $\beta = \sqrt[m]{b}$ für $b \in k(\alpha)$ adjungieren und die Automorphismengruppe G des so erhaltenen Körpers $k(\alpha, \beta)$ über dem Grundkörper k studieren, von dem wir voraussetzen, daß er bereits die n-ten und die m-ten Einheitswurzeln enthält. In G ist speziell die Automorphismengruppe G_1 von $k(\alpha, \beta)$ über $k(\alpha)$ enthalten, von der wir bereits wissen, daß sie kommutativ ist; G_1 besteht aus denjenigen $\sigma \in G$, die α festlassen: $\sigma\alpha = \alpha$. Ein beliebiger Automorphismus $\tau \in G$ führt dagegen α in $\zeta \cdot \alpha$ über, wobei ζ eine geeignete n-te *E i n h e i t s w u r z e l* ist. Diese Untergruppe G_1 hat eine wichtige Eigenschaft: *für je zwei Elemente* $\tau_1, \tau_2 \in G$ *liegt der sog. ›K o m m u t a t o r‹* $\tau_1\tau_2\tau_1^{-1}\tau_2^{-1}$ *in* G_1; mit geeigneten n-ten Einheitswurzeln ζ_1 und ζ_2 ist nämlich

$$\begin{aligned}(\tau_1\tau_2\tau_1^{-1}\tau_2^{-1})\,\alpha &= (\tau_1\tau_2\tau_1^{-1})\,(\zeta_2^{-1}\cdot\alpha) = \zeta_2^{-1}\cdot(\tau_1\tau_2)\,(\zeta_1^{-1}\cdot\alpha)\\ &= \zeta_2^{-1}\cdot\zeta_1^{-1}\cdot[\tau_1\,(\tau_2\,\alpha)] = \zeta_2^{-1}\cdot\zeta_1^{-1}\cdot[\tau_1\,(\zeta_2\cdot\alpha)]\\ &= \zeta_1^{-1}\cdot(\tau_1\,\alpha) = \alpha.\end{aligned}$$

Adjungiert man schließlich mehrere Radikale zum Grundkörper k, der wieder die Einheitswurzeln aller entsprechenden Grade enthalten möge, so läßt sich die eben durchgeführte Überlegung iterieren. Man erhält so für die Automorphismengruppe G folgende Aussage: *Es gibt in* G *eine Kette von Untergruppen:*

$$G = G_r \supset G_{r-1} \supset \cdots \supset G_1,$$

wobei die kleinste, nämlich G_1, *kommutativ ist und für je zwei Elemente* $\tau_1, \tau_2 \in G_i$ *ihr Kommutator* $\tau_1\tau_2\tau_1^{-1}\tau_2^{-1}$ *in* G_{i-1} *liegt.* Dieses Ergebnis gestattet es nun, den *Abelschen Satz* zu beweisen; denn jede durch Radikale lösbare Gleichung führt über einem Grundkörper k, der gewisse Einheitswurzeln enthält, zu einem Körper K, der in einem Körper der soeben betrachteten Art enthalten ist. Es ist nicht schwer, daraus zu folgern, daß auch die Galois-Gruppe von K über k die obige Eigenschaft besitzen muß. Diese notwendige Bedingung für die Lösbarkeit einer Gleichung durch Radikale ist aber für die allgemeine Gleichung 5. Grades nicht erfüllt! Denn deren Galois-Gruppe ist die $\mathfrak{S}_5$, und diese erfüllt nicht die genannte Bedingung, wie sich folgendermaßen ergibt: Bezeichnet man die durch die $\mathfrak{S}_5$ permutierten Objekte selbst mit den Ziffern 1 bis 5, so kann man beispielsweise eine Permutation σ, die durch

$$\sigma 1 = 3,\ \sigma 2 = 2,\ \sigma 3 = 5,\ \sigma 4 = 4,\ \sigma 5 = 1$$

gegeben ist, einfach durch $\sigma = (1, 3, 5)$ beschreiben, womit gemeint sein soll, daß 1 in 3, 3 in 5, 5 in 1 übergeht, während 2 und 4 festbleiben. Solche speziellen Permutationen nennt man *Dreierzyklen*. Zu $\sigma = (1, 3, 5)$ ist die inverse Permutation $\sigma^{-1} = (5, 3, 1)$. Ist nun U eine Untergruppe der $\mathfrak{S}_5$, die sämtliche Dreierzyklen enthält, und U′ eine Untergruppe von U mit der Eigenschaft, daß für $\tau_1, \tau_2 \in U$ stets $\tau_1\tau_2\tau_1^{-1}\tau_2^{-1} \in U'$ ist, so enthält auch U′ sämtliche Dreierzyklen; wir zeigen dies für den Dreierzyklus (1, 2, 3), was offenbar keine wesentliche Einschränkung bedeutet: nach Voraussetzung ist

$$\tau_1 = (1, 2, 4) \in U \text{ und } \tau_2 = (3, 5, 1) \in U$$

und daher (man rechnet von rechts nach links; also zum Beispiel $2 \to 1 \to 3$ und $4 \to 2 \to 4$, also $2 \to 3$ und 4 bleibt fest)

$$\tau_1\tau_2\tau_1^{-1}\tau_2^{-1} = (1, 2, 4)\,(3, 5, 1)\,(4, 2, 1)\,\,(1, 5, 3) = (1, 2, 3),$$

so daß (1, 2, 3) in der Tat in U′ liegt. Hätte nun die $\mathfrak{S}_5$ die obige Eigenschaft und wäre

$$\mathfrak{S}_5 \supset U_i \supset U_{i-1} \supset \cdots \supset U_1$$

eine entsprechende Kette von Untergruppen, so enthielte U_i sämtliche Dreierzyklen, da $\mathfrak{S}_5$ dies tut; dasselbe gilt daher auch für U_{i-1} usw. und schließlich auch für die letzte Gruppe U_1; diese kann dann aber nicht kommutativ sein, denn es ist beispielsweise

$$(1, 2, 4)(1, 3, 5) = (1, 3, 5, 2, 4)$$

verschieden von

$$(1, 3, 5)(1, 2, 4) = (1, 2, 4, 3, 5).$$

Damit ist der Abelsche Satz bewiesen.

Infinitesimalrechnung im $\mathbf{R}^1$. Sie wird vielfach auch *Differential- und Integralrechnung* genannt, weil sie ihre Entwicklung der Einführung der Differentialquotienten und der Integrale sowie dem Rechnen mit ihnen verdankt. Die Prozesse der Differentiation und Integration werden auf den Prozeß der Bildung von Grenzwerten aufgebaut. So haben wir als ersten infinitesimalen Prozeß die Bildung des Grenzwertes zu behandeln. Aber vor alle diese Betrachtungen setzen wir den Begriff der Funktion.

Wir beschränken uns in diesem Sachwortartikel auf Funktionen im Bereich $\mathbf{R}^1$ der reellen Zahlen (sog. *Funktionen einer reellen Veränderlichen*). Es folgt darauf getrennt die Infinitesimalrechnung im $\mathbf{R}^n$ (Funktionen mehrerer reeller Veränderlichen).

I. FUNKTIONEN IM $\mathbf{R}^1$. Vorgegeben sei eine Menge $\mathfrak{M}$ reeller Zahlen, die wir den *Argumentbereich* der zu definierenden Funktion nennen werden. Jedes Element aus $\mathfrak{M}$ werde durch eine eindeutige Zuordnung auf eine reelle Zahl abgebildet. Die Menge $\mathfrak{M}^*$ der Bilder heißt der *Bildbereich*. Die Abbildung von $\mathfrak{M}$ auf $\mathfrak{M}^*$ (und damit von $\mathfrak{M}$ in die Menge der reellen Zahlen) nennen wir eine Funktion f im $\mathbf{R}^1$ (häufig *reelle Funktion* einer reellen Veränderlichen genannt). Ist x ein Element von $\mathfrak{M}$ und die Zahl y das Bild von x bei der Abbildung f, so schreibt man dafür $y = f(x)$.

Beispiele: 1. f sei folgendermaßen definiert: $y = 1$ für alle reellen x. In diesem Fall heißt f eine *konstante Funktion*. Wir werden, um den Zusatz ›für alle reellen x‹ fortlassen zu können, dafür stets $f(x) \equiv 1$ schreiben (lies: f(x) identisch 1).

2. f: $y = x^2$. Der Argumentbereich umfaßt alle reellen Zahlen; der Bildbereich nur die nicht negativen Zahlen.

3. f sei eine *rationale Funktion*, d. h. eine Funktion, die sich als Quotient zweier Polynome schreiben läßt:

$$y = \frac{P(x)}{Q(x)},$$

wobei

$$P(x) = a_n x^n + a_{n-1} x^{n-1} + \cdots + a_1 x + a_0,\ a_n \neq 0,$$

und

$$Q(x) = b_m x^m + b_{m-1} x^{m-1} + \cdots + b_1 x + b_0, \; b_m \neq 0.$$

Man achte darauf, daß eine solche rationale Funktion nur definiert ist, wo der Nenner nicht verschwindet. Ein Polynom hat aber höchstens so viele Nullstellen, wie sein Grad angibt (Fundamentalsatz der Algebra, → Funktionentheorie), also der Nenner in unserem Falle höchstens m.

4. f: $y = \ln x, x > 0$. Der Zusatz ›$x > 0$‹ ist hier wesentlich, denn die reelle Funktion ln x (lies: logarithmus naturalis von x) ist nur für positive x definiert.

5. f: $\begin{cases} y = 1 & \text{für rationale } x, \\ y = 0 & \text{für irrationale } x. \end{cases}$

Der *Graph* dieser Funktion (d. h. die *Paarmenge* $\{(x, y) | x \in \mathbf{R}^1 \wedge y = f(x)\}$; → Mengen, Abbildungen, Strukturen) stellt keine Kurve im $\mathbf{R}^2$ dar. Man mache sich überhaupt frei von der Vorstellung, als wären Funktion und Kurve analytischer und geometrischer Ausdruck desselben Sachverhaltes. Umgekehrt braucht auch eine Kurve der Ebene nicht durch eine einzige Funktion beschrieben werden zu können. Das gilt schon nicht für den Kreis.

6. f: $y = x!$, wobei $x!$ das Produkt $1 \cdot 2 \cdot \ldots \cdot (x-1)\, x$ sein soll. Das hat nur dann einen Sinn, wenn x eine natürliche Zahl ist. Für diese x spricht man x! als ›x-Fakultät‹ aus. Man definiert noch $0! = 1$.

II. Zahlenfolgen. Eine Funktion, die – nach Art des letzten Beispiels – nur für die natürlichen Zahlen definiert ist, heißt eine (unendliche) Zahlenfolge. Man unterscheidet die Glieder dieser Zahlenfolgen durch Indizes, schreibt also etwa a_n, $n = 1, 2, 3, \ldots$, statt f(n).

Beispiele von Zahlenfolgen:

1. $a_n = n.$
2. $a_n = \frac{1}{n}.$
3. $a_n = (-1)^n + \frac{1}{n}.$
4. $a_n = [1 + (-1)^n]^n + \frac{1}{n}.$
5. $a_n = 1$ für $n = 1, 2, 3, \ldots$.

Eine Zahlenfolge muß natürlich von der Menge der Zahlen, die zu ihr gehören, unterschieden werden. Bei den Beispielen 1–4 ist die zur unendlichen Folge gehörige Menge ebenfalls unendlich. Beim Beispiel 5 besteht die zugehörige Menge nur aus einem Element.

Wenn umgekehrt eine unendliche Menge reeller Zahlen gegeben ist, tritt die Frage auf, ob es eine Zahlenfolge gibt, deren

Menge identisch mit der vorgegebenen Menge ist. Das ist keineswegs immer der Fall. Gilt dies, d. h. daß man also die gegebene Menge in einer Folge a_n anordnen kann, so nennt man die Menge *abzählbar*. Die Menge aller rationalen Zahlen ist abzählbar (ebenso die Menge aller algebraischen Zahlen), dagegen ist schon die Menge *aller* reellen Zahlen, die ein noch so kleines Intervall ausmachen, nicht abzählbar (Beweis mit Hilfe des *zweiten Cantorschen Diagonalverfahrens*, → Kardinal- und Ordinalzahlen).

Für Folgen gilt (wie für Mengen) der *Satz von Weierstraß-Bolzano*. Dafür ist zunächst zu erklären, was bei einer Folge unter einem Häufungspunkt zu verstehen ist. Die reelle Zahl A heißt *Häufungspunkt* der Folge a_n, wenn in jeder noch so kleinen Umgebung von A unendlich viele Glieder der Folge liegen, in Formeln: Zu jedem $\varepsilon > 0$ gibt es unendlich viele n derart, daß $|A - a_n| < \varepsilon$. Die Folge aus Beispiel 1 hat keinen Häufungspunkt, in Beispiel 2 gibt es den einen Häufungspunkt 0, in Beispiel 3 die beiden Häufungspunkte $+1$ und -1, in Beispiel 4 den einen Häufungspunkt 0 und in Beispiel 5 den Häufungspunkt 1.

Nach oben beschränkt heißt eine Folge a_n, wenn es eine Zahl P gibt derart, daß $a_n \leq P$ für alle n gilt. P heißt eine *obere Schranke*. Mit P hat natürlich jede Zahl größer als P die gleiche Eigenschaft. Die kleinste dieser oberen Schranken (die bei solchen nach oben beschränkten Folgen immer vorhanden ist – was aber bewiesen werden muß!) heißt die *obere Grenze* P_0. Dann hat P_0 folgende Eigenschaften:

1. $a_n \leq P_0$ für alle n.
2. Ist $S < P_0$, so gibt es eine natürliche Zahl n_1 derart, daß $a_{n_1} > S$.

Entsprechendes gilt für *untere Schranken* Q und die *untere Grenze* Q_0. Man achte darauf, daß eine Folge weder obere noch untere Schranken zu haben braucht: Die Folge $a_n = n$ ist nach unten, aber nicht nach oben beschränkt. Die Folge $a_n = (-1)^n n$ ist weder nach oben noch nach unten beschränkt. Hat eine Folge obere und untere Schranken, so heißt sie schlechtweg *beschränkt*. Dann gilt also

$$Q \leq a_n \leq P \text{ für alle n.}$$

Das ist gleichbedeutend damit, daß es ein M gibt, so daß

$$|a_n| < M \text{ für alle n.}$$

Der grundlegende *Satz von Weierstraß-Bolzano* für Folgen lautet: Jede beschränkte unendliche Folge hat mindestens einen Häufungspunkt.

Die Folge a_n heißt *konvergent* gegen A, wenn es bei Wahl jedes noch so kleinen positiven ε eine Zahl n_0 gibt, so daß

$$|A - a_n| < \varepsilon \text{ für } n > n_0.$$

Nur endlich viele a_n liegen also dann nicht im Intervall $A - \varepsilon < x < A + \varepsilon$. Eine unendliche Folge ist dann und nur dann konvergent, wenn sie beschränkt ist und nur einen Häufungspunkt hat. Von den obigen Beispielen von Zahlenfolgen sind nur konvergent: die Folge in Beispiel 2, und zwar gegen 0, und die Folge des Beispiels 5, und zwar gegen 1. Wenn eine Folge a_n gegen A konvergiert, schreibt man

$$\lim_{n \to \infty} a_n = A \text{ (gelegentlich auch } a_n \to A).$$

Es gelten nun die Regeln: Existieren $\lim a_n$ und $\lim b_n$, so existieren auch $\lim (a_n + b_n)$, $\lim (a_n - b_n)$, $\lim (a_n \cdot b_n)$ und, falls $\lim b_n \neq 0$, $\lim \frac{a_n}{b_n}$. Für diese Limiten gilt:

a. $\lim a_n + \lim b_n = \lim (a_n + b_n)$.
b. $\lim a_n - \lim b_n = \lim (a_n - b_n)$.
c. $\lim a_n \cdot \lim b_n = \lim (a_n \cdot b_n)$.
d. $\frac{\lim a_n}{\lim b_n} = \lim \frac{a_n}{b_n}$, falls $\lim b_n \neq 0$.

Es kann aber vorkommen, daß z. B. $\lim (a_n + b_n)$ existiert, $\lim a_n$ und $\lim b_n$ aber nicht existieren.

Beispiel: $a_n = n + \frac{1}{n}$, $b_n = -n + \frac{1}{n}$.

Cauchysches Konvergenzkriterium: Dieses Kriterium besitzt im Vergleich zum vorigen den Vorteil, daß man nicht den Konvergenzpunkt zu kennen braucht, um die Konvergenz einer Folge festzustellen. Es lautet: Dann und nur dann ist die Folge a_n konvergent, wenn es zu jedem noch so kleinen positiven ε ein n_0 gibt so, daß für alle $n_1, n_2 > n_0$ gilt:

$$|a_{n_1} - a_{n_2}| < \varepsilon.$$

Für Folgen, die nicht konvergieren, ist es zweckmäßig, den $\overline{\lim}$ (sprich: *limes superior*) und ebenso $\underline{\lim}$ (sprich: *limes inferior*) einzuführen. ϱ heißt $\overline{\lim}\, a_n$, wenn es erstens zu jedem positiven ε ein solches n_0 gibt, daß $a_n < \varrho + \varepsilon$ für alle $n > n_0$, und wenn es zweitens unendlich viele n gibt, für die $a_n > \varrho - \varepsilon$. Falls der $\overline{\lim}$ vorhanden ist (was nicht bei jeder Folge zutrifft), folgt unmittelbar, daß

1. ϱ Häufungspunkt ist,
2. die Folge keinen größeren Häufungspunkt als ϱ hat,
3. die Folge nach oben beschränkt ist.

Man beachte dabei aber, daß der $\overline{\lim}$ nicht die obere Grenze zu sein braucht. Bei Beispiel 3 ist $\overline{\lim}\, a_n = 1$, aber die obere Grenze

$\frac{3}{2}$. Entsprechendes gilt für den $\underline{\lim}$.-Weist also eine Folge $\overline{\lim}$ und $\underline{\lim}$ auf, so ist sie schlechtweg beschränkt. Umgekehrt hat jede (unendliche) beschränkte Folge einen $\overline{\lim}$ und einen $\underline{\lim}$. Bei konvergenten Folgen und nur bei ihnen stimmen $\overline{\lim}$ und $\underline{\lim}$ überein.
Bei Mengen reeller Zahlen sind obere und untere Schranke, obere und untere Grenze, $\overline{\lim}$ und $\underline{\lim}$ sowie der Häufungspunkt ganz entsprechend definiert. Dagegen spricht man nicht von konvergenten Mengen, denn jede solche Menge ist abzählbar und kann deshalb durch Numerierung zur Folge gemacht werden.
III. Unendliche Reihen. Werden die Glieder einer unendlichen Folge durch Pluszeichen miteinander verbunden, so spricht man von einer unendlichen Reihe: $a_1 + a_2 + a_3 + \cdots := \sum_{n=1}^{\infty} a_n$. (Man beachte, daß die einzelnen Glieder natürlich auch negative reelle Zahlen sein können.) Der Begriff ihrer *Konvergenz* wird von dem der Konvergenz ihrer *Partialsummen* abgeleitet. Diese sind definiert durch:

$$\begin{aligned} s_1 &:= a_1 \\ s_2 &:= a_1 + a_2 \\ &\vdots \\ s_k &:= a_1 + a_2 + \cdots + a_k \quad \text{usw.} \end{aligned}$$

Dann und nur dann, wenn die Folge s_k konvergiert, sagt man: Σa_n konvergiert. Im anderen Falle nennt man Σa_n *divergent.*
Unter dem Summenwert einer konvergenten Reihe $\sum_{n=1}^{\infty} a_n$ versteht man den limes S der Partialsummen $s_1, s_2, \ldots$ und schreibt

$$\sum_{n=1}^{\infty} a_n = S.$$

Beispiele: 1. Die geometrische Reihe $\sum_{n=0}^{\infty} cd^n$. Sie ist konvergent für $|d| < 1$. Es ist dann

$$S = \frac{c}{1-d}.$$

Ist $|d| \geq 1$, so ist die Reihe divergent außer für $c = 0$.
2. $\sum_{n=1}^{\infty} \frac{1}{n}$. Diese Reihe heißt die *harmonische Reihe* und ist divergent. (Diese Bezeichnung tritt zum ersten Male 1673 bei Leibniz auf.)
3. $\sum_{n=1}^{\infty} \frac{(-1)^{n+1}}{n}$. Diese Reihe ist konvergent.

4. $\sum_{n=0}^{\infty} \frac{x^2}{(1+x^2)^n}$. Für jedes reelle $x \neq 0$ handelt es sich um eine geometrische Reihe, die konvergiert, weil $0 < \frac{1}{1+x^2} < 1$. Der Summenwert ist $S(x) = \frac{x^2}{1-\frac{1}{1+x^2}} = 1 + x^2$. Für $x = 0$ sind alle Glieder 0, also ist $S(0) = 0$.
Das merkwürdige Phänomen, daß die Funktion S (x) bei $x = 0$ ›springt‹, wird uns später beschäftigen.
Die Frage, unter welchen Bedingungen eine Reihe konvergiert, hat die Fachleute schon früh interessiert. Aus der Definition der Konvergenz folgt sofort: Die unendliche Reihe $\Sigma\, a_n$ konvergiert dann und nur dann gegen S, wenn es zu jedem positiven ε ein solches k_0 gibt, daß

(1) $$|S - s_k| = \left| \sum_{n=k+1}^{\infty} a_n \right| < \varepsilon \text{ für } k > k_0.$$

Aus dem Cauchyschen Konvergenzkriterium für Folgen ergibt sich: $\Sigma\, a_n$ konvergiert dann und nur dann, wenn zu jedem positiven ε ein solches k_0 vorhanden ist, daß für alle natürlichen p gilt:

(2) $$\left| \sum_{n=k_0}^{k_0+p} a_n \right| < \varepsilon.$$

Aus (2) ergibt sich unmittelbar: Wenn bei einer unendlichen Reihe nur endlich viele Glieder verändert, getilgt oder hinzugenommen werden, so wird der Charakter der Konvergenz nicht geändert (wohl aber der Summenwert S). Für das Konvergenzverhalten einer Reihe ist also auch ohne Bedeutung, ob die Reihe mit a_0 oder a_1 oder gar noch einem späteren Gliede beginnt.
Für Reihen mit lauter positiven Gliedern gelten die beiden Kriterien:
a. $\Sigma\, a_n$ ist konvergent, wenn es eine Zahl $\vartheta < 1$ so gibt, daß $\frac{a_{n+1}}{a_n} < \vartheta$ für $n > n_0$.

b. $\Sigma\, a_n$ ist konvergent, wenn $\sqrt[n]{a_n} < \vartheta < 1$ für $n > n_0$.
Bei Reihen, in denen das Vorzeichen wechselt, tritt eine neue Erscheinung der Konvergenz, nämlich die *bedingte Konvergenz* auf. Siehe Beispiel 3 der Reihen! Diese Reihe ist konvergent, wie man durch geeignete Zusammenfassung der Glieder feststellen kann. Vertauscht man bei ihr in geeigneter Weise die Reihenfolge unendlich vieler Glieder, so wird der Summenwert geändert, ja man kann so ohne Hinzufügung oder Wegnahme von Gliedern Divergenz erreichen. Reihen mit dieser Erschei-

nung nennt man *bedingt konvergent*. Die anderen konvergenten Reihen heißen *unbedingt konvergent*. Es gilt nun der Satz: *Dann und nur dann ist eine Reihe unbedingt konvergent, wenn die Reihe ihrer Absolutbeträge konvergent ist,* d. h. wenn $\Sigma\, |a_n|$ konvergiert. Führt man in Beispiel 3 die Absolutbeträge ein, so kommt man zur harmonischen Reihe, deren Divergenz schon erwähnt wurde.

Noch wichtiger als die absolute Konvergenz ist die *gleichmäßige Konvergenz*. Sie soll an dieser Stelle nur definiert werden. Erst nach der Einführung weiterer infinitesimaler Prozesse kann ihre Bedeutung, die mit der Vertauschung von Grenzprozessen eng verknüpft ist, erläutert werden. Sie tritt auch nur auf, wenn die einzelnen Glieder Funktionen sind.

$\Sigma\, a_n(x)$ heißt gleichmäßig konvergent im Intervall J, wenn es zu jedem positiven ε ein solches k_0 gibt, daß für alle x aus J und alle natürlichen p

$$\left|\sum_{n=k_0}^{k_0+p} a_n(x)\right| < \varepsilon.$$

Eine Reihe $\Sigma\, a_n(x)$ kann durchaus für alle x eines Intervalles konvergieren, ohne dort gleichmäßig zu konvergieren.

Beispiel:

$$\sum_{n=0}^{\infty} \frac{x^2}{(1+x^2)^n}.$$

Ganz entsprechend gibt es den Begriff der gleichmäßigen Konvergenz von Folgen von Funktionen. Was für die gleichmäßige Konvergenz von Reihen ausgesprochen ist, ist unmittelbar auf die gleichmäßige Konvergenz von Folgen übertragbar.

Unter *Potenzreihen* versteht man Reihen, die sich in der Form

$$\sum_{n=0}^{\infty} a_n (x-x_0)^n$$

darstellen lassen. x_0 heißt der *Entwicklungspunkt* der Potenzreihe. Die Menge der x, für die eine solche Reihe konvergiert, bildet ein Intervall mit x_0 als Mittelpunkt und heißt das *Konvergenzintervall* der Reihe. Die halbe Länge r heißt der *Konvergenzradius*. Er hängt von $\overline{\lim}\sqrt[n]{|a_n|}$ ab. Existiert dieser limes superior nicht, so ist r = 0: das ›Konvergenzintervall‹ besteht nur aus dem Punkt x_0. Ist $\overline{\lim}\sqrt[n]{|a_n|}$ und damit $\lim\sqrt[n]{|a_n|} = 0$, so bedeckt das Konvergenzintervall die ganze reelle Achse. In allen anderen Fällen ist

$$r = \frac{1}{\overline{\lim}\sqrt[n]{|a_n|}}.$$

Ob nun keiner, einer oder beide Randpunkte zum Konvergenzintervall gehören, hängt von der einzelnen Potenzreihe ab. Alle vier Fälle treten auf. Die Potenzreihen sind in jedem abgeschlossenen Intervall, das nur innere Punkte des Konvergenzintervalls enthält, gleichmäßig konvergent.

Die Potenzreihen kann man gliedweise ›differenzieren‹, genauer: $\sum_{n-1}^{\infty} na_n (x - x_0)^{n-1}$ hat denselben Konvergenzradius wie die Ausgangsreihe und stellt wegen ihrer gleichmäßigen Konvergenz f′ (x) im Innern des Konvergenzintervalles dar, wenn f (x) die durch die Potenzreihe $\sum a_n (x - x_0)^n$ definierte Funktion ist. Das sei für später vorweggenommen.

Die wesentlichen Eigenschaften der Potenzreihen, die Weierstraß veranlaßten, darauf die Theorie der Funktionen einer komplexen Veränderlichen aufzubauen, kommen erst in der komplexen Analysis zur Geltung.

Beispiele von Potenzreihen:

1. $\sum_{n=0}^{\infty} cx^n$ Konvergenzgebiet: $-1 < x < +1$ (für $c \neq 0$).
2. $\sum_{n=1}^{\infty} \frac{x^n}{n}$ Konvergenzgebiet: $-1 \leq x < +1$.
3. $\sum_{n=0}^{\infty} \frac{x^n}{n!}$ konvergiert für alle x.
4. $\sum_{n=0}^{\infty} n!x^n$ konvergiert nur für $x = 0$.

IV. Stetigkeit von Funktionen. Bei der Tabellierung einer Funktion sowie bei ihrer geometrischen Darstellung wird man niemals eine vollständige Genauigkeit verlangen können. Um die Tabelle nicht zu groß zu machen, wird für die verzeichneten x-Argumente ein gewisser Abstand erforderlich sein. Für Zwischenwerte von x wird dann der Funktionswert geschätzt werden müssen. Entsprechend gestattet eine geometrische Darstellung wegen ihrer Ungenauigkeit von vornherein nur eine gewisse Genauigkeit für die x- und y-Werte. Wieder sind bei Vorgabe der Zeichnung die Zwischenwerte zu schätzen. Das gelingt aber keineswegs bei allen Funktionen. Betrachten wir die Funktion

$$f: \begin{cases} y = 1 \text{ für rationale } x \\ y = 0 \text{ für irrationale } x. \end{cases}$$

Da jede reelle Zahl x_0 Häufungspunkt rationaler und irrationaler Zahlen ist, so gibt es in beliebiger Nähe von x_0 Stellen, an denen der Funktionswert gleich 1, und solche, an denen er gleich 0 ist. Die Funktionswerte ›springen‹ also dauernd zwischen 0 und 1 hin und her. Die x-Achse sowohl wie die zur x-Achse parallele Gerade durch (0, 1) sind dicht besetzt mit Punkten des Graphen unserer Funktion. In jeder noch so genauen Zeichnung würden die beiden ›durchlöcherten‹ Geraden, die als Bild des Graphen auftreten, voll ausgezeichnet erscheinen. Man kann also aus der Zeichnung nicht innerhalb der Genauigkeitsgrenzen den Funktionswert ablesen. (Entsprechendes gilt bei der Tabellierung für die Zwischenwerte der Argumente.) Diese Erscheinung liegt an der Unstetigkeit der betrachteten Funktion.

Eine Funktion $y = f(x)$ heißt *stetig im Punkte* x_0 des Argumentbereiches, wenn es zu jedem positiven ε ein positives δ so gibt, daß für alle x, für die f definiert und $|x - x_0| < \delta$ ist, gilt: $|f(x) - f(x_0)| < \varepsilon$ (Abb. 22). Eine Funktion f heißt *in einer Punktmenge* J *stetig*, wenn sie in jedem Punkte x von J stetig ist.

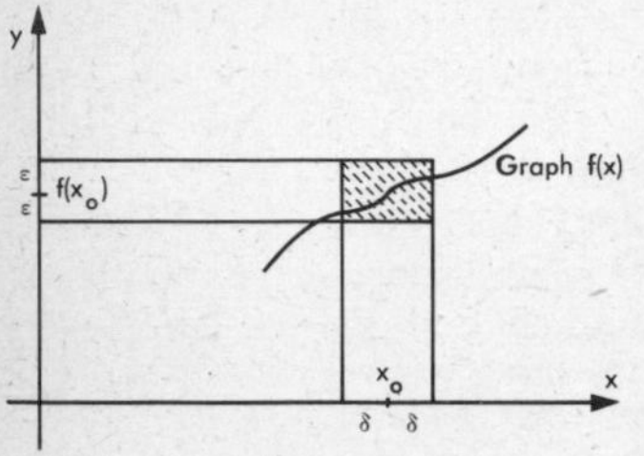

Abb. 22: Zur Definition der Stetigkeit einer Funktion f(x) an der Stelle x_0

Beispiele: 1. Alle konstanten Funktionen sind in jedem Punkte stetig.

2. $y = x^2$ ist in jedem Punkte stetig.

3. $y = \frac{1}{x}$ ist in jedem Punkte $x \neq 0$ stetig.

4. Alle rationalen Funktionen $\frac{P(x)}{Q(x)} = R(x)$ sind überall stetig, wo das Polynom Q (x) nicht verschwindet. Da Q (x) nur endlich viele Nullstellen hat (nämlich höchstens soviel, wie sein Grad angibt), so ist R (x) nur in endlich vielen Punkten nicht stetig.

5. $\left.\begin{array}{l} y = 1 \text{ für rationale } x \\ y = 0 \text{ für irrationale } x \end{array}\right\}$ ist nirgends stetig.

6. $\left.\begin{array}{l} y = 0 \text{ für } x \leq 0 \\ y = 1 \text{ für } x > 0 \end{array}\right\}$ ist stetig mit Ausnahme des Punktes $x = 0$.

Notwendig und hinreichend für die Stetigkeit der Funktion f (x) im Punkte x_0 ist, daß für jede Folge x_n, für die $\lim\limits_{n\to\infty} x_n = x_0$ und x_n für alle n im Existenzbereich der Funktion gelegen ist, gilt:

$$\lim_{n\to\infty} f(x_n) = f(\lim_{n\to\infty} x_n) = f(x_0).$$

Man schreibt statt dessen auch

$$\lim_{x\to x_0} f(x) = f(x_0).$$

Grenzwert einer Funktion: Ist f in x_0 nicht definiert oder hat f in x_0 eine Unstetigkeitsstelle, kann aber f nachträglich bei geeigneter Wahl von A durch die Definition $f(x_0) = A$ so ergänzt oder verändert werden, daß die ergänzte Funktion in x_0 stetig wird, so heißt A ein Grenzwert der Funktion; in Formeln:

$$\lim_{x \to x_0} f(x) = A.$$

Dann gilt also: a. Für jede Folge x_n aus dem Definitionsbereich mit $\lim x_n = x_0$ ist $\lim f(x_n) = A$,
oder, damit gleichwertig: b. Zu jedem positiven ε gibt es ein $\delta > 0$ derart, daß $|f(x) - A| < \varepsilon$ für $0 < |x - x_0| < \delta$ und x aus dem Definitionsbereich von f.

V. Eigenschaften stetiger Funktionen. a. Die in einem Punkte (einer Punktmenge) stetigen Funktionen bilden einen Ring (→ Algebra).

b. Eine in einem abgeschlossenen Intervall (→ Zahlen) J stetige Funktion f ist dort beschränkt, d. h. es gibt ein M so, daß $|f(x)| < M$ für alle x dieses Intervalles. – Diese Aussage ist sofort einzusehen. Gäbe es kein solches M, so gäbe es zu jeder natürlichen Zahl n in J einen Punkt x_n derart, daß

$$|f(x_n)| > n.$$

Die x_n haben mindestens einen Häufungspunkt x_0. Eine Teilfolge x_{n_k} konvergiert gegen x_0. Dann müßte einerseits

$$|f(x_{n_k})| > n_k$$

und andererseits

$$\lim f(x_{n_k}) = f(\lim x_{n_k}) = f(x_0)$$

sein. Das ist ein Widerspruch. Ähnlich einfach sind die folgenden Aussagen zu beweisen.

c. *Annahme von Zwischenwerten:* Ist $f(x_1) = A$ und $f(x_2) = B$ und die Funktion stetig im abgeschlossenen Intervall J von x_1 bis x_2, so gilt für jedes C zwischen A und B, daß f (x) diesen Wert C mindestens einmal in J annimmt.

d. *Annahme von Maximum und Minimum:* Jede in einem abgeschlossenen Intervall J stetige Funktion f nimmt dort ihr Maximum M_1 (obere Grenze der Funktionswerte aus J) und ihr Minimum m_1 (untere Grenze der Funktionswerte aus J) an.

VI. Gleichmässige Stetigkeit. Die Funktion f heißt im Intervall J gleichmäßig stetig, wenn es zu jedem positiven ε ein positives δ gibt, so daß für beliebige x, x′ aus J, für die $|x - x'| < \delta$, gilt: $|f(x) - f(x')| < \varepsilon$.
Eine in einem Intervall überall stetige Funktion braucht dort nicht gleichmäßig stetig zu sein.

Beispiel: $f(x) = \frac{1}{x}$ im Intervall $0 < x \leq 1$ (Abb. 23).

Dagegen gilt: Ist f im abgeschlossenen Intervall J stetig, so ist f

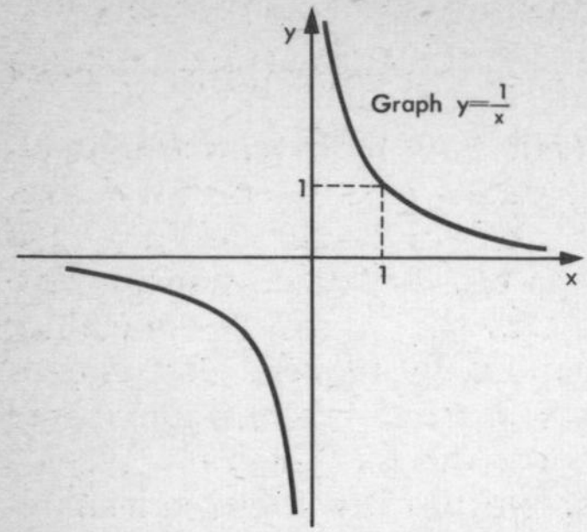

Abb. 23: Graph der Funktion $y = \frac{1}{x}$

dort auch gleichmäßig stetig. (Entsprechendes gilt nicht bei der Konvergenz von Folgen und Reihen. Diese können in einem abgeschlossenen Intervall überall konvergieren, ohne dort gleichmäßig zu konvergieren.) Der Beweis dieses Satzes hängt eng mit dem *Heine-Borelschen Überdeckungssatz* (→ Topologie) zusammen.

VII. Der Differenzenquotient. Die Änderung der Funktionswerte beim Übergang vom Punkte x_0 zum Punkte x ist die Differenz

(3) $$f(x) - f(x_0).$$

Um die ›Empfindlichkeit‹ einer Funktion gegenüber Änderungen der Argumentwerte zu messen, betrachten wir die Differenz (3) relativ zur Differenz der Argumentwerte. Wir bilden dementsprechend den *Differenzenquotienten* für $x \neq x_0$

(3′) $$\frac{f(x) - f(x_0)}{x - x_0}.$$

Bei linearen Funktionen f: $y = ax + b$ ist der Differenzenquotient für beliebige x_0 und x die Konstante a. Das trifft aber schon nicht mehr bei quadratischen Funktionen zu. So ist für f: $y = x^2$ der Differenzenquotient gleich

(4) $$\frac{f(x) - f(x_0)}{x - x_0} = x + x_0.$$

Wir nennen eine Funktion f *im Punkte* x_0 *differenzierbar*, wenn die Funktion

(5) $$D(h) = \frac{f(x_0 + h) - f(x_0)}{h}$$

an der Stelle $h = 0$ einen Grenzwert hat. Diesen Grenzwert nennen wir die *Ableitung* oder *Derivierte* von f im Punkte x_0 und bezeichnen ihn mit $f'(x_0)$ oder auch $\left.\frac{dy}{dx}\right|_{x_0}$. Man achte darauf, daß man diesen Grenzwert nicht dadurch gewinnen kann, daß man in (5): $h = 0$ setzt.

Wenn man die Ableitung einer Funktion auch als *Differentialquotienten* $\frac{dy}{dx}$ bezeichnet, so wird damit nicht behauptet, daß dieser Grenzwert selbst ein Quotient ist, sondern lediglich, daß es ein Grenzwert von Quotienten, nämlich von Differenzenquotienten ist. $\frac{dy}{dx}$ ist also als ein einheitliches Symbol aufzufassen. So erscheint die Bezeichnung ›Differentialquotient‹ als nicht korrekt. Für ihre Beibehaltung gibt es einen historischen Grund. Von der Entdeckung der Differentialrechnung (um 1700 durch *Newton* und *Leibniz*) an bis zur letzten Jahrhundertwende hat man die Ableitung $f'(x_0)$ als Quotienten unendlich kleiner Größen, eben der ›Differentiale‹, aufgefaßt. Das ist zwar rechnerisch vielfach zweckmäßig, logisch aber nicht haltbar und deshalb in der gesamten ernst zu nehmenden Literatur aufgegeben. Wenn wir im folgenden Sachwortartikel (→ Infinitesimalrechnung im $\mathbf{R}^n$) die Differentialformen kennengelernt haben, so werden wir von hier aus $f'(x_0)$ doch wieder als Quotienten auffassen können (obwohl uns das keine wesentlich neue Einsicht liefert).

Notwendig für die Differenzierbarkeit einer Funktion f im Punkte x_0 ist die Stetigkeit von f in x_0. Dies ergibt sich unmittelbar daraus, daß ein Grenzwert von (5) nur dann vorhanden sein kann, wenn für jede Folge h_n mit $\lim_{n\to\infty} h_n = 0$ und $x_0 + h_n$ im Existenzgebiet

$$\lim_{n\to\infty} \frac{f(x_0 + h_n) - f(x_0)}{h_n} = f'(x_0).$$

Es muß also insbesondere auch $\lim f(x_0 + h_n) - f(x_0) = 0$ sein, und das ist die Stetigkeit von f in x_0.

Die Stetigkeit einer Funktion ist aber nicht hinreichend für die Differenzierbarkeit. Z. B. ist die Funktion $|x|$ überall stetig, aber im Nullpunkt nicht differenzierbar. Es gibt sogar Funktionen, die in einem Intervall überall stetig, aber nirgends differenzierbar sind. Es wird *K. Weierstraß* (1815–97) zugeschrieben, eine erste solche Funktion konstruiert zu haben (das Beispiel wurde dann 1875 von *P. du Bois-Reymond* veröffentlicht). Später ist entdeckt worden, daß schon *B. Bolzano* in Prag mehr als 30 Jahre vorher eine stetige, nirgends differenzierbare Funktion konstruiert hat.

Die Differenzierbarkeit von f in x_0 drückt man zweckmäßig auch in der ε-, δ-Sprache aus. Dann heißt es: Zu jedem noch so kleinen positiven ε gibt es ein $\delta > 0$ derart, daß für $0 < |h| < \delta$

$$\left| \frac{f(x_0 + h) - f(x_0)}{h} - f'(x_0) \right| < \varepsilon. \tag{6}$$

Diese Ungleichung liefert uns eine wichtige Abschätzung der Funktionswerte mit Hilfe der Ableitung $f'(x_0)$ in einer Umgebung von x_0: Nennen wir den unter dem Betragszeichen in (6) stehenden Ausdruck η, so folgt:

(7) $$f(x_0 + h) = f(x_0) + h\,[f'(x_0) + \eta]$$
mit
$$|\eta| < \varepsilon \text{ für } |h| < \delta.$$
Man sagt: $f(x_0 + h)$ ist gleich $f(x_0) + hf'(x_0)$ bis auf ein ›kleines Glied 2ter Ordnung‹.
Der Graph f stelle in der x,y-Ebene die Kurve $\mathfrak{K}$ dar. Ist dann f in x_0 differenzierbar, so hat $\mathfrak{K}$ im Punkte (x_0, y_0) mit $y_0 = f(x_0)$ eine Tangente, die der Gleichung
$$y - f(x_0) = f'(x_0)\,x - x_0\,f'(x_0)$$
genügt. Bringt man diese Gleichung in die Form

(8) $$y = \operatorname{tg}\varphi \cdot x + b,$$

wobei φ der Winkel zwischen der x-Achse und der so dargestellten Geraden ist (beide im positiven Sinne durchlaufen), so ist
$$\operatorname{tg}\varphi = f'(x_0).$$
Diese anschauliche Bedeutung der Ableitung einer Funktion wird in elementaren Büchern vielfach als Ausgangspunkt für die Einführung der Ableitung benutzt. Bei näherer logischer Analyse muß dieser Weg aber als sehr kompliziert erscheinen.

VIII. Rechenregeln für die Differentiation. Sie sind leicht aus den Rechenregeln über die Limiten abzuleiten.

a. Wenn $f(x)$ und $g(x)$ im Punkte x_0 differenzierbare Funktionen sind, dann ist auch die Summe
$$\varphi(x) = f(x) + g(x)$$
an der Stelle x_0 differenzierbar, und es ist dort
$$\varphi'(x) = f'(x) + g'(x).$$
Auf n Summanden verallgemeinert, lautet diese Regel:

a′. Wenn $f_1(x), \ldots, f_n(x)$ in x_0 differenzierbar sind, dann existiert an der Stelle x_0 die Ableitung $\varphi'(x_0)$ der Funktion
$$\varphi(x) = \sum_{i=1}^{n} a_i f_i(x)$$
mit beliebigen Konstanten a_i, und es ist dort
$$\varphi'(x) = \sum_{i=1}^{n} a_i f_i'(x).$$

b. Wenn $f(x)$ und $g(x)$ im Punkte x_0 differenzierbar sind, dann existiert an der Stelle x_0 die Ableitung $\varphi'(x_0)$ der Funktion
$$\varphi(x) = f(x)\,g(x),$$
und es ist dort
$$\varphi'(x) = f'(x)\,g(x) + f(x)\,g'(x).$$
Auf n Faktoren verallgemeinert, lautet diese Regel:

b′. Wenn $f_1(x), \ldots, f_n(x)$ an der Stelle x_0 differenzierbar sind, dann existiert in x_0 die Ableitung $\varphi'(x_0)$ der Funktion

$$\varphi(x) = \prod_{i=1}^{n} f_i(x)$$

(allgemein wollen wir unter $\prod_{i=1}^{n} A_i$ das Produkt $A_1 A_2 \cdots A_n$ verstehen), und es ist dort

$$\varphi'(x) = \sum_{k=1}^{n} f_k'(x) \prod_{\substack{i=1 \\ i \neq k}}^{n} f_i(x).$$

c. Wenn f (x) eine im Punkte x_0 differenzierbare Funktion mit $f(x_0) \neq 0$ ist, dann existiert in x_0 die Ableitung der Funktion

$$\varphi(x) = \frac{1}{f(x)}$$

und es ist dort

$$\varphi'(x) = -\frac{f'(x)}{f^2(x)}.$$

c'. Sind f (x) und g (x) im Punkte x_0 differenzierbare Funktionen, und ist $g(x_0) \neq 0$, dann existiert in x_0 die Ableitung $\varphi'(x_0)$ der Funktion

$$\varphi(x) = \frac{f(x)}{g(x)}$$

und es ist dort

$$\varphi'(x) = \frac{f'(x)\, g(x) - f(x)\, g'(x)}{g^2(x)}.$$

Nach diesen Regeln lassen sich alle rationalen Funktionen überall differenzieren, wo ihr Nenner nicht verschwindet. Man beachte nur noch, daß die Ableitung konstanter Funktionen überall verschwindet und daß die Ableitung der Funktion $y \equiv x$ die Konstante 1 ist. Für Polynome

$$P(x) = a_n x^n + a_{n-1} x^{n-1} + \cdots + a_1 x + a_0$$

folgt unmittelbar bei beliebiger Wahl von x_0:

$$P'(x_0) = n a_n x_0^{n-1} + (n-1)\, a_{n-1} x_0^{n-2} + \cdots + 2\, a_2 x_0 + a_1.$$

IX. Abgeleitete Funktionen. Ist f (x) in jedem Punkte eines Intervalles differenzierbar, so gewinnen wir durch die Differentiation eine weitere Funktion, die wir die abgeleitete Funktion nennen und die wir mit f'(x) bezeichnen.

Beispiele: 1. $f: y = x^2$. Dann ist $f': y = 2x$.

2. Die Ableitung einer rationalen Funktion $R(x) = \frac{P(x)}{Q(x)}$ ist wieder eine rationale Funktion, nämlich:

$$R'(x) = \frac{P'(x)\, Q(x) - P(x)\, Q'(x)}{Q^2(x)} = \frac{P_1(x)}{Q_1(x)}.$$

Offenbar sind nämlich Zähler und Nenner wieder Polynome.

3. Die Ableitung von sin x ist cos x,
von cos x ist – sin x,
von e^x ist e^x.

Ist f′(x) gleichfalls in einem Intervall J stetig, so nennt man f (x) in J *stetig differenzierbar.*

X. Ineinandergesetzte Funktionen. Die Funktion φ sei im Intervall $a \leq x \leq b$ definiert und nehme dort nur Werte aus dem Intervall $\alpha \leq y \leq \beta$ an. g sei eine zweite Funktion, die definiert sei für $\alpha \leq y \leq \beta$. Dann können wir $z = g[\varphi(x)]$ bilden. Die so gewonnene Funktion wird jetzt vielfach $g \circ \varphi$ geschrieben (→ Mengen, Abbildungen, Strukturen). Dies Ineinandersetzen von Funktionen ist sehr zweckmäßig, um komplizierte Funktionen aus einfachen aufzubauen. Zum Beispiel erhalten wir die Funktion $z = \sqrt{1 - x^2}$ aus $\varphi: y = 1 - x^2$ und $g: z = \sqrt{y}$. Man achte darauf, daß im allgemeinen $g[\varphi(x)] \neq \varphi[g(x)]$. So ist im obigen Beispiel $\varphi[g(x)] = 1 - x$ und damit eine andere Funktion als $g[\varphi(x)] = \sqrt{1 - x^2}$.

Setzt man als Argument einer rationalen Funktion eine rationale Funktion ein, so ist die so gewonnene ineinandergesetzte Funktion wieder eine rationale Funktion.

Über die Stetigkeit ineinandergesetzter Funktionen sagt der folgende Satz aus: *Die ineinandergesetzte Funktion* $z = f(x) = g[\varphi(x)]$ *existiere in einer Umgebung* $U(x_0)$. *Ist dann* $\varphi(x)$ *in* x_0 *und* $g(y)$ *in* $y_0 = \varphi(x_0)$ *stetig, so ist* $f(x)$ *in* x_0 *stetig*. Dies folgt, weil mit $\lim x_n = x_0$ wegen der Stetigkeit von φ gilt: $\lim \varphi(x_n) = \varphi(x_0)$. Setzen wir $y_n = \varphi(x_n)$, so daß also $\lim y_n = y_0$, so ist wegen der Stetigkeit von g auch $\lim g(y_n) = g(y_0) = g[\varphi(x_0)] = f(x_0)$. Es ist ferner $g(y_n) = g[\varphi(x_n)] = f(x_n)$, also $\lim f(x_n) = f(x_0)$, q. e. d.

Analoges gilt für die Differenzierbarkeit ineinandergesetzter Funktionen: Wieder möge $z = f(x) = g[\varphi(x)]$ in einem Intervall um x_0 definiert sein. Ist überdies φ in x_0 und g an der Stelle $y_0 = \varphi(x_0)$ differenzierbar, so ist

$$f'(x_0) = g'[\varphi(x_0)]\,\varphi'(x_0).$$

Der Beweis ergibt sich unmittelbar durch Aufstellen der Differenzenquotienten, falls $\varphi(x_0 + h_n) - \varphi(x_0) \neq 0$. Sonst muß, um eine Division durch Null zu vermeiden, noch eine Zwischenbetrachtung durchgeführt werden.

Der Mittelwertsatz der Differentialrechnung. Im modernen Aufbau der Infinitesimalrechnung spielt dieser Satz eine hervorragende Rolle. Mit seiner Hilfe formt man Folgen von Quotienten, bei denen Zähler und Nenner gegen Null gehen, um. In der älteren Literatur wird in solchen Fällen noch von Quotienten ›unendlich kleiner Größen‹ gesprochen. Es war ein großer Fortschritt, als *A. L. Cauchy* (1833) die zentrale Stellung des Mittelwertsatzes erkannte. Später ist dann zuerst im Lehrbuch von *J. A. Serret* (1868) — in deutscher Übersetzung und Neubearbeitung als Serret-Scheffers bekannt — zur Vermeidung der ›unendlich kleinen Größen‹ der Mittelwertsatz konsequent verwandt worden. Erst nach 1900 begannen alle neu erscheinenden Lehrbücher für Hochschulen diesen Weg gleichfalls einzuschlagen. Heute ist jener Begriff selbst in den elementaren Büchern verpönt, denn er läßt sich nicht sinnvoll axiomatisieren.

Der *erste Mittelwertsatz* lautet: *Ist die Funktion* f *im abgeschlossenen Intervall* $a \leq x \leq b$ *stetig und in jedem Punkte des offenen Intervalls* $a < x < b$ *differenzierbar, so gibt es mindestens einen Punkt* c *im Innern des Intervalles derart, daß*

$$f'(c) = \frac{f(b) - f(a)}{b - a}.$$

Ein Spezialfall davon ist der *Satz von Rolle*: Ist überdies $f(b) = f(a)$, so gibt es mindestens ein c im Intervall $a < x < b$ derart, daß $f'(c) = 0$ ist.

Man achte darauf, daß weder im Mittelwertsatz noch im Satze von Rolle das c eindeutig bestimmt ist. Es gibt Funktionen, bei denen es nur ein c gibt, aber ebenso Funktionen, bei denen es unendlich viele c gibt. Ist z. B. f eine Konstante, so kann man im Intervall die Zahl c beliebig wählen.

Wir hatten früher bemerkt, daß die Ableitung einer konstanten Funktion überall verschwindet. Es gilt aber auch das Umgekehrte! Wenn von einer Funktion die Ableitung überall verschwindet, so muß die Funktion überall denselben Wert haben. Das ergibt sich unmittelbar aus dem Mittelwertsatz.

Verallgemeinerter oder zweiter Mittelwertsatz. Die Funktionen f(x) und g(x) seien im abgeschlossenen Intervall $a \leq x \leq b$ stetig, im zugehörigen offenen Intervall differenzierbar. Ferner sei $g'(x) \neq 0$ im offenen Intervall. Dann gibt es im Innern des Intervalles mindestens einen Punkt c derart, daß

$$\frac{f'(c)}{g'(c)} = \frac{f(b) - f(a)}{g(b) - g(a)}.$$

Der Beweis wird mittels der Hilfsfunktion

$$\varphi(x) = f(x) + \lambda g(x)$$

erbracht. Dabei wird λ so gewählt, daß $\varphi(a) = \varphi(b)$. Dann wird wieder der Rollesche Satz angewandt.

Anwendungen der Mittelwertsätze kommen vor allem beim Beweise des Satzes von de l'Hospital, der Bestimmung des Restgliedes von Potenzreihen und bei der Begründung der Integralrechnung vor.

XI. ABLEITUNGEN HÖHERER ORDNUNG. Wir haben bereits bei der Einführung der Differentialquotienten bemerkt, daß die Ableitung $f'(x)$ einer in einem Intervall differenzierbaren Funktion selbst dort wieder eine Funktion ist. Ist nun die Funktion

$$\varphi(x) = f'(x)$$

für alle Stellen dieses Intervalles wiederum differenzierbar, so kommen wir zur 2ten Ableitung von f (x) und schreiben

$$\varphi'(x) = [f'(x)]' = f''(x) = f^{(2)}(x) = \frac{d^2y}{dx^2}.$$

Die letzte Bezeichnung hat nur einen historischen Wert. Es kann nun sein, daß die Funktion $f''(x)$ wiederum differenzierbar ist. So kommen wir zur 3ten Ableitung von f (x):

$$f'''(x) = [(f'[x])']' = f^{(3)}(x) = \frac{d^3y}{dx^3}.$$

Und so kann es weitergehen. Für die nte Ableitung schreibt man symbolisch

$$f^{(n)}(x) = \frac{d^ny}{dx^n}.$$

Ist die kte Ableitung von f (x), also $f^{(k)}(x)$, im Intervall J noch stetig, so heißt f (x) dort *k-mal stetig differenzierbar.* Aus einer einmaligen Differenzierbarkeit folgt keineswegs eine weitere Differenzierbarkeit usw. (Das ist ganz anders bei den Funktionen in der komplexen Analysis, → Funktionentheorie. Eine Funktion, die dort einmal ›differenzierbar‹ ist, ist auch beliebig häufig differenzierbar.)

Beispiele: 1. Die Funktion $y = x\,|x|$ ist im Nullpunkt nur einmal differenzierbar. Ihre erste Ableitung ist nämlich $y' = 2\,|x|$.

2. Die νte Ableitung eines Polynoms

$$P(x) = a_n x^n + \cdots + a_0 = \sum_{k=0}^{n} a_k x^k.$$

Es ist

$$P'(x) = \sum_{k=1}^{n} k a_k x^{k-1}$$

und

$$P^{(\nu)}(x) = \sum_{k=\nu}^{n} k(k-1)(k-2)\cdots(k-\nu+1)\,a_k x^{k-\nu} =$$

$$= \sum_{k=\nu}^{n} \frac{k!}{(k-\nu)!}\,a_k x^{k-\nu},\quad \nu = 0, 1, \ldots, n.$$

Insbesondere ist also

$$P^{(n)}(x) = n!\,a_n.$$

Jede weitere Ableitung ist identisch Null.

3. Ableitungen höherer Ordnung eines Produktes. Es sei $f(x) = g(x)\,h(x)$. Dann ist

$$f'(x) = g'(x)\,h(x) + g(x)\,h'(x),$$
$$f''(x) = g''(x)\,h(x) + 2\,g'(x)\,h'(x) + g(x)\,h''(x),$$
$$f^{(n)}(x) = \sum_{k=0}^{n} \binom{n}{k} g^{(k)}(x)\,h^{(n-k)}(x).$$

4. Die 2te Ableitung von $f(x) = g[h(x)]$. Es war
$$f'(x) = g'[h(x)]\,h'(x),$$
und deshalb ist
$$f''(x) = g''[h(x)]\,[h'(x)]^2 + g'[h(x)]\,h''(x).$$

XII. Die Taylorsche Entwicklung. Dieses Verfahren gestattet bei genügend oft differenzierbaren Funktionen, deren Funktionswerte in einer Umgebung einer vorgegebenen Stelle x_0 auf handliche Art bei vorgegebener Genauigkeit näherungsweise zu berechnen. Zur numerischen Berechnung besonders handlich sind die Polynome
$$Q(x) = a_0 + a_1(x - x_0) + \cdots + a_{k-1}(x - x_0)^{k-1}.$$
Hierin ist $Q^{(\nu)}(x_0) = \nu!\,a_\nu$ für $\nu = 0, 1, \ldots, k-1$. Ist $f(x)$ $(k-1)$-mal in x_0 differenzierbar, so können wir in Nachbildung der Polynome schreiben:

$$(9)\qquad f(x_0 + h) = f(x_0) + \frac{f'(x_0)\,h}{1!} + \frac{f''(x_0)\,h^2}{2!} + \cdots$$
$$\cdots + \frac{f^{(k-1)}(x_0)\,h^{k-1}}{(k-1)!} + R_k(x_0, h).$$

Diese Gleichung ist zunächst nichts als die Definition des ›Restes‹ $R_k(x_0, h)$. Sie wird erst zweckmäßig, wenn man eine Aussage über den Rest $R_k(x_0, h)$ machen kann. Das aber gelingt in weitem Maße mit Hilfe der Mittelwertsätze. Liegen x_0 und $x_0 + h$ in einem abgeschlossenen Intervall J, und ist $f(x)$ dort k-mal differenzierbar, so ist
$$R_k(x_0, h) = \frac{f^{(k)}(x_0 + \vartheta h)\,h^k}{k!} \quad \textit{(Lagrangesches Restglied)}$$
und
$$R_k(x_0, h) = \frac{(1-\vartheta')^{k-1} f^{(k)}(x_0 + \vartheta' h)}{(k-1)!}\,h^k \quad \textit{(Cauchysches Restglied)};$$
ϑ, ϑ' sind geeignete Zahlen zwischen 0 und 1. (Beim Übergang zu einer anderen Stelle oder einer anderen Funktion werden sich diese Zahlen im allgemeinen ändern.) Den Sonderfall dieser *Taylorschen Entwicklung*, daß $x_0 = 0$ ist, nennt man die *MacLaurinsche Entwicklung*.

Es ist bei vielen Funktionen möglich, zu beliebig vorgegebenem $\varepsilon > 0$ die natürliche Zahl k so groß zu wählen, daß die fragliche Differenz im ganzen Intervall kleiner als ε wird, wir also bei Berücksichtigung genügend vieler Glieder jede gewünschte Genauigkeit erreichen können. Dieser Fall ruft ein besonderes Interesse hervor, da man die Taylorsche Entwicklung jetzt auf unendlich viele Glieder ausdehnen und dabei den Rest $R_k(x_0, h)$ zum Verschwinden bringen kann, so daß man bekommt:

$$f(x_0 + h) = \sum_{n=0}^{\infty} \frac{f^{(n)}(x_0)\, h^n}{n!}. \tag{10}$$

Notwendig ist natürlich dafür, daß f beliebig häufig differenziert werden kann. Aber das genügt bei weitem nicht. Ein Gegenbeispiel liefert schon die Funktion

$$f(x) = \begin{cases} e^{-\frac{1}{x^2}} & \text{für } x \neq 0 \\ 0 & \text{für } x = 0. \end{cases}$$

Diese Funktion ist für alle x beliebig häufig differenzierbar. Im Nullpunkt verschwinden alle ihre Ableitungen, so daß immer

$$f(0 + h) = R_k(0, h) \text{ für alle } h$$

bleibt, $R_k(0, h)$ also für $h \neq 0$ mit wachsendem k nicht gegen 0 strebt.

Die Funktionen, die in eine Reihe (10) entwickelt werden können, bilden eine kleinere Klasse als diejenigen, die beliebig oft differenziert werden können. Die Funktionen, die in eine Reihe (10) entwickelt werden können, sind Spuren im Reellen von holomorphen Funktionen (→ Funktionentheorie).

Wir geben nun ein hinreichendes Kriterium an dafür, daß das Restglied R_k mit wachsendem k gegen 0 geht. Wir setzen zunächst noch fest: Die Ableitungen einer Funktion f in einem Intervall J heißen *gleichmäßig beschränkt*, wenn es ein M so gibt, daß für alle x aus J und für jedes natürliche k

$$|f^{(k)}(x)| < M$$

ist. Wenn f in einem Intervall J, das x_0 im Innern enthält, Ableitungen beliebig hoher Ordnung aufweist und diese dort gleichmäßig beschränkt sind, so gilt, sofern $x_0 + h$ noch in J liegt,

$$\lim_{k \to \infty} R_k(x_0, h) = 0,$$

d. h. die Entwicklung (10). Der Ausdruck rechts in (10) heißt *Taylorsche Reihe*. Sie ist offenbar eine spezielle Potenzreihe in h. Es gibt also einen Konvergenzradius r derart, daß die Reihe für $|h| < r$ konvergiert und für $|h| > r$ divergiert. Es sei aber darauf hingewiesen, daß die bloße Konvergenz der Reihe noch nicht die Gültigkeit von (10) zur Folge hat. Das zeigt sich an dem vorstehenden Beispiel.

Beispiele:

1. $f(x) = \dfrac{1}{1-x}$. Wir wählen $x_0 = 0$. Die Reihenentwicklung

lautet dann $f(h) = \sum_{n=0}^{\infty} h^n$ und ist, wie auch in den drei folgenden Beispielen, für $|h| < 1$ durchweg gültig.

2. $f(x) = \frac{1}{x}$. Wir wählen $x_0 = 1$. Die Reihenentwicklung lautet $f(1 + h) = \sum_{n=0}^{\infty} (-1)^n h^n$. Es ist $r = 1$. Um $x_0 = 0$ besitzt $f(x)$ keine Taylorreihe.

3. $f(x) = \frac{1}{1 + x^2}$. Es sei $x_0 = 0$. Die Reihenentwicklung lautet $f(h) = \sum_{n=0}^{\infty} (-1)^n h^{2n}$. Es ist $r = 1$.

4. $f(x) = \sin x$. Es sei wieder $x_0 = 0$. Die Reihenentwicklung lautet $f(h) = \sum_{n=0}^{\infty} (-1)^n \frac{h^{2n+1}}{(2n + 1)!}$. Es ist $r = \infty$, d. h. es liegt Konvergenz für alle h vor.

5. Ist f ein Polynom $P(x) = a_n x^n + \cdots + a_1 x + a_0$, so sind die Ableitungen k-ter Ordnung für $k > n$ sämtlich Null. Dementsprechend verschwinden in der Taylorentwicklung alle Glieder höheren als n-ten Grades; ein Konvergenzproblem tritt also überhaupt nicht auf. Zugleich ist $R_k(x_0, h) = 0$ für $k > n$ und alle h. Die Reihenentwicklung gilt also für jedes h.

Für die endlichen Taylorentwicklungen wie für die unendlichen Taylorreihen gibt es Einzigkeitssätze. Um ein und denselben Punkt gibt es für eine Funktion höchstens eine solche Reihe. Zur näheren Charakterisierung sei ein solcher Satz für die unendliche Taylorreihe angegeben. Wenn für f (x) gilt:

a. $f(x_0 + h) = \sum_{n=0}^{\infty} a_n h^n, \ |h| < r_1,$

$$0 < r_1, r_2,$$

b. $f(x_0 + h) = \sum_{n=0}^{\infty} b_n h^n, \ |h| < r_2,$

so ist $a_n = b_n$ für $n = 0, 1, 2, \ldots$. (Der Satz läßt sich erheblich verschärfen.) Insbesondere ist jede Potenzreihe die Taylorreihe der durch sie dargestellten Funktion.

XIII. Die binomische Reihe. Die Funktion $f(x) = (1 + x)^n$ stellt, wenn n eine natürliche Zahl ist, eine ganze rationale Funktion dar. Jede ganze rationale Funktion f läßt sich als endliche Summe

$$f(x) = \sum_{k=0}^{n} \frac{f^{(k)}(0)\, x^k}{k!} \tag{13}$$

darstellen. Andererseits gilt nach dem binomischen Satz

$$(1 + x)^n = \sum_{k=0}^{n} \binom{n}{k} x^k. \tag{14}$$

Wegen des Einzigkeitssatzes für Taylorsche Reihen stimmen (13) und (14) gliedweise überein. Die Binomialreihe ist die Taylorsche Reihe für die Funktion $(1 + x)^n$. Unter gewissen Einschränkungen läßt sich diese Formel auf beliebige reelle m ausdehnen. Es gilt der Satz: *Wenn* m *eine beliebige reelle Zahl ist, dann läßt sich die Funktion* $f(x) = (1 + x)^m$ *für alle* x *mit* $|x| < 1$ *in die dort absolut konvergente Reihe*

$$\textbf{(15)} \qquad f(x) = (1 + x)^m = \sum_{k=0}^{\infty} \binom{m}{k} x^k$$

entwickeln. Dabei ist $\binom{m}{k}$ genauso definiert wie $\binom{n}{k}$, nämlich

$$\binom{m}{k} = \frac{m(m-1)\cdots(m-k+1)}{k!}, \quad \binom{m}{0} = 1.$$

Ist m eine natürliche Zahl, so ist bekanntlich $\binom{m}{m} = 1$ und $\binom{m}{k} = 0$ für $k > m$. Ist m eine andere reelle Zahl, so ist $\binom{m}{m}$ sinnlos, weil ja im »Nenner« von $\binom{m}{k}$ nur natürliche Zahlen k vorkommen, und $\binom{m}{k} = 0$ für $k > m$ ist falsch, denn nun kommt im Zähler nicht mehr der Faktor 0 vor. Die Entwicklung (15) ist also, falls m keine natürliche Zahl ist, eine unendliche Entwicklung. Der Ausdruck rechts in (15) ist die Taylorsche Reihe der Funktion $(1 + x)^m$. Sie konvergiert für $|x| < 1$ und stellt dort die Funktion $(1 + x)^m$ dar.

XIV. Extrema (Maxima und Minima) im Kleinen von Funktionen. Das Maximum (Minimum) einer stetigen Funktion f war als die obere (untere) Grenze der Funktionswerte eingeführt (s. o. S. 107). Die so definierten Extrema hängen wesentlich von dem willkürlich herausgegriffenen Argumentbereich ab.

Beispiel: $f(x) = x$ im Intervall $0 \leq x \leq 1$. Das Maximum ist 1, ohne daß die Funktion dort eine Besonderheit aufweist.

So ist wichtiger als der bisher eingeführte Begriff des Extremums der des *Extremums im Kleinen.* Die in einem x_0 enthaltenden Intervall J definierte Funktion f hat in x_0 ein Maximum (bzw. Minimum) im Kleinen, wenn es ein $\varepsilon > 0$ so gibt, daß für alle h mit $0 < |h| < \varepsilon$

$$f(x_0 + h) - f(x_0) < 0 \text{ (Maximum im Kleinen) bzw.}$$
$$f(x_0 + h) - f(x_0) > 0 \text{ (Minimum im Kleinen).}$$

(Bei manchen Autoren wird in den vorstehenden Ungleichungen auch das Gleichheitszeichen zugelassen. Im folgenden müßten die Aussagen dann leicht modifiziert werden. Außerdem muß man sich dann daran gewöhnen, daß $f(x) \equiv c$ in jedem Punkte ein Maximum und ein Minimum hat.)

Bedingungen für Extremwerte im Kleinen sind leicht aufzustellen. Notwendig für die Existenz eines Extremwertes im Kleinen einer in x_0 differenzierbaren Funktion an der Stelle x_0 ist das Verschwinden der ersten Ableitung in x_0. Zum Beweis muß man nur die Differenzenquotienten

$$\frac{f(x_0 + h) - f(x_0)}{h}$$

betrachten. Es liege an der Stelle x_0 z. B. ein Maximum vor. Dann ist für $0 < |h| < \varepsilon$ der Zähler negativ, der Nenner aber, je nach dem Vorzeichen von h, positiv oder negativ. Ist $\lim h_n = 0$ und $h_n > 0$ für alle n, so kann also der Limes der Differenzenquotienten nicht positiv sein; sind die $h_n < 0$ für alle n, so kann der Limes nicht negativ sein. Wegen der Differenzierbarkeit von f ist aber der Limes beide Male der gleiche. Es muß also $f'(x_0) = 0$ sein.

Die Bedingung ist aber nicht hinreichend. Z. B. hat die Funktion $f(x) = x^3$ an der Stelle $x_0 = 0$ keinen Extremwert im Kleinen, obwohl die Ableitung $f'(x) = 3x^2$ an der Stelle $x_0 = 0$ verschwindet. Wir kommen deshalb nun zu hinreichenden Bedingungen: f sei eine in einer Umgebung von x_0 stetig differenzierbare Funktion. Hinreichend für die Existenz eines Extremwertes im Kleinen an der Stelle x_0 ist, daß

a. $f'(x_0) = 0$ und

b. $f'(x_0 + h)\, f'(x_0 - h) < 0$ für alle genügend kleinen positiven h. – Der Beweis dieses Satzes ergibt sich aus dem Mittelwertsatz.

Das bekannteste hinreichende Kriterium lautet: f sei in einer Umgebung von x_0 zweimal differenzierbar. Es liegt dann ein Maximum (bzw. Minimum) im Kleinen an der Stelle x_0 vor, wenn $f'(x_0) = 0$ und $f''(x_0) < 0$ [bzw. $f''(x_0) > 0$] ist. Zum Beweise sind die Differenzenquotienten von $f'(x)$ zu betrachten, und es ist auszunutzen, daß

$$\lim_{h \to 0} \frac{f'(x_0 + h) - f'(x_0)}{h} = f''(x_0) < 0.$$

Diese Bedingung für Maxima (Minima) ist aber ihrerseits wieder nicht notwendig.

Beispiel: f: $y = x^4$ an der Stelle $x_0 = 0$. Die zweite Ableitung dieser Funktion: $f''(x) = 12x^2$ verschwindet für $x_0 = 0$, und trotzdem liegt dort ein Minimum vor.

Verschwindet die zweite Ableitung von f, so gibt oft folgender Satz noch Auskunft: Ist f in einer Umgebung der Stelle x_0 n-mal differenzierbar, und ist $f^{(k)}(x_0) = 0$ für $k = 1, 2, \ldots, n - 1$, aber $f^{(n)}(x_0) \neq 0$, so gilt: Ist n eine gerade Zahl, so liegt, falls $f^{(n)}(x_0) > 0$, an der Stelle x_0 ein Minimum im Kleinen vor, falls aber $f^{(n)}(x_0) < 0$, ein Maximum im Kleinen. Ist n eine ungerade Zahl, so liegt an der Stelle x_0 kein Extremwert im Kleinen vor. Aber alle Fälle werden damit noch nicht erfaßt. Dafür sei erinnert an das Beispiel:

$$f(x) = \begin{cases} e^{-\frac{1}{x^2}} & \text{für } x \neq 0 \\ 0 & \text{für } x = 0. \end{cases}$$

Diese Funktion hat für $x_0 = 0$ ein Minimum. Sie ist überall beliebig häufig differenzierbar. Im Nullpunkt verschwinden sämtliche Ableitungen.

›$\frac{0}{0}$‹, ein Ausdruck, der in elementaren Büchern, vor allem vergangener Zeiten, viel gebraucht worden ist. Er bedarf einer besonderen Erläuterung und kann nicht einfach wie eine bestimmte Zahl $\frac{a}{b}$ angesehen werden. Eine Funktion $\varphi(x)$, die durch eine Gleichung

$$\varphi(x) := \frac{f(x)}{g(x)}$$

gegeben wird, ist dort, wo $g(x)$ verschwindet, nicht definiert; doch kann $\varphi(x)$ je nach den Eigenschaften von $f(x)$ und $g(x)$ bei Annäherung an eine solche Nullstelle von $g(x)$ verschiedenes Verhalten aufzeigen. Sind etwa $f(x)$ und $g(x)$ im Intervall J stetig und verschwindet $g(x)$ in J nur für $x = x_0$, so wächst $|\varphi(x)|$ im Falle $f(x_0) \neq 0$ offensichtlich über alle Grenzen, wenn x gegen x_0 konvergiert. Verschwinden aber $f(x)$ und $g(x)$ in x_0 beide, so ist noch ganz verschiedenes Verhalten von $\varphi(x)$ möglich. Darüber gibt Auskunft die *Regel von de l'Hospital:* Die Funktionen f und g seien im abgeschlossenen Intervall $\{\overline{a, b}\}$ stetig, im zugehörigen offenen Intervall $\{a, b\}$ differenzierbar. Ferner seien im offenen Intervall $g(x)$ und $g'(x)$ von Null verschieden, doch sei $f(a) = g(a) = 0$. Dann ist

$$\lim_{x \to a} \varphi(x) = \lim_{x \to a} \frac{f(x)}{g(x)} = \lim_{x \to a} \frac{f'(x)}{g'(x)},$$

falls der letzte Grenzwert (Definition des Grenzwertes s. o. S. 106 f.) existiert. Einen Gewinn bringt dieser Satz, falls etwa $f(x)$ und $g(x)$ in $x = a$ noch stetig differenzierbar und $g'(a) \neq 0$ ist. Dann nimmt die rechte Seite den Wert $\frac{f'(a)}{g'(a)}$ an. Zum Beweise der Regel ist nur der zweite Mittelwertsatz anzuwenden. Es kann nun sein, daß $f'(a)$ und $g'(a)$ definiert sind, aber ihrerseits auch verschwinden. Dann kann unter Umständen die Regel noch einmal mit Nutzen angewandt werden, so daß

$$\lim_{x \to a} \varphi(x) = \frac{f''(a)}{g''(a)}.$$

B e i s p i e l e : 1. $\varphi(x) = \frac{x^p - a^p}{x^q - a^q}$. Es ist $\lim_{x \to a} \varphi(x) = \frac{p}{q} a^{p-q}$.

2. $\varphi(x) = \frac{x - \sin x}{x^3}$. Es ist $\lim_{x \to 0} \varphi(x) = \frac{f'''(0)}{g'''(0)} = \frac{1}{6}$.

Man bezeichnet den vorstehenden Satz in der älteren Literatur häufig als Regel zur Bestimmung der ›wahren Werte sogenannter unbestimmter Ausdrücke $\frac{0}{0}$‹. Doch hat ein Zahlenquotient $\frac{0}{0}$ überhaupt keinen Sinn. Die Bezeichnung ist wiederum nur aus historischen Gründen zu verstehen. Ganz analog ist der Fall zu behandeln, daß f und g mit Annäherung an a über alle Grenzen wachsen (in der älteren elementaren Literatur als der Fall $\frac{\infty}{\infty}$ bezeichnet). Ebenso kann noch ein Grenzwert von $y = f(x)\, g(x)$ für x gegen a existieren, falls f bei Annäherung an a über alle Grenzen wächst und $\lim_{x \to a} g(x) = 0$ ist (als Fall $\infty \cdot 0$ bezeichnet). Es gilt das gleiche, wenn $y = f(x) - g(x)$ ist und beide Funktionen bei Annäherung an a über alle Grenzen wachsen (Fall $\infty - \infty$). Man merke sich aber, daß es sich in keinem Falle um das Rechnen mit einer ›Zahl ∞‹ handelt. Das Ergebnis des Grenzübergangs hängt vom Verhalten der beiden Funktionen ab, so daß der Prozeß niemals als ein Rechnen mit Zahlen aufgefaßt werden kann. (Es ist aber merkwürdig, wie in der Laienwelt diese Vorstellung immer noch weiterwirkt als ein besonderes Geheimnis der Mathematik.)

XV. Die inverse Funktion. Nach Definition des Begriffes Funktion bildet jede Funktion f eine Menge $\mathfrak{M}_1$ reeller Zahlen (den Argumentbereich) auf eine Menge $\mathfrak{M}_2$ reeller Zahlen (den Bildbereich) ab. Ist nun eine Zahl y_0 aus dem Bildbereich $\mathfrak{M}_2$ gegeben, so kann man bei gewissen Funktionen auf d i e e i n e reelle Zahl x_0 schließen, für die $y_0 = f(x_0)$. Das geht offenbar immer dann, wenn die durch f vermittelte Abbildung bijektiv ist, wenn also nicht nur jedem x aus $\mathfrak{M}_1$ ein y aus $\mathfrak{M}_2$ zugeordnet ist, sondern auch jedes y aus $\mathfrak{M}_2$ nur einmal als Bild eines Elementes von $\mathfrak{M}_1$ auftritt. Dann ist eine weitere Funktion φ definiert, die die durch f gestiftete Abbildung rückgängig macht, in Formeln $\varphi[f(x)] = x$ für alle x aus $\mathfrak{M}_1$. $x = \varphi(y)$ heißt die zu $y = f(x)$ *inverse Funktion*. Hier ist besonders darauf zu achten, daß der Argumentbereich von φ der Bildbereich von f ist und umgekehrt (→ Mengen, Abbildungen, Strukturen).

Beispiele: 1. $y = ax + b$, $a \neq 0$; $\mathfrak{M}_1$ die Gesamtheit der reellen Zahlen. $x = \frac{y}{a} - \frac{b}{a}$; $\mathfrak{M}_2$, der Bildbereich von f und Argumentbereich von φ, ist gleichfalls die Gesamtheit der reellen Zahlen.
2. $y = x^2$; $\mathfrak{M}_1$ die Gesamtheit der reellen Zahlen. Dann ist $\mathfrak{M}_2$ die Gesamtheit der nicht negativen reellen Zahlen. Die Abbildung von $\mathfrak{M}_1$ auf $\mathfrak{M}_2$ ist surjektiv, aber nicht injektiv und deshalb nicht bijektiv. Jede positive Zahl tritt zweimal als Bild auf. Es gibt für diese Funktion keine inverse Funktion. Betrachtet man nun die Funktion $y = x^2$, wählt für $\mathfrak{M}_1$ aber nur den Bereich der nicht negativen reellen Zahlen, so bleibt wie vorher $\mathfrak{M}_2$ die Menge der nicht negativen reellen Zahlen. Die Abbildung ist nun bijektiv. Die inverse Funktion ist $x = \varphi(y) = \sqrt{y}$, $y \in \mathfrak{M}_2$.
3. $y = \sin x$. $\mathfrak{M}_1$ sei die Gesamtheit der reellen Zahlen; damit ist $\mathfrak{M}_2$ das abgeschlossene Intervall $-1 \leq x \leq +1$. Jede Zahl aus $\mathfrak{M}_2$ tritt unendlich oft als Bild auf. (Eine surjektive, aber nicht injektive Abbildung.) Es gibt keine Umkehrfunktion. Betrachtet man aber $y = \sin x$; $\mathfrak{M}_1$ das Intervall $-\frac{\pi}{2} \leq x \leq \frac{\pi}{2}$, so ist zwar wieder $\mathfrak{M}_2$ das Intervall $\overline{\{-1, +1\}}$, doch ist die Abbildung nun bijektiv. Die Umkehrfunktion lautet:

$$x = \arcsin y; -1 \leq y \leq +1.$$

XVI. Kriterien für die Umkehrbarkeit von Funktionen. Dann und nur dann ist eine in einem Intervall stetige Funktion f dort umkehrbar, wenn sie dort im engeren Sinne monoton ist. Dabei heißt eine Funktion f *im engeren Sinne monoton wachsend* in einem Intervall J, wenn für $x_1 < x_2$ aus J stets folgt $f(x_1) < f(x_2)$ (entsprechend *monoton fallend im engeren Sinne*). Der Zusatz ›im engeren Sinne‹ schließt das Gleichheitszeichen in den betrachteten Ungleichungen aus: f heißt monoton wachsend in J, wenn aus $x_1 < x_2$ folgt $f(x_1) \leq f(x_2)$.

Beispiele: 1. Wenn f eine Konstante ist, so ist f schlechtweg monoton wachsend (wie auch fallend), dagegen nicht monoton im engeren Sinne.
2. $y = ax + b$ mit $a \neq 0$ ist stets monoton im engeren Sinne, und zwar wachsend für $a > 0$ und fallend für $a < 0$.
3. $y = x^2$ ist im Intervall $-1 < x < 1$ nicht monoton.
Handlicher ist das folgende Kriterium: Die Funktion f ist im Intervall $\overline{\{a, b\}}$ umkehrbar, wenn f dort differenzierbar ist und f′ dort nirgends verschwindet. Die Bedingung $f'(x) \neq 0$ für alle x aus $\overline{\{a, b\}}$ ist also für die Umkehrbarkeit differenzierbarer Funktionen hinreichend. Sie ist aber keineswegs notwendig.

Beispiel: $y = x^3$. Die Ableitung verschwindet im Nullpunkt, und dennoch ist die reelle Funktion $x = \sqrt[3]{y}$ in jedem Intervall die Umkehrung von $y = x^3$ (Abb. 24).

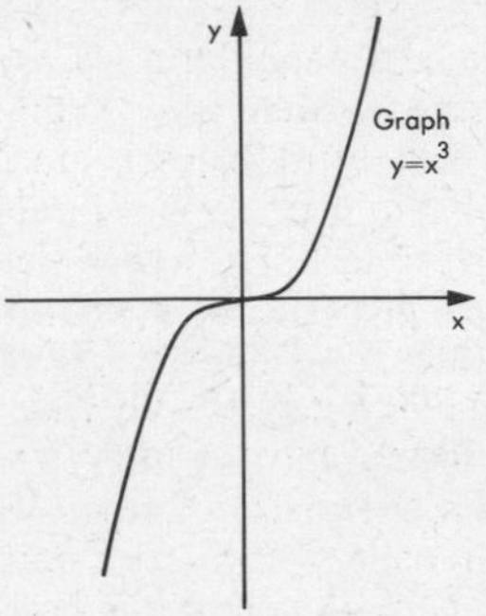

Abb. 24: Die Funktion $y = x^3$

Zum Beweis der obigen Aussage beachten wir, daß f keinen Wert im Intervall zweimal annimmt. Sonst wäre $f(x_1) = f(x_2)$ für $x_1 \neq x_2$ und nach dem Satz von Rolle (S. 113) für ein passendes c

$$f'(c) = 0.$$

Es gibt aber nach Voraussetzung keine Stelle im Intervall, wo $f'(x)$ verschwindet.

Übrigens nimmt $f(x)$ wegen der Stetigkeit (die aus der Differenzierbarkeit folgt) sein Minimum m und sein Maximum M sowie jeden Zwischenwert an. Die inverse Funktion $x = g(y)$ existiert also in $\{\overline{m, M}\}$.

XVII. Eigenschaften der inversen Funktionen. Wenn die Funktion f in einem abgeschlossenen Intervall J umkehrbar und stetig ist, so ist die inverse Funktion φ im Bildintervall J^* stetig.

y_0 sei nämlich ein Punkt aus J^* und y_n eine Folge aus J^* mit $\lim y_n = y_0$. Die x_n, deren Bilder die y_n sind, konvergieren dann auch. Sie sind nämlich beschränkt (weil sie in J liegen). Hätten sie zwei Häufungspunkte x_0 und $\overline{x}_0$, so gäbe es Teilfolgen x_{n_ν} und $\overline{x}_{n_\mu}$ der x_n, die gegen x_0 bzw. $\overline{x}_0$ konvergierten. Wegen der Stetigkeit von f wäre $\lim f(x_{n_\nu}) = f(x_0)$ und $\lim f(\overline{x}_{n_\mu}) = f(\overline{x}_0)$. Also ist $y_0 = f(x_0)$ und $y_0 = f(\overline{x}_0)$, folglich $x_0 = \overline{x}_0$. Die x_n konvergieren also, und zwar gegen $x_0 = \varphi(y_0)$. So ist $\lim \varphi(y_n) = \varphi(y_0)$, q. e. d.

Ein analoger Satz gilt für die Differenzierbarkeit: Ist f im abgeschlossenen Intervall $\{\overline{a, b}\}$ differenzierbar und dort überall $f'(x) \neq 0$, so ist auch die inverse Funktion $x = \varphi(y)$ im Bildintervall differenzierbar. Es gilt

$$\varphi'(y) = \frac{1}{f'(x)}.$$

Hierbei ist vor allem zu beachten, daß links ein anderes Argument als rechts steht. Aber die beiden Argumente sind durch die Abbildung f miteinander gekoppelt. Aus der vorstehenden Formel kann man dann auch auf die Existenz höherer Ableitungen von φ schließen, wenn sie bei f vorhanden sind. — Der Beweis der obigen Aussage ergibt sich unmittelbar durch Behandlung der Differenzenquotienten.

XVIII. Integralstammfunktionen. Gibt es zu einer in einem Intervall J gegebenen Funktion f eine solche Funktion F, daß für alle x aus J: $F'(x) = f(x)$ gilt, so nennen wir F eine Integralstammfunktion, kurz Stammfunktion, von f. Mit F ist offenbar auch $F_1(x) := F(x) + c$, wo c eine beliebige Konstante ist, eine solche Stammfunktion von f. Sind andererseits F_1 und F_2 Stammfunktionen von f, so muß $F_1(x) = F_2(x) + c$ für $x \in J$ sein. Denn die Funktion $F_1(x) - F_2(x)$ hat die Eigenschaft, daß ihre Ableitung für alle $x \in J$ verschwindet, ist also eine konstante Funktion. Solche Stammfunktionen werden vielfach – vor allem in der angewandten Mathematik – Integrale von f genannt. Wir wollen das hier wegen der Möglichkeit der Verwechslung mit den unbestimmten Integralen vermeiden. Welcher Unterschied zwischen den Integralstammfunktionen und den unbestimmten Integralen besteht, wird bei der Behandlung der unbestimmten Integrale erklärt werden.

Für viele Funktionen sind Stammfunktionen allgemein bekannt (auch gibt es Tabellenwerke darüber).

Beispiele: 1. $f(x) = x^n, n \neq -1$, hat als Stammfunktion $\frac{x^{n+1}}{n+1}$.

2. $f(x) = a_n x^n + \cdots + a_1 x + a_0$ hat als Stammfunktion $\frac{a_n x^{n+1}}{n+1} + \frac{a_{n-1} x^n}{n} + \cdots + \frac{a_1 x^2}{2} + a_0 x$.

3. $f(x) = \frac{1}{x}$, $x > 0$, hat als Stammfunktion $\ln x$.

4. $f(x) = e^x$ hat als Stammfunktion e^x.

5. $f(x) = \sin x$ hat als Stammfunktion $-\cos x$.

6. $f(x) = \cos x$ hat als Stammfunktion $\sin x$.

Jedoch ist mit solchen Beispielen kein Verfahren angegeben, eine Stammfunktion zu finden. Unter welchen Voraussetzungen über f gibt es überhaupt Stammfunktionen? Sicher hat z. B. die Funktion

$$\begin{cases} y = 0 \text{ für } x \neq 0 \\ y = 1 \text{ für } x = 0 \end{cases}$$

keine Stammfunktion, obwohl es unstetige Funktionen (sogar solche mit unendlich vielen Unstetigkeitsstellen) gibt, die Stammfunktionen aufweisen.

Zur Konstruktion einer Stammfunktion benutzt man das bestimmte und, darauf aufbauend, das unbestimmte Integral.

XIX. Das Oberintegral und das Unterintegral. f sei in $\{\overline{a, b}\}$ beschränkt. Das Intervall zerlegen wir in Teilintervalle durch Teilpunkte $a = a_1, \ldots, a_r, a_{r+1} = b$, die wir der Größe nach geordnet denken, also $a = a_1 < a_2 < \cdots < a_{r+1} = b$ (Abb. 25). Diese Zerlegung bezeichnen wir mit $\mathfrak{Z} = \mathfrak{Z}(a_1, \ldots, a_{r+1})$. Wir bilden dann die *Riemannschen Obersummen*

$$\overline{S}(\mathfrak{Z}) = \sum_{k=1}^{r} M_k (a_{k+1} - a_k),$$

M_k die obere Grenze von f in $\{\overline{a_k, a_{k+1}}\}$,

die *Riemannschen Summen*

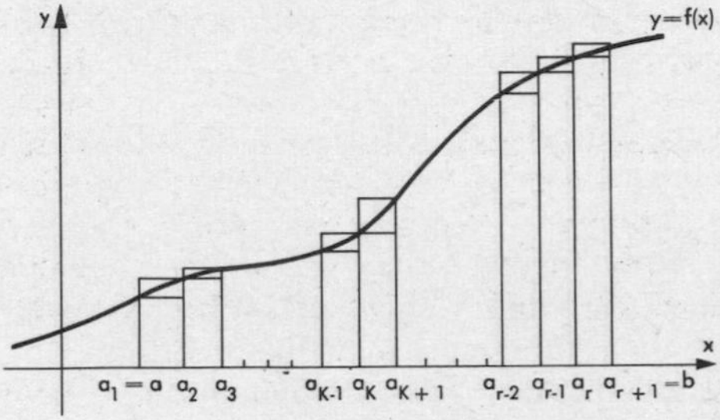

Abb. 25: Zur Definition des bestimmten Integrals

$$S(\mathfrak{Z}, c) = \sum_{k=1}^{r} f(c_k)(a_{k+1} - a_k),$$

wobei die c_k beliebige Punkte aus den Intervallen $\{\overline{a_k, a_{k+1}}\}$ sind, und die *Riemannschen Untersummen*

$$\underline{S}(\mathfrak{Z}) = \sum_{k=1}^{r} m_k (a_{k+1} - a_k),$$

m_k die untere Grenze von f in $\{\overline{a_k, a_{k+1}}\}$.

Dann ist – siehe Abb. 25 –

$$\underline{S}(\mathfrak{Z}) \leq S(\mathfrak{Z}, c) \leq \overline{S}(\mathfrak{Z}).$$

Wenn ferner $\mathfrak{Z}_1$ und $\mathfrak{Z}_2$ irgendzwei Zerlegungen von $\{\overline{a, b}\}$ sind, so folgt

$$\underline{S}(\mathfrak{Z}_1) \leq \overline{S}(\mathfrak{Z}_2).$$

Durchläuft $\mathfrak{Z}$ nun sämtliche möglichen Zerlegungen von $\{\overline{a, b}\}$, so ist also die Menge $\{\underline{S}(\mathfrak{Z})\}$ nach oben beschränkt. Sie besitzt eine obere Grenze $\overline{G}$. Ebenso ist die Menge $\{\overline{S}(\mathfrak{Z})\}$ nach unten beschränkt und besitzt eine untere Grenze $\underline{G}$. Es ist $\overline{G} \leq \underline{G}$. $\underline{G}$ heißt das *Oberintegral* von f in $\{\overline{a, b}\}$; in Formeln:

$$\underline{G} = \overline{\int_a^b} f(x)\, dx.$$

Entsprechend heißt $\overline{G}$ das *Unterintegral* von f in $\{\overline{a, b}\}$; in Formeln:

$$\overline{G} = \underline{\int_a^b} f(x)\, dx.$$

Für alle in $\{\overline{a, b}\}$ beschränkten Funktionen existieren also das Ober- und Unterintegral.

Die unendliche Folge $\mathfrak{Z}_\nu$ von Zerlegungen heißt konvergent, falls $\lim\limits_{\nu \to \infty} l_{\mathfrak{Z}_\nu} = 0$ ist. Dabei soll $l_{\mathfrak{Z}_\nu}$ das Maximum der Intervalllängen sein, die bei der Zerlegung $\mathfrak{Z}_\nu$ auftreten. Bei einer konvergenten Zerlegungsfolge gibt es also zu jeder noch so kleinen positiven Zahl ε ein ν_0 derart, daß bei allen Zerlegungen $\mathfrak{Z}_\nu$ mit $\nu > \nu_0$ die Teilintervalle eine Länge haben, die ε nicht überschreitet. Dann gilt: Ist f in $\{\overline{a, b}\}$ beschränkt, so gilt für jede konvergente Zerlegungsfolge

$$\lim_{\nu \to \infty} \overline{S}(\mathfrak{Z}_\nu) = \overline{\int_a^b} f(x)\, dx,$$

$$\lim_{\nu \to \infty} \underline{S}(\mathfrak{Z}_\nu) = \underline{\int_a^b} f(x)\, dx.$$

Der Beweis dieses Satzes bereitet die einzige Schwierigkeit beim Aufbau der Riemannschen Integrale; man findet ihn aber in allen bekannten Lehrbüchern von Hochschulcharakter.

XX. Das Integral. Ist nun

$$\overline{\int_a^b} f(x)\, dx = \underline{\int_a^b} f(x)\, dx,$$

so nennen wir diesen gemeinsamen Wert das ›*Integral*‹ von f, erstreckt von a bis b, und schreiben ihn

$$\int_a^b f(x)\, dx.$$

f heißt dann im Intervall $\{\overline{a, b}\}$ *integrierbar.* Da stets

$$\lim_{\nu \to \infty} \underline{S}(\mathfrak{Z}_\nu) \leq \sum_{k=1}^{r_\nu} f\left(c_k^{(\nu)}\right)\left(a_{k+1}^{(\nu)} - a_k^{(\nu)}\right) \leq \lim_{\nu \to \infty} \overline{S}(\mathfrak{Z}_\nu),$$

wenn $c_k^{(\nu)}$ beliebige Punkte aus den Intervallen $\{\overline{a_k^{(\nu)}, a_{k+1}^{(\nu)}}\}$ der Zerlegung $\mathfrak{Z}_\nu$ sind, so folgt

$$\int_a^b f(x)\, dx = \lim_{\nu \to \infty} \sum_{k=1}^{r_\nu} f\left(c_k^{(\nu)}\right)\left(a_{k+1}^{(\nu)} - a_k^{(\nu)}\right).$$

Wenn also f in $\{\overline{a, b}\}$ integrierbar ist, so ist der Limes rechts unabhängig von der Wahl der konvergenten Zerlegungsfolge wie auch der Zwischenpunkte.

Das so eingeführte Integral heißt auch das *Riemannsche Integral,* weil sich darüber hinaus noch ein anderes Integral immer mehr durchsetzt, das *Lebesguesche Integral.* Es ist komplizierter im Aufbau, hat aber den Vorteil, für größere Klassen von Funktionen zu existieren.

XXI. Kriterien für die Existenz von (Riemannschen) Integralen. Unter der *Schwankung* einer beschränkten Funktion in einem Intervall versteht man die Differenz der oberen und unteren Grenze der Funktionswerte in diesem Intervall. Als *mittlere Schwankung* der Funktion f im Intervall $\{\overline{a, b}\}$ bezeichnen wir

$$\sigma = \lim_{\nu \to \infty} \frac{1}{b-a} \sum_{k=1}^{r_\nu} \left(M_k^{(\nu)} - m_k^{(\nu)}\right)\left(a_{k+1}^{(\nu)} - a_k^{(\nu)}\right),$$

wobei $a_k^{(\nu)}$ die Teilpunkte einer konvergenten Zerlegungsfolge bedeuten und von f wiederum vorausgesetzt wird, daß es im Intervall beschränkt ist, damit die oberen Grenzen $M_k^{(\nu)}$ und die unteren Grenzen $m_k^{(\nu)}$ vorhanden sind. σ hängt nicht von der Auswahl der konvergenten Zerlegungsfolge ab, denn es ist

$$\sigma = \lim_{\nu \to \infty} \frac{1}{b-a} \left(\sum_{k=1}^{r_\nu} M_k^{(\nu)} \left(a_{k+1}^{(\nu)} - a_k^{(\nu)}\right) - \sum_{k=1}^{r_\nu} m_k^{(\nu)} \left(a_{k+1}^{(\nu)} - a_k^{(\nu)}\right)\right)$$

und damit

$$\sigma = \frac{1}{b-a} \left(\overline{\int_a^b} f(x)\, dx - \underline{\int_a^b} f(x)\, dx \right).$$

So folgt: Notwendig und hinreichend für die Existenz des bestimmten Integrals einer beschränkten Funktion f im Intervall $\{\overline{a, b}\}$ ist das Verschwinden der mittleren Schwankung.

Die Beschränktheit von f ist alleine kein hinreichendes Kriterium für die Existenz des bestimmten Integrals. Um das einzusehen, brauchen wir jetzt nur noch eine Funktion anzugeben, die zwar beschränkt ist, deren mittlere Schwankung aber nicht verschwindet. Eine solche Funktion ist

$$f: \begin{cases} y = 0 \text{ für irrationale } x \\ y = 1 \text{ für rationale } x. \end{cases}$$

Um das Nichtverschwinden der mittleren Schwankung zu zeigen, brauchen wir sie nur für beliebige konvergente Zerlegungsfolgen auszurechnen. Bei beliebigen $\mathfrak{Z}_\nu$ sind nun alle $M_k^{(\nu)} = 1$ und alle $m_k^{(\nu)} = 0$, daher

$$\frac{1}{b-a} \sum_{k=1}^{r_\nu} \left(M_k^{(\nu)} - m_k^{(\nu)}\right)\left(a_{k+1}^{(\nu)} - a_k^{(\nu)}\right) = \frac{1}{b-a} \sum_{k=1}^{r_\nu} \left(a_{k+1}^{(\nu)} - a_k^{(\nu)}\right) =$$

$$= \frac{1}{b-a}(b-a) = 1.$$

Also ist $\sigma = 1$.

Das obige Kriterium hat zur unmittelbaren Folge die Aussage: Ist f in einem Intervall integrierbar, so ist f auch in jedem seiner Teilintervalle integrierbar.

Es folgen nun zwei vielbenutzte hinreichende Kriterien für die Existenz bestimmter Integrale:

a. Hinreichend für die Existenz des bestimmten Integrals von f im Intervall $\{\overline{a, b}\}$ ist, daß f dort monoton ist (siehe Abb. 25). — Der Beweis benutzt den Satz über die mittlere Schwankung.

Dabei wird ausgenutzt, daß bei einer monotonen Funktion Minimum und Maximum eines Teilintervalles gerade die Grenzwerte in den Endpunkten sind.

b. Hinreichend für die Existenz des bestimmten Integrals einer Funktion f im Intervall $\{\overline{a, b}\}$ ist die Stetigkeit von f in $\{\overline{a, b}\}$. – Der Beweis stützt sich auf die gleichmäßige Stetigkeit von f in $\{\overline{a, b}\}$. Zu einer konvergenten Zerlegungsfolge $\mathfrak{Z}_\nu$ und einem vorgegebenen $\varepsilon > 0$ gibt es also ein ν_0 derart, daß die Schwankung von f in allen Teilintervallen von $\mathfrak{Z}_\nu$, $\nu > \nu_0$, kleiner als ε ist. Infolgedessen gilt für die mittlere Schwankung

$$\sigma \leq \frac{1}{b-a}\,\varepsilon \sum_{k=1}^{r_\nu} \left(a_{k+1}^{(\nu)} - a_k^{(\nu)}\right) = \varepsilon.$$

σ verschwindet also; das Integral existiert.

Wir haben die wichtige Erkenntnis gewonnen: Die Menge der integrierbaren Funktionen umfaßt die Menge der stetigen Funktionen und diese die der differenzierbaren Funktionen.

XXII. Rechengesetze für Integrale. a. Ist die Funktion f in $\{\overline{a, b}\}$ und in $\{\overline{b, c}\}$ integrierbar, so gilt:

$$\int_a^b f(x)\,dx + \int_b^c f(x)\,dx = \int_a^c f(x)\,dx. \tag{16}$$

Bisher waren nur Integrale $\int_a^b f(x)\,dx$ betrachtet, bei denen $b > a$ war. Wir definieren nun: Ist $b < a$, so sei

$$\int_a^b f(x)\,dx := -\int_b^a f(x)\,dx \text{ und natürlich } \int_a^a f(x)\,dx = 0.$$

Auch für diesen allgemeinen Fall gilt (16).

b. Ist f(x) in $\{\overline{a, b}\}$ integrierbar und c eine beliebige Konstante, so ist dort auch cf integrierbar und

$$\int_a^b cf(x)\,dx = c\int_a^b f(x)\,dx.$$

c. Sind f(x) und g(x) in $\{\overline{a, b}\}$ integrierbar, so gilt Gleiches für $f(x) + g(x)$ und $f(x) - g(x)$, und es ist

$$\int_a^b f(x)\,dx \pm \int_a^b g(x)\,dx = \int_a^b [f(x) \pm g(x)]\,dx.$$

d. Sind f(x) und g(x) in $\{\overline{a, b}\}$ integrierbar, so gilt Gleiches für f(x) g(x). (Es gibt aber keine Formel wie unter c.)

Aus den vorstehenden Rechenregeln erkennt man, daß die in einem Intervall $\{\overline{a, b}\}$ integrierbaren Funktionen einen Ring (→ Algebra) bilden.

e. Ist in $\{\overline{a, b}\}$, $a < b$, die Funktion f integrierbar und $m_1 \leq f(x) \leq m_2$ für alle $x \in \{\overline{a, b}\}$, so gilt:

$$m_1(b-a) \leq \int_a^b f(x)\,dx \leq m_2(b-a),$$

und falls $|f(x)| \leq M$ in $\{\overline{a, b}\}$, so folgt:

$$\left| \int_a^b f(x)\, dx \right| \leq M\,(b-a).$$

Ist f stetig in $\{\overline{a, b}\}$, so gibt es ein solches $c \in \{\overline{a, b}\}$, daß

$$\int_a^b f(x)\, dx = f(c)\,(b-a)$$

(*Mittelwertsatz der Integralrechnung*).

XXIII. Der Zusammenhang zwischen Integration und Differentiation. Zwischen den Begriffen der Stammfunktion und des Integrals besteht nun ein Zusammenhang.

a. Ist F in $\{\overline{a, b}\}$ eine Stammfunktion der integrierbaren Funktion f, so gilt

$$\textbf{(17)} \qquad \int_a^b f(x)\, dx = \int_a^b F'(x)\, dx = F(b) - F(a).$$

Kennen wir also eine Stammfunktion, so ist das Integral sofort berechenbar. Für $F(b) - F(a)$ schreibt man auch $[F(x)]_a^b$.

b. Ist f in $\{\overline{a, b}\}$ stetig, so existiert die Ableitung von $F(x^*) := \int_a^{x^*} f(x)\, dx$ mit $a \leq x^* \leq b$, und für $a < x < b$ gilt

$$\textbf{(18)} \qquad F'(x^*) = \frac{d}{dx^*} \int_a^{x^*} f(x)\, dx = f(x^*).$$

Wegen der letzten Gleichung in (18) spricht man häufig davon, daß die Integration die Umkehrung der Differentiation ist [und wegen (17) auch umgekehrt]. Doch ist zu beachten, daß (18) nicht zu gelten braucht, wenn die Stetigkeit von f in $\{\overline{a, b}\}$ nicht vorausgesetzt wird.

Gegenbeispiel: $f(x) = 1$, wenn $x \neq \frac{1}{2}$, und $f\left(\frac{1}{2}\right) = 0$. Diese Funktion ist in $\{\overline{0, 1}\}$ integrierbar. Es ist $F(x^*) = x^*$, also $F'(x^*) \equiv 1$, daher $F'\left(\frac{1}{2}\right) \neq f\left(\frac{1}{2}\right)$.

Die Funktion $F(x^*) = \int_a^{x^*} f(x)\, dx$ heißt *unbestimmtes Integral* von f. Ist f stetig, so ist ein solches unbestimmtes Integral stets eine Stammfunktion. (Das gilt aber, wie obiges Beispiel zeigt, nicht allgemein bei unstetigen Funktionen.) Falls $f(x) > 0$ im Intervall $a \leq x \leq b$, so ist dort auch $F(x) > 0$. Zur rechnerischen Beherrschung der Stammfunktionen (und damit der Integrale) wird es im allgemeinen wichtig sein, diese Funktionen ohne Integralzeichen ausdrücken zu können. Um das zu erreichen, hat das 18. Jahrhundert manche Methoden und Kniffe entwickelt. Aber restlos ist trotz der vielen Anstrengungen dies Problem nie gelöst. Will man diese Aufgabe zunächst streng formulieren, so sieht man, daß das gar nicht geht. Was soll es etwa heißen, für $\frac{x}{\ln x}$ eine Stammfunktion mittels der bekannten Funktionen und ohne Integralzeichen aufzustellen? Welche Funktionen und Symbole sind zugelassen? Hierauf gibt es keine mathematischen Antworten. Zwei Verfahren seien aber genannt, durch die man häufig das gewünschte Ziel erreicht:

a. *Partielle Integration.* Sind die Funktionen f und g in $\overline{\{a, b\}}$ stetig differenzierbar, so gilt

$$(19) \quad \int_a^b f(x)\, g'(x)\, dx = f(b)\, g(b) - f(a)\, g(a) - \int_a^b f'(x)\, g(x)\, dx.$$

Beispiel: $f(x) = \ln x,\ x > 0$, hat als Stammfunktion $-x(1 - \ln x)$, wie man durch Nachrechnen sofort bestätigt. Wie aber gewinnt man diese Stammfunktion? In (19) setzt man $f(x) = \ln x$ und $g'(x) \equiv 1$, also etwa $g(x) = x$. Dann erhält man aus (19)

$$\int_a^x \ln u\, du = x \ln x - a \ln a - \int_a^x du = x \ln x - x + c, \text{ q. e. d.}$$

b. *Substitutionsmethode.* Es sei $f(x)$ in $\overline{\{a, b\}}$ stetig. φ mit $\varphi(\alpha) = a$ und $\varphi(\beta) = b$ bilde $\overline{\{\alpha, \beta\}}$ bijektiv auf $\overline{\{a, b\}}$ ab. $\varphi(u)$ sei überdies stetig differenzierbar in $\overline{\{\alpha, \beta\}}$. Dann ist

$$\int_a^b f(x)\, dx = \int_\alpha^\beta f[\varphi(u)]\, \varphi'(u)\, du.$$

Beispiel: $\int_\alpha^\beta (mu + n)^q\, du$, $m \neq 0$, q eine natürliche Zahl, soll ausgerechnet werden. Wir setzen $\varphi(u) := mu + n$, $a := m\alpha + n$, $b := m\beta + n$. Dann ist

$$\int_\alpha^\beta m\,(mu + n)^q\, du = \int_a^b x^q\, dx = \left[\frac{x^{q+1}}{q+1}\right]_a^b = \left[\frac{(mu+n)^{q+1}}{q+1}\right]_\alpha^\beta,$$

also

$$\int_\alpha^\beta (mu + n)^q\, du = \frac{1}{m(q+1)}\left((m\beta + n)^{q+1} - (m\alpha + n)^{q+1}\right).$$

XXIV. Uneigentliche Integrale. Die Funktion f: $\frac{1}{\sqrt{x}}$ ist für $x > 0$ definiert. Mit x gegen 0 wächst der Funktionswert über alle Grenzen. $\int_a^b \frac{1}{\sqrt{x}}\, dx$ $(0 < a < b)$ ergibt $2(\sqrt{b} - \sqrt{a})$. So folgt für $b > 0$

$$(20) \qquad \lim_{a \to 0} \int_a^b \frac{1}{\sqrt{x}}\, dx = 2\sqrt{b},$$

während wegen der Unbeschränktheit der Funktion kein Riemannsches Integral $\int_0^b \frac{1}{\sqrt{x}} dx$ existiert, selbst dann keines, wenn man den fehlenden Funktionswert für $x = 0$ irgendwie ergänzt. Wir definieren das uneigentliche Integral $\int_0^b \frac{1}{\sqrt{x}} dx$ durch (20).

Allgemein sagen wir: Wenn $f(x)$ in $a < x \leq b$ integrierbar ist und die Funktion $\int_y^b f(x)\,dx$, $a < y \leq b$, an der Stelle $y = a$ den Grenzwert A hat, existiert das *uneigentliche Integral* $\int_a^b f(x)\,dx = A$.

Die Existenz des uneigentlichen Integrals hängt nicht von b ab. Ist b′ eine weitere Zahl, so daß f in $a < x \leq b'$ integrierbar ist, so gilt:

$$\int_a^{b'} f(x)\,dx + \int_{b'}^b f(x)\,dx = \int_a^b f(x)\,dx.$$

Beispiel: $\int_0^b x^\mu \,dx$ für $-1 < \mu < 0$.

Es gibt noch eine zweite Art uneigentlicher Integrale. Es sei f auf $x \geq a$ integrierbar. Dann kann $\lim_{x\to\infty} \int_a^x f(u)\,du$ existieren. In diesem Fall sprechen wir vom uneigentlichen Integral $\int_a^\infty f(x)\,dx$.

Beispiele: $\int_1^\infty \frac{1}{x^\mu} dx$ für $\mu > 1$, ferner: $\int_0^\infty e^{-x} x^{s-1}\,dx$, $s > 0$. Dies Integral ist für gewisse Werte des Parameters s, nämlich für $0 < s < 1$, in doppeltem Sinne ein uneigentliches Integral: $\int_0^1 e^{-x} x^{s-1}\,dx$ ist in bezug auf den Nullpunkt und $\int_1^\infty e^{-x} x^{s-1}\,dx$ in bezug auf den unendlichen Integrationsweg uneigentlich (letzteres gilt für alle s).

Im folgenden sprechen wir davon, daß eine Funktion f in $\{\overline{a, b}\}$ *eigentlich integrierbar* ist, wenn $\int_a^b f(x)\,dx$ im Sinne von XX vorhanden ist. $f(x)$ heißt *uneigentlich integrierbar*, wenn $\int_a^b f(x)\,dx$ im eben erklärten Sinne existiert.

XXV. Fourier-Reihen. Unter einer *Fourier-Reihe* versteht man eine Reihe

(21) $$\frac{a_0}{2} + \sum_{n=1}^{\infty} (a_n \cos nx + b_n \sin nx).$$

Konvergiert diese Reihe für alle $x \in \{-\pi, \pi\}$, so konvergiert sie für alle $x \in \mathbf{R}$ und stellt eine periodische Funktion f (x) mit der Periode 2π dar, so daß also

$$f(x + 2\pi) = f(x).$$

Wenn die Reihe (21) gleichmäßig für alle x konvergiert (z. B. wenn $\sum_{n=1}^{\infty} a_n$ und $\sum_{n=1}^{\infty} b_n$ absolut konvergieren), ist die Grenzfunktion stetig. Sind auch nur die Folgen (a_n) und (b_n) beschränkt und die Grenzfunktion integrierbar, so gelten für die Koeffizienten die *Euler-Fourierschen Formeln:*

$$(22) \qquad a_n = \frac{1}{\pi} \int_{-\pi}^{\pi} f(x) \cos nx \, dx, \; n = 0, 1, \ldots,$$

$$b_n = \frac{1}{\pi} \int_{-\pi}^{\pi} f(x) \sin nx \, dx, \; n = 1, 2, \ldots .$$

Wann ist umgekehrt eine gegebene Funktion f (x) in eine Reihe der Form (21) entwickelbar? f (x) müßte zunächst die Periode 2π besitzen. Doch bedeutet dies keine wesentliche Einschränkung, wenn eine Funktion nur in einem Intervall betrachtet werden soll. Interessiert man sich etwa für die Funktion $f^*(x)$ in $\overline{\{a, b\}}$, so betrachtet man die Funktion

$$\tilde{f}(x) := f^*\left(\frac{b-a}{2\pi} x + \frac{a+b}{2}\right)$$

im Intervall $\overline{\{-\pi, \pi\}}$. $\tilde{f}$ ist genau dann stetig, differenzierbar oder integrierbar, wenn f^* die entsprechende Eigenschaft hat. Nunmehr dehnt man $\tilde{f}(x)$ (unter eventueller Abänderung für $x = \pi$) periodisch auf die ganze Zahlengerade aus durch die Definition

$$f(x) := \tilde{f}(x - 2k\pi) \; (k = 0, \pm 1, \ldots).$$

So beschränken wir uns jetzt auf Funktionen, welche die Periode 2π aufweisen und in jedem Intervall eigentlich integrierbar sind. Die Klasse dieser Funktionen bezeichnen wir mit $\mathfrak{F}$. Für solche Funktionen kann man die Reihe (21) bilden, wobei die Koeffizienten nach (22) bestimmt sind. Man nennt diese die *Fourier-Koeffizienten* von f und die Reihe die zu f gehörige *Fourier-Reihe*. Die k-te Partialsumme $(k \geq 0)$

$$(23) \qquad F_0(f, x) := \frac{a_0}{2},$$

$$F_k(f, x) := \frac{a_0}{2} + \sum_{n=1}^{k} (a_n \cos nx + b_n \sin nx) \quad (k > 0)$$

heißt das *Fourier-Polynom* k-ten Grades von f.

$F_k(f, x)$ ist unter allen *trigonometrischen Polynomen* k-ten Grades

$$S_k(x) = \frac{\alpha_0}{2} + \sum_{n=1}^{k} (\alpha_n \cos nx + \beta_n \sin nx)$$

dasjenige, für welches

$$\int_{-\pi}^{\pi} (f(x) - S_k(x))^2 \, dx$$

den kleinsten Wert annimmt. (Wir sagen, $F_k(f, x)$ approximiert f im Mittel unter allen trigonometrischen Polynomen k-ten Grades am besten.)
Beim Beweis dieses Satzes ergibt sich zugleich die *Besselsche Ungleichung*

$$\frac{a_0^2}{2} + \sum_{n=1}^{\infty} \left(a_n^2 + b_n^2\right) \leq \frac{1}{\pi} \int_{-\pi}^{\pi} f^2(x) \, dx. \tag{24}$$

Es läßt sich sogar zeigen, daß für alle $f \in \mathfrak{F}$ in obiger Ungleichung das Gleichheitszeichen gilt (*Parsevalsche Gleichung*).
Für die Fourier-Polynome gilt:

$$F_k(f, x) = \frac{1}{\pi} \int_0^{\pi} \frac{f(x+t) + f(x-t)}{2} \, \frac{\sin\left(k + \frac{1}{2}\right) t}{\sin \frac{1}{2} t} dt.$$

Der Ausdruck rechts heißt ein *Dirichletsches Integral.*
Zur Untersuchung der Konvergenz der einer Funktion zugeordneten Fourier-Reihe betrachtet man zunächst die *Fejérschen Summen:*

$$C_k(f, x) := \frac{1}{k} \sum_{j=0}^{k-1} F_j(f, x), \quad k = 1, 2, \ldots . \tag{25}$$

Diese haben die folgende Integraldarstellung:

$$C_k(f, x) = \frac{1}{2\pi k} \int_0^{\pi} \frac{f(x+t) + f(x-t)}{2} \, \frac{\sin^2 \frac{1}{2} kt}{\sin^2 \frac{1}{2} t} \, dt.$$

Die Folge der Fejérschen Summen konvergiert als Folge der arithmetischen Mittel mindestens in den Punkten, in denen die Folge der Fourier-Polynome konvergiert. Aus der Konvergenz der Fejérschen Summen kann man aber auch unter gewissen Voraussetzungen die Konvergenz der Fourier-Reihe folgern. Überdies ist die Konvergenz der Fejérschen Summen sehr übersichtlich, wie der folgende von Fejér herrührende Satz zeigt:

Existiert der Limes $\tilde{f}(x_0) := \lim\limits_{\substack{t \to 0 \\ t \neq 0}} \frac{1}{2} (f(x_0 + t) + f(x_0 - t))$,

so konvergiert die Folge $C_k(f, x_0)$ *gegen* $\tilde{f}(x_0)$.
Ist f (x) *in einem Intervall* $\{a, b\}$ *stetig, dann konvergieren die* $C_k(f, x)$ *in jedem abgeschlossenen Teilintervall von* $\{a, b\}$ *gleichmäßig gegen* f (x).
Genügen die Fourier-Koeffizienten a_n, b_n der Bedingung, daß sogar die Folgen (na_n) und (nb_n) beschränkt sind, so kann man

aus der Konvergenz der Fejérschen Summen auf die der Fourier-Reihe schließen. Daraus folgt der *Hauptsatz über Fourier-Reihen*: Sei $f \in \mathfrak{F}$, existiere stets

$$(26) \qquad \tilde{f}(x_0) := \lim_{\substack{t \to 0 \\ t \neq 0}} \frac{1}{2} \left(f(x_0 + t) + f(x_0 - t)\right),$$

und seien die Folgen $(n a_n)$ und $(n b_n)$ beschränkt, wobei a_n und b_n die Fourier-Koeffizienten von f sind. Dann konvergiert die Fourier-Reihe an jeder Stelle gegen $\tilde{f}(x_0)$. Ist f in x_0 stetig, so ist dabei $\tilde{f}(x_0) = f(x_0)$.

Die Voraussetzungen des Hauptsatzes sind unter anderem für Funktionen erfüllt, die für $-\pi \leq x < \pi$ monoton und beschränkt sind, oder für stückweise glatte Funktionen. Dabei heißt eine Funktion stückweise glatt, wenn es zu jedem Intervall $\overline{\{a, b\}}$ endlich viele Zwischenpunkte a_i mit $a = a_0 < a_1 < a_2 < \ldots < a_{n-1} < a_n = b$ gibt, derart, daß es in $\overline{\{a_i, a_{i+1}\}}$ jeweils eine solche stetig differenzierbare Funktion f_i gibt, daß $f(x) = f_i(x)$ für alle $x \in \{a_i, a_{i+1}\}$.

Beispiele: 1. f sei durch folgende Zeichnung (Abb. 26) definiert:

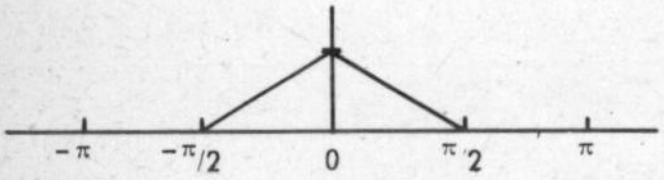

Abb. 26

Diese Dreiecksfunktion ist eine stückweise glatte Funktion und wird deshalb überall durch ihre Fourier-Reihe dargestellt. Das ist sehr überraschend, weil ja das einzelne Glied der Fourier-Reihe eine periodische Funktion ist, die durch eine Sinus- bzw. Cosinuskurve gekennzeichnet ist.

2. Für die Funktion

$$\begin{cases} f(x) = 0 \text{ für } -\pi \leq x < -\frac{\pi}{2} \text{ und } \frac{\pi}{2} < x < \pi \\ f(x) = 1 \text{ für } -\frac{\pi}{2} \leq x \leq \frac{\pi}{2} \end{cases}$$

gilt Entsprechendes. Im Punkte $-\frac{\pi}{2}$ stellt die Fourier-Reihe den Wert $\frac{1}{2}$ dar (entsprechend in $\frac{\pi}{2}$). An den anderen Stellen ist der Wert der Fourier-Reihe gleich dem Funktionswert.

Sei F stetig in $\overline{\{-\pi, 0\}}$ und $\tilde{F}$ eine stetige Fortsetzung von F mit der Periode 2π. Nach dem Satz von Fejér konvergieren die Fejérschen Summen $C_k(F, x)$ im Intervall $\overline{\{-\pi, 0\}}$ *gleichmäßig* gegen F (x). Da sich die Fejérschen Summen in $\overline{\{-\pi, 0\}}$ *gleichmäßig* durch Polynome approximieren lassen (z. B. nach dem Satz von Taylor), folgt, daß F (x) sich gleichmäßig durch Polynome approximieren läßt. Da sich jede in einem abgeschlossenen Intervall stetige Funktion durch eine lineare Transformation auf das Intervall $\overline{\{-\pi, 0\}}$ transformieren läßt, erhält man den *Weierstraßschen Approximationssatz:*

Ist F (x) *eine in dem abgeschlossenen Intervall* $\overline{\{a, b\}}$ *stetige Funktion und* $\varepsilon > 0$ *beliebig gewählt, so gibt es ein Polynom* P (x) *so, daß in* $\overline{\{a, b\}}$

$$|F(x) - P(x)| < \varepsilon.$$

In der Funktionentheorie gibt es kein Analogon dazu. Wenn eine Funktion F (z) in einem Gebiet des $\mathbf{C}^1$ durch Polynome wie hier gleichmäßig approximierbar sein soll, so muß sie um jeden Punkt in eine Potenzreihe entwickelbar sein.

XXVI. Vertauschung von Grenzprozessen. Die vielen Grenzprozesse, die wir betrachtet haben, treten häufig hintereinander auf. Wann sind sie in ihrer Reihenfolge vertauschbar? Dazu die bekanntesten Aussagen!

a. f_n seien stetige Funktionen für $n = 1, 2, \ldots$ und x aus $\overline{\{a, b\}}$. Die f_n mögen gleichmäßig in $\overline{\{a, b\}}$ konvergieren (s. o. S. 104). Dann ist $F(x) := \lim f_n(x)$ stetig in $\overline{\{a, b\}}$. Entsprechendes gilt für unendliche Reihen. Sind die g_p der Reihe $\sum_{p=0}^{\infty} g_p(x)$ überdies nicht negativ, so ist die gleichmäßige Konvergenz auch notwendig für die Stetigkeit der Grenzfunktion.

Beispiel: $G(x) = \sum_{n=1}^{\infty} \frac{x^2}{(1+x^2)^n}$.

Diese geometrische Reihe konvergiert offenbar für $x = 0$ und alle x, für die $\frac{1}{1+x^2} < 1$, also für alle x. Es ist $G(0) = 0$ und $G(x) = 1$ für $x \neq 0$. G (x) ist unstetig für $x = 0$; folglich ist die Reihe nicht gleichmäßig konvergent in $\overline{\{a, b\}}$, wenn dieses Intervall den Punkt 0 umfaßt.

b. f_n sei stetig für $n = 1, 2, \ldots$ und x aus $\overline{\{a, b\}}$. Die f_n mögen in $\overline{\{a, b\}}$ gleichmäßig konvergieren. Dann ist

$$\lim \int_a^b f_n(x)\, dx = \int_a^b \lim f_n(x)\, dx.$$

Entsprechend gilt: Sind die g_p für $p = 0, 1, 2, \ldots$ und x aus $\overline{\{a, b\}}$ stetig, konvergiert ferner $\sum_{p=0}^{\infty} g_p(x)$ in $\overline{\{a, b\}}$ gleichmäßig, so ist

$$\sum_{p=0}^{\infty} \int_a^b g_p(x)\, dx = \int_a^b \sum_{p=0}^{\infty} g_p(x)\, dx.$$

Hier handelt es sich wiederum um hinreichende Kriterien. Sie sind nicht notwendig (siehe z. B. den *Satz von Arzela-Lebesgue*).

c. Anders aber sieht es bei der gliedweisen Differentiation aus. Die wörtliche Übertragung von b. würde zu einer falschen Aussage führen. Es gilt: Sind die f_n differenzierbar in $\{\overline{a, b}\}$, existiert dort $F(x) = \lim f_n(x)$ und konvergieren die f'_n gleichmäßig gegen eine Funktion $\Phi(x)$, so ist

$$F'(x) = \frac{d}{dx} \lim f_n(x) = \lim f'_n(x) = \Phi(x).$$

Entsprechendes gilt für unendliche Reihen:

$$\frac{d}{dx} \sum_{p=1}^{\infty} g_p(x) = \sum_{p=1}^{\infty} g'_p(x).$$

Die Potenzreihen $\sum_{n=0}^{\infty} a_n (x - x_0)^n$ erfüllen für $|x - x_0| \leq R - \varepsilon$ $(\varepsilon > 0)$ die obige Bedingung (R sei der Konvergenzradius der Reihe). Die differenzierte Reihe ist wieder eine Potenzreihe mit demselben Konvergenzradius R. Also ist eine Funktion f, die in $|x - x_0| < R$ durch eine Potenzreihe darstellbar ist, dort beliebig häufig differenzierbar. Doch gilt nicht die Umkehrung (siehe auch Taylorsche Entwicklung).

d. Neben diesen drei wichtigsten gibt es noch eine Reihe weiterer Aussagen über die Vertauschbarkeit, z. B. bei der Differentiation von $\int_a^b f(x, t)\, dx = F(t)$. Auch kann das Integral selbst uneigentlich sein, so daß gleich drei Limesprozesse auftreten. Die Fragen der Vertauschbarkeit der Prozesse sind ganz analog wie unter a. — c. zu behandeln.

XXVII. Spezielle Funktionen. Die Infinitesimalrechnung ist im 18. Jahrhundert ausgebaut (nachdem *Barrow, Newton* und *Leibniz* ihre Grundbegriffe in der zweiten Hälfte des 17. Jhs. eingeführt hatten). *Euler, Bernoulli, Lagrange* sind hier zuerst zu nennen. Ihr Ziel war immer, spezielle Funktionen, die bei der Anwendung der Mathematik auftreten, näher zu untersuchen.

1. Trigonometrische Funktionen. Die Funktionen sin α und cos α treten zunächst in der elementaren Geometrie mit Winkeln als Argumenten auf. Zu Beginn der Differentialgeometrie wird darauf gezeigt, daß jedem Winkel eineindeutig eine Bogenlänge auf dem Einheitskreis zugeordnet werden kann. Den Winkeln werden damit eineindeutig reelle Zahlen zugeordnet. sin α und cos α sind in der Geometrie zunächst Strecken, denen dann nach Ergebnissen aus den axiomatischen Grundlagen der elementaren Geometrie reelle Zahlen eindeutig so zugeordnet sind, daß sin α und cos α als Funktionen im $\mathbf{R}^1$ aufgefaßt werden

können. (Von der jeweils gegebenen Zahl x gelangt man zu dem Winkel α mit der Bogenlänge x, von da zu der Strecke sin α oder cos α und dann zu der reellen Zahl, die diese Länge angibt.) Zur Elementargeometrie gehört auch der Nachweis der ›Additionstheoreme‹ dieser beiden Funktionen. Aus den Anfängen der Differentialgeometrie folgt dann ferner noch $\lim\limits_{x \to 0} \frac{\sin x}{x} = 1$.
In der Infinitesimalrechnung werden die so eingeführten trigonometrischen Funktionen eindeutig durch folgenden Satz charakterisiert:

2. Die Charakterisierung der trigonometrischen Funktionen. Es gibt genau ein Paar von Funktionen – genannt sin und cos –, die in einer Umgebung U (0) definiert sind und dort folgende vier Bedingungen erfüllen:

(27) $\sin(x-y) = \sin x \cos y - \cos x \sin y.$

(28) $\cos(x-y) = \cos x \cos y + \sin x \sin y.$

(29) $\sin 0 = 0.$

(30) sin x ist im Nullpunkt differenzierbar. Es gilt

$$\sin'(0) = \lim_{x \to 0} \frac{\sin x}{x} = 1.$$

Da die Eigenschaften (27) – (30) auch in der Elementargeometrie bewiesen werden, sind wir sicher, daß die hier eingeführten Funktionen mit jenen aus der Elementargeometrie identisch sind.
Die obige Aussage beweist man, indem man zunächst mit (27) bis (30) beweist:

(31) $(\sin x)' = \cos x, \quad (\cos x)' = -\sin x,$
$\sin(-x) = -\sin x, \cos(-x) = \cos x,$

(32) $\sin^2 x + \cos^2 x \equiv 1.$

Nun folgt:

(33) $$\sin x = x - \frac{x^3}{3!} + \frac{x^5}{5!} - \frac{x^7}{7!} + - \cdots,$$
$$\cos x = 1 - \frac{x^2}{2!} + \frac{x^4}{4!} - \frac{x^6}{6!} + - \cdots .$$

Diese Potenzreihen haben den Konvergenzradius $R = \infty$. Unter sin x und cos x verstehen wir nun für alle x [und nicht nur wie bisher für x aus U (0)] die durch (33) bestimmten Funktionen. Es folgt leicht, daß (27) – (32) auch außerhalb U (0) gelten. $\frac{\pi}{2}$ wird als erste Nullstelle von cos x mit $x > 0$ definiert. So folgt, daß 2π die Grundperiode von sin x und cos x ist. Die Darstellung eines Kreises mit dem Radius r um den Nullpunkt lautet also [s. vor allem (32)]:

$$\begin{cases} x = r\cos\varphi \\ y = r\sin\varphi \end{cases} \qquad 0 \leq \varphi \leq 2\pi,$$

und seine Bogenlänge (→ Differentialgeometrie, Bd. 2) ist

$$L = r\int_0^{2\pi} \sqrt{\sin^2\varphi + \cos^2\varphi}\, d\varphi = 2\pi r.$$

Da $D = 2r$ der Durchmesser des Kreises ist, so gewinnen wir die elementare Beziehung

$$\frac{L}{D} = \pi,$$

die auch häufig zur Definition von π benutzt wird.
Die Funktionen tg und cotg werden durch die Gleichungen:

$$\operatorname{tg} x := \frac{\sin x}{\cos x}, \operatorname{cotg} x := \frac{\cos x}{\sin x}$$

eingeführt. Ihre Grundperiode ist π. Für die Ableitungen gilt:

$$(\operatorname{tg} x)' = \frac{1}{\cos^2 x}, (\operatorname{cotg} x)' = -\frac{1}{\sin^2 x}.$$

3. Die Arcusfunktionen. Die Umkehrung der trigonometrischen Funktionen bietet wegen der Periodizität gewisse Schwierigkeiten. Nach den Umkehrsätzen ist $x^* = \sin x$ in den Intervallen $\left(n - \frac{1}{2}\right)\pi \leq x \leq \left(n + \frac{1}{2}\right)\pi$, $n = 0, \pm 1, \pm 2, \ldots$, umkehrbar. Für jedes n gewinnen wir eine Funktion arc sin x^*, die für $-1 \leq x^* \leq +1$ definiert ist. (Gelegentlich werden diese unendlich vielen Funktionen auch als ›eine mehrdeutige Funktion‹ bezeichnet. Das kann aber bei Durchführung der infinitesimalen Prozesse zu Verwirrungen führen, es sei denn, man bezeichne nunmehr jede der früheren Funktionen als einen Zweig der einen ›mehrdeutigen Funktion‹ und wende nur auf die einzelnen Zweige die infinitesimalen Prozesse an — womit nur eine Namensveränderung vorgenommen ist.) Wegen $(\sin x)' = \cos x$ ist

$$(\operatorname{arc}\sin x^*)' = \frac{1}{\cos x} = \pm\frac{1}{\sqrt{1-x^{*2}}} \text{ für } x \in \{-1, 1\}.$$

Für die Wahl des Vorzeichens ist entscheidend, in welchem der Intervalle $\left(n - \frac{1}{2}\right)\pi \leq x \leq \left(n + \frac{1}{2}\right)\pi$ wir die Funktion umkehren. Ebenso folgt, daß $x^* = \cos x$ in den Intervallen $\{n\pi, (n+1)\pi\}$ umkehrbar ist. Es gilt analog:

$$(\operatorname{arc}\cos x^*)' = \pm\frac{1}{\sqrt{1-x^{*2}}}, x \in \{-1, 1\}.$$

$x^* = \operatorname{tg} x$ ist umkehrbar für $\left\{n\pi + \frac{\pi}{2}, (n+1)\pi + \frac{\pi}{2}\right\}$. Die Funktionen arc tg x^* existieren für alle x^*. Es ist

$$(\text{arc tg } x^*)' = \frac{1}{1+x^{*2}}.$$

Diese Formel ist bei der Integration rationaler Funktionen wichtig. $x^* = \text{cotg } x$ ist umkehrbar in den Intervallen $\{n\pi, (n+1)\pi\}$. arc cotg x^* ist dann für alle reellen x^* definiert. Es gilt:

$$(\text{arc cotg } x^*)' = -\frac{1}{1+x^{*2}}.$$

4. Der Logarithmus. $\int\limits_1^x \frac{du}{u}$ existiert wegen der Stetigkeit des Integranden für $x > 0$. Die so definierte Funktion heißt der natürliche Logarithmus (abgekürzt ln x). Die Bedeutung des Zusatzes ›natürlich‹ erhellt nach der Lektüre des nächsten Abschnittes. Für den Logarithmus gilt:

a. $\ln 1 = 0$.

b. $\ln x_1 < \ln x_2$, wenn $x_1 < x_2$ (weil der Integrand immer positiv ist).

c. $\ln (x_1 x_2) = \ln x_1 + \ln x_2$. Denn es ist

$$\int\limits_1^{x_1 x_2} \frac{dx}{x} = \int\limits_1^{x_1} \frac{dx}{x} + \int\limits_{x_1}^{x_1 x_2} \frac{dx}{x}.$$

Im letzten Integral führen wir darauf die Substitution $x' := \frac{x}{x_1}$ durch. Dann folgt:

$$\int\limits_{x_1}^{x_1 x_2} \frac{dx}{x} = \int\limits_1^{x_2} \frac{dx'}{x'} = \int\limits_1^{x_2} \frac{dx}{x}, \text{ q. e. d.}$$

d. Der Graph $\{(x, y) | y = \ln x\}$ ist konvex, d. h., jede Gerade der x,y-Ebene schneidet ihn höchstens zweimal.

5. Die Exponentialfunktion. Da die Logarithmusfunktion stetig und monoton (im engeren Sinne) ist, läßt sich $x^* = \ln x$ umkehren. Weil ferner die Funktionswerte von ln x die ganze reelle Achse durchlaufen, existiert die Umkehrfunktion – genannt $E(x^*)$ – für alle reellen x^*. Es gilt:

$$E'(x^*) = \frac{1}{(\ln x)'} = E(x^*).$$

Die Funktion $y = E(x)$ hat also die sehr charakteristische Eigenschaft, daß sie sich durch Differentiation reproduziert. Hieraus folgt sofort die Potenzreihenentwicklung für alle x:

$$E(x) = 1 + \frac{x}{1!} + \frac{x^2}{2!} + \cdots = \sum_{n=0}^{\infty} \frac{x^n}{n!}.$$

Aus der Eigenschaft c. des Logarithmus ergibt sich unmittelbar:

$$E(x_1 + x_2) = E(x_1)\, E(x_2).$$

Statt E (1) schreiben wir fernerhin e und nennen diese Zahl die Basis der natürlichen Logarithmen. Für E (x) wird auch e^x geschrieben. Für rationale x stimmt diese Definition mit der üblichen Definition der Potenz überein. Jetzt wissen wir zunächst, daß

(34) $$e = 1 + \frac{1}{1!} + \frac{1}{2!} + \cdots .$$

Diese Reihe konvergiert sehr gut, so daß e leicht mit einer großen Genauigkeit berechnet werden kann. Es gilt

$$e = 2{,}718\,281\,828\ldots .$$

e ist eine *transzendente Zahl* (→ Zahlen). Der transzendente Charakter von e ist von *Ch. Hermite* 1873 bewiesen worden, was eine große Leistung war. Für e^x gibt es noch andere vielbenutzte Darstellungen. Es ist

(35) $$\lim_{n\to\infty}\left(1 + \frac{x}{n}\right)^n = e^x.$$

e^x ist monoton wachsend im engeren Sinne: für $x_1 < x_2$ gilt $e^{x_1} < e^{x_2}$. Dies folgt unmittelbar aus der Monotonie der Logarithmusfunktion. Mit wachsendem Argument wächst e^x schließlich schneller als jede Potenz von x, genauer: Zu jeder natürlichen Zahl n gibt es ein M, so daß $e^x > x^n$ für $x > M$. Setzen wir aber für x negative Zahlen ein, die nach $-\infty$ streben, so bleibt e^x positiv und nähert sich immer mehr der Null: $\lim e^{-n} = 0$. Es gibt aber kein x, für das e^x verschwindet (Abb. 27).

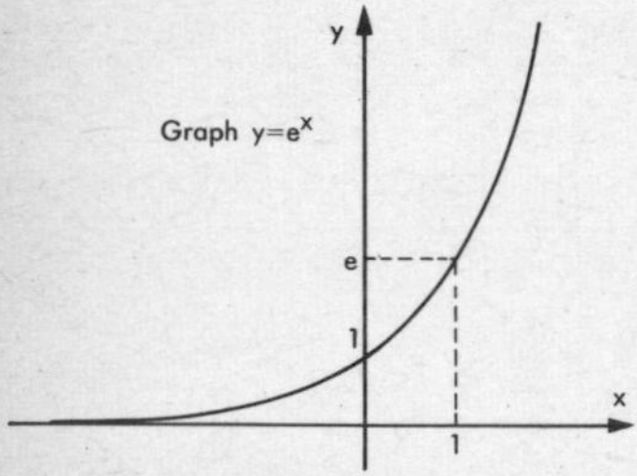

Abb. 27: Die Funktion $y = e^x$

Wir haben es jetzt leicht, a^α für $a > 0$ und beliebige reelle α zu erklären. Da $a = e^{\ln a}$, so setzen wir:

(36) $$a^\alpha := e^{\alpha \ln a}.$$

Nunmehr läßt sich übrigens (35) für $x = 1$ dahin verallgemeinern, daß für jede Folge x_n mit $\lim x_n = 0$, wenn nur $x_n \neq 0$ und $x_n > -1$ für alle n ist, gilt:

(37) $$\lim (1 + x_n)^{\frac{1}{x_n}} = e.$$

Ist $b = a^\alpha$, $a \neq 1$, so nennen wir das durch a und b eindeutig bestimmte α den Logarithmus von b zur Basis a, in Formeln: $\alpha = \overset{a}{\log}\, b$. Insbesondere ist also ln b der Logarithmus von b zur Basis e. Wegen (36) gilt

(38) $$\overset{a}{\log}\, b \cdot \ln a = \ln b.$$

Neben den *natürlichen Logarithmen* werden vor allem die Logarithmen zur Basis 10 (*Briggssche Logarithmen*) verwendet. Wegen der Beziehung (38) kann ein Wechsel der Basis ausschließlich vom Standpunkt der Anwendungen notwendig werden. In der reinen Mathematik wird man immer mit der Basis e rechnen.

6. Die Hyperbelfunktionen. Sie sind definiert durch

$$\mathfrak{Sin}\, x := \frac{e^x - e^{-x}}{2} \quad \textit{(sinus hyperbolicus)}$$

und

$$\mathfrak{Cof}\, x := \frac{e^x + e^{-x}}{2} \quad \textit{(cosinus hyperbolicus)}.$$

Ihre Potenzreihenentwicklungen lauten:

$$\mathfrak{Sin}\, x = \sum_{n=0}^{\infty} \frac{x^{2n+1}}{(2n+1)!} \text{ und } \mathfrak{Cof}\, x = \sum_{n=0}^{\infty} \frac{x^{2n}}{(2n)!}.$$

Offenbar ist

$$\mathfrak{Sin}\,(-x) = -\mathfrak{Sin}\, x, \quad \mathfrak{Cof}\,(-x) = \mathfrak{Cof}\, x,$$
$$\mathfrak{Cof}^2 x - \mathfrak{Sin}^2 x = 1.$$

Den Namen tragen die Funktionen von der *Parameterdarstellung der Hyperbel* $x^2 - y^2 = 1$. Der rechte Hyperbelast ist darstellbar durch

$$\text{(39)} \qquad \begin{cases} x = \mathfrak{Cof}\; t \\ y = \mathfrak{Sin}\; t \end{cases} \quad \text{für alle } t,$$

der linke durch

$$\begin{cases} x = -\mathfrak{Cof}\; t \\ y = \mathfrak{Sin}\; t \end{cases} \quad \text{für alle } t.$$

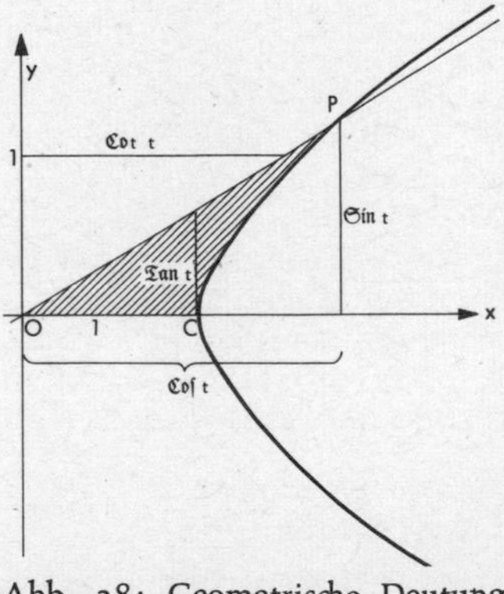

Abb. 28: Geometrische Deutung der Funktionen $y = \mathfrak{Sin}\, x$, $y = \mathfrak{Cof}\, x$ und ihrer Umkehrfunktionen

Zu jedem Punkt der beiden Hyperbeläste gehört also ein reelles t. $|t|$ gibt den doppelten Flächeninhalt des Hyperbelsektors OCP an, wobei P der Punkt auf der Hyperbel mit dem Parameterwert t ist (Abb. 28). Deshalb heißen auch die Umkehrfunktionen von (39):

$t = \mathfrak{Ar}\; \mathfrak{Sin}\; y$ und $t = \mathfrak{Ar}\; \mathfrak{Cof}\; x$ (gesprochen: *Area Sinus* und *Area Cosinus*). Die Hyperbelfunktionen und ihre Umkehrungen verlieren ihr Interesse, sobald man komplexe Zahlen als Argumente zuläßt. Denn dann ist

$$\mathfrak{Sin}\, z = \frac{1}{i} \sin(iz),\ \mathfrak{Cos}\, z = \cos(iz)$$

und

$$\mathfrak{Ar}\,\mathfrak{Sin}\, z = \frac{1}{i} \ln\left(iz + \sqrt{1 - z^2}\right),\ \mathfrak{Ar}\,\mathfrak{Cos}\, z = \frac{1}{i} \ln\left(z + i\sqrt{1 - z^2}\right).$$

Die beiden letzten Formeln haben aber erst ihren Sinn bekommen, seit in der → Funktionentheorie die *Riemannschen Flächen* $\ln z$ und $\sqrt{1 - z^2}$ eingeführt wurden.

7. Die Γ-Funktion. Das Integral

$$\Gamma(x) := \int_0^\infty e^{-t} t^{x-1}\, dt$$

ist ein uneigentliches Integral (s. o. S. 131) und existiert für $x > 0$ Durch partielle Integration erhält man für $x > 1$:

$$\int_0^\infty e^{-t} t^{x-1}\, dt = -\left[e^{-t} t^{x-1}\right]_0^\infty + (x - 1) \int_0^\infty e^{-t} t^{x-2}\, dt, \text{ also}$$

(40) $$\Gamma(x) = (x - 1) \cdot \Gamma(x - 1).$$

Da nun $\Gamma(1) = \int_0^\infty e^{-t}\, dt = 1$, so folgt für natürliche Zahlen x

$$\Gamma(x) = (x - 1)!.$$

Durch – falls nötig – wiederholte Anwendung von (40) folgt, daß die Γ-Funktion für alle $x > 0$ leicht berechenbar ist, wenn sie für $0 < x < 1$ bekannt ist. Auch dann gibt es noch eine weitere Reduktion durch

(41) $$\Gamma(x)\, \Gamma(1 - x) = \frac{\pi}{\sin \pi x},\quad x > 0.$$

$\Gamma(x)$ ist also für jedes positive x bekannt, sobald es für $0 < x < \frac{1}{2}$ berechnet werden kann; denn es gilt außerdem:

$$\Gamma\left(\frac{1}{2}\right) = \int_0^\infty \frac{e^{-x}}{\sqrt{x}}\, dx = \sqrt{\pi}.$$

Für $\Gamma(x)$, $x > 0$, gilt die Produktdarstellung:

(42) $$\Gamma(x) = \lim_{n \to \infty} \frac{n!\, n^x}{x(x + 1) \cdots (x + n)}.$$

Die Folge konvergiert gleichmäßig für $0 < \alpha \leq x \leq \beta$. *Gauß* hat durch diesen Ausdruck die Γ-Funktion eingeführt. Die Darstellung (42) steht in enger Verbindung zur *Weierstraßschen Produktdarstellung* (s. S. 59). Die Γ-Funktion wird ebenfalls bei der Behandlung der *Riemannschen ζ-Funktion*

$$\zeta(x) := \sum_{n=1}^\infty \frac{1}{n^x} \text{ mit Konvergenz für } x > 1$$

gebraucht, welche ihrerseits den Ausgangspunkt der analytischen Zahlentheorie (der Zahlentheorie, die ihre Aussagen mit analytischen Hilfsmitteln gewinnt) bildet. Es ist

$$\Gamma\left(\frac{x}{2}\right) = \int_0^\infty e^{-y} y^{\frac{x}{2}-1} dy = \int_0^\infty e^{-n^2\pi t} (n^2\pi t)^{\frac{x}{2}-1} n^2\pi dt$$

und deshalb

$$\frac{1}{n^x}\Gamma\left(\frac{x}{2}\right)\pi^{-\frac{x}{2}} = \int_0^\infty e^{-n^2\pi t}\, t^{\frac{x}{2}-1}\, dt.$$

Daraus ergibt sich (Vorsicht bei der Vertauschung der Grenzprozesse!)

$$\zeta(x)\,\Gamma\left(\frac{x}{2}\right)\pi^{-\frac{x}{2}} = \int_0^\infty t^{\frac{x}{2}-1}\left(\sum_{n=1}^{\infty} e^{-n^2\pi t}\right) dt.$$

Von hier aus folgt unter Benutzung einer Transformationsformel für den Klammerausdruck rechts (ϑ-Transformation) die berühmte Funktionalgleichung der ζ-Funktion in der → Funktionentheorie.
Alle hier behandelten Funktionen können als analytische Funktionen im Komplexen betrachtet werden (→ Funktionentheorie). Dann werden sie besser überschaubar. Das Studium der speziellen Funktionen hat seinerseits den Anlaß zur Entwicklung der Theorie der analytischen Funktionen (kurz Funktionentheorie genannt) gegeben.

Infinitesimalrechnung im R^n. Der n-dimensionale Zahlenraum wird gebildet von den n-tupeln $\mathfrak{x} = (x_1, \ldots, x_n)$, wobei die $x_1, \ldots, x_n$ beliebige reelle Zahlen sind. Ein solches n-tupel heißt ein Punkt des n-dimensionalen Raumes. Auf Punktfolgen, Abbildungen und Funktionen dieses Raumes werden nun infinitesimale Prozesse ausgeübt. Funktionen $f(x_1, \ldots, x_n)$ auf diesem Raum nennt man Funktionen mehrerer Veränderlichen (genauer: Funktionen mehrerer reeller Veränderlichen). Bisher hatten wir uns nur mit ›Funktionen einer Veränderlichen‹ beschäftigt (→ Infinitesimalrechnung im $\mathbf{R}^1$). Das geschah ausschließlich aus didaktischen Gründen. Weder wird diese Einschränkung durch den Begriff der Funktion noch durch den Blick auf die Anwendungen geboten. (In den Anwendungen treten meistens Funktionen mehrerer Veränderlichen auf, wenn auch häufig einige Veränderliche gegenüber einer anderen ›relativ fest gehalten‹ werden. Man pflegt dann die erste Art von Veränderlichen *Parameter* zu nennen.)
Die Infinitesimalrechnung im $\mathbf{R}^n$ weist Erscheinungen auf, die man nach dem Studium der Funktionen einer Veränderlichen nicht erwartet.
Beispiel: Es sei $z = f(x, y)$ folgendermaßen definiert:

$$z = \frac{xy}{x^2+y^2} \text{ für } (x, y) \neq (0, 0),$$
$$z = 0 \quad \text{ für } (x, y) = (0, 0).$$

Die Funktion f ist unstetig im Punkte (0, 0). Auf der Geraden $y = mx$ nimmt sie außerhalb (0, 0) den Wert $\frac{m}{1+m^2}$ an, im Nullpunkt aber den Wert 0. Betrachten wir f als Funktion von x, während wir für y einen beliebigen, aber festen Wert wählen, so ist f differenzierbar. (Entsprechendes gilt bei Vertauschung von x und y.) Wir werden später sagen: f ist in jedem Punkte nach x wie nach y partiell differenzierbar. Und dennoch ist f in (0, 0) unstetig.

I. DER RAUM $\mathbf{R}^n$. Man multipliziert die n-tupel $\mathfrak{x}$ mit reellen Zahlen μ folgendermaßen:

$$\mu\,(x_1, \ldots, x_n) := (\mu x_1, \ldots, \mu x_n),$$

und zwei solche Tupel $\mathfrak{x} = (x_1, \ldots, x_n)$ und $\mathfrak{y} = (y_1, \ldots, y_n)$ kann man addieren:

$$\mathfrak{x} + \mathfrak{y} := (x_1 + y_1, \ldots, x_n + y_n)$$

(wie auch subtrahieren). So bilden diese n-tupel einen *Vektorraum* (→ Algebra).

Die *euklidische Distanz* zweier Punkte $\mathfrak{x}$ und $\mathfrak{y}$ des $\mathbf{R}^n$ ist

$$D\,(\mathfrak{x}, \mathfrak{y}) = \sqrt{\sum_{i=1}^{n} |x_i - y_i|^2}.$$

Wir benutzen aber eine andere Distanzfunktion, mit der leichter gerechnet werden kann. Wir ordnen den Punktepaaren $\mathfrak{x}, \mathfrak{y}$ die nichtnegative Zahl $\operatorname{Max}_i |x_i - y_i|$ als »Abstand« von $\mathfrak{x}$ und $\mathfrak{y}$ zu.

Die Zahl $\operatorname{Max}_i |x_i|$ bezeichnen wir mit $|\mathfrak{x}|$. (Man achte darauf, daß in der Literatur vielfach unter $|\mathfrak{x}|$ die Zahl $D\,(\mathfrak{x}, \mathfrak{O})$, wo $\mathfrak{O}$ der Ursprung des Koordinatensystems ist: $\mathfrak{O} = (0, \ldots, 0)$, verstanden wird.) Es gilt:

(1) $$D\,(\mathfrak{x}, \mathfrak{O}) \leq \sqrt{n}\,|\mathfrak{x}| \text{ und } |\mathfrak{x}| \leq D\,(\mathfrak{x}, \mathfrak{O}).$$

Für das Rechnen mit $|\mathfrak{x}|$ gilt:

1. Aus $|\mathfrak{x}| = 0$ folgt $\mathfrak{x} = \mathfrak{O}$ und umgekehrt.
2. Für jede reelle Zahl a gilt $|a\mathfrak{x}| = |a|\,|\mathfrak{x}|$.
3. $|\mathfrak{x} + \mathfrak{y}| \leq |\mathfrak{x}| + |\mathfrak{y}|$ *(Dreiecksungleichung).*

3a. $\big||\mathfrak{x}| - |\mathfrak{y}|\big| \leq |\mathfrak{x} - \mathfrak{y}|$.

$W\,(\mathfrak{x}, \varepsilon)$ sei die Menge der Punkte $\mathfrak{y}$, deren Abstand von $\mathfrak{x}$ kleiner als die positive Zahl ε ist, in Formeln:

$$W\,(\mathfrak{x}, \varepsilon) = \{\mathfrak{y} \in \mathbf{R}^n;\ |\mathfrak{x} - \mathfrak{y}| < \varepsilon\}.$$

Im eindimensionalen Fall ist $W\,(\mathfrak{x}, \varepsilon)$ ein offenes Intervall mit dem Mittelpunkt $\mathfrak{x}$ und der Länge $2\,\varepsilon$. Im $\mathbf{R}^2$ erhalten wir ein Quadrat, im $\mathbf{R}^3$ einen Würfel. Für größere n nennen wir $W\,(\mathfrak{x}, \varepsilon)$ einen n-dimensionalen Würfel mit dem Mittelpunkt $\mathfrak{x}$ und der Kantenlänge $2\,\varepsilon$.

Eine Teilmenge M *des* $\mathbf{R}^n$ *heißt o f f e n, wenn es zu jedem* $\mathfrak{x} \in$ M *eine positive Zahl* ε *gibt mit der Eigenschaft*

$$W(\mathfrak{x}, \varepsilon) \subseteq M.$$

Offenbar ist jeder n-dimensionale Würfel selbst offen. Die so erklärten *o f f e n e n M e n g e n* haben folgende Eigenschaften:

1. Der $\mathbf{R}^n$ und die *l e e r e M e n g e* ø sind offen.
2. Der *D u r c h s c h n i t t* endlich vieler offener Mengen ist offen.
3. Die *V e r e i n i g u n g* beliebig vieler offener Mengen ist offen.
4. Zu je zwei Punkten $\mathfrak{x}$ und $\mathfrak{y}$ des $\mathbf{R}^n$, $\mathfrak{x} \neq \mathfrak{y}$, gibt es offene Mengen M und N mit den Eigenschaften

$$\mathfrak{x} \in M, \mathfrak{y} \in N \text{ und } M \cap N = \emptyset.$$

Sind in irgendeiner Menge (die durchaus nicht unser n-dimensionaler Zahlenraum zu sein braucht) irgendwelche Teilmengen als offene Mengen mit den Eigenschaften 1—3 erklärt, so spricht man von einem *t o p o l o g i s c h e n R a u m* (→ Topologie). Weisen die offenen Mengen die vorstehenden Eigenschaften 1—4 auf, so heißt der Raum, versehen mit dieser Topologie, ein *H a u s d o r f f s c h e r R a u m.*

Unser $\mathbf{R}^n$ bleibt offenbar wegen (1) derselbe Hausdorffsche Raum, wenn wir statt von den Würfeln W $(\mathfrak{x}, \varepsilon)$ von den n-dimensionalen Kugeln um die Punkte $\mathfrak{x}$ ausgehen. Die offenen Mengen sind in beiden Fällen dieselben. Nur aus Zweckmäßigkeitsgründen, die im folgenden noch offenkundig werden, haben wir die W $(\mathfrak{x}, \varepsilon)$ vorgezogen. Wir nennen nun im $\mathbf{R}^n$ einen Punkt $\mathfrak{x}$ genau dann rational, wenn alle Koordinaten x_i rationale Zahlen sind. Dann enthält jede noch so kleine offene Menge M rationale Punkte. Ist nämlich $\mathfrak{x} \in M$, so gibt es zunächst ein $\varepsilon > 0$ derart, daß W $(\mathfrak{x}, \varepsilon) \subseteq M$. Dann gibt es zu jedem i (i = 1, . . ., n) ein solches rationales x_i', daß $|x_i - x_i'| < \varepsilon$. Also ist $\mathfrak{x}' = (x_1', \ldots, x_n')$ ein rationaler Punkt und $\mathfrak{x}' \in W(\mathfrak{x}, \varepsilon)$, also auch $\mathfrak{x}' \in M$. Ferner gilt: Jede offene Menge M im $\mathbf{R}^n$ ist Vereinigung n-dimensionaler Würfel mit rationalem Mittelpunkt und rationaler Kantenlänge. Das ist gleichbedeutend mit der Aussage: Zu jedem $\mathfrak{x} \in M$ gibt es ein W $(\mathfrak{r}, \varrho)$ derart, daß

1. $\mathfrak{r}$ und ϱ rational sind;
2. $W(\mathfrak{r}, \varrho) \subseteq M$;
3. $\mathfrak{x} \in W(\mathfrak{r}, \varrho)$.

Diese Sätze werden abgeleitet aus der Tatsache, daß in jedem noch so kleinen Intervall der reellen Achse rationale Zahlen liegen.

Unter einer *U m g e b u n g* U eines Punktes $\mathfrak{x}$ des $\mathbf{R}^n$ verstehen wir eine offene Menge, die $\mathfrak{x}$ enthält. (Es gibt Autoren, die den Begriff der Umgebung weiter fassen.) $\mathfrak{x}$ heißt *i n n e r e r P u n k t* einer Menge M, wenn es eine Umgebung U von $\mathfrak{x}$ so gibt, daß $U \subseteq M$. Es folgt: *Eine Teilmenge* M *des* $\mathbf{R}^n$ *ist genau dann offen, wenn jeder Punkt von* M *innerer Punkt ist.*

Wir können nun wie in jedem topologischen Raum abgeschlossene Mengen, Häufungs-, Konvergenz- und Randpunkte erklären (→ Topologie). Wir fassen das hier nur kurz zusammen.
Ein Punkt $\mathfrak{x}$ des $\mathbf{R}^n$ heißt Häufungspunkt einer Menge A, wenn in jeder Umgebung von $\mathfrak{x}$ wenigstens ein von $\mathfrak{x}$ verschiedener Punkt aus A liegt. Eine Menge A heißt *abgeschlossen*, wenn ihr Komplement $\complement A$ offen ist. Eine Menge ist genau dann abgeschlossen, wenn sie alle ihre Häufungspunkte enthält. Dabei ist zu beachten, daß eine Menge des $\mathbf{R}^n$ weder offen noch abgeschlossen zu sein braucht.

Beispiele: 1. Die Menge der Punkte $\left(\frac{1}{n}, 0\right)$, $n = 1, 2, \ldots$, im $\mathbf{R}^2$ ist nicht abgeschlossen.
2. Die Menge der Punkte $\mathfrak{x} = (x_1, \ldots, x_n)$ mit $x_1^2 + \cdots + x_n^2 \leq 1$ ist abgeschlossen.
Nur die leere Menge und der $\mathbf{R}^n$ sind zugleich offen und abgeschlossen. $\mathfrak{x}$ heißt *Randpunkt* einer Menge M, wenn in jeder Umgebung von $\mathfrak{x}$ mindestens ein Punkt aus M und einer aus $\complement M$ liegt.
Der wichtigste Begriff, den wir hier benötigen, ist der der *Konvergenz*. Eine Punktfolge $\mathfrak{x}_\nu$ des $\mathbf{R}^n$ heißt gegen $\mathfrak{x}$ konvergent, wenn in jeder Umgebung U von $\mathfrak{x}$ für fast alle ν die Punkte $\mathfrak{x}_\nu$ liegen; in Formeln

$$\lim_{\nu\to\infty} \mathfrak{x}_\nu = \mathfrak{x}.$$

Wir nennen solche Folgen schlechtweg konvergent, wenn uns bei einer Betrachtung $\mathfrak{x}$ selbst unwichtig erscheint. Im *Cauchyschen Konvergenzkriterium* ist eine notwendige und hinreichende Bedingung für die Konvergenz enthalten, ohne daß der Grenzwert $\mathfrak{x}$ selbst auftritt: Die Folge der $\mathfrak{x}_\nu$ ist dann und nur dann konvergent, wenn es zu jeder Umgebung U des Punktes $\mathfrak{O}$ ein ν_0 gibt derart, daß $\mathfrak{x}_\nu - \mathfrak{x}_\mu \in U$ für $\nu, \mu > \nu_0$.
Wir bezeichnen mit $p_i(\mathfrak{x})$ die i^te Koordinate von $\mathfrak{x} = (x_1, \ldots, x_n)$, setzen also $p_i(\mathfrak{x}) = x_i$. Wie müssen sich nun die Koordinaten $x_1^{(\nu)}, \ldots, x_n^{(\nu)}$ von $\mathfrak{x}_\nu$ verhalten, damit die $\mathfrak{x}_\nu$ konvergieren? Die Punktfolge $\mathfrak{x}_\nu$ konvergiert dann und nur dann gegen den Punkt $\mathfrak{x}$, wenn für die Koordinaten $p_i(\mathfrak{x}_\nu)$, $i = 1, \ldots, n$, gilt: $\lim_{\nu\to\infty} p_i(\mathfrak{x}_\nu) = p_i(\mathfrak{x})$.
1. Wir zeigen zunächst das ›nur dann‹: Ist $\varepsilon > 0$ vorgegeben, so gibt es dazu ein ν_0, so daß für $\nu > \nu_0$ gilt: $\mathfrak{x}_\nu \in W(\mathfrak{x}, \varepsilon)$; also ist $|\mathfrak{x}_\nu - \mathfrak{x}| < \varepsilon$ und deshalb erst recht $|x_i^{(\nu)} - x_i| < \varepsilon$ für $i = 1, \ldots, n$ und $\nu > \nu_0$.
2. ›Dann‹. Es ist also zu zeigen: Aus $\lim_{\nu\to\infty} p_i(\mathfrak{x}_\nu) = p_i(\mathfrak{x})$ folgt $\lim_{\nu\to\infty} \mathfrak{x}_\nu = \mathfrak{x}$. U sei eine Umgebung von $\mathfrak{x}$. In U liegt ein Würfel

$W(\mathfrak{x}, \varepsilon)$. Zu $\varepsilon > 0$ gibt es n natürliche Zahlen ν_i, so daß $|p_i(\mathfrak{x}_\nu) - p_i(\mathfrak{x})| < \varepsilon$ für $\nu > \nu_i$, $i = 1, \ldots, n$. Es sei $\nu_0 = \text{Max}\, \nu_i$. Für $\nu > \nu_0$ und alle i gilt erst recht $|p_i(\mathfrak{x}_\nu) - p_i(\mathfrak{x})| < \varepsilon$, also $|\mathfrak{x}_\nu - \mathfrak{x}| < \varepsilon$. Alle $\mathfrak{x}_\nu$ mit $\nu > \nu_0$ liegen damit in $W(\mathfrak{x}, \varepsilon)$, also in U.

Wir kommen nun zur Verallgemeinerung des *Satzes von Weierstraß-Bolzano* (→ Infinitesimalrechnung im $\mathbf{R}^1$). *Jede unendliche beschränkte Menge* M *des* $\mathbf{R}^n$ *besitzt mindestens einen Häufungspunkt.* Der Beweis wird so geführt, daß man zunächst einen Würfel $W(\mathfrak{O}, N)$ bildet, wobei die reelle Zahl N so groß gewählt ist, daß $M \subseteq W(\mathfrak{O}, N)$. Die Ebenen $x_i = 0$, $i = 1, \ldots, n$, teilen den Würfel in 2^n gleiche Teilwürfel. In mindestens einem dieser Teilwürfel liegen unendlich viele Punkte von M. W_1 sei ein solcher Teilwürfel. Der Würfel W_1 wird mittels Parallelebenen zu $x_i = 0$ durch seinen Mittelpunkt wieder in 2^n Teile geteilt. W_2 sei ein solcher Teilwürfel von W_1, in dem wiederum unendlich viele Punkte von M liegen, usw. So erhalten wir eine unendliche Folge von ineinandergeschachtelten Würfeln, die je unendlich viele Punkte aus M enthalten und die gegen einen Punkt $\mathfrak{x}_0$ konvergieren. $\mathfrak{x}_0$ ist notwendig Häufungspunkt von M.

Aus diesem Satz folgt weiter:

a) *Jede beschränkte Punktfolge* $\mathfrak{x}_\nu$ *besitzt eine konvergente Teilfolge.*

b) *Cantorscher Durchschnittssatz*: Sei $A_1 \supseteq A_2 \supseteq \ldots \supseteq A_i \supseteq A_{i+1} \supseteq \cdots$ eine unendliche Folge abgeschlossener und beschränkter Teilmengen des $\mathbf{R}^n$. Falls dann der Durchschnitt aller A_ν leer ist, gibt es einen Index ν_0 derart, daß A_{ν_0} leer ist (und damit erst recht die folgenden A_ν leer sind).

Von großer Wichtigkeit für alle Betrachtungen, die einen Schluß von ›lokalen‹ Voraussetzungen zu ›globalen‹ Aussagen gestatten (man sagt auch: man schließt von Bedingungen im Kleinen zu Aussagen im Großen), ist der *Satz von Heine-Borel*: A sei eine beschränkte, abgeschlossene Menge des $\mathbf{R}^n$. Jedem Punkte $\mathfrak{x} \in A$ sei eine Umgebung $U(\mathfrak{x})$ zugeordnet. Dann gibt es endlich viele Punkte $\mathfrak{x}_1, \mathfrak{x}_2, \ldots, \mathfrak{x}_k$, deren Umgebungen A überdecken. In Formeln: $A \subseteq U(\mathfrak{x}_1) \cup U(\mathfrak{x}_2) \cup \cdots \cup U(\mathfrak{x}_k)$.

Das Wichtigste hierbei ist: In welcher Weise wir auch A mit Umgebungen überdeckt haben, immer können wir schon endlich viele von ihnen so herausgreifen, daß sie A bereits überdecken.

Zu diesem Satz gehören zwei Begriffe: *folgenkompakt* (auch *semikompakt* genannt) und *überdeckungskompakt* (bei *Bourbaki* kompakt). Eine Menge M heißt folgenkompakt, wenn jede unendliche Punktfolge $\mathfrak{x}_\nu \subseteq M$ mindestens einen Häufungspunkt in M hat. Also ist jede abgeschlossene beschränkte Menge M des $\mathbf{R}^n$ folgenkompakt (Satz von

Weierstraß-Bolzano). Andererseits ist jede folgenkompakte Menge des $\mathbf{R}^n$ abgeschlossen und beschränkt. Überdeckungskompakt nennen wir eine Menge M, wenn aus jeder Überdeckung von M durch offene Mengen endlich viele herausgegriffen werden können, die allein schon M überdecken. *Im* $\mathbf{R}^n$ *ist jede folgenkompakte Menge nach dem Satze von Heine-Borel überdeckungskompakt.* Umgekehrt ist schon in jedem *Hausdorffschen Raum* – also erst recht im $\mathbf{R}^n$ – jede überdeckungskompakte Menge folgenkompakt. Wir brauchen daher im Zahlenraum $\mathbf{R}^n$ nicht zwischen folgen- und überdeckungskompakt zu unterscheiden und sprechen schlechtweg von *kompakt.*

Eine Abbildung $\mathfrak{f}$ der Punktmenge $A \subseteq \mathbf{R}^n$ in den $\mathbf{R}^m$ ordnet jedem Punkt $\mathfrak{x} \in A$ einen Punkt $\mathfrak{y} = \mathfrak{f}(\mathfrak{x})$ im $\mathbf{R}^m$ zu. Abbildungen in den $\mathbf{R}^1$, d. h. die reelle Zahlenachse, nennen wir Funktionen. *Abbildungen* geben wir im allgemeinen Falle durch gotische Buchstaben $\mathfrak{f}$, $\mathfrak{g}$, $\mathfrak{h}$ an, *Funktionen* durch lateinische Buchstaben f, g, h. Unter $\mathfrak{f}(A)$ verstehen wir die Punktmenge im $\mathbf{R}^m$, auf die durch $\mathfrak{f}$ die Menge A des $\mathbf{R}^n$ abgebildet wird. Da man mit den Punkten des Bildraumes $\mathbf{R}^m$ rechnen kann, übertragen sich die in ihm erklärten Rechenoperationen auf die Abbildungen.

Abbildungen in den $\mathbf{R}^m$ können also addiert werden, indem die m-dimensionalen Vektoren, welche die Bildpunkte angeben, addiert werden:

$$(\mathfrak{f}_1 + \mathfrak{f}_2)(\mathfrak{x}) := \mathfrak{f}_1(\mathfrak{x}) + \mathfrak{f}_2(\mathfrak{x}).$$

Auch kann man Abbildungen mit einer reellen Zahl a multiplizieren:

$$(a\mathfrak{f})(\mathfrak{x}) := a\mathfrak{f}(\mathfrak{x}).$$

Die Abbildungen einer Punktmenge A in den $\mathbf{R}^m$ bilden bezüglich dieser Rechenoperationen einen *Vektorraum* (über dem Körper der reellen Zahlen). Ist $m = 1$, so kann man diese Abbildungen, die dann Funktionen der Veränderlichen $x_1, \ldots, x_n$ heißen, noch miteinander multiplizieren und, falls diese Funktionen nirgends in A verschwinden, auch noch dividieren.

Ist weiter B eine Punktmenge im $\mathbf{R}^m$, $\mathfrak{f}$ eine Abbildung von A in B und $\mathfrak{g}$ eine Abbildung von B in einen $\mathbf{R}^k$, so kann man die beiden Abbildungen ineinandersetzen. Unter $\mathfrak{g} \circ \mathfrak{f}$ verstehen wir die Abbildung von A in den $\mathbf{R}^k$, die jedem Punkte $\mathfrak{x}$ aus A den Punkt $\mathfrak{g}[\mathfrak{f}(\mathfrak{x})]$ zuordnet:

$$(\mathfrak{g} \circ \mathfrak{f})(\mathfrak{x}) := \mathfrak{g}[\mathfrak{f}(\mathfrak{x})].$$

Man achte auf die Dimensionen. In $\mathfrak{g}[\mathfrak{f}(\mathfrak{x})]$ sind es – von rechts nach links gelesen – n, m und k.

Eine Abbildung $\mathfrak{t}$ des $\mathbf{R}^n$ in den $\mathbf{R}^m$ heißt *linear,* wenn für beliebige Punkte im $\mathbf{R}^n$ und beliebige reelle Zahlen a_1 und a_2 gilt:

$$\mathfrak{t}(a_1\mathfrak{x}_1 + a_2\mathfrak{x}_2) = a_1\mathfrak{t}(\mathfrak{x}_1) + a_2\mathfrak{t}(\mathfrak{x}_2).$$

Ist $m = 1$, ist $\mathfrak{t}$ also eine Funktion $t(\mathfrak{x})$, so ist

(2) $$t(\mathfrak{x}) = \sum_{j=1}^{n} a_j x_j, \text{ wobei die } a_j \text{ reell sind.}$$

Denn wir können $\mathfrak{x}$ zerlegen in $\mathfrak{x} = x_1\mathfrak{e}_1 + \cdots + x_n\mathfrak{e}_n$, wo $\mathfrak{e}_j$, $j = 1, \ldots, n$, der Vektor des $\mathbf{R}^n$ mit der j-ten Koordinate 1 und den übrigen Koordinaten 0 ist. Dann aber folgt:

$$t(\mathfrak{x}) = t(x_1\mathfrak{e}_1 + \cdots + x_n\mathfrak{e}_n) = x_1 t(\mathfrak{e}_1) + \cdots + x_n t(\mathfrak{e}_n).$$

Die $t(\mathfrak{e}_j)$ sind reelle Zahlen.

Die rechte Seite von (2) heißt eine *Linearform. Eine lineare Abbildung* $\mathfrak{t}(\mathfrak{x})$ *in den* $\mathbf{R}^m$ *besteht aus* m *Linearformen.* Ist die Abbildung *bijektiv,* so ist die inverse Abbildung ebenfalls linear. Zu jeder linearen Abbildung $\mathfrak{t}$ gibt es eine positive Zahl α mit

$$|\mathfrak{t}(\mathfrak{x})| \leq \alpha\,|\mathfrak{x}|$$

für alle $\mathfrak{x}$ aus $\mathbf{R}^n$, und wenn $\mathfrak{t}$ bijektiv ist, gibt es außerdem ein $\alpha' > 0$ derart, daß

$$\alpha'\,|\mathfrak{x}| \leq |\mathfrak{t}(\mathfrak{x})| \leq \alpha\,|\mathfrak{x}|.$$

II. Stetige Abbildungen. Hier können wir uns ganz dem Vorgehen bei den Funktionen einer Veränderlichen anschließen. Ist $\mathfrak{f}$ eine Abbildung der Menge $A \subseteq \mathbf{R}^n$ in den $\mathbf{R}^m$, so heißt $\mathfrak{f}$ in $\mathfrak{x}_0 \in A$ stetig, wenn es zu jedem positiven ε ein positives δ so gibt, daß für alle $\mathfrak{x}$ aus $A \cap \{|\mathfrak{x} - \mathfrak{x}_0| < \delta\}$ gilt: $|\mathfrak{f}(\mathfrak{x}) - \mathfrak{f}(\mathfrak{x}_0)| < \varepsilon$. Eine Abbildung $\mathfrak{f}$ auf A heißt in A stetig, wenn sie in jedem Punkte von A stetig ist. Man muß hier darauf achten, daß hier nur von der Stetigkeit einer Abbildung der Menge A die Rede ist. Es kann sehr wohl eine Abbildung $\mathfrak{f}^*$ einer offenen Menge $V \supseteq A$ geben, die in den Punkten von A mit der dort stetigen Abbildung $\mathfrak{f}$ zusammenfällt und dennoch nirgends auf A stetig ist. Dazu folgendes triviale Beispiel: A sei die Gerade $x_2 = 0$ im $\mathbf{R}^2$. Es sei f nur auf A definiert und dort identisch 1. Schließlich sei

$$f^*(x_1, 0) := 1,$$
$$f^*(x_1, x_2) := 0 \text{ für } x_2 \neq 0.$$

Auf A ist dann $f = f^*$. Die Funktion f ist dort stetig, f^* aber unstetig.

Unmittelbar ergibt sich wieder: Notwendig und hinreichend für die Stetigkeit der auf A definierten Abbildung $\mathfrak{f}$ in $\mathfrak{x}_0$ auf A ist, daß für jede Folge $\mathfrak{x}_n$ mit $\mathfrak{x}_n \in A$ und $\lim \mathfrak{x}_n = \mathfrak{x}_0$

$$\lim \mathfrak{f}(\mathfrak{x}_n) = \mathfrak{f}(\mathfrak{x}_0) \text{ ist.}$$

Wir erinnern uns daran, daß die Abbildung $\mathfrak{f}$ aus m Komponenten $p_i(\mathfrak{f})$ besteht, von denen jede eine Funktion von $\mathfrak{x}$, also von $x_1, \ldots, x_n$ ist. Es gilt nun, daß eine Abbildung $\mathfrak{f}$ einer Menge $A \subseteq \mathbf{R}^n$ in den $\mathbf{R}^m$ genau dann stetig ist im Punkte $\mathfrak{x}_0 \in A$, wenn alle Funktionen $p_i(\mathfrak{f})$, $1 \leq i \leq m$, stetig in $\mathfrak{x}_0$ sind. Der Beweis erübrigt sich hier. Das gleiche gilt für den Satz: Es sei $\mathfrak{f}$ eine Abbildung von $A \subseteq \mathbf{R}^n$ in $B \subseteq \mathbf{R}^m$ und $\mathfrak{g}$ eine Abbildung von B in den $\mathbf{R}^k$. $\mathfrak{f}$ sei stetig im Punkte $\mathfrak{x}_0 \in A$, $\mathfrak{g}$ im Bildpunkte $\mathfrak{f}(\mathfrak{x}_0)$. Dann ist $\mathfrak{g} \circ \mathfrak{f}$ stetig in $\mathfrak{x}_0$. Wir wissen, daß die in einer Menge A erklärten Funktionen (Abbildungen in den $\mathbf{R}^1$) einen Ring bilden. Gleiches gilt nun für die stetigen Funktionen.

Schließlich merken wir uns noch, daß jede lineare Abbildung $\mathfrak{t}$ des $\mathbf{R}^n$ in jedem Punkte des $\mathbf{R}^n$ stetig ist. Es war ja $|\mathfrak{t}(\mathfrak{x})| \leq \alpha\, |\mathfrak{x}|$. Aus $|\mathfrak{x} - \mathfrak{x}_0| < \frac{\varepsilon}{\alpha}$ folgt dann

$$|\mathfrak{t}(\mathfrak{x}) - \mathfrak{t}(\mathfrak{x}_0)| = |\mathfrak{t}(\mathfrak{x} - \mathfrak{x}_0)| \leq \alpha\, |\mathfrak{x} - \mathfrak{x}_0| < \varepsilon.$$

Ist A wegzusammenhängend, so ist das vermöge einer stetigen Abbildung erzeugte Bild $B \subseteq \mathbf{R}^m$ auch wegzusammenhängend. Dabei heißt eine Punktmenge A *wegzusammenhängend*, wenn es zu je zwei Punkten $\mathfrak{x}_1$ und $\mathfrak{x}_2$ von A ein Kurvenstück $\mathfrak{K}$ von $\mathfrak{x}_1$ nach $\mathfrak{x}_2$ gibt, das ganz in A liegt. (Die Menge $\mathfrak{K}$ des $\mathbf{R}^n$ heißt ein Kurvenstück, wenn sie ein stetiges Abbild des Intervalles $0 \leq t \leq 1$ ist.) Eine offene wegzusammenhängende Punktmenge G im $\mathbf{R}^n$ heißt ein *Gebiet.*

Eine Abbildung $\mathfrak{f}$ einer Menge $A \subseteq \mathbf{R}^n$ in den $\mathbf{R}^m$ heißt *beschränkt,* wenn das Bild $\mathfrak{f}(A)$ ganz in einem Würfel $W(\mathfrak{O}, C)$ liegt; $\mathfrak{f}$ heißt lokal beschränkt, wenn es zu jedem $\mathfrak{x} \in A$ eine Umgebung $U(\mathfrak{x})$ gibt, so daß $\mathfrak{f}[U(\mathfrak{x}) \cap A]$ ganz in einem Würfel $W(\mathfrak{O}, C_{\mathfrak{x}})$ liegt. Ist $\mathfrak{f}$ eine lokal beschränkte Abbildung einer kompakten Menge $A \subseteq \mathbf{R}^n$ in den $\mathbf{R}^m$, so ist $\mathfrak{f}$ schlechtweg beschränkt. Es gibt nämlich nach Voraussetzung zu jedem $\mathfrak{x} \in A$ eine Umgebung $U(\mathfrak{x})$ und eine positive Zahl $C_{\mathfrak{x}}$ mit

$$\mathfrak{f}[U(\mathfrak{x}) \cap A] \subseteq W(\mathfrak{O}, C_{\mathfrak{x}}).$$

Weil A kompakt ist, überdecken schon endlich viele der $U(\mathfrak{x})$, etwa $U(\mathfrak{x}_1), \ldots, U(\mathfrak{x}_k)$ ganz A. Die positiven Zahlen $C_{\mathfrak{x}_1}, \ldots, C_{\mathfrak{x}_k}$ haben ein Maximum C_0. Also liegt $\mathfrak{f}(A)$ in $W(\mathfrak{O}, C_0)$.

Es sei $\mathfrak{f}$ eine stetige Abbildung einer kompakten Menge $A \subseteq \mathbf{R}^n$ *in den* $\mathbf{R}^m$. *Das Bild* $B = \mathfrak{f}(A)$ *ist dann kompakt im* $\mathbf{R}^m$.

Beim Beweis zeigt man zunächst, daß B beschränkt, und sodann, daß es abgeschlossen ist.

Es sei nun $m = 1$ und damit die Abbildung eine Funktion f. Ist dann f auf A beschränkt, so können wir vom Maximum und Minimum von f auf A sprechen. Darunter verstehen wir die obere bzw. untere Grenze der Zahlenmenge f (A). Ist f auf der kompakten Menge A stetig, so gibt es zwei Punkte $\mathfrak{x}_1$ und $\mathfrak{x}_2$ aus A, so daß $\operatorname{Max} f = f(\mathfrak{x}_1)$ und $\operatorname{Min} f = f(\mathfrak{x}_2)$. *Eine stetige Funktion besitzt auf einer kompakten Menge ein Maximum und Mi-*

nimum. Dies folgt unmittelbar aus der Aussage über die stetigen Abbildungen kompakter Mengen. Die Menge f (A) im R^1 ist, weil kompakt, notwendig beschränkt und enthält alle ihre Häufungspunkte, also auch ihre obere und untere Grenze. [Man achte darauf, daß nichts darüber ausgesagt wird, ob es neben $\mathfrak{x}_1$ und $\mathfrak{x}_2$ nicht noch weitere Punkte $\mathfrak{x}_3, \mathfrak{x}_4 \in A$ gibt, für die $\operatorname{Max} f = f(\mathfrak{x}_3)$, $\operatorname{Min} f = f(\mathfrak{x}_4)$!] Bei Abbildungen in den $\mathbf{R}^m$, $m > 1$, hat es keinen Sinn, von Extrema zu reden. Wir können aber eine analoge Aussage machen: *Ist* $\mathfrak{f}$ *eine stetige Abbildung der kompakten Menge* $A \subseteq \mathbf{R}^n$ *in den* $\mathbf{R}^m$, *so gibt es auf* A *zwei Punkte* $\mathfrak{x}_1$ *und* $\mathfrak{x}_2$ *derart, daß für beliebige* $\mathfrak{x}$ *aus* A *gilt:*

$$(3) \qquad |\mathfrak{f}(\mathfrak{x}_1)| \geq |\mathfrak{f}(\mathfrak{x})|,$$

$$(4) \qquad |\mathfrak{f}(\mathfrak{x}_2)| \leq |\mathfrak{f}(\mathfrak{x})|.$$

$g(\mathfrak{x}) = |\mathfrak{f}(\mathfrak{x})|$ ist ja auf A eine Funktion (und nicht nur eine Abbildung).

Anwendung: Sei A eine kompakte Menge im $\mathbf{R}^n$ und $\mathfrak{x}_0 \in \mathbf{R}^n$ ein fester Punkt. Dann gibt es in A einen Punkt $\mathfrak{x}_2$, der $\mathfrak{x}_0$ am nächsten liegt; in Formeln: Für beliebige $\mathfrak{x}$ aus A gilt:

$$|\mathfrak{x}_0 - \mathfrak{x}| \geq |\mathfrak{x}_0 - \mathfrak{x}_2|.$$

Die Aussage folgt aus (4), wenn man $\mathfrak{f}(\mathfrak{x}) = \mathfrak{x}_0 - \mathfrak{x}$ setzt.

Natürlich ist auch der Begriff der *gleichmäßigen Stetigkeit* auf Abbildungen übertragbar. Ist $\mathfrak{f}$ eine Abbildung der Menge $A \subseteq \mathbf{R}^n$ in den $\mathbf{R}^m$, so heißt $\mathfrak{f}$ gleichmäßig stetig auf A, wenn es zu jeder positiven Zahl ε eine positive Zahl δ gibt, so daß für beliebige $\mathfrak{x}, \mathfrak{x}' \in A$ mit $|\mathfrak{x} - \mathfrak{x}'| < \delta$ folgt:

$$|\mathfrak{f}(\mathfrak{x}) - \mathfrak{f}(\mathfrak{x}')| < \varepsilon.$$

Offenbar ist jede gleichmäßig stetige Abbildung von A eine stetige Abbildung. (Setzt man nämlich $\mathfrak{x}'$ als ein $\mathfrak{x}_0$ ›fest‹, so erhält man die Stetigkeit für $\mathfrak{x}_0 \in A$.) Die Umkehrung der Aussage gilt, wenn A kompakt ist. Das ergibt sich aus dem *Überdeckungssatz von Heine-Borel.*

Wie überall in der Analysis wird häufig eine Funktion f auf einer Teilmenge A des $\mathbf{R}^n$ als Grenzfunktion einer Folge f_ν von Funktionen auf A definiert. Entsprechendes gilt für den allgemeineren Fall der Abbildungen. Eine Folge $\mathfrak{f}_\nu$ von Abbildungen der Teilmenge A des $\mathbf{R}^n$ in den $\mathbf{R}^m$ *konvergiert* gegen die Abbildung $\mathfrak{f}$, wenn für jeden Punkt $\mathfrak{x} \in A$ die Folge der Punkte $\mathfrak{f}_\nu(\mathfrak{x})$ gegen den Punkt $\mathfrak{f}(\mathfrak{x})$ konvergiert. Die Folge $\mathfrak{f}_\nu$ heißt auf A *gleichmäßig konvergent* gegen die Abbildung $\mathfrak{f}$ von A, wenn es zu jedem positiven ε eine natürliche Zahl ν_0 gibt derart, daß für beliebiges $\mathfrak{x} \in A$ gilt:

$$|\mathfrak{f}(\mathfrak{x}) - \mathfrak{f}_\nu(\mathfrak{x})| < \varepsilon, \text{ falls } \nu > \nu_0.$$

Man spricht von einer *lokalen gleichmäßigen Konvergenz* der Folge von Abbildungen $\mathfrak{f}_\nu$ gegen $\mathfrak{f}$ auf A, wenn jeder Punkt $\mathfrak{x} \in A$ eine Umgebung U besitzt derart, daß die Abbildungen f_ν in $U \cap A$ gleichmäßig gegen $\mathfrak{f}$ konvergieren.

Wieder folgt: 1. Wenn die $\mathfrak{f}_\nu$ in A gleichmäßig gegen $\mathfrak{f}$ konvergieren, so konvergieren sie dort auch schlechtweg und ebenfalls lokal gleichmäßig. 2. Die Umkehrung ist nicht allgemein richtig. Wenn aber A kompakt ist, so folgt aus der lokalen gleichmäßigen Konvergenz die gleichmäßige Konvergenz der $\mathfrak{f}_\nu$ auf A. Sind nun die $\mathfrak{f}_\nu$ stetig auf A und dort lokal gleichmäßig konvergent, so ist auch $\mathfrak{f}$ stetig auf A.

III. Differenzierbare Abbildungen. Eine Funktion $y = f(x)$ heißt bekanntlich differenzierbar im Punkte x, wenn es eine reelle Zahl a gibt, $f'(x)$ genannt, so daß

$$\text{(5)} \qquad \lim_{h \to 0} \frac{f(z+h) - f(x)}{h} = f'(x).$$

Statt dessen können wir auch schreiben

$$\text{(6)} \qquad \lim_{h \to 0} \frac{1}{|h|} [f(x+h) - f(x) - f'(x)\,h] = 0.$$

›f ist differenzierbar im Punkte x‹ heißt also: die Funktionsdifferenz $f(x+h) - f(x)$ läßt sich durch eine Linearform $t(h) = f'(x)\,h$ im Sinne von (6) approximieren. Diese Auffassung der Differenzierbarkeit können wir nun auf Abbildungen und so auch auf Funktionen $f(x_1, \ldots, x_n)$ ausdehnen. Es sei $\mathfrak{f}$ eine Abbildung des Gebietes G im $\mathbf{R}^n$ in den $\mathbf{R}^m$. $\mathfrak{f}$ heißt *differenzierbar* im Punkte $\mathfrak{x} \in G$, wenn es eine lineare Abbildung $\mathfrak{t}$ mit der folgenden Eigenschaft gibt:

$$\text{(7)} \qquad \lim_{\mathfrak{h} \to \mathfrak{O}} \frac{1}{|\mathfrak{h}|} [\mathfrak{f}(\mathfrak{x}+\mathfrak{h}) - \mathfrak{f}(\mathfrak{x}) - \mathfrak{t}(\mathfrak{h})] = \mathfrak{O}.$$

$\mathfrak{x}$ ist bei diesem Limesprozeß also jeweils fest. $\mathfrak{h}$ muß so gewählt werden, daß $\mathfrak{x} + \mathfrak{h}$ auf G liegt.

Die lineare Abbildung $\mathfrak{t}$ heißt das *totale Differential* von $\mathfrak{f}$ an der Stelle $\mathfrak{x}$. Wir bezeichnen es mit $d\mathfrak{f}(\mathfrak{x})(\mathfrak{h})$. Wenn $\mathfrak{f}$ in jedem Punkte eines Gebietes G differenzierbar ist, heißt $\mathfrak{f}$ eine in G differenzierbare Abbildung. Für $n = 1$ ist also das totale Differential $f'(x)\,h$, wo h eine Veränderliche ist, die auch häufig mit dx bezeichnet wird, während für das totale Differential dy geschrieben wird. Aber mit sog. ›unendlich kleinen Größen‹ hat dies nichts zu tun. Die obige Definition des totalen Differentials hat nur dann einen Sinn, wenn in (7) die lineare Abbildung – falls überhaupt vorhanden – eindeutig bestimmt ist. Gäbe es nun zwei solcher Linearformen $\mathfrak{t}_1(\mathfrak{h})$ und $\mathfrak{t}_2(\mathfrak{h})$, so folgte

$$\lim_{\mathfrak{h} \to \mathfrak{O}} \frac{1}{|\mathfrak{h}|} [\mathfrak{t}_2(\mathfrak{h}) - \mathfrak{t}_1(\mathfrak{h})] = \mathfrak{O}.$$

Es sei nun $\mathfrak{h}_0 \neq \mathfrak{O}$ fest gewählt. Für $\mathfrak{h}$ setzen wir $u\mathfrak{h}_0$, wobei u ein Parameter sei, für den nur positive Zahlen eingesetzt werden sollen. Liegt u genügend dicht bei 0, so liegt $\mathfrak{x} + u\mathfrak{h}_0$ im Gebiet G. Dann folgt weiter wegen der Linearität:

$$\mathfrak{O} = \lim_{u \to 0} \frac{1}{|u\mathfrak{h}_0|} [\mathfrak{t}_2(u\mathfrak{h}_0) - \mathfrak{t}_1(u\mathfrak{h}_0)] = \frac{1}{|\mathfrak{h}_0|} \lim_{u \to 0} [\mathfrak{t}_2(\mathfrak{h}_0) - \mathfrak{t}_1(\mathfrak{h}_0)],$$

also

$$\mathfrak{t}_2(\mathfrak{h}_0) = \mathfrak{t}_1(\mathfrak{h}_0)$$

bei beliebiger Wahl von $\mathfrak{h}_0$.

Es gilt nun wiederum: Wenn die Abbildung $\mathfrak{f}$ des Gebietes G differenzierbar im Punkte $\mathfrak{x} \in G$ ist, so ist $\mathfrak{f}$ dort stetig. Aus (7) folgt nämlich:

$$\lim_{\mathfrak{h} \to \mathfrak{O}} [\mathfrak{f}(\mathfrak{x} + \mathfrak{h}) - \mathfrak{f}(\mathfrak{x}) - \mathfrak{t}(\mathfrak{h})] = \mathfrak{O},$$

und da $\lim_{\mathfrak{h} \to \mathfrak{O}} \mathfrak{t}(\mathfrak{h}) = \mathfrak{O}$, ergibt sich $\lim_{\mathfrak{h} \to \mathfrak{O}} \mathfrak{f}(\mathfrak{x} + \mathfrak{h}) = \mathfrak{f}(\mathfrak{x})$.

Man erinnere sich an dieser Stelle an das Beispiel zu Beginn des Abschnittes über Funktionen mehrerer Veränderlichen. Dort trat eine Funktion auf, die in der ganzen Ebene nach x_1 und nach x_2 differenzierbar und doch in (0, 0) nicht stetig war. Die hier erklärte Differenzierbarkeit ist nicht äquivalent mit der ›partiellen Differenzierbarkeit‹ nach $x_1, x_2, \ldots, x_n$. Auf die Zusammenhänge kommen wir sogleich unter dem Stichwort *Richtungsableitungen* zu sprechen. Zunächst aber bleiben wir bei den *Differentiationen von Abbildungen* (im Spezialfall: von Funktionen) nach $\mathfrak{x}$.

Eine Abbildung $\mathfrak{f}$ des Gebietes G im $\mathbf{R}^n$ in den $\mathbf{R}^m$ ist genau dann differenzierbar im Punkte $\mathfrak{x} \in G$, wenn alle Funktionen $p_i \circ \mathfrak{f}$, $i = 1, \ldots, m$, im Punkte $\mathfrak{x}$ differenzierbar sind. Dies ergibt sich aus (7) durch Zerlegung der Gleichung in ihre m Komponenten.

Wir kommen nun zur *Kettenregel*. Sei $\mathfrak{f}$ eine Abbildung des Gebietes G des $\mathbf{R}^n$ in das Gebiet G* des $\mathbf{R}^m$, ferner sei $\mathfrak{g}$ eine Abbildung von G* in den $\mathbf{R}^l$. Ist dann $\mathfrak{f}$ im Punkte $\mathfrak{x} \in G$ differenzierbar und $\mathfrak{g}$ im Punkte $\mathfrak{y} = \mathfrak{f}(\mathfrak{x}) \in G^*$ ebenfalls, so ist $\mathfrak{g} \circ \mathfrak{f}$ differenzierbar im Punkte $\mathfrak{x} \in G$, und es gilt:

$$\text{(8)} \qquad d(\mathfrak{g} \circ \mathfrak{f})(\mathfrak{x})(\mathfrak{h}) = (d\mathfrak{g}(\mathfrak{y}) \circ d\mathfrak{f}(\mathfrak{x}))(\mathfrak{h}).$$

Links steht also eine Linearform, die zur Funktion $\mathfrak{g} \circ \mathfrak{f}$ gehört und an der Stelle $\mathfrak{x}$ gebildet wird. Die Veränderlichen der Linearform sind $h_1, \ldots, h_n$. Rechts ist die Linearform zu $\mathfrak{g}$ an der Stelle $\mathfrak{y} = \mathfrak{f}(\mathfrak{x})$ gebildet. Für ihre Variablen $t_1, \ldots, t_m$ werden die linearen Ausdrücke in $h_1, \ldots, h_n$ von $p_i \circ d\mathfrak{f}(\mathfrak{x})(\mathfrak{h})$ eingesetzt.

Beispiel:

$$\mathfrak{f}: \begin{cases} y_1 = x_1^2 \\ y_2 = x_2 + x_3 \end{cases} \qquad d\mathfrak{f}: \begin{cases} \overline{h_1} = 2x_1 h_1 \\ \overline{h_2} = h_2 + h_3, \end{cases}$$

$$\begin{aligned} \mathfrak{g}&: \quad z = y_1 y_2 & d\mathfrak{g}&: \quad \bar{h} = \bar{h}_1 y_2 + \bar{h}_2 y_1, \\ \mathfrak{g}\circ\mathfrak{f}&: \quad z = x_1^2(x_2 + x_3), \\ d(\mathfrak{g}\circ\mathfrak{f})&: \quad \mathring{h} = 2\,x_1(x_2+x_3)\,h_1 + x_1^2(h_2+h_3), \\ d\mathfrak{g}\circ d\mathfrak{f}&: \quad \bar{h} = 2\,x_1 h_1 y_2 + (h_2+h_3)\,y_1 = \mathring{h}. \end{aligned}$$

Zum Beweise des Satzes setzen wir $d\,\mathfrak{f}\,(\mathfrak{x})\;(\mathfrak{h}) = \mathfrak{t}\,(\mathfrak{h})$ und $d\,\mathfrak{g}\,(\mathfrak{y})\;(\mathfrak{h}^*) = \mathfrak{s}\,(\mathfrak{h}^*)$. Wegen der Linearität von $\mathfrak{s}$ ist dann

(9) $$\lim_{\mathfrak{h}\to\mathfrak{O}} \frac{1}{|\mathfrak{h}|}\left(\mathfrak{s}\,[\mathfrak{f}\,(\mathfrak{x}+\mathfrak{h}) - \mathfrak{f}\,(\mathfrak{x})] - \mathfrak{s}\,[\mathfrak{t}\,(\mathfrak{h})]\right) = \mathfrak{O}.$$

Wendet man aber die Definition von $\mathfrak{s}$ auf $\mathfrak{h}^* = \mathfrak{f}\,(\mathfrak{x}+\mathfrak{h}) - \mathfrak{f}\,(\mathfrak{x})$ an, so erhält man

(10)
$$\lim_{\mathfrak{h}\to\mathfrak{O}} \frac{1}{|\mathfrak{h}|}\left(\mathfrak{g}\,[\mathfrak{f}\,(\mathfrak{x}+\mathfrak{h})] - \mathfrak{g}\,[\mathfrak{f}\,(\mathfrak{x})] - \mathfrak{s}\,[\mathfrak{f}\,(\mathfrak{x}+\mathfrak{h}) - \mathfrak{f}\,(\mathfrak{x})]\right) = \mathfrak{O};$$

das ist für etwaige $\mathfrak{h}^* = \mathfrak{O}$ trivial und folgt für die $\mathfrak{h}^* \neq \mathfrak{O}$ daraus, daß $\frac{|\mathfrak{h}^*|}{|\mathfrak{h}|}$ in der Umgebung von $\mathfrak{O}$ beschränkt ist. Durch Addition von (9) und (10) ergibt sich die Kettenregel (8).

Weitere Rechenregeln erhalten wir für den Spezialfall der Abbildungen in den $\mathbf{R}^1$. Sind f_1, f_2, f_3 Funktionen eines Gebietes G des $\mathbf{R}^n$ und im Punkte $\mathfrak{x} \in G$ differenzierbar, hat ferner f_3 keine Nullstelle in G, so gilt:

a. $d\,(f_1 + f_2)\,(\mathfrak{x}) = df_1(\mathfrak{x}) + df_2(\mathfrak{x})$,

b. $d\,(f_1 f_2)\,(\mathfrak{x}) = f_1(\mathfrak{x})\,df_2(\mathfrak{x}) + f_2(\mathfrak{x})\,df_1(\mathfrak{x})$,

c. $d\,\frac{1}{f_3}\,(\mathfrak{x}) = -\,\frac{df_3\,(\mathfrak{x})}{(f_3\,(\mathfrak{x}))^2}$.

Die Aussagen werden durch das Hintereinanderschalten von Abbildungen und Anwendung der Kettenregel bewiesen.

In der Differentialrechnung für Funktionen einer Veränderlichen ist der *Mittelwertsatz* von grundlegender Bedeutung (→ Infinitesimalrechnung im $\mathbf{R}^1$). Er läßt sich aber nicht auf beliebige differenzierbare Abbildungen von Gebieten des $\mathbf{R}^n$ übertragen. Doch gilt er auch für Funktionen von mehreren Veränderlichen.

Mittelwertsatz für mehrere Veränderliche. Sei f eine stetige Funktion im Gebiete G des $\mathbf{R}^n$; seien ferner $\mathfrak{x}_1$, $\mathfrak{x}_2$ zwei Punkte aus G. Wenn dann alle Punkte $\mathfrak{x}_1 + t\,(\mathfrak{x}_2 - \mathfrak{x}_1)$ mit $0 < t < 1$ ebenfalls zu G gehören und f in allen diesen Punkten differenzierbar ist, so gibt es im Intervall $0 < t < 1$ eine Zahl ϑ (aber natürlich nicht notwendig nur eine!) mit der Eigenschaft

$$f\,(\mathfrak{x}_2) - f\,(\mathfrak{x}_1) = df\,(\mathfrak{x}_1 + \vartheta\,[\mathfrak{x}_2 - \mathfrak{x}_1])\;(\mathfrak{x}_2 - \mathfrak{x}_1).$$

Man achte darauf, daß rechts die Linearform steht, die das Differential von f an der Stelle $\mathfrak{x}_1 + \vartheta\,(\mathfrak{x}_2 - \mathfrak{x}_1)$ definiert. An Stelle der Veränderlichen $h_1, \ldots, h_n$ stehen die n Komponenten von $\mathfrak{x}_2 - \mathfrak{x}_1$.

Bewiesen wird der Mittelwertsatz für Funktionen mehrerer Veränderlichen durch Anwendung des Mittelwertsatzes für Funktionen einer Veränderlichen auf $g(t) = f[\mathfrak{x}_1 + t(\mathfrak{x}_2 - \mathfrak{x}_1)]$.

Ist nun $\mathfrak{f}$ wieder eine differenzierbare Abbildung des Gebietes G im $\mathbf{R}^n$ und gilt für alle $\mathfrak{x} \in G$, daß $d\mathfrak{f}(\mathfrak{x}) \equiv \mathfrak{O}$ (was bedeutet, daß die Linearform für alle Werte von $\mathfrak{h}$ verschwindet), so bildet $\mathfrak{f}$ das Gebiet G auf einen Punkt ab. Zum Beweise werden die Funktionen $p_i \circ \mathfrak{f}$, $i = 1, \ldots, m$, betrachtet und auf sie der neu gewonnene Mittelwertsatz angewandt.

IV. Richtungsableitungen. Beschränkt man eine in einem Gebiet G des $\mathbf{R}^n$ differenzierbare Funktion f auf eine Gerade $\mathfrak{x} + t\mathfrak{h}$ (t ein reeller Parameter), so erhält man nach der Kettenregel eine nach t differenzierbare Funktion

$$g(t) = f(\mathfrak{x} + t\mathfrak{h}).$$

Sie besitzt für jedes t, für das $\mathfrak{x} + t\mathfrak{h} \in G$, eine Ableitung $\frac{df(\mathfrak{x} + t\mathfrak{h})}{dt}$. Für $t = 0$ heißt diese Größe die Ableitung von f im Punkte $\mathfrak{x}$ in der Richtung $\mathfrak{h}$. Ist f im Punkte $\mathfrak{x}$ differenzierbar, so ist f in $\mathfrak{x}$ in jeder Richtung differenzierbar, und es gilt

$$\left.\frac{df(\mathfrak{x} + t\mathfrak{h})}{dt}\right|_{t=0} = df(\mathfrak{x})(\mathfrak{h}).$$

In der Linearform $df(\mathfrak{x})$ ist also nur der jeweilige Richtungsvektor einzusetzen. Zum Beweise haben wir nur zu zeigen:

$$\textbf{(11)} \qquad \lim_{t \to 0} \frac{f(\mathfrak{x} + t\mathfrak{h}) - f(\mathfrak{x})}{t} = df(\mathfrak{x})(\mathfrak{h}).$$

Weil f in $\mathfrak{x}$ differenzierbar ist, gilt für jedes $\mathfrak{h} \neq \mathfrak{O}$

$$\textbf{(12)} \qquad \lim_{t\mathfrak{h} \to \mathfrak{O}} \frac{1}{|t\mathfrak{h}|} [f(\mathfrak{x} + t\mathfrak{h}) - f(\mathfrak{x}) - df(\mathfrak{x})(t\mathfrak{h})] = 0.$$

Aus (12) folgt:

$$\textbf{(13)} \qquad \lim_{t \to 0} \frac{1}{|t|} [f(\mathfrak{x} + t\mathfrak{h}) - f(\mathfrak{x}) - t\,df(\mathfrak{x})(\mathfrak{h})] = 0.$$

Wir klammern t aus und erhalten

$$\lim_{t \to 0} \frac{t}{|t|} \left(\frac{f(\mathfrak{x} + t\mathfrak{h}) - f(\mathfrak{x})}{t} - df(\mathfrak{x})(\mathfrak{h}) \right) = 0.$$

Da $\frac{t}{|t|} = \pm 1$, folgt daraus in der Tat (11).

Unter den Richtungsableitungen sind besonders die *partiellen Ableitungen* ausgezeichnet, das sind die Ableitungen in Richtung der Koordinatenachsen. $\mathfrak{e}_i$, $i = 1, \ldots, n$, sei der i-te Einheitsvektor; bei $\mathfrak{e}_i$ ist also die i-te Koordinate 1, die übrigen sind 0. Dann ist $\mathfrak{x} = \sum_{i=1}^{n} x_i \mathfrak{e}_i$. Wir nennen nun eine Funktion f, definiert in einem Gebiet G des $\mathbf{R}^n$, in einem Punkte $\mathfrak{x} \in G$ partiell differenzierbar, wenn alle n Funktionen $f(\mathfrak{x} + t\mathfrak{e}_i)$ für $t = 0$ differenzierbar sind.

$$\text{(14)} \qquad \left. \frac{df(\mathfrak{x} + t\mathfrak{e}_i)}{dt} \right|_{t=0}$$

heißt die partielle Ableitung von f nach x_i im Punkte $\mathfrak{x}$. Man schreibt statt (14) auch:

$$\frac{\partial f(\mathfrak{x})}{\partial x_i} = \left. \frac{\partial f}{\partial x_i} \right|_{\mathfrak{x}} = f'_{x_i}(\mathfrak{x}).$$

Jede im Punkte $\mathfrak{x}$ differenzierbare Funktion f ist dort auch partiell differenzierbar, und es gilt:

$$f'_{x_i}(\mathfrak{x}) = df(\mathfrak{x})(\mathfrak{e}_i).$$

Wenn f in jedem Punkte eines Gebietes G partiell differenzierbar ist, so liefern uns die n ›ersten partiellen Ableitungen‹ $f'_{x_i}(\mathfrak{x})$ n neue Funktionen in G. Sind diese Funktionen überdies stetig, so nennen wir f in G stetig differenzierbar. Man kann zunächst einwenden, es müsse doch ›stetig partiell differenzierbar‹ heißen. Diese umständlichere Bezeichnung erübrigt sich aber, weil aus der Stetigkeit der partiellen Ableitungen die Differenzierbarkeit der Funktion folgt. Es gilt nämlich: Jede Funktion f, die in einem Gebiet G des $\mathbf{R}^n$ definiert ist und dort überall stetige partielle Ableitungen aufweist, ist schlechtweg in G differenzierbar, hat dort also in jedem Punkte eine Differentialform, deren Koeffizienten stetige Funktionen sind.

Wenn f in irgendeinem Punkte $\mathfrak{x}$ des Gebietes G des $\mathbf{R}^n$ differenzierbar ist, so ist

$$\text{(15)} \qquad df(\mathfrak{x})(\mathfrak{h}) = \sum_{i=1}^{n} h_i f_{x_i}'(\mathfrak{x}),$$

denn es gilt ja

$$df(\mathfrak{x})(\mathfrak{h}) = df(\mathfrak{x})\left(\sum_{i=1}^{n} h_i \mathfrak{e}_i\right) = \sum_{i=1}^{n} h_i\, df(\mathfrak{x})(\mathfrak{e}_i) = \sum_{i=1}^{n} h_i f_{x_i}'(\mathfrak{x}).$$

Bei einer in einem Gebiete G differenzierbaren Funktion bilden also die Richtungsableitungen in einer festen Richtung $\mathfrak{h}$ wie die partiellen Ableitungen eine Funktion von $\mathfrak{x}$ in G. (Die durch die Koordinatenachsen definierten Richtungen sind vor den anderen Richtungen nicht ausgezeichnet.) Diese zur Richtung $\mathfrak{h}$ gehörige Funktion ist eine Linearkombination der partiellen Ableitungen.

Wiederum ist hier an das Beispiel

$$f(x_1, x_2) = \frac{x_1 x_2}{x_1^2 + x_2^2}, \quad f(0, 0) = 0$$

zu erinnern. f ist in jedem Punkte partiell differenzierbar und doch nicht in (0, 0) schlechtweg differenzierbar. f ist dort ja sogar unstetig; auch ist f im Nullpunkt nur in den Koordinatenrichtungen differenzierbar, z. B. nicht in der Richtung $\mathfrak{h} = (1, 1)$. Insbesondere sind die partiellen Ableitungen also nicht überall stetig.

Die *Kettenregel* gestattet es, die partiellen Ableitungen der Komponenten zusammengesetzter Abbildungen durch die der Komponenten der ursprünglichen Abbildungen auszudrücken. Es sind nur in (8) die Linearformen (15) einzusetzen. So folgt: Es sei $\mathfrak{f} = \{f_j; 1 \leq j \leq m\}$ eine Abbildung des Gebietes $G \subseteq \mathbf{R}^n$ in das Gebiet $G^* \subseteq \mathbf{R}^m$ und $\mathfrak{g} = \{g_\nu; 1 \leq \nu \leq l\}$ eine Abbildung von G^* in den $\mathbf{R}^l$. Die Abbildung $\mathfrak{g} \circ \mathfrak{f}$ werde vermittelt durch die Funktionen F_ν, $1 \leq \nu \leq l$. $\mathfrak{f}$ sei differenzierbar in $\mathfrak{x} \in G$ und $\mathfrak{g}$ in $\mathfrak{y} = \mathfrak{f}(\mathfrak{x})$. Dann sind alle Funktionen f_j, g_ν, F_ν partiell differenzierbar, und es gilt

$$\left.\frac{\partial F_\nu}{\partial x_i}\right|_{\mathfrak{x}} = \sum_{j=1}^{m} \left.\frac{\partial g_\nu}{\partial y_j}\right|_{\mathfrak{y}} \left.\frac{\partial f_j}{\partial x_i}\right|_{\mathfrak{x}}, \quad 1 \leq \nu \leq l.$$

Die zugehörige *Matrizengleichung* lautet:

$$\left(\frac{\partial F_\nu}{\partial x_i}\right) = \left(\frac{\partial g_\nu}{\partial y_j}\right)\left(\frac{\partial f_j}{\partial x_i}\right) \qquad \begin{array}{l} 1 \leq i \leq n \\ 1 \leq j \leq m \\ 1 \leq \nu \leq l \end{array}$$

Hier ist auch der Platz, auf die speziellen Schwierigkeiten und die Mehrdeutigkeit der Symbolik für die partielle Differentiation hinzuweisen. Betrachten wir zunächst beispielsweise die Funktion

$$f(x, y) = x + xy.$$

Dann ist

$$f_x'(x, y) = 1 + y,$$

folglich

$$f_x'(y, x) = 1 + x,$$

obwohl

$$\frac{\partial}{\partial x}(y + yx) = y$$

ist. Zur Bestimmung von $f_x'(y, x)$ ist also zunächst $f(x, y)$ nach x zu differenzieren. Erst dann sind die neuen Argumente einzusetzen, wie es ja auch nötig ist, um z. B. $f_x'(0, 0)$ zu bestimmen. Wir betrachten nun eine Funktion

$$z = f(x, y, s, t).$$

Es seien $x = g(s, t)$ und $y = h(s, t)$, also

$$z = f(x, y, s, t) = f[g(s, t), h(s, t), s, t] = A(s, t).$$

Dann ist

$$\frac{\partial f(x, y, s, t)}{\partial t} \text{ nicht identisch mit } \frac{\partial A(s, t)}{\partial t}.$$

Vielmehr gilt:

$$\frac{\partial A}{\partial t} = \frac{\partial f}{\partial x}\frac{\partial x}{\partial t} + \frac{\partial f}{\partial y}\frac{\partial y}{\partial t} + \frac{\partial f}{\partial t}.$$

Schreibt man nun die Differentialquotienten mit Benutzung der abhängigen Veränderlichen als Funktionszeichen, was vor allem häufig in der Physik und der Differentialgeometrie geschieht, so bedeutet $\frac{\partial z}{\partial t}$ einmal $\frac{\partial f}{\partial t}$ und einmal $\frac{\partial A}{\partial t}$.

Beispiel: In der Thermodynamik gilt für die innere Energie eines Gases eine Gleichung

$$U = f(p, V, T).$$

Die Zustandsgleichung $\Phi(p, V, T) = 0$ gestattet nun, jede der drei Veränderlichen p, V, T als Funktion der beiden anderen auszudrücken: $p = \varphi_1(V, T)$; $V = \varphi_2(p, T)$; $T = \varphi_3(p, V)$. So ergibt sich

$$U = f[p, V, \varphi_3(p, V)] = g_1(p, V),$$
$$U = f[p, \varphi_2(p, T), T] = g_2(p, T),$$
$$U = f[\varphi_1(V, T), V, T] = g_3(V, T)$$

und

$$\frac{\partial g_1}{\partial p} = \frac{\partial f}{\partial p} + \frac{\partial f}{\partial T}\frac{\partial T}{\partial p} = \frac{\partial U}{\partial p},$$
$$\frac{\partial g_2}{\partial p} = \frac{\partial f}{\partial p} + \frac{\partial f}{\partial V}\frac{\partial V}{\partial p} = \frac{\partial U}{\partial p}.$$

$\frac{\partial U}{\partial p}$ hat also zwei Bedeutungen. Sie pflegen in der Physik durch die Schreibweise $\left(\frac{\partial U}{\partial p}\right)_V$ und $\left(\frac{\partial U}{\partial p}\right)_T$ unterschieden zu werden. Dabei gibt der Index die Veränderliche an, die bei der Differentiation fest bleibt. Die dritte Veränderliche wird wegen der Zustandsgleichung mit der ersten Veränderlichen zwangsweise mit verändert.

Diese Mehrdeutigkeit der Symbole für die partiellen Ableitungen tritt nicht auf, wenn man es vermeidet, statt Funktionszeichen die abhängigen Veränderlichen zu setzen.

V. Partielle Ableitungen höherer Ordnung. Die partiellen Ableitungen einer in einem Gebiet G des $\mathbf{R}^n$ überall partiell differenzierbaren Funktion f sind selbst wieder Funktionen in G. Wenn sie wieder partiell differenzierbar sind, nennt man ihre partiellen Ableitungen die zweiten partiellen Ableitungen von f:

$$\frac{\partial}{\partial x_j}\left(\frac{\partial f(\mathfrak{x})}{\partial x_i}\right).$$

Wir benutzen dafür die Symbole

$$\frac{\partial^2 f(\mathfrak{x})}{\partial x_i \partial x_j} = \frac{\partial^2 f}{\partial x_i \partial x_j}\bigg|_{\mathfrak{x}} = f_{x_i x_j}''(\mathfrak{x}).$$

Man beachte die Reihenfolge der Differentiationen. Hier wird erst nach x_i und dann nach x_j differenziert. Die 2. Ableitungen können nun noch wieder differenzierbar sein usw. Eine Funktion f in einem Gebiet G des $\mathbf{R}^n$ mit ν-ten partiellen Ableitungen heißt ν-mal partiell differenzierbar. Sind die ν-ten partiellen Ableitungen noch alle stetig in G, sagt man, f sei ν-mal stetig differenzierbar in G. *Bei einer ν-mal stetig differenzierbaren Funktion sind alle Ableitungen bis zu den ν-ten Ableitungen von der Reihenfolge der Differentiation unabhängig.* Dazu genügt es, zu beweisen *(Satz von H. A. Schwarz):* Sei f eine zweimal stetig differenzierbare Funktion in einem Gebiet G des $\mathbf{R}^n$. Dann gilt:

$$\frac{\partial^2 f(\mathfrak{x})}{\partial x_j \, \partial x_i} = \frac{\partial^2 f(\mathfrak{x})}{\partial x_i \, \partial x_j}, \quad 1 \leq i, j \leq n.$$

Der Beweis wird durch mehrmalige Anwendung des *Mittelwertsatzes* erbracht.

Durch Anwendung der *Taylorschen Formel* für Funktionen einer Veränderlichen auf $\varphi(t) = f(\mathfrak{x} + t\mathfrak{h})$ gelangt man nun auch auf die Taylorsche Formel für $f(\mathfrak{x})$, und zwar auf jene mit Restglied wie auch unter gewissen Bedingungen — ganz analog jenen bei einer Veränderlichen — zu der unendlichen *Taylorreihe.* Für $f(\mathfrak{x} + \mathfrak{h})$ gelangen wir zu einer Reihe, die nach Potenzen von $h_1, h_2, \ldots, h_n$ fortschreitet. Ist f in G im $\mathbf{R}^2$ zweimal stetig differenzierbar, so lautet der Anfang der Reihe für $\mathfrak{x} \in G$ und klein genug gewähltes $|\mathfrak{h}|$:

(16)
$$f(\mathfrak{x} + \mathfrak{h}) = f(\mathfrak{x}) + h_1 f_{x_1}'(\mathfrak{x}) + h_2 f_{x_2}'(\mathfrak{x}) + \\ + \frac{h_1^2 f_{x_1x_1}''(\mathfrak{x}) + 2h_1 h_2 f_{x_1x_2}''(\mathfrak{x}) + h_2^2 f_{x_2x_2}''(\mathfrak{x})}{2!} + R.$$

Dieses Restglied R soll hier nicht näher beschrieben werden. Es ist aber mit Hilfe des Mittelwertsatzes völlig zu übersehen.

VI. Lokale Extrema (Extrema im kleinen) von Funktionen $f(\mathfrak{x})$. Wie bei den Funktionen einer Veränderlichen ist auch bei den Funktionen $f(\mathfrak{x})$ zwischen den Extrema in einem Gebiet und ›lokalen Extrema‹ zu unterscheiden. Jene hängen vor allem von der willkürlichen Gestalt des Gebietes, diese nur von den speziellen Eigenschaften der Funktionen ab und sind deshalb mit Hilfe der Differentialrechnung zu charakterisieren. Wir definieren: Die im Gebiet G des $\mathbf{R}^n$ definierte Funktion f hat im Punkte $\mathfrak{x} \in G$ ein lokales Maximum bzw. Minimum (zusammengefaßt: lokales Extremum), wenn es eine Umgebung $U \subseteq G$ von $\mathfrak{x}$ gibt derart, daß für alle $\mathfrak{y} \in U$ gilt:

$$f(\mathfrak{y}) \leq f(\mathfrak{x}) \quad \textit{(lokales Maximum)},$$
$$f(\mathfrak{y}) \geq f(\mathfrak{x}) \quad \textit{(lokales Minimum)}.$$

Die Funktion f sei in einem Gebiete G des $\mathbf{R}^n$ definiert. In $\mathfrak{x} \in G$ habe f ein lokales Extremum. Ist dann f im Punkte $\mathfrak{x}$ in der Richtung $\mathfrak{h}$ differenzierbar, so ist die Richtungsableitung von f in Richtung von $\mathfrak{h}$ Null. Ist f im Punkte $\mathfrak{x}$ schlechtweg differenzierbar, so ist das totale Differential df ($\mathfrak{x}$) dort für alle $\mathfrak{h}$ Null. Also verschwinden dann alle Richtungsableitungen, insbesondere die 1. partiellen Ableitungen.

Hinreichende Bedingungen für die lokalen Extrema gewinnt man mittels der 2. partiellen Ableitungen. Im $\mathbf{R}^2$ ist das noch leicht zu übersehen. Die Taylorformel (16) liefert in einem Punkte $\mathfrak{x}$, der ein lokales Extremum aufweisen soll (in dem also notwendig alle ersten partiellen Ableitungen verschwinden):

(17)
$$f(\mathfrak{x}+\mathfrak{h}) = f(\mathfrak{x}) + \frac{1}{2}\,(h_1^2 f_{x_1x_1}''(\mathfrak{x}) + 2h_1 h_2 f_{x_1x_2}''(\mathfrak{x}) + h_2^2 f_{x_2x_2}''(\mathfrak{x})) + R.$$

Aus der Eigenschaft von R folgt, daß der Ausdruck in der Klammer (die quadratische Form) ein lokales Extremum garantiert, wenn er definit ist. Ein quadratischer Ausdruck

(18) $$h_1^2A + 2\,h_1h_2B + h_2^2\,C \qquad (A, B, C \text{ fest})$$

heißt *positiv (negativ) definit,* wenn er für alle Paare $(h_1, h_2) \neq (0, 0)$ nur positive (negative) Werte liefert. Die quadratische Form (18) ist positiv definit, wenn $AC - B^2 > 0$ und $A > 0$, sie ist negativ definit, wenn $AC - B^2 > 0$ und $A < 0$. So folgt aus der zweimal stetigen Differenzierbarkeit der Funktion f in G: f hat in $\mathfrak{x}$ sicher dann ein lokales Extremum, wenn die ersten partiellen Ableitungen dort verschwinden und zugleich $f_{x_1x_1}''(\mathfrak{x})\, f_{x_2x_2}''(\mathfrak{x}) - f_{x_1x_2}''^2(\mathfrak{x}) > 0$ sowie $f_{x_1x_1}''(\mathfrak{x}) > 0$ (Minimum) bzw. $f_{x_1x_1}''(\mathfrak{x}) < 0$ (Maximum) ist.

Soll das Extremum von f im Punkte $\mathfrak{x}$ eines Gebietes G des $\mathbf{R}^n$, $n > 2$, liegen, so gibt es offensichtlich zu (17) eine analoge Formel

$$f(\mathfrak{x}+\mathfrak{h}) = f(\mathfrak{x}) + \frac{1}{2}\,Q(\mathfrak{h}) + R,$$

wo Q ($\mathfrak{h}$) eine quadratische Form in $h_1, \ldots, h_n$ ist mit Koeffizienten, die aus den zweiten partiellen Ableitungen, multipliziert mit Polynomialfaktoren, gebildet sind. Wieder kommt es – unter der Voraussetzung der zweimal stetigen Differenzierbarkeit – darauf an, daß Q($\mathfrak{h}$) eine ›definite‹ Form ist, damit wir sicher sind, im Punkte $\mathfrak{x}$ ein lokales Extremum zu haben.

VII. Umkehrung von Abbildungen (Umkehrung von Funktionensystemen). Die Abbildungen, die als Umkehrungen von linearen bijektiven Abbildungen $\mathfrak{t}$ des $\mathbf{R}^n$ definiert sind, werden schon in der linearen → Algebra behandelt. Sie sind wieder linear und lassen sich mit der *Cramerschen Regel* berechnen. Hier handelt es sich um die Frage, wann die in diesem Sachwortartikel behandelten allgemeinen Abbildungen $\mathfrak{f}$ umkehrbar sind und welche Eigenschaften die inversen Abbildungen $\mathfrak{f}^{-1}$ haben.

Zunächst zum letzteren: Ist $\mathfrak{f}$ eine bijektive stetige Abbildung einer kompakten Menge A im $\mathbf{R}^n$ auf eine (notwendigerweise kompakte) Teilmenge B des $\mathbf{R}^m$, so ist $\mathfrak{f}^{-1}$ eine stetige Abbildung von B auf A. Meistens aber haben wir es bei Abbildungen mit offenen Gebieten zu tun, z. B. dem Inneren von Kugeln und Würfeln. Da gilt, daß, wenn $\mathfrak{f}$ eine bijektive stetige Abbildung eines Gebietes G des $\mathbf{R}^n$ auf ein Gebiet G* des $\mathbf{R}^n$ ist, $\mathfrak{f}^{-1}$ dann und nur dann in G* stetig ist, wenn $\mathfrak{f}$ gebietstreu ist. Dabei heißt eine Abbildung $\mathfrak{f}$ des Gebietes G des $\mathbf{R}^n$ *gebietstreu*, wenn $\mathfrak{f}$ jedes Gebiet $G' \subseteq G$ auf ein Gebiet G″ des $\mathbf{R}^n$ abbildet. Besonders wichtig aber ist es, die Voraussetzung der Bijektivität zu vermeiden und diese aus anderen Eigenschaften der Abbildung abzuleiten. Das ist in der Tat möglich. Es gilt der wichtige Satz (über die Umkehrbarkeit): Ist $\mathfrak{f} = \{ f_i;\ 1 \leq i \leq n\}$ eine stetig differenzierbare Abbildung eines Gebietes G des $\mathbf{R}^n$ in den $\mathbf{R}^n$ und hat die Funktionaldeterminante der Abbildung

$$\frac{\partial (f_1, \ldots, f_n)}{\partial (x_1, \ldots, x_n)} = \left| \frac{\partial f_i}{\partial x_k} \right|$$

in G keine Nullstelle, so ist das Differential $d\mathfrak{f}(\mathfrak{x})$ in jedem Punkte $\mathfrak{x} \in G$ bijektiv. Wird $\mathfrak{f}$ auf eine geeignete (genügend kleine!) Umgebung U von $\mathfrak{x}$ beschränkt, so ist dort die Abbildung $\mathfrak{f}$ selbst bijektiv. U wird auf eine Umgebung V von $\mathfrak{y} = \mathfrak{f}(\mathfrak{x})$ abgebildet. $\mathfrak{f}^{-1}$ ist in V definiert und dort differenzierbar. Es ist auch

$$d\mathfrak{f}^{-1}(\mathfrak{y}) = [d\mathfrak{f}(\mathfrak{x})]^{-1}.$$

Kurz gefaßt, lautet der Satz: *Ist die Funktionaldeterminante einer stetig differenzierbaren Abbildung $\mathfrak{f}$ eines Gebietes G überall von Null verschieden, so bildet $\mathfrak{f}$ überall lokal bijektiv ab.*

Beispiel: $\mathfrak{f} = \{f_i;\ i = 1, 2\}$ sei für $0 < x_1^2 + x_2^2 < 1$ wie folgt definiert:

$$y_1 = f_1(x_1, x_2) = x_1^2 - x_2^2,$$
$$y_2 = f_2(x_1, x_2) = 2\,x_1 x_2.$$

Die Abbildung ist stetig differenzierbar und die Funktionaldeterminante $\neq 0$. Zu jedem Punkte $\mathfrak{x}$ des vorgegebenen Gebietes gibt es ein U, das bijektiv abgebildet wird. Jedoch wird das ganze Gebiet $0 < x_1^2 + x_2^2 < 1$ nicht ein-eindeutig, sondern ein-zweideutig auf $0 < y_1^2 + y_2^2 < 1$ abgebildet. Neben $\mathfrak{x}$ wird ja der Punkt $-\mathfrak{x}$ auf dasselbe Bild abgebildet. Man vermute nun nicht, daß der Ausfall der globalen Bijektivität bei lückenloser lokaler Bijektivität auf die topologische Besonderheit des punktierten Einheitskreises (nicht einfach-zusammenhängend!) zurückzuführen sei. Das ist falsch. Es gibt auch Abbildungen der ganzen (Einheits-) Kreisscheibe in sich, die überall lokal umkehrbar sind und für die das dennoch global nicht zutrifft.

VIII. Implizite Funktionen. Diese Bezeichnung ist allgemein gebräuchlich, aber mißverständlich. Die Eigenschaft ›implizit‹ kommt nicht einer Funktion zu, sondern nur der besonderen Eigenart, in der sie definiert wird.

Beispiel: 1. Die Gleichung $ax + by + c = 0$ definiert implizit für alle x unter der Voraussetzung $b \neq 0$ die Funktion

$$f\colon \quad y = -\frac{a}{b}x - \frac{c}{b}.$$

2. Die Gleichung $y^2 - x^2 = 0$ wird identisch erfüllt von den beiden Funktionen

$$y = x,$$
$$y = -x.$$

3. Die Gleichung $x^2 + y^2 + 1 = 0$ definiert keine Funktion.

Im Beispiel 2 läßt sich unter den durch die Gleichung $y^2 - x^2 = 0$ implizit gegebenen Funktionen eine Funktion f auszeichnen, wenn ein Punkt $(x_0, y_0) \neq (0, 0)$ hinzugenommen wird, für den $y_0^2 - x_0^2 = 0$ ist, und gefordert wird: $f(x_0) = y_0$. Wir sagen auch: $y = f(x)$ ist eine Auflösung von $y^2 - x^2 = 0$ nach y in der Nachbarschaft von (x_0, y_0). Unter gewissen Umständen gibt es Kriterien für eine solche Auflösung von Gleichungen und Gleichungssystemen. Die allgemeine Frage sieht so aus: Es seien f_i, $1 \leq i \leq k$, stetig differenzierbare Funktionen in einem Gebiet G des $\mathbf{R}^n$. Wann gibt es zu dem Gleichungssystem

$$\textbf{(19)} \qquad f_i(x_1, \ldots, x_n) = 0, \; 1 \leq i \leq k,$$

stetig differenzierbare Funktionen h_j, $1 \leq j \leq k$, die nur noch von den x_ν, $\nu > k$, abhängen und für die aus (19)

$$\textbf{(20)} \qquad x_j = h_j(x_{k+1}, \ldots, x_n)$$

folgt? Offenbar hat dies mit Umkehrungen von Abbildungen zu tun. Wenn wir nämlich

$$y_1 = f_1, y_2 = f_2, \ldots, y_k = f_k, y_{k+1} = x_{k+1}, \ldots, y_n = x_n$$

setzen und dieses System umkehren, so folgt für $f_1 = \cdots = f_k = 0$:

$$\begin{aligned}
x_1 &= h_1^*(0, \ldots, 0, y_{k+1}, \ldots, y_n) = h_1(y_{k+1}, \ldots, y_n)\\
&\vdots\\
x_k &= h_k^*(0, \ldots, 0, y_{k+1}, \ldots, y_n) = h_k(y_{k+1}, \ldots, y_n)\\
x_{k+1} &= y_{k+1}\\
&\vdots\\
x_n &= y_n
\end{aligned}$$

und damit (20). So folgt aus unserem Satz über die Umkehrbarkeit von Funktionensystemen der Satz über die Auflösbarkeit von Gleichungen: Es seien (bei gegebener natürlicher Zahl $k<n$) f_i, $1 \leq i \leq k$, k stetig differenzierbare Funktionen in einem Gebiete G des $\mathbf{R}^n$ und $\mathfrak{x}_0 \in G$ eine gemeinsame Nullstelle dieser k Funktionen f_i. Die Determinante

$$\left|\frac{\partial f_i}{\partial x_j}\right| (1 \leq i, j \leq k)$$

sei im Punkte $\mathfrak{x}_0$ nicht Null. Dann gibt es eine Umgebung U von $\mathfrak{x}_0$ und k stetig differenzierbare, in U definierte Funktionen h_j, $1 \leq j \leq k$, die nur von den $x_{k+1}, \ldots, x_n$ abhängen, so daß in U die Punkte (19) $f_i(\mathfrak{x}) = 0$, $1 \leq i \leq k$, identisch sind mit den Punkten (20) $x_j = h_j(x_{k+1}, \ldots, x_n)$, $1 \leq j \leq k$. In U gilt

$$\sum_{j=1}^{k} \frac{\partial f_i}{\partial x_j} \frac{\partial h_j}{\partial x_\nu} + \frac{\partial f_i}{\partial x_\nu} = 0, \; 1 \leq i \leq k, \; k < \nu \leq n.$$

Einfachster Fall: $f(x_1, x_2)$ sei stetig differenzierbar in $G \subseteq \mathbf{R}^2$. Für $\mathfrak{x}_0 = (x_1^0, x_2^0) \in G$ sei $f(x_1^0, x_2^0) = 0$ und $f'_{x_1}(x_1^0, x_2^0) \neq 0$. Dann gibt es ein U um $\mathfrak{x}_0$ derart, daß dort die Punkte $\mathfrak{x}$ mit $f(x_1, x_2) = 0$ identisch sind mit den Punkten $x_1 = h(x_2)$. [Entsprechend wenn $f'_{x_2}(x_1^0, x_2^0) \neq 0$, so $x_2 = h^*(x_1)$.] $h(x_2)$ ist in einem Intervall um x_2^0 stetig differenzierbar, und es gilt

$$\frac{\partial f}{\partial x_1} \frac{\partial h}{\partial x_2} + \frac{\partial f}{\partial x_2} = 0 \text{ in U.}$$

Global braucht auch unter den vorstehenden Voraussetzungen $f(x_1, x_2) = 0$ nicht eindeutig auflösbar zu sein.

IX. Das bestimmte Integral über n-dimensionale Gebiete des n-dimensionalen Raumes. Betrachten wir zunächst nur *Quader* Q des n-dimensionalen Raumes (auch abgeschlossene n-dimensionale Intervalle genannt)! Das sind die Punktmengen, für deren Punkte $\mathfrak{x} = (x_1, x_2, \ldots, x_n)$ gilt:

$$a_1 \leq x_1 \leq b_1$$
$$\cdots\cdots\cdots\cdots$$
$$a_n \leq x_n \leq b_n.$$

Für diese Punktmengen läßt sich analog zum $\mathbf{R}^1$ die Theorie der *Riemannschen Integrale* aufbauen. Der Limes der Obersummen führt wieder zum *Oberintegral*

$$\overline{\int_Q} f \, dx_1 \cdots dx_n$$

usw. Stimmen Ober- und *Unterintegral* überein, so sprechen wir vom *Gebietsintegral*

$$\int_Q f \, dx_1 \cdots dx_n.$$

Hinreichend für die Existenz des Gebietsintegrals der Funktion f im Quader Q ist die Stetigkeit von f in Q, notwendig ist die Beschränktheit.

Ist nun irgendein beschränktes Gebiet G des $\mathbf{R}^n$ vorgegeben, so können wir einen Quader Q finden, der G enthält. Soll für die Funktion f das Gebietsintegral über G eingeführt werden, so sei f^* in Q folgendermaßen definiert:

$$f^* = f \text{ für } \mathfrak{x} \in G,$$
$$f^* = 0 \text{ für } \mathfrak{x} \notin G.$$

Dann können wir definieren:

(21) $$\int_G f\, dx_1 \cdots dx_n = \int_Q f^*\, dx_1 \cdots dx_n.$$

Wählen wir statt Q ein anderes, G umfassendes Q′, so ist die rechte Seite von (21) die gleiche, falls dieser Grenzwert überhaupt existiert. Das Gebietsintegral über G ist also unabhängig von der Auswahl des umgebenden Quaders. Man achte aber darauf, daß auch bei stetigem f die Funktion f* im allgemeinen am Rande von G nicht stetig zu sein braucht. Trotzdem kann das Gebietsintegral existieren, weil die Stetigkeit von f* zwar hinreichend, aber nicht notwendig für die Existenz der rechten Seite von (21) ist. Das Integral

$$\int_G 1\, dx_1 \cdots dx_n$$

heißt das *Volumen* des Gebietes G. Wieder ist darauf zu achten, daß nicht alle Gebiete in diesem Sinne ein Volumen haben. Bildet der *Rand* von G aber eine n-dimensionale Nullmenge (d. h. eine Menge M, für die es zu jedem $\varepsilon > 0$ endlich viele Gebiete $G_1, \ldots, G_k$ des n-dimensionalen Raumes mit einem Gesamtinhalt kleiner als ε gibt, die M enthalten), oder wird G nur durch endlich viele $(n-1)$-dimensionale glatte Flächenstücke berandet, so existiert für jede in G stetige Funktion f das Gebietsintegral

$$\int_G f\, dx_1 \cdots dx_n,$$

insbesondere also auch das Volumen von G.

Die Rechengesetze und der Mittelwertsatz gelten für Gebietsintegrale genauso wie für gewöhnliche Riemannsche Integrale.

Vom Gebietsintegral im n-dimensionalen Raum ist das *n-fache Integral* zu unterscheiden. Doch stehen beide Arten von Integralen im engen Zusammenhang miteinander. Wir erklären dies lediglich für den $\mathbf{R}^2$. Das Gebiet N des $\mathbf{R}^2$ heißt ein *Normalgebiet* in bezug auf die x_1-Achse, wenn es von jeder Parallelen zur x_1-Achse in höchstens einer Strecke geschnitten wird. Jedes solche Gebiet läßt sich in der Form

$$\psi(x_2) \leq x_1 \leq \varphi(x_2)$$

angeben. Die Funktionen ψ und φ sind dabei definiert für alle x_2, für die es Punkte (x_1, x_2) in N gibt (oder, anders ausgedrückt: ψ und φ sind definiert auf der Projektion G′ von N auf die Achse $x_1 = 0$). Ist nun N ein Normalgebiet in bezug auf die x_1-Achse und ist f in N stetig, so gilt:

(22) $$\int_N f\, dx_1 dx_2 = \int_{G'} \left(\int_\psi^\varphi f\, dx_1\right) dx_2.$$

In (22) steht links ein Gebietsintegral, rechts ein zweifaches Integral. In der Klammer wird eine Funktion von zwei Veränderlichen nach der einen Veränderlichen integriert. Das Resultat ist eine Funktion in der anderen Veränderlichen, die nun ihrerseits integriert wird. Wenn immer möglich, wird man ein Gebietsintegral auf ein mehrfaches Integral zurückführen, weil bei diesem nacheinander die Integration in den einzelnen Veränderlichen durchzuführen ist. Außerdem ist der Induktionsschluß in bezug auf die Dimension leichter anwendbar. (Das trifft z. B. zu beim Beweis des Folgenden.)

DIE SUBSTITUTIONSFORMEL FÜR GEBIETSINTEGRALE. Ebenso wie bei einer Veränderlichen spielt die Substitution der alten Veränderlichen durch neue bei der Behandlung von Gebietsintegralen eine besondere Rolle. Es gilt: f sei stetig und integrierbar im Gebiet G^* des $\mathbf{R}^n$. Die Funktionen

$$\begin{aligned} x_1 &= \varphi_1(u_1, \ldots, u_n) \\ &\vdots \\ x_n &= \varphi_n(u_1, \ldots, u_n) \end{aligned}$$

seien in einer Umgebung des Gebietes G des $\mathbf{R}^n$ der $u_1, \ldots, u_n$ stetig differenzierbar und mögen G bijektiv mit nirgends verschwindender Funktionaldeterminante

$$\frac{\partial(x_1, \ldots, x_n)}{\partial(u_1, \ldots, u_n)}$$

auf G^* abbilden. G und G^* seien beschränkt, abgeschlossen und mit einem Volumen versehen. Dann gilt:

(23)
$$\int_{G^*} f(x_1, \ldots, x_n)\, dx_1 \cdots dx_n =$$

$$\int_G f[\varphi_1(u_1, \ldots, u_n), \ldots, \varphi_n(u_1, \ldots, u_n)] \left| \frac{\partial(x_1, \ldots, x_n)}{\partial(u_1, \ldots, u_n)} \right| du_1 \cdots du_n.$$

Natürlich gilt diese Formel auch für $n = 1$. Dafür ist sie schon ausgesprochen (→ Infinitesimalrechnung im $\mathbf{R}^1$, S. 130) mit dem Unterschiede, daß dort $\varphi'(u)$ und nicht wie hier $|\varphi'(u)|$ steht. Außerdem war nicht verlangt, daß $\varphi'(u) \neq 0$. Dazu ist zu sagen: Wegen der Bijektivität der Abbildung und der stetigen Differenzierbarkeit ist im ganzen Intervall $\varphi'(u) \leq 0$ oder $\varphi'(u) \geq 0$. Ferner waren die Intervalle ›orientiert‹ und beide Orientierungen waren zugelassen ($\alpha < \beta$ und $\alpha > \beta$). Aus diesem Grunde mußte in der Transformationsformel $\varphi'(u)$ und nicht $|\varphi'(u)|$ stehen. Sobald die Gebiete G und G^* orientiert werden, ist auch in (23) der Betrag durch die Funktionaldeterminante selbst zu ersetzen. Doch die Erklärung des Begriffs der *Orientierung von Gebieten* würde hier zu weit gehen.

Kardinal- und Ordinalzahlen. Das Kind lernt die natürlichen Zahlen in Übereinstimmung mit der historischen Entwicklung des Zahlbegriffs als Eigenschaften von Mengen kennen, etwa die Zahl 3 als eine Eigenschaft, die einer Menge von drei Äpfeln, drei Klötzen oder drei Fingern gemeinsam zukommt. Das Gemeinsame tritt beim Vergleich der Mengen durch wechselseitige Zuordnung ihrer Elemente in Erscheinung. Zugleich geben solche Zuordnungen eine Vorstellung vom Größenunterschied der Zahlen: 4 ist größer als 3, da bei einer eineindeutigen Zuordnung von 3 Klötzen zu Äpfeln einer Menge von 4 Äpfeln stets ein Apfel übrigbleibt. Daneben lernt das Kind häufig unabhängig von diesen Erfahrungen die Zahlennamen in ihrer natürlichen Reihenfolge aufsagen, und es lernt das Abzählen einer Menge von Dingen durch das Zuordnen von Dingen und Zahlennamen. Eine Verständnisschwierigkeit zeigt sich dann oftmals darin, daß das Kind nach dem Durchzählen von der letztgenannten Zahl der Zählfolge nicht auf die Anzahl der gezählten Dinge zu schließen vermag: die *kardinale* und die *ordinale Auffassung der Zahlen* stehen noch unverbunden nebeneinander.

In der Mathematik sind diese Zahlauffassungen analysiert worden. Neben *G. Frege* (1884), *R. Dedekind* (1887) und *B. Russell* (1903) ist hier vor allem *G. Cantor* zu nennen, der die Begriffe Kardinal- und Ordinalzahl auch auf das *Unendliche* — wo erst der Unterschied zwischen ihnen ganz deutlich wird — ausgedehnt hat. Die Leistungen von Frege und Russell auf diesem Gebiet bestehen insbesondere darin, daß sie durch die Rückführung der *natürlichen Zahlen* auf die Mengenlehre bzw. Logik den von ihnen (unabhängig voneinander) ausgearbeiteten sog. *logizistischen Grundlagenstandpunkt* festigen konnten (→ Mathematische Grundlagenforschung). Im Sinne des Logizismus sind alle mathematischen Begriffe rein logischen Ursprungs: aus der Logik läßt sich die Mengenlehre gewinnen, mit ihren Mitteln (oder aus der Logik direkt) lassen sich die natürlichen Zahlen aufbauen, aus diesen wiederum das gesamte Zahlensystem bis hinauf zu den komplexen und hyperkomplexen → Zahlen. Dedekind verdanken wir eine vom Zahlbegriff unabhängige Definition der *Unendlichkeit* (bzw. *Endlichkeit*) einer Menge mit Hilfe des Abbildungsbegriffs und eine unter Verwendung dieser Begriffe durchgeführte originelle explizite Definition der natürlichen Zahlen, die ebenfalls den rein logischen Charakter der Zahlen hervortreten läßt: »Die Zahlen sind freie Schöpfungen des menschlichen Geistes«. Er hat zudem als erster eine genaue Behandlung der für die ganze Ordinalzahltheorie wichtigen *rekursiven Definition* gegeben.

In modernen Darstellungen findet man verschiedene Wege, die Kardinal- und Ordinalzahlen zu definieren. Insbesondere sind die von *E. Zermelo*, *J. v. Neumann* u. a. gebahnten Wege zu nennen, die eine angemessene Definition dieser Begriffe auch im Rahmen der *axiomatischen Mengenlehre* erlauben. In den folgenden Ausführungen werden wir nicht den axiomatischen Standpunkt einnehmen, sondern von den Vorstellungen der naiven Mengenlehre ausgehen, indem wir uns weitgehend an die Cantorschen Definitionen anschließen. Zu den verwendeten mengen- und relationentheoretischen Begriffen → Mengen, Abbildungen, Strukturen.

A. Kardinalzahlen. I. Definition, Rechenoperationen, Ordnungsbeziehung. 1. Zwei Mengen A, B heißen nach Cantor *gleichmächtig* (kurz: A ~ B, gelesen: ›A und B gleichmächtig‹ oder auch ›A äquivalent B‹) genau dann, wenn sich die Elemente von A umkehrbar eindeutig den Elementen von B zuordnen lassen, d. h. wenn es eine eineindeutige Abbildung von A auf B gibt. Gleichmächtig sind z. B. die Mengen {Merkur, Venus, Erde}, {1, 2, 3}, {ø, {ø}, {{ø}}}, ferner die Menge aller natürlichen Zahlen und die Menge aller geraden natürlichen Zahlen. Im letzten Falle wählen wir die Abbildung n ⟶ 2 n:

$$\begin{array}{cccccc} 0 & 1 & 2 & 3 & 4 \ldots & n \ldots \\ \updownarrow & \updownarrow & \updownarrow & \updownarrow & \updownarrow & \updownarrow \\ 0 & 2 & 4 & 6 & 8 \ldots & 2n \ldots \end{array}$$

Die Gleichmächtigkeit ist — wie man sofort sieht — eine *Äquivalenzrelation* auf jeder Menge von Mengen. Die *Abstraktion* nach dieser Äquivalenzrelation (→ Mengen, Abbildungen, Strukturen) führt zum Begriff der *Kardinalzahl*: Eine Kardinalzahl (oder *Mächtigkeit*) ist eine Äquivalenzklasse gleichmächtiger Mengen. Die Kardinalzahl einer Menge A bezeichnen wir mit card A.

Es läge nahe, bei der Bildung der Äquivalenzklassen bezüglich der Gleichmächtigkeit vom Begriff der *Menge aller Mengen* auszugehen. Dieser Begriff hat sich aber als widerspruchsvoll erwiesen (s. u.). Wir wollen den Kardinalzahlbegriff deshalb nur relativ zu bestimmten Mengensystemen verstehen. Beim Umgang mit Kardinalzahlen werden wir jedoch zulassen, daß das jeweilige Mengensystem geeignet erweitert wird. Dementsprechend werden wir dann auch Kardinalzahlen von gleichmächtigen Mengen aus verschiedenen Mengensystemen $\mathfrak{M}$ und $\mathfrak{N}$ als gleich ansehen, da sie ja in $\mathfrak{M} \cup \mathfrak{N}$ identisch wären. Dadurch lassen sich die Betrachtungen wieder weitgehend unabhängig vom fest gewählten Mengensystem durchführen.

2. Für Kardinalzahlen kann man *Rechenoperationen* so einführen, daß sie dem *Addieren, Multiplizieren* und *Potenzieren* der natürlichen Zahlen, mit denen wir uns im einzelnen erst weiter unten beschäftigen wollen, entsprechen. Bekanntlich läßt sich die Addition von 3 und 4 dadurch demonstrieren, daß man eine Menge von drei Gegenständen und eine Menge von vier davon verschiedenen Gegenständen vereinigt und von der Vereinigungsmenge die Kardinalzahl abhebt. Eine angemessene Verdeutlichung der Multiplikation von 3 und 4 ist in folgender Weise möglich. Ist $A = \{a_1, a_2, a_3\}$ ein Repräsentant von 3, $B = \{b_1, b_2, b_3, b_4\}$ ein Repräsentant von 4, so bilden wir die Menge $A \times B$ aller geordneten Paare:

$$\begin{matrix} (a_1, b_1) & (a_1, b_2) & (a_1, b_3) & (a_1, b_4) \\ (a_2, b_1) & (a_2, b_2) & (a_2, b_3) & (a_2, b_4) \\ (a_3, b_1) & (a_3, b_2) & (a_3, b_3) & (a_3, b_4) \end{matrix}$$

Diese Menge ist dann ein Repräsentant für das Produkt $3 \cdot 4$. Eine Menge schließlich, deren Elementeanzahl die Potenz 3^4 ist, erhalten wir in der Menge aller Abbildungen der 4 repräsentierenden Menge in die 3 repräsentierende Menge. In der Tat: Ist $A = \{a_1, a_2, a_3\}$ und $B = \{b_1, b_2, b_3, b_4\}$, so haben wir für b_1 drei Zuordnungsmöglichkeiten, ebenso für b_2, b_3, b_4. Das sind insgesamt $3 \cdot 3 \cdot 3 \cdot 3 = 3^4$ Möglichkeiten, eine Abbildung von B in A zu definieren. Die Menge aller Abbildungen einer Menge B in eine Menge A bezeichnen wir allgemein mit $\mathfrak{F}(B, A)$ (→ Mengen, Abbildungen, Strukturen). Sie wird wegen des Zusammenhangs mit den Kardinalzahlpotenzen häufig auch mit A^B bezeichnet.

Bei der allgemeinen Definition der *Summe*, des *Produktes* und der *Potenz* von Kardinalzahlen werden wir also von der Vereinigung $A \cup B$ elementefremder Mengen A, B, dem kartesischen Produkt $A \times B$ und der Menge $\mathfrak{F}(B, A)$ Gebrauch machen. Die Voraussetzung, daß für die Summenbildung $A \cap B = \emptyset$ gilt, ist dabei nicht einschneidend. Ist sie nicht erfüllt, so brauchen wir etwa nur von A zur gleichmächtigen Menge A′ aller Paare $(\emptyset, x)$ mit $x \in A$ und von B zur gleichmächtigen Menge B′ aller Paare $(\{\emptyset\}, y)$ mit $y \in B$ überzugehen. Es gilt dann sicher $A' \cap B' = \emptyset$.

Im folgenden seien nun a, b, c, ... Kardinalzahlen und A, B, C, ... entsprechende Repräsentanten. Wir definieren dann:

(1) $a + b := \text{card}(A \cup B)$, wobei $A \cap B = \emptyset$,

(2) $a \cdot b := \text{card}(A \times B)$,

(3) $a^b := \text{card}\,\mathfrak{F}(B, A)$.

Diese Definitionen sind offenbar unabhängig von der Wahl der Repräsentanten; denn aus $A' \sim A$ und $B' \sim B$ folgt, daß

$$A' \times B' \sim A \times B,\ \mathfrak{F}(B', A') \sim \mathfrak{F}(B, A) \text{ und (falls } A' \cap B' = A \cap B = \emptyset) \ A' \cup B' \sim A \cup B.$$

Mit Hilfe der Eigenschaften der jeweiligen mengentheoretischen Operationen lassen sich nun unmittelbar die folgenden *Rechenregeln* für Kardinalzahlen ableiten:

(4) $(a + b) + c = a + (b + c),\ a + b = b + a,$

(5) $(a \cdot b) \cdot c = a \cdot (b \cdot c),\ a \cdot b = b \cdot a,$

(6) $a \cdot (b + c) = a \cdot b + a \cdot c,$

(7) $a^c \cdot b^c = (a \cdot b)^c,\ a^b \cdot a^c = a^{b+c},\ (a^b)^c = a^{b \cdot c}.$

Führen wir ferner jetzt schon zwei spezielle Kardinalzahlen ein, nämlich $0 := \text{card}\ \emptyset = \{\emptyset\}$ und $1 := \text{card}\ \{\emptyset\}$ ($\{\emptyset\}$ als naheliegender Repräsentant für einelementige Mengen), so ergibt sich u. a. noch:

(8) $a + 0 = a,\ a \cdot 0 = 0,\ a^0 = 1,\ 0^a = 0$ (für $a \neq 0$), $a \cdot 1 = a.$

Die erste der angegebenen Regeln folgt z. B. sofort aus der Assoziativität von $\cup$. Wir beweisen beispielsweise noch die Gültigkeit von $a^c \cdot b^c = (a \cdot b)^c$. Es ist zu zeigen, daß $\mathfrak{F}(C, A) \times \mathfrak{F}(C, B) \sim \mathfrak{F}(C, A \times B)$. Es sei $f \in \mathfrak{F}(C, A)$, d. h. eine Abbildung von C in A, $g \in \mathfrak{F}(C, B)$, $z \in C$. Dann können wir allen Paaren $(f, g) \in \mathfrak{F}(C, A) \times \mathfrak{F}(C, B)$ in umkehrbar eindeutiger Weise eine Abbildung $h \in \mathfrak{F}(C, A \times B)$ zuordnen, indem wir definieren: $h(z) := (f(z), g(z))$. Bei den Potenzen in (8) beachte man: Es gibt genau eine Abbildung der leeren Menge in eine Menge A, die leere Abbildung. Es existiert jedoch keine Abbildung einer nicht-leeren Menge A in die leere Menge.

3. Auch der auf Mengen bezogene Größenvergleich zwischen natürlichen Zahlen läßt sich auf beliebige Kardinalzahlen übertragen. Man definiert für Kardinalzahlen a und b, daß a *kleiner oder gleich* b sein soll (kurz $a \leq b$), wenn es Repräsentanten A von a und B von b gibt, für die $A \subseteq B$, kurz:

(9) $a \leq b :\Leftrightarrow \bigvee_A \bigvee_B (\text{card}\ A = a \wedge \text{card}\ B = b \wedge A \subseteq B).$

Die so erklärte Relation $\leq$ ist eine *Ordnungsrelation*, d. h. es gilt:

(10) $a \leq a$ *(Reflexivität)*

(11) $a \leq b \wedge b \leq a \Rightarrow a = b$ *(Identitivität)*

(12) $a \leq b \wedge b \leq c \Rightarrow a \leq c$ *(Transitivität).*

Die Gültigkeit von (10) ist wegen $A \subseteq A$ sofort klar. Der Beweis von (12) macht ebenfalls keine Schwierigkeiten. Der Beweis von (11) ist nicht trivial. Man hat hierbei eine wichtige mengentheoretische Aussage abzuleiten, den sog. *Bernsteinschen Äquivalenzsatz*:

$$A \subseteq B \wedge B \subseteq C \wedge A \sim C \Rightarrow A \sim B.$$

Man wird vermuten, daß die gemäß (9) definierte Relation $\leq$ auch *konnex* ist, d. h., daß auch

(13) $$a \leq b \vee b \leq a$$

gilt. Tatsächlich trifft (13) für beliebige Kardinalzahlen zu. Ja, es gilt sogar, daß $\leq$ auf jeder Menge von Kardinalzahlen eine wohlordnende Relation ist. Zum Beweis muß man jedoch das *Auswahlaxiom* (→ Mengen, Abbildungen, Strukturen) heranziehen. Wir gehen darauf im Rahmen der Ordinalzahltheorie noch ein und setzen im Augenblick nur (10), (11) und (12) als gültig voraus. Ohne Schwierigkeiten lassen sich die folgenden *Monotoniegesetze* ableiten:

(14) $$a \leq b \wedge c \leq d \Rightarrow \begin{cases} a + c \leq b + d \\ a \cdot c \leq b \cdot d \\ a^c \leq b^d \text{ (Ausnahme:} \\ \quad a = b = c = 0,\ d = 1). \end{cases}$$

Diese Gesetze sind uns von den natürlichen Zahlen her bekannt. Wir werden jedoch sehen [s. Formeln (17) und (18)], daß für die gemäß

(15) $$a < b :\Leftrightarrow a \leq b \wedge a \neq b$$

zu $\leq$ gehörige *strikte Ordnungsrelation* $<$ nicht alle im Bereich der natürlichen Zahlen gültigen Monotoniegesetze richtig bleiben.

II. Natürliche Kardinalzahlen. 1. Das System der natürlichen → Zahlen (wir nehmen, wie es vom Standpunkt der Mengenlehre aus zweckmäßig ist, auch die Null zu diesem System hinzu) läßt sich strukturell durch die *Peano-Axiome* charakterisieren:

(P1) $0 \in \mathbf{N}$
(Null ist eine natürliche Zahl)

(P2) $x \in \mathbf{N} \Rightarrow v(x) \in \mathbf{N}$
(Ist x eine natürliche Zahl, so auch der Nachfolger von x)

(P3) $x \in \mathbf{N} \Rightarrow v(x) \neq 0$
(Null ist nicht Nachfolger einer natürlichen Zahl)

(P4) $x \in \mathbf{N} \wedge y \in \mathbf{N} \wedge v(x) = v(y) \Rightarrow x = y$
(Natürliche Zahlen mit gleichen Nachfolgern sind gleich)

(P5) $\bigwedge_{\mathfrak{E}} (\mathfrak{E}0 \wedge \bigwedge_{x} (x \in \mathbf{N} \wedge \mathfrak{E}x \Rightarrow \mathfrak{E}v(x)) \Rightarrow \bigwedge_{x} (x \in \mathbf{N} \Rightarrow \mathfrak{E}x))$
(Für alle Eigenschaften $\mathfrak{E}$ gilt: Falls $\mathfrak{E}$ der Null zukommt und mit jeder natürlichen Zahl auch ihrem Nachfolger, so kommt $\mathfrak{E}$ allen natürlichen Zahlen zu.) (Prinzip der vollständigen Induktion.)

In diesen Axiomen treten – so wie wir sie angeschrieben haben – die Symbole ›0‹, ›**N**‹ und ›v‹ auf. Diese Symbole haben wir als Variable aufzufassen, und zwar ›0‹ als Individuenvariable, ›**N**‹ als Mengen- (oder Prädikaten-) Variable und ›v‹

als Funktionsvariable. Über den Variablencharakter dürfen wir uns nicht dadurch hinwegtäuschen, daß wir beim Lesen die Namen ›Null‹, ›natürliche Zahl‹ und ›Nachfolger‹ verwendet haben. Erst wenn wir ein Modell für das Axiomensystem angeben, können wir sagen, daß mit ›o‹, ›**N**‹ und ›v‹ etwas Bestimmtes gemeint ist (→ Logik und Methodologie). Wir wollen ein solches Modell aus dem Bereich der Kardinalzahlen konstruieren und in diesem Sinne die Peano-Axiome begründen. Dazu sei bemerkt, daß man Modelle für die Peano-Axiome in sehr verschiedener Weise angeben kann. Man kann jedoch zeigen, daß die Modelle notwendig alle zueinander isomorph sind. Das erst gibt uns die Berechtigung, von dem System der natürlichen Zahlen zu sprechen.

2\. Es ist klar, daß unter den Kardinalzahlen gerade die endlichen (finiten), d. h. die Kardinalzahlen der endlichen Mengen, für die Modellkonstruktion in Frage kommen. Wollen wir von diesem Gedanken ausgehen, so benötigen wir zunächst eine Definition für die *Endlichkeit einer Menge.* Häufig wird die folgende Definition verwendet: Eine Menge M heißt endlich genau dann, wenn $M = \emptyset$ oder wenn es eine natürliche Zahl $n - 1$ gibt derart, daß M gleichmächtig ist zur Menge $\{0, 1, \ldots, n - 1\}$. Diese Definition ist für uns ungeeignet, da sie bereits von den natürlichen Zahlen Gebrauch macht, die wir ja explizit erst definieren wollen. Tatsächlich gelingt es, adäquate zahlunabhängige Definitionen aufzustellen. Die bekannteste ist von *Dedekind* angegeben worden, geht aber schon auf *Bolzano* zurück: *Eine Menge* M *heißt unendlich, wenn sie einer ihrer echten Teilmengen gleichmächtig ist, andernfalls endlich.* Eine andere Definition stammt von *Tarski*: *Eine Menge* M *heißt endlich, wenn jede nicht-leere Menge von Teilmengen von* M *bezüglich der* $\subseteq$*-Relation wenigstens ein minimales Element besitzt* (d. h. ein solches, das unter den vorliegenden Teilmengen von M keine echte Teilmenge hat), *andernfalls unendlich.* Man kann unter Verwendung des *Auswahlaxioms* beweisen, daß diese beiden Definitionen zueinander und — falls man die natürlichen Zahlen voraussetzt — zur ersten, zahlgebundenen Definition äquivalent sind. Die Menge der natürlichen Zahlen wollen wir für den Augenblick einmal zur Prüfung der beiden Unendlichkeitskriterien heranziehen: Wir hatten oben schon gezeigt, daß die Menge der natürlichen Zahlen zu einer echten Teilmenge, der Menge aller geraden Zahlen, gleichmächtig ist. Die Bolzano-Dedekind-Bedingung ist also erfüllt. Um zu zeigen, daß auch die Tarski-Bedingung der Unendlichkeit erfüllt ist, haben wir eine nicht-leere Menge von Teilmengen anzugeben, in der keine Menge als minimales Element vorkommt. Wir wählen dazu etwa die Menge der folgenden Mengen:

$$\{0, 1, 2, \ldots\}, \{1, 2, 3, \ldots\}, \{2, 3, 4, \ldots\}, \ldots .$$

Jede Menge aus dieser Kette hat innerhalb der Kette eine echte Teilmenge.

3. Wir legen im folgenden die Tarski-Definition der Endlichkeit zugrunde. Unter $\{x\}$ wollen wir eine Einermenge verstehen, definiert als diejenige Menge, die als einziges Element x enthält: $u \in \{x\} :\Leftrightarrow u = x$. Man kann dann für endliche Mengen leicht folgende Aussagen beweisen:

(A1) $\emptyset$ ist endlich

(A2) Ist A endlich, so auch $A \cup \{x\}$

(A3) Ist A endlich, so ist $A \cup \{x\} \neq \emptyset$

(A4) Sind A, B endlich und gilt $A \cup \{x\} \sim B \cup \{y\}$, wobei $x \notin A$, $y \notin B$, so gilt auch $A \sim B$.

(A5) Für alle Eigenschaften $\mathfrak{E}^*$ gilt: Falls $\mathfrak{E}^*$ der leeren Menge $\emptyset$ zukommt und mit jeder endlichen Menge A auch der Menge $A \cup \{x\}$ für alle $x \notin A$, so kommt $\mathfrak{E}^*$ allen endlichen Mengen zu.

Zum Beweis von (A5), dem *Induktionsprinzip für endliche Mengen*, nehmen wir an, es gäbe eine endliche Menge M, auf die eine die Voraussetzungen von (A5) erfüllende Eigenschaft $\mathfrak{E}^*$ nicht zutrifft. Wir betrachten dann das System $\mathfrak{S}$ aller Teilmengen von M, auf die $\mathfrak{E}^*$ nicht zutrifft. Da M Element von $\mathfrak{S}$ ist, ist $\mathfrak{S}$ sicher nicht leer. Wegen der Endlichkeit von M gibt es in $\mathfrak{S}$ ein minimales Element M_0, wobei $M_0 \neq \emptyset$, da sonst M_0 die Eigenschaft $\mathfrak{E}^*$ besäße. x sei ein Element aus M_0. Wir bilden dann $M_0^* := M_0 - \{x\}$. Das ist eine echte Teilmenge von M_0, die wegen der Minimalität von M_0 nicht in $\mathfrak{S}$ liegen kann. Also trifft $\mathfrak{E}^*$ auf M_0^* zu. Nach Voraussetzung kommt mit M_0^* auch $M_0 = M_0^* \cup \{x\}$ die Eigenschaft $\mathfrak{E}^*$ zu. Das steht im Widerspruch zu $M_0 \in \mathfrak{S}$.

Die Gültigkeit von (A1) bis (A5) veranlaßt uns nun zu folgender Deutung: Unter einer *natürlichen Zahl* a verstehen wir eine endliche Kardinalzahl $[a \in \mathbf{N} :\Leftrightarrow \bigvee_{A} (\text{endlich } A \wedge a = \text{card } A)]$. Die Zahl *Null* (0) sei (wie oben!) die Kardinalzahl $\{\emptyset\}$. Ist a eine natürliche Zahl, A ein Repräsentant von a und $x \notin A$, so sei der *Nachfolger* $\nu(a)$ von a die Kardinalzahl card $(A \cup \{x\})$. Damit haben wir – wie man mit Hilfe von (A1) bis (A5) sofort bestätigt – ein Modell für die Peano-Axiome gewonnen. Zum Zusammenhang von (P5) und (A5) ist zu bemerken, daß man von jeder Eigenschaft $\mathfrak{E}$ für endliche Kardinalzahlen vermöge $\mathfrak{E}^* A :\Leftrightarrow \mathfrak{E}$ card A unmittelbar zu einer Eigenschaft $\mathfrak{E}^*$ für endliche Mengen übergehen kann. Erfüllt $\mathfrak{E}$ die Voraussetzungen von (P5), so $\mathfrak{E}^*$ die von (A5). $\mathfrak{E}^*$ trifft dann auf alle endlichen Mengen zu, $\mathfrak{E}$ also auf alle endlichen Kar-

dinalzahlen. Wir wollen die endlichen Kardinalzahlen im folgenden auch *natürliche Kardinalzahlen* nennen.
4. Bei der Entwicklung der Arithmetik aus den Peano-Axiomen werden die Rechenoperationen *rekursiv definiert*, so z. B. die Addition gemäß der Festsetzung, daß $a + 0 := a$ und $a + \nu(b) := \nu(a + b)$ (→ Zahlen). Man sieht sogleich, daß diese Festsetzungen bei den natürlichen Kardinalzahlen zu denselben Operationen führen, wie sie in (1) [bzw. (2) und (3)] explizit erklärt wurden. Denn deutet man z. B. das Zeichen + im Sinne von (1), so gilt ja $a + 0 = a$ sicher für beliebige Kardinalzahlen a, ferner ist

$$\nu(a + b) = \text{card}\,[(A \cup B) \cup \{x\}] = \text{card}\,[A \cup (B \cup \{x\})] =$$
$$= \text{card}\,A + \text{card}\,(B \cup \{x\}) = a + \nu(b).$$

Ebenso führen die beim axiomatischen Aufbau für die $\leq$-Relation gegebenen Definitionen bei den natürlichen Kardinalzahlen zu der durch (9) erklärten Ordnungsrelation. Diese zu erwartende Übereinstimmung erlaubt es, die ganze Arithmetik der natürlichen Kardinalzahlen aus den für sie gültigen Peano-Axiomen und der allgemeinen kardinalen Arithmetik zu gewinnen, ohne dabei das erst durch besondere Überlegungen (s. u.) voll gerechtfertigte Prinzip der rekursiven Definition anzuwenden.
Die Gültigkeit der Peano-Axiome für die natürlichen Kardinalzahlen ließ sich auf der Grundlage der *Tarskischen Endlichkeitsdefinition* ohne das Auswahlaxiom beweisen. Eine unmittelbare Folgerung über natürliche Kardinalzahlen ist nun insbesondere die, daß die $\leq$-Relation auf der Menge aller natürlichen Kardinalzahlen konnex und darüber hinaus sogar eine wohlordnende Relation ist (s. B III). Dieses Resultat läßt sich — wie schon erwähnt wurde — für beliebige Kardinalzahlen nicht ohne das Auswahlaxiom herleiten.
III. Transfinite Kardinalzahlen. 1. Ein erstes Beispiel einer transfiniten (d. h. nicht endlichen) Kardinalzahl wird uns durch die Menge aller natürlichen Zahlen **N** repräsentiert. Man bezeichnet sie nach dem Vorgang von Cantor mit $\aleph_0$ (Aleph-null; $\aleph$ ist der erste Buchstabe des hebräischen Alphabets): $\aleph_0 := $ $:= \text{card}\,\mathbf{N}$. Es erhebt sich die Frage: Gibt es noch weitere transfinite Kardinalzahlen? Cantor konnte diese Frage positiv beantworten. Er hat gezeigt, daß es sogar unendlich viele transfinite Kardinalzahlen gibt. Doch bevor wir näher darauf eingehen, demonstrieren wir ein anderes überraschendes Resultat Cantors: *Die Menge der rationalen Zahlen und die Menge der natürlichen Zahlen sind gleichmächtig*. Der Beweis beruht auf dem sog. *ersten Cantorschen Diagonalverfahren.* Dabei durchläuft man die in einem Schema nach Zähler (mit beiderlei Vorzeichen) und Nenner geordneten Brüche in der angegebenen

Weise diagonal und überspringt jeweils diejenigen Brüche, die eine bereits vorgekommene rationale Zahl darstellen:

$$
\begin{array}{ccccccccccc}
0 \rightarrow & \frac{1}{1} & & \frac{-1}{1} & \rightarrow & \frac{2}{1} & & \frac{-2}{1} & \rightarrow & \frac{3}{1} & \cdots \\
& \downarrow & \nearrow & & \swarrow & & \nearrow & & \swarrow & & \\
& \frac{1}{2} & & \frac{-1}{2} & & \frac{2}{2} & & \frac{-2}{2} & & \frac{3}{2} & \cdots \\
& & \swarrow & & \nearrow & & \swarrow & & & & \\
& \frac{1}{3} & & \frac{-1}{3} & & \frac{2}{3} & & \frac{-2}{3} & & \frac{3}{3} & \cdots \\
& \downarrow & \nearrow & & \swarrow & & & & & & \\
& \frac{1}{4} & & \frac{-1}{4} & & \frac{2}{4} & & \frac{-2}{4} & & \frac{3}{4} & \cdots \\
& & \swarrow & & & & & & & & \\
& \frac{1}{5} & & \cdot & & \cdot & & \cdot & & \cdot & \cdots \\
& \cdot & & \cdot & & \cdot & & \cdot & & \cdot & \cdots
\end{array}
$$

Man hat so eine Methode gefunden, durch die man jeder natürlichen Zahl genau eine rationale Zahl zuordnen kann, wobei jede rationale Zahl auch genau einmal an die Reihe kommt:

$$
\begin{array}{cccccccccccc}
0 & 1 & 2 & 3 & 4 & 5 & 6 & 7 & 8 & 9 & 10 & \cdots \\
\updownarrow & \updownarrow & \updownarrow & \updownarrow & \updownarrow & \updownarrow & \updownarrow & \updownarrow & \updownarrow & \updownarrow & \updownarrow & \\
0 & 1 & \frac{1}{2} & -1 & 2 & \frac{-1}{2} & \frac{1}{3} & \frac{1}{4} & \frac{-1}{3} & -2 & 3 & \cdots
\end{array}
$$

Zugleich ist dabei die Menge der rationalen Zahlen als Wertebereich einer Folge dargestellt. Diese Folge hat die besondere Eigenschaft, daß jedes ihrer Glieder Häufungspunkt ist (→ Infinitesimalrechnung im $\mathbf{R}^1$).

Die endlichen Mengen und die Mengen von der Mächtigkeit $\aleph_0$ nennt man *abzählbar*, letztere insbesondere *abzählbar unendlich*. (In einer anderen Terminologie heißen nur die Mengen der Mächtigkeit $\aleph_0$ abzählbar.) Wir stellen ohne Beweis einige wichtige Tatsachen über abzählbare Mengen zusammen:

a) Ist n eine gegebene natürliche Zahl, so ist die Menge aller n-tupel natürlicher Zahlen abzählbar.

b) Die Vereinigung und das kartesische Produkt zweier abzählbaren Mengen sind abzählbar.

c) Jede unendliche Menge enthält wenigstens eine abzählbar unendliche Teilmenge (Beweis mit Hilfe des Auswahlaxioms).

d) Jede Teilmenge einer abzählbaren Menge ist abzählbar.

e) Die Menge der *reell → algebraischen Zahlen*, d. h. der reellen Zahlen, die Nullstellen von Polynomen mit ganzzahligen Koeffizienten sind, ist abzählbar. (Beweis → Zahlen.)

2. $\aleph_0$ ist die *kleinste transfinite Kardinalzahl*. Das folgt sofort aus c) oder d). Die Frage nach anderen transfiniten Kardinal-

zahlen bedeutet also: Gibt es überabzählbare Mengen? Cantor hat gezeigt: *Die Menge aller reellen Zahlen* **R** *ist überabzählbar.* Beim Beweis können wir uns auf den Nachweis der Überabzählbarkeit der reellen Zahlen im Intervall $\{x|0<x<1\}$ beschränken, schon nach d), aber auch, weil diese Teilmenge von **R** und **R** gleichmächtig sind. Letzteres geht unmittelbar aus Abb. 29 hervor, wenn wir die bekannte Tatsache benutzen, daß sich die reellen Zahlen eineindeutig den Punkten einer Geraden zuordnen lassen. Zum Beweis der Überabzählbarkeit von $\{x \mid 0 < x < 1\}$ verwenden wir die Darstellbarkeit der reellen Zahlen durch einen unendlichen Dezimalbruch. Dabei wollen wir diejenigen reellen Zahlen, bei deren Entwicklung von einer gewissen Stelle an lauter Nullen auftreten, stets durch den entsprechenden Dezimalbruch mit der Periode 9 darstellen, also zum Beispiel 0,45 nicht durch 0,45 000 000 . . ., sondern durch 0,44999999 ... (→Ziffern und Ziffernsysteme). Zwischen den reellen Zahlen unseres Intervalls und den von 0,99 . . . verschiedenen unendlichen Dezimalbrüchen mit Null vor dem Komma besteht dann eine eineindeutige Zuordnung. Der eigentliche Beweis wird nun indirekt geführt. Wir nehmen an, es gäbe eine eineindeutige Abbildung $n \rightarrow a_n$ der Menge **N** auf die Menge der reellen Zahlen zwischen 0 und 1. Dann ließen sich diese reellen Zahlen wie folgt durchnumeriert anschreiben, wobei die a_{ij} die Ziffern der jeweiligen Dezimalbruchentwicklung sind:

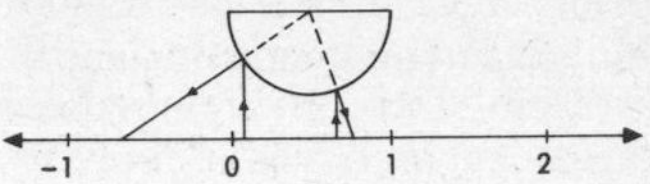

Abb. 29: Das offene Intervall $\{x|0 < x < 1\}$ und die Menge **R** sind gleichmächtig

$$a_0 = 0, a_{00}\, a_{01}\, a_{02} \dots$$
$$a_1 = 0, a_{10}\, a_{11}\, a_{12} \dots$$
$$a_2 = 0, a_{20}\, a_{21}\, a_{22} \dots$$
$$\dots\dots\dots\dots$$

Nach Voraussetzung ist die Aufstellung erschöpfend. Andererseits kann man aber leicht reelle Zahlen $0, r_0\, r_1\, r_2 \dots$ aus dem Intervall angeben, die sicher nicht in der Aufstellung vorkommen. Wir bestimmen eine solche Zahl z. B. durch die folgende Vorschrift: Es sei

$$r_i = 2, \text{ wenn } a_{ii} = 1,$$
$$r_i = 1, \text{ wenn } a_{ii} \neq 1.$$

Dieser Dezimalbruch weicht dann von allen aufgeführten Dezimalbrüchen jeweils wenigstens in einer Ziffer ab, und zwar von dem Dezimalbruch a_i wenigstens in der Ziffer a_{ii}, die in der Diagonale des Schemas steht. Wir haben damit einen Widerspruch. Das Beweisverfahren wird als *zweites Cantorsches Diagonalverfahren* bezeichnet.

Aus der Überabzählbarkeit von **R** ergibt sich sofort die interessante Konsequenz, daß es *überabzählbar viele transzendente* (d. h. nicht-algebraische) *reelle Zahlen* gibt. Wegen der Abzählbarkeit der reell algebraischen Zahlen und der Feststellung b) wäre sonst auch **R** abzählbar. Dasselbe Argument führt auf die Überabzählbarkeit der irrationalen Zahlen; aber dies folgt auch schon daraus, daß jede transzendente Zahl irrational ist.
Auch für **R** gilt analog wie für **N**, daß bei gegebener natürlicher Zahl $n > 0$ die Menge $\mathbf{R}^n$ aller n-tupel reeller Zahlen und **R** gleichmächtig sind. Das ist eine erstaunliche Tatsache, wenn man sich ihre geometrische Bedeutung klarmacht. Nehmen wir z. B. $n = 3$, so heißt das, daß die Menge der Punkte des dreidimensionalen euklidischen Raumes (durch Einführung eines räumlichen Koordinatensystems wird diese Menge ja eineindeutig auf die Menge aller reellen Zahlentripel abgebildet) und die Menge der Punkte auf einer Geraden von gleicher Mächtigkeit sind. Die ursprünglichen Vorstellungen vom Dimensionsbegriff scheinen hier in Verwirrung zu geraten. Tatsächlich war diese Cantorsche Entdeckung der Ausgangspunkt der *Dimensionstheorie,* in der der Dimensionsbegriff präzisiert wurde und u. a. gezeigt werden konnte, daß erst eine eineindeutige und umkehrbar stetige (d. h. topologische) Abbildung die Dimension invariant läßt (→ Topologie). Als weitere Deutung der obigen Tatsache für die Fälle $n = 2$ und $n = 4$ sei noch erwähnt, daß die Menge der reellen Zahlen, die Menge der komplexen Zahlen und die Menge der Quaternionen dieselbe Mächtigkeit haben.
3. Die Menge **R** wird wegen ihrer Stetigkeitseigenschaft (→ Mengen, Abbildungen, Strukturen) gelegentlich auch als ›*Kontinuum*‹ bezeichnet. Demgemäß nennt man die Kardinalzahl von **R** auch die *Mächtigkeit des Kontinuums,* abgekürzt durch das Zeichen $\mathfrak{c}$. Wir geben jetzt einige Rechenregeln für die beiden bisher von uns aufgewiesenen transfiniten Kardinalzahlen $\aleph_0$ und $\mathfrak{c}$ an, die z. T. unmittelbar aus vorangehenden Feststellungen folgen. Man erkennt dabei eine starke Abweichung von der Arithmetik der finiten (natürlichen) Kardinalzahlen. Es gilt (falls n eine natürliche Kardinalzahl ist):

(16) $$0 < 1 < 2 < \cdots < \aleph_0 < \mathfrak{c}.$$

(17) $$\aleph_0 + n = \aleph_0 + \aleph_0 = \aleph_0, \quad \mathfrak{c} + n = \mathfrak{c} + \aleph_0 = \mathfrak{c} + \mathfrak{c} = \mathfrak{c}.$$

(18) $$\aleph_0 \cdot n = \aleph_0 \cdot \aleph_0 = \aleph_0, \quad \mathfrak{c} \cdot n = \mathfrak{c} \cdot \aleph_0 = \mathfrak{c} \cdot \mathfrak{c} = \mathfrak{c} \quad (\text{falls } n \neq 0).$$

(19) $$\aleph_0^n = \aleph_0, \quad \mathfrak{c}^n = \mathfrak{c} \quad (\text{falls } n \neq 0).$$

(20) $$n^{\aleph_0} = \aleph_0^{\aleph_0} = \mathfrak{c}^{\aleph_0} = \mathfrak{c} \quad (\text{falls } n \geq 2).$$

Die Regel (20) ist von besonderem Interesse. Sie zeigt, daß man durch Potenzbildung auch im Transfiniten zu einer höheren

Mächtigkeit aufsteigen kann. Wenn das allgemein möglich ist, so ist damit sichergestellt, daß *es zu jeder Kardinalzahl eine noch größere gibt*. Tatsächlich ist das der Fall. Wir werden beweisen, daß für beliebige Kardinalzahlen b gilt:

(21) $$\mathfrak{b} < 2^{\mathfrak{b}}.$$

Wir erinnern uns zunächst, welche Mengenkonstruktion von einem Repräsentanten von b zu einem Repräsentanten von $2^{\mathfrak{b}}$ führt. Ist B eine Menge mit card B = b und A eine zweielementige Menge, etwa A = {0, 1}, so können wir gemäß Definition (3) die Menge $\mathfrak{F}$ (B, A) aller Abbildungen von B in {0, 1} als Repräsentanten für $2^{\mathfrak{b}}$ wählen. Alle diese Abbildungen sind aber nichts anderes als *charakteristische Funktionen* (→ Mengen, Abbildungen, Strukturen) von Teilmengen von B, wobei diese Funktionen den Teilmengen von B in umkehrbar eindeutiger Weise zugehören. Es besteht also in unserem Falle eine eineindeutige Zuordnung zwischen $\mathfrak{F}$ (B, A) und der Potenzmenge $\mathfrak{P}$ (B), d. h., es gilt: $\mathfrak{F}$ (B, A) ~ $\mathfrak{P}$ (B). Statt (21) können wir demnach schreiben:

(22) $$\text{card } B < \text{card } \mathfrak{P}(B).$$

Wir wollen den Beweis auf diese Aussage zuschneiden. Zunächst machen wir uns klar, daß card B ≤ card $\mathfrak{P}$ (B). Dazu gehen wir einfach von B zur gleichmächtigen Menge B′ aller Einermengen {x} mit x∈B über. Es ist klar, daß B′ ⊆ $\mathfrak{P}$ (B). Es bleibt jetzt noch zu zeigen, daß card B ≠ card $\mathfrak{P}$ (B), d. h. daß nicht B ~ $\mathfrak{P}$ (B). Hierzu verwenden wir mit Cantor ein Argument, das *B. Russell* (später als Cantor) bei der Konstruktion seiner berühmten Antinomie (→ Mengen, Abbildungen, Strukturen) gebraucht hat. Wir nehmen an, es wäre doch B ~ $\mathfrak{P}$ (B), d. h. es existierte eine eineindeutige Abbildung f von B auf $\mathfrak{P}$ (B). Wir betrachten dann die Teilmenge U ⊆ B mit x∈U: ⇔ x∉f (x). Wegen f (B) = $\mathfrak{P}$ (B) muß es ein x_0∈B geben derart, daß f (x_0) = U. Gemäß der Definition von U würde also gelten: x_0∈U ⇔ x_0∉U, ein offensichtlicher Widerspruch.

Damit ist bewiesen, daß die Potenzmengenbildung stets zu einer höheren Mächtigkeit führt. Es liegt aber die Frage nahe, ob auf diese Weise nicht auch bei unendlichen Mengen Mächtigkeiten übersprungen werden, wie das im Endlichen der Fall ist, wo durch Potenzmengenbildung ja nur die Zweierpotenzen 1, 2, 4, 8, 16, ... gewonnen werden. Diese Frage ist bis heute nicht entschieden. Insbesondere ist also auch die sog. *Kontinuumshypothese*, die besagt, daß $\mathfrak{c}$ die zweitkleinste transfinite Kardinalzahl ist, bisher unbewiesen.

Die Beziehungen (21) und (22) hat *Cantor* (1899) zur Herleitung der *Antinomie der Allmenge* verwendet. Angenommen, es gäbe insbesondere die Menge aller Mengen $\mathfrak{X}$, d. h.

eine Menge, die jede Menge als Element hat. Die Kardinalzahl von $\mathfrak{X}$ sei x. Dann gilt, gemäß (21), daß $x < 2^x$. Andererseits gilt $\mathfrak{P}(\mathfrak{X}) \subseteq \mathfrak{X}$, da ja jede Teilmenge von $\mathfrak{X}$ auch Element von $\mathfrak{X}$ ist; also ist $2^x \leq x$. Daraus folgt $2^x < 2^x$, wegen (15) also $2^x \neq 2^x$, ein offensichtlicher Widerspruch. – Diese Antinomie hat neben der Russellschen (→ Mengen, Abbildungen, Strukturen) und anderen Antinomien der Mengenlehre (s. u.) dazu geführt, den naiven Umgang mit Mengen in dem Sinne einzuschränken, daß die Bildung ›zu großer‹ Mengen ausgeschlossen wird. Das wird im Rahmen der axiomatischen Mengenlehre durch genaue Mengenbildungsvorschriften zu regeln versucht (→ Logik und Methodologie). Wir haben uns hier damit begnügt, die Begriffsbildungen dadurch unproblematisch zu halten, daß wir sie stets auf bestimmte, als vorgegeben betrachtete Mengensysteme relativieren.

B. Ordinalzahlen. I. Definition. 1. Kann man über eine unendliche Zahl, etwa $\aleph_0$, hinaus weiterzählen um 1, 2, 3, ... derart, daß man wie von einer endlichen Zahl aus stets zu einer neuen Zahl kommt? Formel (17) besagt, daß das nicht möglich ist. Es ist $\aleph_0 + 1 = \aleph_0 + 2 = \cdots = \aleph_0$. Von der Idee des Weiterzählens aus erscheint das paradox. Aber haben wir mit der kardinalen Auffassung alle Seiten des Zahlbegriffs erfaßt? Wir wollen uns einmal Repräsentanten für die Kardinalzahlen $\aleph_0$, $\aleph_0 + 1$, $\aleph_0 + 2$, ... vor Augen stellen, und zwar in folgender Weise:

(23) $0, 1, 2, 3, \ldots$

(24) $0, 1, 2, 3, \ldots, 1/2$

(25) $0, 1, 2, 3, \ldots, 1/2, 1/3$

(26) $0, 1, 2, 3, \ldots, 1/2, 1/3, 1/4$

....

Diese Mengen haben alle die Mächtigkeit $\aleph_0$. Ja, wir können noch wesentlich weiter gehen, etwa zu

(27) $0, 1, 2, 3, \ldots, 1/2, 1/3, 1/4, \ldots$

(28) $0, 1, 2, 3, \ldots, 1/2, 1/3, 1/4, \ldots, 1\,1/2$

(29) $0, 1, 2, 3, \ldots, 1/2, 1/3, 1/4, \ldots, 1\,1/2, 1\,1/3$

....

(30) $0, 1, 2, 3, \ldots, 1/2, 1/3, 1/4, \ldots, 1\,1/2, 1\,1/3, 1\,1/4, \ldots$

(31) $0, 1, 2, 3, \ldots, 1/2, 1/3, 1/4, \ldots, 1\,1/2, 1\,1/3, 1\,1/4, \ldots, 2\,1/2$

....

Stets wird nur die Kardinalzahl $\aleph_0$ repräsentiert.

Eine neue Wendung kommt jedoch in die Betrachtung, wenn wir die angeschriebenen Mengen als *linear geordnete Mengen* auffassen, wobei die Ordnungsrelation durch die Reihenfolge in der Anschreibung der Elemente unmittelbar gegeben sei. In (26) z. B. soll 1/2 größer als alle natürlichen Zahlen und 1/4 größer als alle von 1/4 verschiedenen Elemente sein. Unter Berücksichtigung dieser Ordnungsstruktur besteht jetzt keine Äquivalenz mehr zwischen den angegebenen Mengen. So enthält (24) ein größtes Element, (23) jedoch nicht. In (25) gibt es ein zweitgrößtes Element, nicht aber in (23) oder (24), usw. Der Äquivalenzbegriff ist jetzt durch den Begriff der *Ordnungsisomorphie* bestimmt, d. h. durch die Bedingung der Existenz einer nicht nur umkehrbar eindeutigen, sondern darüber hinaus auch in beiden Richtungen ordnungstreuen Abbildung (→ Mengen, Abbildungen, Strukturen). Die zur geordneten Menge (23) gehörende Isomorphieklasse nennt man ω. Durch die geordneten Mengen (24) bis (31) werden dann der Reihe nach $\omega + 1$, $\omega + 2, \omega + 3, \ldots, \omega + \omega =: \omega \cdot 2, \omega \cdot 2 + 1, \omega \cdot 2 + 2, \ldots$, $\omega + \omega + \omega =: \omega \cdot 3, \omega \cdot 3 + 1, \ldots$ dargestellt, und diese Klassen sind alle voneinander verschieden. Doch sind wir hier mit unseren vorläufigen Betrachtungen schon ziemlich weit gegangen. Wir wollen die Dinge im folgenden etwas sorgfältiger entwickeln.

2. Wir gehen aus von Mengen M, auf denen eine lineare Ordnungsrelation $\sqsubseteq$ erklärt ist derart, daß wie in (23) bis (31) jede nicht-leere Teilmenge von M in bezug auf $\sqsubseteq$ ein kleinstes Element besitzt. Das Begriffspaar (M, $\sqsubseteq$) nennen wir dann eine *wohlgeordnete Menge* oder kurz *Wohlordnung* (→ Mengen, Abbildungen, Strukturen). Zum Vergleich von Wohlordnungen ziehen wir den über die Gleichmächtigkeit der Trägermengen hinausgehenden schärferen Begriff der *Isomorphie* heran. Dabei heißen Wohlordnungen (A, $\sqsubseteq_A$) und (B, $\sqsubseteq_B$) isomorph [kurz: (A, $\sqsubseteq_A$) $\cong$ (B, $\sqsubseteq_B$)] genau dann, wenn es eine umkehrbar eindeutige Abbildung f von A auf B gibt derart, daß die Gültigkeit von $x \sqsubseteq_A y$ für $x, y \in A$ die Gültigkeit von $f(x) \sqsubseteq_B f(y)$ für $f(x), f(y) \in B$ nach sich zieht und umgekehrt. Isomorphe Wohlordnungen wollen wir mit Cantor auch *ähnlich* nennen. Bemerkung: Die Isomorphie von Wohlordnungen ist die gewöhnliche Ordnungsisomorphie (→ Mengen, Abbildungen, Strukturen). Mehr braucht man nicht zu fordern; denn jede zu einer Wohlordnung ordnungsisomorphe Ordnung ist eine Wohlordnung, was man leicht beweist.

Man sieht sofort, daß die *Ähnlichkeit* auf jeder Menge von Wohlordnungen eine Äquivalenzrelation ist. Die Abstraktion nach dieser Äquivalenzrelation führt uns auf den Begriff der *Ordinalzahl*: Eine Ordinalzahl ist definiert als eine Äquivalenzklasse ähnlicher Wohlordnungen. Die zur Wohlordnung (M, $\sqsubseteq$) gehörige Ordinalzahl bezeichnen wir mit ord (M, $\sqsubseteq$). Da der Begriff der Menge aller Wohlordnungen widerspruchsvoll ist, kann von Ordinalzahlen sinnvoll nur im Hinblick auf bestimmte Systeme von Wohlordnungen gesprochen werden. Jedoch ist es wie in der Kardinalzahltheorie üblich, die Systeme gegebenenfalls geeignet zu erweitern und entsprechende Ordinalzahlen aus verschiedenen Systemen gleichzusetzen.

3. Wir setzen das Auswahlaxiom voraus. Es läßt sich dann der *Wohlordnungssatz* beweisen, der besagt, daß es zu jeder Menge M wenigstens eine Ordnungsrelation $\sqsubseteq$ gibt derart, daß (M, $\sqsubseteq$) eine Wohlordnung ist (→ Mengen, Abbildungen, Strukturen). Beispiele einer Wohlordnung mit den Trägermengen **N** und **P** (= Menge der rationalen Zahlen) sind uns bekannt. **N** wird z. B. durch $\leq$ wohlgeordnet und **P** durch die Ordnungsrelation, die mit der oben dargestellten Abzählung der rationalen Zahlen gegeben ist. Eine Wohlordnung von **R** konnte bis heute noch nicht angegeben werden. Gleichwohl müssen wir mit Anerkennung des Auswahlaxioms die Existenz einer Wohlordnung (**R**, $\sqsubseteq$) als gesichert ansehen. Auch die leere Menge rechnen wir zu den Trägern einer Wohlordnung. Sie wird wohlgeordnet durch die leere Relation. Wir nennen (ø, ø) die *leere Wohlordnung*. Ist M eine Einermenge, so ist die *Identität* die einzige wohlordnende Relation auf M.

Auf allen Mengen mit mehr als einem Element gibt es mehrere wohlordnende Relationen. Ist $\sqsubseteq_1$ eine wohlordnende Relation auf M und φ eine von der identischen verschiedene *Permutation* von M, so ist z. B. die gemäß

$$(32) \qquad x \sqsubseteq_2 y :\Leftrightarrow \varphi(x) \sqsubseteq_1 \varphi(y)$$

definierte Relation $\sqsubseteq_2$ eine von $\sqsubseteq_1$ verschiedene wohlordnende Relation auf M.

Wir betrachten zunächst die nicht-leeren endlichen Mengen. Diese lassen sich durch $\{0, \ldots, n-1\}$ mit geeignetem n (≥ 1) repräsentieren. Wie man sich leicht überlegt, gehen alle wohlordnenden Relationen auf $\{0, \ldots, n-1\}$ gemäß (32) in umkehrbar eindeutiger Weise aus $\leq$ durch eine Permutation von $\{0, \ldots, n-1\}$ hervor. Da es $n! = 1 \cdot 2 \cdot \ldots \cdot n$ solcher Permutationen gibt, gehören also zu $\{0, \ldots, n-1\}$ genau n! Wohlordnungen. Dasselbe gilt für alle zu $\{0, \ldots, n-1\}$ gleichmächtigen Mengen M; denn ist f eine eineindeutige Abbildung von $\{0, \ldots, n-1\}$ auf M, so ist durch $x \sqsubseteq y :\Leftrightarrow f^{-1}(x) \leq f^{-1}(y)$ eine wohlordnende Relation auf M gegeben, und alle anderen wohlordnenden Relationen auf M ergeben sich daraus durch Permutationen ψ von M, die ihrerseits vermöge $\psi = f \circ \varphi \circ f^{-1}$ umkehrbar eindeutig den Permutationen φ von $\{0, \ldots, n-1\}$ zugehören. f erscheint dabei zugleich als eine isomorphe Abbildung der zu $\{0, \ldots, n-1\}$ gehörenden Wohlordnungen auf die entsprechenden zu M gehörigen Wohlordnungen.

Nun sind aber auch alle gemäß (32) auseinander hervorgehenden Wohlordnungen ähnlich. Das hat zur Folge, daß alle Wohlordnungen, deren Trägermengen dieselbe natürliche Kardinalzahl n repräsentieren, ähnlich sind und somit dieselbe Ordinalzahl bestimmen. Zwischen den natürlichen Kardinalzahlen und den *natürlichen Ordinalzahlen* — wie wir die Ordinalzahlen von Wohlordnungen mit endlicher Trägermenge auch nennen wollen — besteht also kein wesentlicher Unterschied. Wir wollen die natürlichen Ordinalzahlen deshalb auch mit 0, 1, 2 usw. bezeichnen.

Anders ist die Situation bei unendlichen Mengen. Hier gibt es zu einer Menge auch nichtähnliche Wohlordnungen. So zeigen schon die zu (24) bis (26) ähnlichen Beispiele

(33) $1, 2, 3, 4, \ldots, 0$

(34) $2, 3, 4, 5, \ldots, 0, 1$

(35) $3, 4, 5, 6, \ldots, 0, 1, 2,$

da man sie offensichtlich beliebig vermehren kann, daß zu **N** unendlich viele nichtähnliche Wohlordnungen existieren. Der Kardinalzahl $\aleph_0$ stehen also — wie ja auch unsere Vorbetrachtungen schon ergaben — unendlich viele Ordinalzahlen gegenüber. Umgekehrt können wir jedoch jeder Ordinalzahl α eindeutig eine Kardinalzahl card α zuordnen, nämlich die Kardinalzahl der Trägermenge eines ihrer Repräsentanten. Da die Gleichmächtigkeit in der Ähnlichkeit enthalten ist, ist das Ergebnis vom Repräsentanten unabhängig. Die Menge der Ordinalzahlen, die derselben Kardinalzahl a zugeordnet werden, nennt man die *Zahlklasse* Z (a) von a. Ist a finit, so ist die Zuordnung (Abbildung) $\alpha \longrightarrow$ card α nach unseren vorangehenden Überlegungen eineindeutig und Z (a) enthält genau eine Ordinalzahl. Ist a transfinit, so ist die Mächtigkeit von Z (a) — wie sich beweisen läßt — sogar größer als a selbst.

4. Die *Rechenoperationen* mit Ordinalzahlen versuchen wir auf geeignete Operationen mit Wohlordnungen zu gründen. Dabei lassen wir uns davon leiten, daß diese Rechenoperationen möglichst so beschaffen sein sollen, daß die Abbildung $\alpha \longrightarrow$ card α auf jeder Menge von Ordinalzahlen ein *Homomorphismus* im folgenden Sinne ist: Falls card α = a und card β = b, so soll gelten: card $(\alpha + \beta)$ = a + b, card $(\alpha \cdot \beta)$ = a · b und card α^β = a^b. Ferner müssen wir unter allen Umständen verlangen, daß diese Abbildung, beschränkt auf die Menge aller natürlichen Ordinalzahlen, wo sie ja eineindeutig ist, sogar ein *Isomorphismus* ist, d. h. ein Homomorphismus auch in umgekehrter Richtung a $\longrightarrow \alpha$. Wir werden also einerseits so vorgehen, daß wir die mit den Wohlordnungen gegebenen Trägermengen genauso behandeln wie die Repräsentanten in der

kardinalen Arithmetik. Es kommt dann andererseits darauf an, auf den neu gewonnenen Trägermengen geeignete wohlordnende Relationen einzuführen.

Für die *Addition von Ordinalzahlen* gelingt das durch die Verwendung einer *geordneten Vereinigung* $(A, \sqsubseteq_A) \cup' (B, \sqsubseteq_B)$ von Wohlordnungen mit *elementefremden Trägern* $(A \cap B = \emptyset)$, die folgendermaßen erklärt ist:

(36) $$(A, \sqsubseteq_A) \cup' (B, \sqsubseteq_B) := (A \cup B, \sqsubseteq'),$$

wobei

$$x \sqsubseteq' y :\Leftrightarrow x \sqsubseteq_A y \vee x \sqsubseteq_B y \vee (x \in A \wedge y \in B).$$

Das bedeutet: Wir gehen wie bei der kardinalen Addition zur Vereinigungsmenge $A \cup B$ über und erklären hier eine Ordnungsrelation $\sqsubseteq'$ auf folgende Weise: Zwei Elemente von A sollen in $(A, \sqsubseteq_A)$ verglichen werden, zwei Elemente von B in $(B, \sqsubseteq_B)$, und alle Elemente von A sollen kleiner sein als alle Elemente von B. Dieses Verfahren hatten wir bereits bei der Deutung der Beispiele (24) bis (31) als geordnete Mengen angewendet. Offensichtlich ist $\sqsubseteq'$ eine wohlordnende Relation auf $A \cup B$.

Es sei nun $\alpha :=$ ord $(A, \sqsubseteq_A)$ und $\beta :=$ ord $(B, \sqsubseteq_B)$. Wir definieren dann:

(37) $$\alpha + \beta := \text{ord}\,[(A, \sqsubseteq_A) \cup' (B, \sqsubseteq_B)].$$

Es ist klar, daß diese Summe, deren Definition man leicht als unabhängig von der speziellen Wahl der Repräsentanten nachweist, in dem geforderten Sinne mit der kardinalen Summe übereinstimmt. Im Finiten ist $\alpha \longrightarrow$ card α ein Isomorphismus, und es gelten demnach alle Rechengesetze der Addition wie bei den Kardinalzahlen. Anders ist es jedoch im Transfiniten, wo $\alpha \longrightarrow$ card α nur homomorph ist. Hier gilt zwar z. B. noch

(38) $$\alpha + 0 = 0 + \alpha = \alpha, (\alpha + \beta) + \gamma = \alpha + (\beta + \gamma),$$

die Addition ist aber im allgemeinen *nicht-kommutativ*. So ist z. B.

(39) $$\omega + 1 \neq 1 + \omega \; (= \omega).$$

Das erkennt man unmittelbar an Hand von Repräsentanten: $\omega + 1$ wird etwa durch (24) repräsentiert und $1 + \omega$ durch $(1/2, 0, 1, 2, \ldots)$. Diese Wohlordnungen sind nicht ähnlich.

Die *Multiplikation von Ordinalzahlen* gründen wir auf das *lexikographische Produkt* $(A, \sqsubseteq_A) \times_l (B, \sqsubseteq_B)$ von Wohlordnungen. Dieses ist bestimmt durch die Einführung der sog. *lexikographischen Ordnungsbeziehung* $\sqsubseteq_l$ auf der Produktmenge $B \times A$. (Man beachte die auf Cantor zurückgehende rein konventionelle Abweichung in der Reihenfolge der Faktoren!) Dabei werden die Elemente von $B \times A$, d. h. die geordneten Paare (y, x) mit $y \in B$ und $x \in A$, wie die Wörter in einem Lexikon angeordnet. Dort geht man ja so vor, daß man die Wörter zunächst nach der alphabetischen Reihenfolge der ersten Buchstaben ordnet, falls diese übereinstimmen, nach der alphabetischen Reihenfolge der zweiten Buchstaben, bei Übereinstimmung auch dieser nach der Reihenfolge der dritten Buchstaben usw. Übertragen auf unsere Paare (y, x), gleichsam Wörter aus zwei Buchstaben, wobei der erste Buchstabe noch aus einem anderen Alphabet stammen kann als der zweite, ergibt das die folgende Definition für die *strikte Relation* $\sqsubset_1$:

(40) $(y_1, x_1) \sqsubset_1 (y_2, x_2) :\Leftrightarrow y_1 \sqsubset_B y_2 \vee (y_1 = y_2 \wedge x_1 \sqsubset_A x_2)$.

$x_1 \sqsubset_A x_2$ bedeutet dabei, daß $x_1 \sqsubseteq_A x_2$ und $x_1 \neq x_2$; entsprechend ist $y_1 \sqsubset_B y_2$ erklärt. [Es soll also genau dann (y_1, x_1) kleiner als (y_2, x_2) sein, wenn y_1 kleiner als y_2 ist in $(B, \sqsubseteq_B)$ oder, bei Übereinstimmung von y_1 und y_2, x_1 kleiner als x_2 ist in $(A, \sqsubseteq_A)$.] Man sieht leicht, daß $\sqsubseteq_1$, die Vereinigung von $\sqsubset_1$ mit der Identität, eine Ordnungsrelation auf $B \times A$ ist. Wir wollen uns klarmachen, daß es sich sogar um eine wohlordnende Relation handelt. Es sei C irgendeine nicht-leere Teilmenge von $B \times A$. Wir betrachten die Menge aller ersten Koordinaten y der Paare aus C. Diese hat bezüglich $\sqsubseteq_B$ ein kleinstes Element y_0. Wir betrachten die Menge der x, mit denen es gepaart auftritt. Diese Menge hat bezüglich $\sqsubseteq_A$ ein kleinstes Element x_0. Damit ist (y_0, x_0) das kleinste Element von C.
Das lexikographische Produkt von Wohlordnungen erklären wir nun gemäß

(41) $(A, \sqsubseteq_A) \times_1 (B, \sqsubseteq_B) := (B \times A, \sqsubseteq_1)$.

Es ist wieder eine Wohlordnung und soll das Produkt der entsprechenden Ordinalzahlen repräsentieren:

(42) $\alpha \cdot \beta := \text{ord}\,[(A, \sqsubseteq_A) \times_1 (B, \sqsubseteq_B)]$.

Diese Definition ist ersichtlich von der Wahl der Repräsentanten unabhängig. Da $B \times A \sim A \times B$, haben wir wieder die oben geforderte Übereinstimmung mit der kardinalen Rechenoperation erreicht, so daß im Finiten für Summen und Produkte dieselben Regeln wie bei der kardinalen Arithmetik gelten. Für transfinite Ordinalzahlen bleibt z. B. noch gültig:

(43) $0 \cdot \alpha = \alpha \cdot 0 = 0,\ 1 \cdot \alpha = \alpha \cdot 1 = \alpha,\ (\alpha \cdot \beta) \cdot \gamma = \alpha \cdot (\beta \cdot \gamma)$,

(44) $\alpha \cdot (\beta + \gamma) = \alpha \cdot \beta + \alpha \cdot \gamma$.

Die Multiplikation ist jedoch wie die Addition im allgemeinen *nicht-kommutativ*. So ist z. B.

(45) $(\omega =)\ 2 \cdot \omega \neq \omega \cdot 2\ (= \omega + \omega)$.

Da nämlich $2 = \text{ord}\,(0, 1)$ und $\omega = \text{ord}\,(0, 1, 2, \ldots)$ (wobei die Ordnungsrelation hier wieder durch die Anschreibung der

Elemente gegeben sei), so ergibt sich gemäß (42) im Sinne der lexikographischen Ordnungsbeziehung:

$$2 \cdot \omega = \text{ord}\,[(0,0), (0,1), (1,0), (1,1), (2,0), (2,1), \ldots] = \omega,$$
$$\omega \cdot 2 = \text{ord}\,[(0,0), (0,1), (0,2), \ldots, (1,0), (1,1), (1,2), \ldots] = \omega + \omega.$$

Ferner gilt als Folge der Nichtkommutativität nur die *Linksdistributivität* (44), nicht die Rechtsdistributivität. Das zeigt schon das folgende Beispiel:

(46) $(1 + 1) \cdot \omega = 2 \cdot \omega = \omega \neq \omega + \omega = 1 \cdot \omega + 1 \cdot \omega.$

5. Wollen wir bei der Definition der Potenz α^β von Ordinalzahlen $\alpha = \text{ord}\,(A, \sqsubseteq_A)$ und $\beta = \text{ord}\,(B, \sqsubseteq_B)$ analog verfahren wie bei der Definition von Summe und Produkt, so haben wir auf der Menge $\mathfrak{F}$ (B, A) eine geeignete wohlordnende Relation einzuführen. Dabei haben wir den bekannten Zusammenhang der Potenz mit dem Produkt gleicher Faktoren zu beachten. Daß dieser Zusammenhang im Rahmen der Kardinalzahltheorie berücksichtigt worden ist, wird daran deutlich, daß man die Menge $\mathfrak{F}$ (B, A) auch als *kartesisches Produkt* $\underset{y \in B}{\times} A_y$ mit $A_y = A$ für alle $y \in B$, d. h. als die Menge aller *Familien* $(x_y)_{y \in B}$ mit $x_y \in A$, auffassen kann (→ Mengen, Abbildungen, Strukturen). Ist z. B. card B = 2, so stimmt $\mathfrak{F}$ (B, A) mit $A \times A$ überein, d. h. a^2 ist dasselbe wie $a \cdot a$. In der Ordinalzahltheorie wird man entsprechend versuchen, die lexikographische Ordnungsrelation, die man auch die ›Anordnung nach ersten Differenzen‹ nennt, auf die Menge aller Familien $(x_y)_{y \in B}$ mit $x_y \in A$ zu übertragen. Da B wohlgeordnet ist, ist das ohne Schwierigkeiten möglich: es existiert bei verschiedenen Familien stets ein kleinster Index $y \in B$, an dessen Stelle sich die Familien unterscheiden, so daß die Anordnung nach dieser ersten Differenz vorgenommen werden kann. Es stellt sich jedoch heraus, daß die so durch $\sqsubseteq_A$ und $\sqsubseteq_B$ bestimmte lexikographische Ordnungsrelation auf $\mathfrak{F}$ (B, A) gar nicht immer eine *wohlordnende* Relation ist. Ist z. B. $(A, \sqsubseteq_A) = (B, \sqsubseteq_B) = (\mathbf{N}, \leq)$, so ergibt sich eine geordnete Menge, die isomorph ist zur gewöhnlich geordneten Menge aller reellen Zahlen des links abgeschlossenen, rechts offenen Intervalls $\{x \mid 0 \leq x < 1\}$. Diese geordnete Menge ist keine Wohlordnung und repräsentiert damit auch *keine Ordinalzahl*. Eine allgemeine Definition der Potenz von Ordinalzahlen ist also in Analogie zur Summen- und Produktdefinition ohne weiteres nicht möglich. Nur für die Potenzen α^n mit natürlichem n ist der eingeschlagene Weg gangbar. Wir werden weiter unten die von Cantor angegebene Definition für die Potenz kennenlernen, bei der das Verfahren der *transfiniten Rekursion* angewendet wird. Für diese Potenz, die im Finiten mit dem soeben diskutier-

ten Ansatz übereinstimmt, ist im Transfiniten die obige Homomorphieforderung card $\alpha^\beta = a^b$ nicht erfüllt.

II. ORDNUNGSEIGENSCHAFTEN. 1. Die Definition einer Ordnungsrelation $\leq$ für Ordinalzahlen ist unseren Vorbetrachtungen gemäß so anzulegen, daß $\alpha < \alpha + \beta$ für beliebige α und beliebige $\beta \neq 0$, insbesondere also $\alpha < \alpha + 1$. Ferner ist selbstverständlich, daß die Abbildung $\alpha \longrightarrow$ card α ein Ordnungshomomorphismus und, beschränkt auf natürliche Ordinalzahlen, sogar ein Ordnungsisomorphismus sein muß, d. h. es muß gelten: $\alpha \leq \beta \Rightarrow a \leq b$ bzw. $\alpha \leq \beta \Leftrightarrow a \leq b$. Diese Bedingungen sind erfüllt, und es gelten die *Monotoniegesetze*

(47) $\beta < \gamma \Rightarrow \alpha + \beta < \alpha + \gamma$

(48) $\alpha \leq \beta \Rightarrow \alpha + \gamma \leq \beta + \gamma$

(49) $\alpha > 0 \wedge \beta < \gamma \Rightarrow \alpha \cdot \beta < \alpha \cdot \gamma$

(50) $\alpha \leq \beta \Rightarrow \alpha \cdot \gamma \leq \beta \cdot \gamma$,

wenn wir die Definition auf die folgende Beziehung zwischen Wohlordnungen gründen. Wir sagen: $(A, \sqsubseteq_A)$ ist ein *Anfangsstück* von $(B, \sqsubseteq_B)$ [kurz: $(A, \sqsubseteq_A)$ S $(B, \sqsubseteq_B)$] genau dann, wenn A ein Anfang und $(A, \sqsubseteq_A)$ eine Teilordnung von $(B, \sqsubseteq_B)$ ist, d. h. mit anderen Worten: wenn A eine Teilmenge von B ist, die mit jedem Element von B auch jedes bezüglich $\sqsubseteq_B$ kleinere Element von B enthält, und $(A, \sqsubseteq_A)$ aus $(B, \sqsubseteq_B)$ dadurch entsteht, daß man die Relation $\sqsubseteq_B$ einfach auf die Teilmenge A beschränkt. Ist A echte Teilmenge von B, so sagen wir, daß $(A, \sqsubseteq_A)$ *echtes Anfangsstück* von $(B, \sqsubseteq_B)$ ist (→ Mengen, Abbildungen, Strukturen). Um Beispiele zu haben, betrachten wir etwa die in (23) bis (31) angegebenen Wohlordnungen. Hier ist jede Wohlordnung echtes Anfangsstück aller jeweils folgenden. Wir beachten noch, daß die leere Wohlordnung Anfangsstück jeder Wohlordnung ist. Es sei nun α = ord $(A, \sqsubseteq_A)$ und β = ord $(B, \sqsubseteq_B)$. Wir definieren dann:

(51) $\alpha \leq \beta :\Leftrightarrow$ es gibt $(A, \sqsubseteq_A)$, $(B, \sqsubseteq_B)$ mit α = ord $(A, \sqsubseteq_A)$, β = ord $(B, \sqsubseteq_B)$ derart, daß $(A, \sqsubseteq_A)$ S $(B, \sqsubseteq_B)$.

Es stellt sich heraus, daß $\leq$ auf jeder Menge von Ordinalzahlen eine lineare Ordnungsrelation, ja, sogar eine *wohlordnende Relation* ist. Es gilt also:

(52) $\alpha \leq \alpha$

(53) $\alpha \leq \beta \wedge \beta \leq \alpha \Rightarrow \alpha = \beta$

(54) $\alpha \leq \beta \wedge \beta \leq \gamma \Rightarrow \alpha \leq \gamma$

(55) $\alpha \leq \beta \vee \beta \leq \alpha$

(56) *In jeder nicht-leeren Menge von Ordinalzahlen gibt es eine kleinste Ordinalzahl.*

Die Gültigkeit von (52) ist wegen $(A, \sqsubseteq_A)$ S $(A, \sqsubseteq_A)$ unmittelbar klar. (54) ergibt sich aus der leicht zu erkennenden Transitivität der Relation S. (53) folgt aus einem Analogon zum Bernsteinschen Äquivalenzsatz. (55) ist eine unmittelbare Folge der Tatsache, daß von zwei Wohlordnungen stets entweder die eine einem Anfangsstück der anderen ähnlich ist oder umgekehrt, was wir hier nicht beweisen wollen. Ausführlicher gehen wir auf (56) ein. Wir beweisen zunächst:

(a) *Die Menge $\mathfrak{A}$ aller Anfangsstücke einer Wohlordnung* $(A, \sqsubseteq_A)$ *wird durch die Relation S wohlgeordnet.*

In jeder Wohlordnung $(A, \sqsubseteq_A)$ gehört zu jedem Element $x \in A$ ein Anfang A_x, bestehend aus allen Elementen von A, die kleiner als x sind: $A_x := \{y \mid y \sqsubset_A x\}$. Bezeichnen wir die Beschränkung von $\sqsubseteq_A$ auf A_x mit $\sqsubseteq_{A_x}$, so ist $(A_x, \sqsubseteq_{A_x})$ ein Anfangsstück von $(A, \sqsubseteq_A)$. Wir zeigen, daß die $(A_x, \sqsubseteq_{A_x})$ mit $x \in A$ die einzigen echten Anfangsstücke von $(A, \sqsubseteq_A)$ sind. Sei $(B, \sqsubseteq_B)$ ein echtes Anfangsstück von $(A, \sqsubseteq_A)$, also $B \subset A$. In $A - B$ gibt es dann ein kleinstes Element x_0. Behauptung: $B = A_{x_0}$. Wegen $A_{x_0} \subseteq B$ bleibt nur zu zeigen: $B \subseteq A_{x_0}$, was indirekt geschieht. Angenommen, in B gäbe es ein Element x_1, das nicht Element von A_{x_0} ist. Dann würde gelten: $x_0 \sqsubseteq_A x_1$, was besagt, daß x_0 mit x_1 auch zu B gehört, im Widerspruch zu $x_0 \in A - B$. Zwischen den Elementen $x \in A$ und den echten Anfangsstücken $(A_x, \sqsubseteq_{A_x})$ von $(A, \sqsubseteq_A)$ besteht somit eine eineindeutige Zuordnung, wobei gilt:

$$(A_x, \sqsubseteq_{A_x})\ S\ (A_y, \sqsubseteq_{A_y}) \Leftrightarrow x \sqsubseteq_A y.$$

Bezeichnen wir die Menge der echten Anfangsstücke von $(A, \sqsubseteq_A)$ mit $\mathfrak{A}'$, so können wir diese Tatsache, aus der (a) unmittelbar folgt, auch so ausdrücken:

(b) $(\mathfrak{A}', S)$ *ist eine zu* $(A, \sqsubseteq_A)$ *ähnliche Wohlordnung.*

Die Aussage (56) ergibt sich nun sogleich aus (b). Ist nämlich M irgendeine Menge von Ordinalzahlen und $\alpha \in M$, so ist entweder α kleinstes Element von M (dann sind wir fertig), oder es gibt Ordinalzahlen $\beta \in M$, so daß $\beta < \alpha$. Es möge $(A, \sqsubseteq_A)$ ein Repräsentant von α sein. Die β werden dann durch echte Anfangsstücke von $(A, \sqsubseteq_A)$ repräsentiert. Wegen (b) gibt es unter diesen Anfangsstücken ein kleinstes, welches eine Ordinalzahl repräsentiert, die kleinstes Element von M ist.

2. Jede Menge von Ordinalzahlen ist also bezüglich $\leq$ eine Wohlordnung. Wir betrachten jetzt insbesondere die *Menge aller Vorgänger* $V(\alpha)$ von α, d. h. die Menge aller Ordinalzahlen β, die kleiner als α sind:

(57) $$V(\alpha) := \{\beta \mid \beta < \alpha\}.$$

$[V(\alpha), \leq]$ ist eine Wohlordnung. Aus (b) ergibt sich unmittelbar die wichtige Folgerung, daß

(58) $$\alpha = \text{ord}\,[V(\alpha), \leq],$$

d. h. *jede Ordinalzahl wird durch die wohlgeordnete Menge aller ihrer Vorgänger repräsentiert.*

Mit dieser Feststellung wird nun besonders deutlich, in welch präzisem Maße es durch die begrifflichen Konstruktionen der Ordinalzahltheorie gelungen ist, den *Zählprozeß* über das Endliche hinaus fortzusetzen. So kommt gemäß (58) jeder auch transfiniten Ordinalzahl im Ordinalzahlsystem ein gewisser Rang zu, indem sie nämlich als Ähnlichkeitsklasse der Wohlordnung aller ihr vorangehenden Ordinalzahlen bestimmt ist. Einer beliebigen wohlgeordneten Menge wird demnach – wie es uns im Endlichen, falls wir mit 0 anfangen zu zählen, durchaus vertraut ist – gerade dadurch ihre Ordinalzahl α zugeordnet, daß wir sie isomorph auf die Wohlordnung aller Vorgänger von α abbilden, indem wir ihren Elementen eineindeutig und ordnungstreu die Ordinalzahlen aus $V(\alpha)$ zuordnen. In diesem Sinne läßt sich also die Ordinalzahl jeder wohlgeordneten Menge als Ergebnis eines ›elementweisen Durchzählens‹ der Menge auffassen. Die in (37) definierte Addition von Ordinalzahlen α, β kann demgemäß auch im Transfiniten als ein ›Weiterzählen‹ über die Ordinalzahlen von $V(\alpha)$ hinaus gedeutet werden, und zwar, beginnend mit $\alpha = \alpha + 0$, um alle Ordinalzahlen von $V(\beta)$ weiter: $\alpha, \alpha + 1, \alpha + 2, \ldots$, bis alle Ordinalzahlen von $V(\alpha + \beta)$ durchlaufen sind.

Wie sieht dann die Zählfolge im einzelnen aus? Wir haben oben schon ein ins Transfinite reichendes Stück angegeben. Nach den natürlichen Ordinalzahlen $0, 1, 2, \ldots$ kommt die erste transfinite Ordinalzahl ω, repräsentiert durch die wohlgeordnete Menge der natürlichen Ordinalzahlen. Zu ω gibt es, wie zu jeder Ordinalzahl, einen unmittelbaren Nachfolger $\omega + 1$. Dann kommen $\omega + 2, \omega + 3, \ldots$. Die wohlgeordnete Menge der Ordinalzahlen

$$0, 1, 2, \ldots, \omega, \omega + 1, \omega + 2, \ldots$$

repräsentiert eine neue Ordinalzahl $\omega \cdot 2 = \omega + \omega$, die gemäß (56) die kleinste nach ihnen kommende Ordinalzahl ist. Nun folgen in derselben Weise

$$\omega \cdot 2 + 1, \omega \cdot 2 + 2, \ldots, \omega \cdot 3, \omega \cdot 3 + 1, \ldots,$$
$$\omega \cdot n, \omega \cdot n + 1, \ldots .$$

Die Wohlordnung aller so erreichten Ordinalzahlen repräsentiert gemäß (58) wieder die nächstfolgende Ordinalzahl. Dies ist ω^2. Jetzt geht es weiter: $\omega^2 + 1, \omega^2 + 2, \ldots, \omega^2 + \omega, \omega^2 + \omega + 1, \omega^2 + \omega + 2, \ldots, \omega^2 + \omega \cdot 2, \omega^2 + \omega \cdot 2 + 1, \ldots, \omega^2 + \omega \cdot 3, \ldots, \omega^2 + \omega \cdot 4, \ldots, \omega^2 \cdot 2, \ldots, \omega^2 \cdot 3, \ldots, \omega^3, \ldots, \omega^4, \ldots, \omega^k \cdot n_k + \omega^{k-1} \cdot n_{k-1} + \cdots + \omega \cdot n_1 + n_0, \ldots$.

Nehmen wir die für transfinite Exponenten noch nicht erklärte

Potenzbildung vorweg, so können wir weitere Etappen des Zählprozesses anschreiben: $\omega^\omega, \ldots, (\omega^\omega)^\omega, \ldots, [(\omega^\omega)^\omega]^\omega, \ldots$, und wir können fortfahren, wenn wir die Ordinalzahl der damit erreichten *wohlgeordneten Menge von Ordinalzahlen* wie üblich mit ε_0 bezeichnen: $\varepsilon_0, \varepsilon_0 + 1, \varepsilon_0 + 2, \ldots, \varepsilon_0 + \omega, \ldots, \varepsilon_0 + \omega \cdot 2, \ldots, \varepsilon_0 + \omega^2, \ldots, \varepsilon_0 + \omega^\omega, \ldots, \varepsilon_0 \cdot 2, \ldots, \varepsilon_0 \cdot \omega, \ldots, \varepsilon_0 \cdot \omega^\omega, \ldots, \varepsilon_0^2, \ldots$.

Für diesen ins Transfinite fortgesetzten Zählprozeß, an dem die ganze Kühnheit der mengentheoretischen Konstruktionen zum Ausdruck kommt, gibt es offensichtlich kein Ende. Man wird sich fragen, ob hier nicht die Grenzen der logischen Konsistenz überschritten werden. Das ist tatsächlich der Fall, sobald wir versuchen, die Ordinalzahlen in ihrer Gesamtheit zu erfassen. Die erste in der Mengenlehre aufgewiesene Antinomie, die *Antinomie von Burali-Forti* (1897), besagt, daß der Begriff der *Menge aller Ordinalzahlen* widerspruchsvoll ist. Angenommen nämlich, es existierte eine solche Menge Θ, so wäre $(\Theta, \leq)$ eine Wohlordnung, die eine Ordinalzahl ϑ bestimmt. Wegen (58) würde ϑ auch durch $[V(\vartheta), \leq]$, ein echtes Anfangsstück von $(\Theta, \leq)$, repräsentiert. Das aber ist unmöglich, da ein echtes Anfangsstück einer Wohlordnung niemals zu dieser isomorph sein kann. – Wir haben zu beachten, daß die Antinomie nicht die Bildung der Menge aller Ordinalzahlen bis zu einer bestimmten noch so hohen Ordinalzahl α verbietet. Dieser Begriff wird in unseren weiteren Betrachtungen noch eine Rolle spielen.

3. Aus den *Ordnungseigenschaften* der Ordinalzahlen lassen sich bedeutsame Folgerungen ziehen. So können wir jetzt beweisen, daß die für Kardinalzahlen eingeführte $\leq$-Relation *auf jeder Menge von Kardinalzahlen eine wohlordnende Relation* ist. Bisher hatten wir nur zeigen können, daß es sich um eine Ordnungsrelation handelt. Wir betrachten zum Beweis noch einmal zu jeder Kardinalzahl a die zugehörige Zahlklasse Z (a). Auf Grund des *Wohlordnungssatzes* (hier geht das Auswahlaxiom ein!) war keine dieser Klassen leer. Gemäß (56) gibt es nun in jeder Zahlklasse Z (a) eine kleinste Ordinalzahl α_a, die sog. *Anfangszahl* von Z (a). Es gehört somit zu jeder Kardinalzahl a genau eine Anfangszahl α_a und umgekehrt: die Zuordnung $a \longrightarrow \alpha_a$ ist eineindeutig. Ihre Umkehrung $\alpha_a \longrightarrow a$ ist gerade die Beschränkung der Abbildung $\alpha \longrightarrow \text{card}\,\alpha$ auf die Anfangszahlen: es gilt $\text{card}\,\alpha_a = a$. Nun wissen wir bereits – so war die Definition (51) angelegt –, daß die Abbildung $\alpha \longrightarrow \text{card}\,\alpha$ ein *Ordnungshomomorphismus* ist. Wir machen uns noch klar, daß das auch für $a \longrightarrow \alpha_a$ zutrifft, d. h., daß gilt: $a \leq b \Rightarrow \alpha_a \leq \alpha_b$. Wir schließen indirekt und nehmen an, daß $a \leq b$ und nicht zugleich $\alpha_a \leq \alpha_b$, also $\alpha_b < \alpha_a$.

Aus $\alpha_b < \alpha_a$ folgt dann wegen der Homomorphie und Eineindeutigkeit der auf die Anfangszahlen beschränkten Abbildung $\alpha \longrightarrow \operatorname{card} \alpha$, daß $b \leq a$ und $b \neq a$, also $b < a$, im Widerspruch zu $a \leq b$. Damit ist gezeigt, daß $a \longrightarrow \alpha_a$ ein Ordnungsisomorphismus ist. Wie in jeder Menge von Anfangszahlen gibt es also auch in jeder Menge von Kardinalzahlen ein kleinstes Element.

Wir betrachten jetzt die Menge aller transfiniten Kardinalzahlen, die kleiner als eine vorgegebene transfinite Kardinalzahl sind. Diese Menge ist, wie jede Menge von Kardinalzahlen, bezüglich $\leq$ eine wohlgeordnete Menge, ihre Elemente sind also durch Ordinalzahlen der Größe nach numerierbar. Die kleinste transfinite Kardinalzahl bezeichnen wir wie bisher mit $\aleph_0$, die nächste entsprechend mit $\aleph_1, \aleph_2, \ldots, \aleph_\alpha, \ldots$. Allgemein erhält jede transfinite Kardinalzahl als Index die Ordinalzahl, die der Wohlordnung der ihr vorangehenden transfiniten Kardinalzahlen zukommt. Es gilt also insbesondere, daß $\aleph_\alpha < \aleph_\beta$, falls $\alpha < \beta$. Mit Hilfe der Alephs angeschrieben, besagt die *Kontinuumshypothese*, daß $\aleph_1 = \mathfrak{c} = 2^{\aleph_0}$, die sog. *verallgemeinerte Kontinuumshypothese*, daß $\aleph_{\alpha+1} = 2^{\aleph_\alpha}$. Wir geben ohne Beweis noch einige Rechenregeln für die Alephs an:

(59) $$\aleph_0 \cdot \aleph_\alpha = \aleph_\alpha$$

(60) $$\aleph_\alpha{}^2 = \aleph_\alpha$$

(61) $$\alpha \leq \beta \Rightarrow \aleph_\alpha + \aleph_\beta = \aleph_\alpha \cdot \aleph_\beta = \aleph_\beta$$

(62) $$\alpha < \beta \wedge \gamma < \delta \Rightarrow \begin{cases} \aleph_\alpha + \aleph_\gamma < \aleph_\beta + \aleph_\delta \\ \aleph_\alpha \cdot \aleph_\gamma < \aleph_\beta \cdot \aleph_\delta \end{cases}$$

(63) $$\alpha < \beta \Rightarrow 2^{\aleph_\beta} = \aleph_\alpha{}^{\aleph_\beta}.$$

III. Induktiver Beweis; rekursive Definition. 1. Das *Prinzip der vollständigen Induktion* (P5) ist die Grundlage eines in der Mathematik häufig verwendeten *Beweisverfahrens*. Es wird benutzt, um zu zeigen, daß gewisse Eigenschaften auf alle natürlichen Zahlen (gegebenenfalls von einer von 0 verschiedenen natürlichen Zahl an) zutreffen. Beispiele solcher Eigenschaften kommen in folgenden Aussagen vor:

$\mathfrak{E}_1 n :\Leftrightarrow 1 + q + q^2 + \cdots + q^n = \frac{1-q^{n+1}}{1-q}$ für alle reellen $q \neq 1$.

$\mathfrak{E}_2 n :\Leftrightarrow (a+b)^n = a^n + \binom{n}{1} a^{n-1} b + \cdots + \binom{n}{n-1} ab^{n-1} + b^n$ für alle reellen a, b.

$\mathfrak{E}_3 n :\Leftrightarrow (1+x)^n \geq 1 + nx$ für alle reellen $x > -1$.

$\mathfrak{E}_4 n :\Leftrightarrow \frac{x_1 + x_2 + \ldots + x_n}{n} \geq \sqrt[n]{x_1 x_2 \cdot \ldots \cdot x_n}$ für reelle $x_i \geq 0$.

$\mathfrak{E}_5 n :\Leftrightarrow$ n ist als Produkt $n = p_1 \cdot \ldots \cdot p_s$ von Primzahlen darstellbar.

Man kann durch Anwendung von (P5) beweisen, daß $\mathfrak{E}_1$, $\mathfrak{E}_2$ und $\mathfrak{E}_3$ auf alle natürlichen Zahlen zutreffen. Dabei liefert die Aussage $\mathfrak{E}_1 n$ die Summenformel für die n-te Partialsumme geometrischer Reihen mit dem Anfangsglied 1. Die Aussage $\mathfrak{E}_2 n$ ist der bekannte *Binomische Lehrsatz*, in dem die Binomialkoeffizienten $\binom{n}{k} := \frac{n!}{k!\,(n-k)!}$ auftreten, $\mathfrak{E}_3 n$ die *Bernoullische Ungleichung*, die in der Analysis vielfach angewendet wird. Die Aussage $\mathfrak{E}_4 n$ wird als *Satz vom arithmetischen und geometrischen Mittel* bezeichnet. Er gilt für alle natürlichen Zahlen $n \geq 1$, wenn wir $\sqrt[1]{x} := x$ setzen. Der für die Zahlentheorie wichtige Satz $\mathfrak{E}_5 n$ schließlich läßt sich als gültig für alle $n \geq 2$ nachweisen (→ Zahlen).

Das Beweisverfahren der vollständigen Induktion wird häufig zum *induktiven Verfahren* der experimentellen Wissenschaften in Parallele gesetzt, bei dem aus einer endlichen Anzahl von Einzelfällen ein durch diese Einzelfälle nicht erschöpftes allgemeines Gesetz erschlossen wird (sog. ›*unvollständige Induktion*‹). (Auf die in Wirklichkeit recht schwer zu präzisierenden induktiven Schlußweisen der Erfahrungswissenschaften, wobei der Wahrscheinlichkeitsbegriff heranzuziehen ist, können wir nicht eingehen.) Hier ist vor einem Mißverständnis zu warnen. Das Verfahren der vollständigen Induktion ist auf jeden Fall ein rein *deduktives Prinzip*. Das kommt ganz deutlich darin zum Ausdruck, daß man bei seiner Anwendung den Schluß $\mathfrak{E}n \Rightarrow \mathfrak{E}\nu(n)$, der [wegen $\nu(n) = n + 1$] als *Schluß von* n *auf* n + 1 bezeichnet wird, auszuführen hat. In diesem allgemeinen Schluß wird auf einzelne natürliche Zahlen nicht zurückgegriffen. Die Verifikation von $\mathfrak{E}0$ wird als *Induktionsbeginn* bezeichnet, der Schluß $\mathfrak{E}n \Rightarrow \mathfrak{E}(n+1)$ auch (eben irreführend) als *Induktionsschluß* und die Prämisse $\mathfrak{E}n$ als *Induktionsvoraussetzung*. Liegt der Induktionsbeginn nicht bei 0, sondern bei einer natürlichen Zahl $n_0 \neq 0$, so erlauben die Verifikation von $\mathfrak{E}n_0$ und der Nachweis von $\mathfrak{E}n \Rightarrow \mathfrak{E}(n+1)$ für $n \geq n_0$, auf das Zutreffen von $\mathfrak{E}$ auf alle $n \geq n_0$ zu schließen. Dies geht aus (P 5) unmittelbar dadurch hervor, daß man von der Eigenschaft $\mathfrak{E}$ zu einer Eigenschaft $\mathfrak{E}'$ übergeht, die gemäß der Definition $\mathfrak{E}'n :\Leftrightarrow \mathfrak{E}(n_0 + n)$ mit $\mathfrak{E}$ zusammenhängt. Wegen $\mathfrak{E}n_0$ gilt dann $\mathfrak{E}'0$, und wegen $\mathfrak{E}n \Rightarrow \mathfrak{E}(n+1)$ für $n \geq n_0$ gilt $\mathfrak{E}'(n-n_0) \Rightarrow \mathfrak{E}'(n-n_0+1)$ für $n \geq n_0$, wofür man auch einfach $\mathfrak{E}'n \Rightarrow \mathfrak{E}'(n+1)$ für alle n schreiben kann. $\mathfrak{E}'$ erfüllt damit die Voraussetzungen von (P 5) und kommt also allen natürlichen Zahlen ≥ 0 zu. Das bedeutet aber, daß $\mathfrak{E}$ auf alle natürlichen Zahlen $\geq n_0$ zutrifft. – Statt für Eigenschaften kann man das *Induktionsprinzip* auch für Mengen natürlicher Zahlen aussprechen. Jeder Eigenschaft natürlicher Zahlen $\mathfrak{E}$ entspricht ja eine Menge M und umgekehrt gemäß $n \in M \Leftrightarrow \mathfrak{E}n$. Wir können also sagen: Gilt $0 \in M$ und $n \in M \Rightarrow n + 1 \in M$, so ist $M = \mathbf{N}$.

Wir wollen (P 5) in dieser Fassung verwenden, um eine andere gebräuchliche Form des Induktionsprinzips abzuleiten, die zu (P 5) äquivalent ist:

(P 5*) *Ist die Menge* M *eine Teilmenge von* **N** *und so beschaffen, daß sie eine natürliche Zahl* n *immer dann enthält, wenn sie alle Vorgänger* $m < n$ *enthält, so ist* $M = \mathbf{N}$.

Die Induktionsvoraussetzung bedeutet jetzt: für alle natürlichen Zahlen $m < n$ gilt $m \in M$. Im Induktionsschluß ist dann zu zeigen, daß auch $n \in M$. Einen Induktionsbeginn gibt es nicht. – Zum Beweis von (P 5*) betrachten wir außer M die Menge M′ der natürlichen Zahlen n, deren Vorgänger $m < n$ in M liegen. Die Voraussetzung in (P 5*) besagt dann einfach, daß $M' \subseteq M$. Mit Hilfe von (P 5) werden wir zeigen, daß $M' = \mathbf{N}$. Wegen $M' \subseteq M$ gilt dann auch $M = \mathbf{N}$, die Behauptung in (P 5*). Zunächst ist klar, daß $0 \in M'$ (Induktionsbeginn), da es gar keinen Vorgänger von 0 gibt. Wir nehmen nun an, daß $n \in M'$ (Induktionsvoraussetzung). Daraus ergibt sich, daß $m \in M$ für alle $m < n + 1$, also $n + 1 \in M'$ (Induktionsschluß); denn für eine natürliche Zahl $m < n + 1$ gilt entweder $m < n$ oder $m = n$, woraus $m \in M$ im ersten Falle, wegen $M' \subseteq M$ aber auch im zweiten Falle unmittelbar folgt.

Wir wollen als dritte zu (P 5) äquivalente Aussage den mehrfach schon verwendeten *Satz von der Wohlordnung der natürlichen Zahlen* aus (P 5*) ableiten:

(W) *Jede nicht-leere Menge von natürlichen Zahlen enthält ein kleinstes Element.*

Den Beweis wollen wir *indirekt* führen: Wir gehen aus von der Annahme, daß es eine nicht-leere Menge M natürlicher Zahlen gibt, die kein kleinstes Element besitzt. Die Komplementmenge $M' := \mathbf{N} - M$ erfüllt dann die Voraussetzung von (P 5*); denn wäre mit allen $m < n$ nicht auch n Element von M′, so wäre n kleinstes Element von M. Nach (P 5*) ist also $M' = \mathbf{N}$, d. h. $M = \emptyset$, im Gegensatz zur Annahme, nach der $M \neq \emptyset$.

Bisher haben wir gezeigt: (P 5) $\Rightarrow$ (P 5*) $\Rightarrow$ (W). Den Beweis für die logische Äquivalenz dieser drei Aussagen führen wir nun dadurch, daß wir noch zeigen: (W) $\Rightarrow$ (P 5). Das geschieht wieder indirekt. Wir nehmen an, daß die Voraussetzungen von (P 5) erfüllt sind, daß es jedoch natürliche Zahlen gibt, auf die $\mathfrak{E}$ nicht zutrifft. Wegen (W) gibt es unter diesen eine kleinste, die wir n_0 nennen wollen. Ist $n_0 = 0$, so haben wir einen Widerspruch zum Induktionsbeginn $\mathfrak{E}0$. Ist $n_0 \neq 0$, so ist n_0 Nachfolger einer natürlichen Zahl m_0, d. h. es gilt $n_0 = m_0 + 1$. Das steht jedoch im Widerspruch zu $\mathfrak{E}n \Rightarrow \mathfrak{E}(n+1)$; denn es gilt $\mathfrak{E}m_0$, nicht aber $\mathfrak{E}(m_0 + 1)$.

2. Das *Induktionsprinzip* wird nicht nur als Beweisverfahren, sondern auch zur *Definition* verwendet, wenn es darum geht, gewisse Begriffe (Terme) oder Aussagen für alle natürlichen Zahlen (gegebenenfalls von einer von 0 verschiedenen natürlichen Zahl an) zu erklären. Dieses als *rekursive* (auch *induktive*) *Definition* bezeichnete Verfahren war uns bei der Einführung der Addition natürlicher Zahlen auf der Grundlage der *Peano-Axiome* begegnet, wo wir definierten:

(64) $$m + 0 = m, m + \nu(n) = \nu(m + n).$$

Daß hiermit tatsächlich die Addition natürlicher Zahlen vollständig erklärt ist, wollen wir an einem Rechenbeispiel verdeutlichen. Wir wollen aus den Peano-Axiomen beweisen, daß $2 + 3 = 5$. Dazu geben wir zunächst den in dieser Aussage auftretenden Zahlensymbolen durch folgende Definition einen Sinn: $1 := \nu(0), 2 := \nu(1), 3 := \nu(2), 4 := \nu(3), 5 := \nu(4)$. Unter Anwendung von (64) können wir dann rechnen:

$$\begin{aligned} 2 + 3 &= 2 + \nu(2) = \nu(2 + 2),\\ 2 + 2 &= 2 + \nu(1) = \nu(2 + 1),\\ 2 + 1 &= 2 + \nu(0) = \nu(2 + 0),\\ 2 + 0 &= 2. \end{aligned}$$

Daraus ergibt sich der Reihe nach:

$$\begin{aligned} 2 + 1 &= \nu(2) = 3,\\ 2 + 2 &= \nu(3) = 4,\\ 2 + 3 &= \nu(4) = 5. \end{aligned}$$

Ein anderes Beispiel ist die rekursive Definition des Terms n! (lies: n-Fakultät) gemäß

(65) $$0! = 1, (n + 1)! = n!\,(n + 1),$$

ein weiteres die im Kapitel → Zahlen angegebene rekursive Definition einer speziellen Folge gemäß

(66) $$x_1 = \frac{3}{2}, x_{n+1} = \frac{1}{2}\left(x_n + \frac{2}{x_n}\right).$$

Wie in (P 5) kann man bei der rekursiven Definition zwei kennzeichnende Bestandteile unterscheiden, den *Rekursionsbeginn* (bei 0 oder einer natürlichen Zahl $n_0 \neq 0$) und den *Rekursionsschritt*, durch den der Fall $n + 1$ auf den Fall n zurückgeführt wird. So klar das Vorgehen nach dieser Methode zu sein scheint, vom logischen Standpunkt aus muß jedoch ernsthaft Kritik daran geübt werden. Im Sinne der *Logik* handelt es sich gar nicht um eine Definition; denn von einer *Definition* wird verlangt, daß sie die Gestalt ›Definiendum := Definiens‹ oder ›Definiendum :⇔ Definiens‹ besitzt, je nachdem, ob das Definiens ein Term oder eine Aussage ist. Dabei hat dann zu gelten, daß das Definiendum an jeder Stelle, wo es verwendet wird, durch das Definiens ersetzt werden kann. Diese Forderung der *Eliminierbarkeit des Definiendums* ist z. B. bei der obigen Definition der in den Peano-Axiomen nicht auftretenden Zeichen 1, 2, 3, 4, 5 erfüllt. Überall können wir ›1‹ durch das nur aus den Grundsymbolen aufgebaute Zeichen $\nu(0)$ ersetzen, ebenso ›5‹ durch $\nu(\nu(\nu(\nu(\nu(0)))))$. Die Forderung ist dagegen nicht erfüllt bei den sog. rekursiven Definitionen, wie sie in (64), (65), (66) gegeben wurden. So ist z. B. nicht zu sehen, wie das Zeichen $+$ aus einer Formel wie $m + n = n + m$ vermöge (64) zu eliminieren wäre.

Das hier vorliegende Problem ist zum erstenmal von *R. Dedekind* (1887) gesehen und gelöst worden. Wir erläutern den Lösungsgedanken am Beispiel (64). Entscheidend ist die Einsicht, daß man mit (64) einwandfrei erst dann arbeiten kann, wenn die *Existenz und Eindeutigkeit einer zweistelligen Funktion* $\varphi: (m, n) \longrightarrow \varphi(m, n)$ mit folgenden Eigenschaften gesichert ist: φ ist in $\mathbf{N} \times \mathbf{N}$ erklärt, $\varphi(m, n) \in \mathbf{N}$, $\varphi(m, 0) = m$ und $\varphi[m, \nu(n)] = \nu[\varphi(m, n)]$. Man kann dann nämlich festsetzen $m + n := \varphi(m, n)$, und das ist in der Tat eine korrekte Definition, vermöge deren das $+$-Zeichen eliminiert werden kann. Die Gleichungen (64) werden dabei zu *gültigen Aussagen*.

Allgemein wird nun die Rechtfertigung der rekursiven Definition durch folgenden Existenz- und Eindeutigkeitssatz, der als *Rekursionsprinzip* bezeichnet wird, gegeben:

(R) *Ist* a *ein Element einer Menge* X *und* F: $(n, x) \longrightarrow F(n, x)$ *eine Abbildung von* $\mathbf{N} \times X$ *in* X, *dann gibt es genau eine in* **N** *erklärte Funktion* f *mit Werten in* X, *so daß*

(67) $f(0) = a, f[\nu(n)] = F[n, f(n)]$ *für alle* $n \in \mathbf{N}$.

Zur Einordnung von (64) setzen wir $X = \mathbf{N}$, $a = m$ und $F(n, x) = \nu(x)$. Für jedes $m \in \mathbf{N}$ existiert dann nach dem Satz genau eine Funktion f_m mit

$$f_m(0) = m \text{ und } f_m[\nu(n)] = F[n, f_m(n)] = \nu[f_m(n)].$$

Wir setzen $\varphi(m, n) := f_m(n)$ und erhalten die obige Summenfunktion. Die Einordnung von (65) ist einfacher. Wir setzen $X = \mathbf{N}$, $a = 1$ und $F(n, x) = x(n + 1)$. Dann können wir definieren $n! := f(n)$, und es gilt (65). Im Beispiel (66) ist der Rekursionsbeginn bei 1, so daß das Rekursionsprinzip in entsprechender Abänderung anzuwenden ist, wie wir es beim Induktionsprinzip diskutiert haben. Wir setzen jetzt $X = \mathbf{P}$, $a = 3/2$ und $F(n, x) = \frac{1}{2}\left(x + \frac{2}{x}\right)$ für alle $(n, x) \in \mathbf{N} \times \mathbf{P}$. Für f gilt dann $f(1) = \frac{3}{2}$, $f(n + 1) = F[n, f(n)] = \frac{1}{2}\left[f(n) + \frac{2}{f(n)}\right]$, was vermöge der Definition $x_n := f(n)$ in (66) übergeht. – Der Beweis des Rekursionsprinzips wird mit Hilfe von (P 5) erbracht. Die Eindeutigkeit der Funktion f ist sofort zu erkennen; der Existenzbeweis ist jedoch etwas schwieriger. Wir wollen darauf nicht eingehen.

3. Die vorangehenden Erörterungen waren vor allem an das 5. Peano-Axiom geknüpft. Als Modell für die Peano-Axiome hatten wir die natürlichen Kardinalzahlen angegeben. Da die Menge der natürlichen Ordinalzahlen bezüglich der Ordnungsbeziehung (und der Rechenoperationen) zur strukturierten Menge der natürlichen Kardinalzahlen isomorph ist, werden die Peano-Axiome auch von den natürlichen Ordinalzahlen erfüllt. Wir haben deshalb keinen Unterschied gemacht und allgemein von natürlichen Zahlen gesprochen. Im folgenden wollen wir nun auseinandersetzen, wie das Induktions- und Rekursionsprinzip ins Transfinite fortgesetzt werden kann. Dabei haben die Ordinalzahlen natürlich den Vorrang vor den Kardinalzahlen, da wir ihre Ordnungsstruktur viel besser in der Hand haben. Zwar wissen wir, daß auch jede Menge von Kardinalzahlen bezüglich $\leq$ wohlgeordnet ist; aber z. B. ist uns – wegen der Offenheit des allgemeinen Kontinuumsproblems – der unmittelbare Nachfolger einer transfiniten Kardinalzahl nicht bekannt, während der unmittelbare Nachfolger einer beliebigen Ordinalzahl α stets durch $\alpha + 1$ gegeben ist.

Es sei Ω eine Menge von Ordinalzahlen, die dadurch bestimmt ist, daß in ihr genau alle Vorgänger einer bestimmten Ordinalzahl α_0 liegen [also $\Omega = V(\alpha_0)$]. Wir könnten dann versuchen, (P 5) dadurch auf Ω zu übertragen, daß wir sagen: Eine Eigenschaft $\mathfrak{E}$, die der Ordinalzahl 0 zukommt und mit jeder Ordinalzahl $\alpha \in \Omega$ auch ihrem Nachfolger $\alpha + 1$, soweit $\alpha + 1 \in \Omega$, kommt jeder Ordinalzahl aus Ω zu. Diese Aussage, die für $\alpha_0 = \omega$ gerade mit der über der Menge der natürlichen Ordinalzahlen gedeuteten Aussage (P 5) übereinstimmt, ist jedoch nur für $\alpha_0 = \omega$ und für endliche α_0 gültig. Schon für $\alpha_0 = \omega + 1$ ist sie falsch. Wir brauchen als $\mathfrak{E}$ nur die Ordinalzahleigenschaft, endlich zu sein, zu nehmen. Es gilt dann sicher $\mathfrak{E}0$ und $\mathfrak{E}\alpha \Rightarrow \mathfrak{E}(\alpha + 1)$, nicht jedoch $\mathfrak{E}\omega$. Das hat seinen Grund in einer besonderen Eigenart von ω. Während nämlich alle anderen von 0 verschiedenen Ordinalzahlen aus $V(\omega + 1)$ unmittelbare Nachfolger einer Ordinalzahl sind, trifft das auf ω nicht zu. Allgemein werden solche von 0 verschiedenen Ordinalzahlen, die nicht direkte Nachfolger einer Ordinalzahl sind, *Limeszahlen* genannt. Weitere Beispiele von Limeszahlen sind aus der obigen Aufstellung der ›Zählfolge‹ erkennbar: $\omega \cdot 2, \omega \cdot 3, \ldots, \omega^2, \omega^2 + \omega$ usw. Es sei auch die leicht zu beweisende Tatsache erwähnt, daß *jede transfinite Anfangszahl eine Limeszahl ist.*

Um die Limeszahlen und ihre Nachfolger beim Beweis durch Induktion mitzuerfassen, führen wir den Begriff des *Limes einer Menge von Ordinalzahlen* ein: Ist M eine Menge von Ordinalzahlen, so soll unter $\lim_{\alpha \in M} \alpha$ die kleinste Ordinalzahl verstanden werden, die größer ist als alle Elemente von M. Wir können damit das *Prinzip der transfiniten Induktion*, ohne die Fälle $\alpha_0 \leq \omega$ auszuschließen, wie folgt aussprechen:

(TI) *Es sei* α_0 *eine beliebige Ordinalzahl und* $\Omega = V(\alpha_0)$. *Eine Eigenschaft* $\mathfrak{E}$ *kommt dann allen Ordinalzahlen* $\alpha \in \Omega$ *zu, wenn gilt:*

1. $\mathfrak{E}0$.
2. $\mathfrak{E}\alpha \Rightarrow \mathfrak{E}(\alpha + 1)$ *für alle* α *mit* $\alpha + 1 \in \Omega$.
3. $\mathfrak{E}\lambda$, *falls* λ *Limeszahl aus* Ω *und* $\mathfrak{E}\alpha$ *für alle* $\alpha < \lambda$.

Der Beweis kann analog zum obigen Beweis für (W) $\Rightarrow$ (P 5) geführt werden, wobei jetzt an Stelle von (W) die Tatsache tritt, daß Ω durch $\leq$ wohlgeordnet ist. Natürlich kann (TI) statt für Eigenschaften auch für Teilmengen von Ω ausgesprochen werden. Eine andere Formulierung von (TI) geht sofort aus (P 5*) hervor, und zwar ohne besondere Zusätze über Limeszahlen. Dabei zeigt sich, daß die Aussagen (P 5) und (P 5*) bei direkter Übertragung ins Transfinite nicht mehr äquivalent sind. Die in der Mathematik gebräuchlichste Form des Prinzips der transfiniten Induktion erhalten wir, wenn wir (P 5*) nicht nur auf Ordinalzahlmengen, sondern auf beliebige wohlgeordnete Mengen erweitern:

(TI′) *Ist* M *eine Teilmenge der durch* $\sqsubseteq$ *wohlgeordneten Menge* A *und so beschaffen, daß sie ein Element* $x \in A$ *immer dann enthält, wenn sie alle Vorgänger* $y \sqsubset x$ *enthält, so ist* $M = A$.

Ein Beweis ist sofort erbracht. Angenommen, die Menge A–M wäre nicht-leer. Sie enthält dann ein kleinstes Element, etwa x_0. Da alle $y \in A$ mit $y \sqsubset x_0$ zu M gehören, muß nach den Voraussetzungen von (TI′) auch x_0 zu M gehören im Widerspruch zu $x_0 \in A - M$. Die Menge A–M muß also leer sein. – Die Bedeutung von (TI′) liegt auf der Hand: (TI′) kann dazu dienen, Aussagen in einer der sog. vollständigen Induktion analogen Weise auch in überabzählbaren Mengen A als gültig zu erweisen. Dabei ist vorausgesetzt, daß in A eine geeignete Wohlordnung gegeben ist. In neuerer Zeit ist an die Stelle der Beweise durch transfinite Induktion vielfach die Anwendung des *Zornschen Lemmas* getreten (→ Mengen, Abbildungen, Strukturen).

Wir geben schließlich ohne Beweis eine Übertragung des Rekursionsprinzips ins Transfinite an, und zwar in einer spezielleren Form, die es uns unmittelbar gestattet, die oben zurückgestellte Potenzdefinition nachzuholen. Dieses *Prinzip der transfiniten Rekursion* lautet:

(TR) *Es sei* α_0 *eine beliebige Ordinalzahl,* $\Omega = V(\alpha_0)$, X *eine beliebige nicht-leere Menge von Ordinalzahlen. Zu jedem* $\zeta_0 \in X$ *und jeder Abbildung* $F: (\beta, \zeta) \longrightarrow F(\beta, \zeta)$ *von* $\Omega \times X$ *in* X *gibt es dann genau eine in* Ω *erklärte Funktion* f *mit Werten in* X *derart, daß*

1. $f(0) = \zeta_0$,
2. $f(\beta + 1) = F(\beta, f(\beta))$ *für alle* β *mit* $\beta + 1 \in \Omega$,
3. $f(\lambda) = \lim\limits_{\beta<\lambda} f(\beta)$ *für alle Limeszahlen* $\lambda \in \Omega$.

Unter $\lim\limits_{\beta<\lambda} f(\beta)$ soll dabei die kleinste Ordinalzahl verstanden werden, die größer als alle $f(\beta)$ mit $\beta < \lambda$ ist.

Wir definieren nun rekursiv:

$$(68) \quad \begin{cases} \alpha^0 = 1, \\ \alpha^{\beta+1} = \alpha^\beta \cdot \alpha, \\ \alpha^\lambda = \lim\limits_{\beta<\lambda} \alpha^\beta, & \text{falls } \lambda \text{ Limeszahl und } \alpha > 0, \\ \alpha^\lambda = 0, & \text{falls } \lambda \text{ Limeszahl und } \alpha = 0. \end{cases}$$

Die Rechtfertigung für diese ›Definition‹ ist durch (TR) gegeben. Wir setzen $\zeta_0 = 1$ und betrachten für jedes $\alpha \in \Omega$ die Abbildung F_α mit $F_\alpha(\beta, \zeta) = \zeta \cdot \alpha$. Dabei wählen wir $\Omega = V(\alpha_0)$ so, daß α_0 eine Limeszahl ist. F_α ist dann in der Tat – wie man sich mit Hilfe von (14) und (61) leicht überlegt – eine Abbildung von $\Omega \times \Omega$ in Ω. Nach (TR) mit $X = \Omega$ existiert also zu jedem $\alpha \in \Omega$ genau eine Funktion f_α mit den drei in (TR) angegebenen Eigenschaften. Definieren wir jetzt $\alpha^\beta := f_\alpha(\beta)$ für $\alpha > 0$ und für $\alpha = \beta = 0$, hingegen $\alpha^\beta := 0$ für $\alpha = 0, \beta > 0$, so gehen die Formeln (68) in wahre Aussagen bezüglich Ω über.

Aus (68) kann man die Rechengesetze für die Potenz ableiten. Wir geben einige an:

$$(69) \quad \alpha^\beta \cdot \alpha^\gamma = \alpha^{\beta+\gamma}, \ \alpha \neq 1 \Rightarrow (\alpha^\beta)^\gamma = \alpha^{\beta \cdot \gamma},$$

$$(70) \quad \alpha > 1 \wedge \beta < \gamma \Rightarrow \alpha^\beta < \alpha^\gamma, \ \alpha \leq \beta \Rightarrow \alpha^\gamma \leq \beta^\gamma,$$

$$(71) \quad \alpha > 1 \wedge \beta > 1 \Rightarrow \alpha + \beta \leq \alpha \cdot \beta \leq \alpha^\beta.$$

Demgegenüber gilt die Formel $(\alpha \cdot \beta)^\gamma = \alpha^\gamma \cdot \beta^\gamma$ nicht allgemein, wie schon das Beispiel $(\omega \cdot 2)^2 \neq \omega^2 \cdot 2^2$ zeigt.

Logik und Methodologie. Aus dem umfangreichen, in Aufgaben und Ergebnissen sich heute stark entfaltenden Gebiet der mathematischen Logik bringen wir hier Grundzüge der *Aussagen-* und *Prädikatenlogik* zur Darstellung, aus dem von der Logik nicht zu trennenden Bereich der Methodologie der Mathematik einige Merkmale der *axiomatischen Methode.*

A. Aussagenlogik. I. Aussagenlogische Verknüpfungen. Die Aussagenlogik ist das Kernstück der mathematischen Logik. In ihrer *klassischen Gestalt* kann sie auf folgender Grundlage aufgebaut werden: Unter *Aussagen* verstehen wir (schrift)sprachliche Gebilde, für die es sinnvoll ist zu fragen, ob sie *wahr* oder *falsch* sind. Wir legen das *Zweiwertigkeitsprinzip* zugrunde, nach dem eine Aussage stets entweder wahr oder falsch ist. Je nachdem eine Aussage wahr oder falsch ist, sagen wir auch, daß ihr der *Wahrheitswert* W oder F zukommt.

Von der zunächst nicht beachteten Zusammensetzung der Aussagen ist nun für die Aussagenlogik allein die *Verbindung von Aussagen zu Aussagen* wichtig. Solche Verbindungen oder Verknüpfungen werden umgangssprachlich z. B. durch Worte wie ›und‹, ›oder‹, ›weder ... noch‹, ›entweder ... oder ... oder‹ bewirkt. Man kann fragen, wie der Wahrheitswert einer so durch Verknüpfung von Teilaussagen gebildeten Aussage von den Wahrheitswerten der Teilaussagen abhängt. Während diese Frage in der Umgangssprache nicht immer eindeutig zu beantworten ist, werden die Verknüpfungen in der Aussagenlogik so normiert, daß eine eindeutige Antwort stets gegeben werden kann. Die über den Wahrheitswert hinausgehende »Intension« (der »Sinn«) der Teilaussagen ist damit ohne Einfluß auf den Wahrheitswert der zusammengesetzten Aussage. Man spricht demgemäß von einem rein *extensionalen* Gebrauch der aussagenlogischen Verknüpfungen.

Verknüpfungen (→ Mengen, Abbildungen, Strukturen) können ein-, zwei-, allgemein: n-stellig sein. Da es zwei Wahrheitswerte gibt und die aussagenlogischen Verknüpfungen nur die Wahrheitswerte berücksichtigen sollen, gibt es genau $2^2 = 4$ *einstellige aussagenlogische Verknüpfungen* $v^1_1, \ldots, v^1_4$. Ist A eine Aussage, so wollen wir mit $|A|$ den Wahrheitswert von A bezeichnen. Diese Verknüpfungen sind dann durch folgende *Wahrheitstafeln* gegeben:

$\|A\|$	$\|v^1_1 (A)\|$	$\|v^1_2 (A)\|$	$\|v^1_3 (A)\|$	$\|v^1_4 (A)\|$
W	W	W	F	F
F	W	F	W	F

Die beiden Verknüpfungen v^1_1 und v^1_4 sind ohne Interesse, da sie keine Abhängigkeit vom Wahrheitswert von A enthalten. Ebenso ist v^1_2 uninteressant, da durch sie nur der Wahrheitswert von A reproduziert wird. So bleibt als wesentlich allein die Verknüpfung v^1_3, die offensichtlich den Übergang von einer Aussage A zu ihrem *Negat* ›nicht A‹ wiedergibt. Wir nennen demgemäß v^1_3 die *Negation* und verwenden dafür in Zukunft das Zeichen $\neg$, also für v^1_3 (A) die (klammerfreie) Schreibweise $\neg$ A. Für $\neg$ haben wir also die Wahrheitstafel

$\|A\|$	$\|\neg A\|$
W	F
F	W

oder einfach

	$\neg$
W	F
F	W

Zweistellige aussagenlogische Verknüpfungen gibt es genau $2^{2^2} = 16$. Bezeichnen wir sie mit $\upsilon^2_1, \ldots, \upsilon^2_{16}$, dann soll υ^2_i (A, B) die vermöge υ^2_i aus A und B zusammengesetzte Aussage sein. Lassen wir von vornherein diejenigen υ^2_i, bei denen keine Abhängigkeit von einer oder beiden Komponenten A, B besteht, außer acht, so bleiben 10 zweistellige Verknüpfungen mit den Tafeln:

$\|A\|$	$\|B\|$	$\|\upsilon^2_1$ (A, B)$\|$	$\|\upsilon^2_2$ (A, B)$\|$	$\|\upsilon^2_3$ (A, B)$\|$	$\|\upsilon^2_4$ (A, B)$\|$	$\|\upsilon^2_5$ (A, B)$\|$
W	W	W	W	W	W	W
W	F	F	W	F	W	F
F	W	F	W	W	F	F
F	F	F	F	W	W	W

$\|A\|$	$\|B\|$	$\|\upsilon^2_6$ (A, B)$\|$	$\|\upsilon^2_7$ (A, B)$\|$	$\|\upsilon^2_8$ (A, B)$\|$	$\|\upsilon^2_9$ (A, B)$\|$	$\|\upsilon^2_{10}$ (A, B)$\|$
W	W	F	F	F	F	F
W	F	W	F	W	F	W
F	W	W	F	F	W	W
F	F	W	W	F	F	F

Man kann versuchen, umgangssprachliche Verknüpfungen anzugeben, die diesen Tafeln weitgehend gerecht werden. Als solche nennen wir, die υ^2_i der Reihe nach durchlaufend: A und B, A oder B (das ›oder‹ im Sinne des lat. ›vel‹, d. h. *nicht ausschließend*), wenn A so B (zum erstenmal im Sinne von υ^2_3 präzisiert in der stoischen Aussagenlogik durch Chrysipp), wenn B so A, A genau dann wenn B, nicht zugleich A und B, weder A noch B, A aber nicht B, B aber nicht A, entweder A oder B (also ›oder‹ im Sinne des lat. ›aut‹, d. h. *ausschließend*). Man sieht nun sogleich, daß die unteren fünf Tafeln aus den oberen durch Vertauschen von W und F hervorgehen, d. h., es gilt in der gewählten Abzählung für i = 1, . . ., 5, daß

$$|\upsilon^2_{i+5}(A, B)| = |\neg\, \upsilon^2_i(A, B)|.$$

Ferner erkennt man, daß stets $|\upsilon^2_4 (A, B)| = |\upsilon^2_3 (B, A)|$ und $|\upsilon^2_8 (A, B)| = |\upsilon^2_9 (B, A)|$. Damit genügt es also unter Verwendung von $\neg$, die vier Verknüpfungen υ^2_1, υ^2_2, υ^2_3 und υ^2_5 zur Verfügung zu haben, die wir der Reihe nach als *Konjunktion*, *Adjunktion*, *Subjunktion* und *Bijunktion* bezeichnen und für die wir die Zeichen $\wedge$, $\vee$, $\Rightarrow$, $\Leftrightarrow$ einführen. Dabei wollen wir statt υ^2_i (A, B) jeweils schreiben: A $\wedge$ B (A *und* B), A $\vee$ B (A *oder* B), A $\Rightarrow$ B (*wenn* A, *so* B), A $\Leftrightarrow$ B (A *genau dann*, *wenn* B), was wir der Reihe nach das *Konjugat, Adjugat, Subjugat* und *Bijugat* von A und B nennen. Die zugehörigen Wahrheitstafeln heben wir in der Kurzform noch einmal besonders heraus:

$\wedge$	W	F
W	W	F
F	F	F

$\vee$	W	F
W	W	W
F	W	F

$\Rightarrow$	W	F
W	W	F
F	W	W

$\Leftrightarrow$	W	F
W	W	F
F	F	W

Von einer Diskussion der *höherstelligen Verknüpfungen* können wir absehen, da nach den weiter unten anzugebenden *Normalformentheoremen* alle höherstelligen Verknüpfungen durch $\neg$ und die beiden zweistelligen Verknüpfungen $\wedge$, $\vee$ dargestellt werden können. Wir haben damit in $\neg, \wedge, \vee, \Rightarrow, \Leftrightarrow$ ein für den extensionalen Standpunkt (mehr als) ausreichendes System von aussagenlogischen Verknüpfungen. Diese Verknüpfungen nennen wir allgemein *Junktionen* und die für sie eingeführten Zeichen *Junktoren.*

II. Gesetze der Aussagenlogik. 1. Eine Aussage wie »Wenn es regnet oder schneit und es regnet nicht, so schneit es eben« zeigt eine eigentümliche Unabhängigkeit ihres Wahrseins vom Wahrheitswert der in ihr enthaltenen elementaren Aussagen, hier: »es regnet« und »es schneit«. Man sagt von solchen Aussagen, daß sie schon *der Form nach* (*formal* oder *logisch*) *wahr* seien. Der Grund dafür wird deutlich, wenn wir die obige Aussage mit Hilfe unserer Junktoren anschreiben und dabei statt der elementaren Aussagen die *Aussagenvariablen* p und q verwenden. Wir erhalten dann die *Aussagenform*:

(1) $$((p \vee q) \wedge \neg p) \Rightarrow q.$$

Aus einer solchen aussagenlogischen Aussagenform gewinnen wir durch *Einsetzen* von Aussagen für die Variablen eine Aussage. Insbesondere gewinnen wir die obige Aussage zurück, wenn wir für p bzw. q einsetzen »es regnet« bzw. »es schneit«. Das Besondere an der Aussagenform (1) ist nun in der Tat, daß aus ihr bei jeder beliebigen Einsetzung von Aussagen stets eine wahre Aussage hervorgeht. Da die aussagenlogischen Verknüpfungen nur auf die Wahrheitswerte der durch sie verknüpften Aussagen Rücksicht nehmen, können wir dies unmittelbar durch die Betrachtung aller möglichen *Belegungen* von p und q mit den Wahrheitswerten W, F wie folgt bestätigen:

((p	$\vee$	q)	$\wedge$	$\neg$	p)	$\Rightarrow$	q
W	W	W	F	F	W	W	W
W	W	F	F	F	W	W	F
F	W	W	W	W	F	W	W
F	F	F	F	W	F	W	F
(1)	(2)	(1)	(3)	(2)	(1)	(4)	(1)

Dabei haben wir im Schritt (1) zunächst alle möglichen Belegungen von p und q angeschrieben, eine mehrfach auftretende Variable natürlich jedesmal gleich belegend. Sodann sind wir schrittweise, bei mehrfachen Klammern von innen nach außen gehend, zu den durch die obigen Verknüpfungstafeln bestimmten Wahrheitswerten der zusammengesetzten Ausdrücke übergegangen. Diese haben wir jeweils unter den zugehörigen Junktor geschrieben. So erhielten wir unter dem zuletzt betrachteten Hauptjunktor (hier also unter $\Rightarrow$) den zu der jeweiligen Belegung gehörigen Wahrheitswert der Aussagenform.

2. Eine aussagenlogische Aussagenform heißt ein *Gesetz* oder *Satz der Aussagenlogik* (oder in anderen Bezeichnungen: *Tautologie, allgemeingültig, aussagenlogisch identisch*), wenn sie bei jeder Belegung (ihrer Variablen mit Wahrheitswerten) den Wahrheitswert W annimmt. (1) ist also ein Gesetz der Aussagenlogik. Wir geben andere wichtige, nach der erläuterten Methode leicht als solche nachweisbare Gesetze an. Dabei wollen wir in der Anschreibung wenigstens teilweise von den üblichen Konventionen zur Einsparung von Klammern Gebrauch machen, nach denen in der Reihenfolge $\Leftrightarrow$, $\Rightarrow$, $\vee$, $\wedge$ jeder spätere Junktor stärker binden soll als jeder frühere, genauso wie in dem algebraischen Ausdruck $a + b \cdot c$ das $\cdot$ verabredungsgemäß stärker bindet als das $+$.

(2) $p \vee \neg p$ (Satz vom ausgeschlossenen Dritten)
(3) $\neg(p \wedge \neg p)$ (Satz vom Widerspruch)
(4) $\neg(\neg p) \Leftrightarrow p$ (Satz von der doppelten Verneinung)
(5) $\neg(p \wedge q) \Leftrightarrow \neg p \vee \neg q$
(6) $\neg(p \vee q) \Leftrightarrow \neg p \wedge \neg q$ } (Gesetze von De Morgan)
(7) $\neg(p \Rightarrow q) \Leftrightarrow p \wedge \neg q$
(8) $\neg(p \Leftrightarrow q) \Leftrightarrow (p \Leftrightarrow \neg q)$
(9) $p \Rightarrow q \Leftrightarrow \neg q \Rightarrow \neg p$ (Kontrapositionsgesetz)
(10) $p \Rightarrow q \Leftrightarrow p \wedge \neg q \Rightarrow \neg p$
(11) $p \Rightarrow q \Leftrightarrow p \wedge \neg q \Rightarrow q$
(12) $p \Rightarrow q \Leftrightarrow p \wedge \neg q \Rightarrow r \wedge \neg r$
(13) $p \wedge (p \Rightarrow q) \Rightarrow q$ (Gesetz zum modus ponens)
(14) $(p \Rightarrow q) \wedge \neg q \Rightarrow \neg p$ (Gesetz zum modus tollens)
(15) $(p \Rightarrow q) \wedge (q \Rightarrow r) \Rightarrow (p \Rightarrow r)$ (Gesetz zum modus barbara)

(16a) $p \Rightarrow p \vee q$
(16b) $q \Rightarrow p \vee q$ } (Gesetze zum Adjunktionsschluß)
(17) $p \wedge (q \vee r) \Leftrightarrow (p \wedge q) \vee (p \wedge r)$
(18) $p \vee (q \wedge r) \Leftrightarrow (p \vee q) \wedge (p \vee r)$ } (Distributivgesetze)

Die Gesetze (4) bis (8) bilden die Grundlage für die aussagenlogische *Verneinungstechnik*. Auf die Gesetze (9) bis (12) gründen sich die verschiedenen *Varianten des indi-*

rekten Beweises. (10) bis (12) entsprechen dabei dem Vorgehen: Angenommen, daß nicht $p \Rightarrow q$, daß also $p \wedge \neg q$ gemäß (7). Dann ergibt sich $\neg p$ oder q, beides im Widerspruch zur Annahme, oder es ergibt sich *(reductio ad absurdum)* eine *kontradiktorische Aussage* von der Form $r \wedge \neg r$. Das Gesetz (9) besagt, daß man statt $p \Rightarrow q$ auch $\neg q \Rightarrow \neg p$, die sog. *Kontraposition* von $p \Rightarrow q$, die nicht zu verwechseln ist mit der *Umkehrung (Konversion)* $q \Rightarrow p$ von $p \Rightarrow q$, beweisen kann. Daß $p \Rightarrow q$, drückt man in der Mathematik häufig auch dadurch aus, daß man sagt: »p ist eine *hinreichende Bedingung* für q« oder »q ist eine *notwendige Bedingung* für p«. Hat man außer $p \Rightarrow q$ auch die Umkehrung $q \Rightarrow p$, so ist also p eine *notwendige und hinreichende Bedingung* für q, und dies besagt wegen der Allgemeingültigkeit von $(p \Leftrightarrow q) \Leftrightarrow (p \Rightarrow q) \wedge (q \Rightarrow p)$ dasselbe wie $p \Leftrightarrow q$.

Die Gesetze (13) bis (16) bilden die Grundlage wichtiger *Schlußverfahren*, auf die wir weiter unten noch eingehen werden.

3. Auf Gesetzen wie (17) und (18) beruhen die Rechenregeln der *Mengenalgebra* (→ Mengen, Abbildungen, Strukturen). Die für die Mengenalgebra charakteristische *Struktur* des *Boole-Verbandes* finden wir dabei schon in der Aussagenlogik selbst vor, wenn wir die allgemeingültigen Bijunktionen in folgender Weise durch Äquivalenzaussagen über Aussagenformen ersetzen: Sind α und β aussagenlogische Aussagenformen, so gelte

(19) $\alpha \equiv \beta$ genau dann, wenn $\alpha \Leftrightarrow \beta$ allgemeingültig.

Die Relation $\equiv$ ist, wie man mit der Belegungsmethode sofort nachweist, eine *Äquivalenzrelation* (→ Mengen, Abbildungen, Strukturen) auf jeder Menge von aussagenlogischen Aussagenformen ($\alpha \equiv \beta$ lesen wir demnach: »α äquivalent β«). Da $\Rightarrow$ gemäß dem Gesetz

(20) $$p \Rightarrow q \Leftrightarrow \neg(p \wedge \neg q) \Leftrightarrow \neg p \vee q$$

durch $\neg, \wedge, \vee$ ersetzt werden kann, lassen sich dann die Gesetze der Aussagenlogik als (Äquivalenz-) *Gleichungen* mit den Operationszeichen $\neg, \wedge, \vee$ schreiben, die den Gleichungen der Boole-Verbände entsprechen. Dies ist im wesentlichen die Gestalt, in der zuerst G. *Boole* (1815–1864) die Aussagenlogik als *Algebra der Logik* dargestellt hat. Wir erhalten exakt einen Boole-Verband, wenn wir von der im folgenden noch näher zu bestimmenden Menge aller aussagenlogischen Aussagenformen zur Quotientenmenge bezüglich $\equiv$ übergehen und dort die Quotientenstruktur bezüglich $\equiv$ (→ Mengen, Abbildungen, Strukturen) betrachten. Die Menge der tautologischen Aussagenformen, die wir durch $p \vee \neg p$ repräsentieren können, bildet dabei das Einselement und die Menge der durch $p \wedge \neg p$ repräsentierbaren *kontradiktorischen* (auch: *nichterfüllbaren*) *Aussagenformen* (die für jede Belegung den Wahrheitswert F annehmen) das Nullelement des Verbandes.

4. Der extensionalen Normierung gemäß nimmt eine n-stellige aussagenlogische Verknüpfung, durch die jedes n-tupel (→ Mengen, Abbildungen, Strukturen) von Aussagen $(A_1, \ldots, A_n)$ zu einer neuen Aussage verbunden wird, allein Bezug auf das zugehörige n-tupel $(x_1, \ldots, x_n)$ der Wahrheitswerte der A_i Die Normierung besteht in der Festlegung der Wahrheitswerte, die der Aussagenverbindung jeweils in Abhängigkeit vom zugehörigen n-tupel $(x_1, \ldots, x_n)$ zukommen sollen. In diesem Sinne können wir eine n-stellige aussagenlogische Verknüpfung auch einfach als eine n-stellige *Wahrheitsfunktion* verstehen, durch die jedem n-tupel von Wahrheitswerten genau ein Wahrheitswert zugeordnet wird. Eine n-stellige Wahrheitsfunktion ist mit anderen Worten eine Abbildung der Menge aller n-tupel $(x_1, \ldots, x_n)$, mit x_i aus der Menge {W, F}, in die Menge {W, F}.

Betrachten wir nun irgendeine mit Hilfe unserer Junktoren $\neg, \wedge, \vee, \Rightarrow, \Leftrightarrow$ gebildete Aussagenform α, in der genau die n Aussagenvariablen $p_1, \ldots, p_n$ vorkommen, so ist eine Belegung (der Variablen von α mit Wahrheitswerten) gerade durch ein n-tupel $(x_1, \ldots, x_n)$ von Wahrheitswerten gegeben, und α nimmt in der oben an Beispiel (1) erläuterten Weise für jedes n-tupel genau einen Wahrheitswert an. Jede solche Aussagenform α bestimmt damit eine n-stellige Wahrheitsfunktion, von der wir sagen wollen, daß sie durch α *dargestellt* wird. Was wir jetzt deutlich machen wollen, ist die Umkehrung: Zu jeder n-stelligen Wahrheitsfunktion gibt es eine mit den Junktoren gebildete Aussagenform, die diese Funktion darstellt.

Verstehen wir unter einem *Elementarkonjugat* bzw. *Elementaradjugat* bezüglich $p_1, p_2, \ldots, p_n$ eine Aussagenform, die aus $q_1 \wedge q_2 \wedge \ldots \wedge q_n$ bzw. $q_1 \vee q_2 \vee \ldots \vee q_n$ dadurch hervorgeht, daß wir alle q_i beliebig jeweils durch p_i oder $\neg p_i$ ersetzen, so haben wir damit offensichtlich Aussagenformen in den Variablen $p_1, p_2, \ldots, p_n$, die bei genau einer Belegung den Wert W und sonst den Wert F, bzw. bei genau einer Belegung den Wert F und sonst den Wert W annehmen. So nimmt z. B. das Elementarkonjugat $p_1 \wedge \neg p_2 \wedge \neg p_3$ den Wert W nur bei der Belegung (W, F, F) an, bei allen anderen Belegungen den Wert F. Liegt nun eine n-stellige Wahrheitsfunktion vor, die wenigstens einmal den Wert W hat, die – wie wir deshalb sagen wollen – *nicht kontradiktorisch* ist, so betrachten wir alle n-tupel, bei denen sie den Wert W hat. Wir bilden dann das Adjugat aller Elementarkonjugate bezüglich $p_1, p_2, \ldots, p_n$, die genau für diese n-tupel den Wert W annehmen. Die so gewonnene Aussagenform, die wie alle Adjugate von Elementarkonjugaten als ausgezeichnete *adjunktive Normalform* bezeichnet wird, stellt offensichtlich die vorgelegte Wahrheitsfunktion dar. Analog kann man bei *nicht tautologischen* Wahrheitsfunktionen eine ausgezeichnete *konjunktive Normalform* angeben, die die Wahrheitsfunktion darstellt. Dies ist der Inhalt der beiden *Normalformentheoreme,* nach denen also bereits Negation, Konjunktion und Adjunktion ausreichen, um alle aussagenlogischen Verknüpfungen auszudrücken. Hat man eine Wahrheitsfunktion, die weder tautologisch noch kontradiktorisch ist, und will man eine möglichst kurze Normalform haben, so wird man je nachdem, ob häufiger der Wert W oder der Wert F angenommen wird, die konjunktive bzw. die adjunktive Form wählen. Da die Vorgänge in den modernen *Rechenautomaten* weitgehend durch Wahrheitsfunktionen beschrieben werden können, haben diese und andere Darstellungssätze der Aussagenlogik neuerdings auch eine praktische Bedeutung gewonnen.

III. KODIFIZIERUNG DER AUSSAGENLOGIK. 1. Zur strengen Darstellung eines mathematischen Gebietes gehört heute der axiomatische Aufbau. Dabei geht man von gewissen als *Axiome* ausgezeichneten Aussagen aus, aus denen sich die übrigen Aussagen des Gebietes als Sätze logisch herleiten lassen. Auch die Begriffe werden dabei als in den Axiomen verankert angesehen. Aus den in den (nicht bewiesenen) Axiomen auftretenden (nicht explizit definierten) *Grundbegriffen* müssen alle anderen Begriffe des Gebietes explizit definierbar sein. Bei einer derartigen weiter unten noch näher erläuterten Darstellung wird nun die erforderliche Logik, d. h. die logischen Begriffe, Definitions- und Schlußweisen, im allgemeinen als eindeutig gegeben und selbstverständlich verfügbar angesehen. Für viele Untersuchungen der → mathematischen Grundlagenforschung, insbesondere im Zusammenhang mit dem Problem der Widerspruchsfreiheit, ist es jedoch wesentlich, die verwendete Logik selbst mit in die strenge Darstellung einzubeziehen. Mit *H. A. Schmidt,* dessen Terminologie wir uns im folgenden vor allem anschließen, wollen wir dieses weiterreichende Vorgehen als *Kodifizierung,* die Darstellung selbst als *Kodifikat* des jeweiligen Gebietes bezeichnen. In Anlehnung an eine andere gebräuchliche Terminologie werden wir ein Kodifikat auch einen *Kalkül* nennen, insbesondere dann, wenn die Verbindung zu einem inhaltlich gegebenen Gebiet bewußt ausgeschaltet wird.

Zu einem Kodifikat (Kalkül) gehören zwei Hauptteile, das *Begriffsnetz* (die *Kalkülsprache*) und das *Deduktionsgerüst.* Dabei ist das Begriffsnetz bestimmt durch:
(B_1) die Angabe der *Grundbegriffe* (Grundzeichen), einschließlich der logischen,
(B_2) die Angabe der *Bildungsregeln,* nach denen aus den Grundbegriffen gewisse ausgezeichnete Zeichenreihen, die *einschlägigen Ausdrücke* und unter diesen die *einschlägigen Aussagengebilde* (im folgenden auch kurz: e. Ag.), zusammengesetzt werden.
Das Deduktionsgerüst eines Kodifikates wird konstituiert durch:
(D_1) die Auszeichnung der *Axiome* unter den e. Ag.,
(D_2) die Angabe der *Deduktionsregeln* (Ableitungs-, Schluß- oder Beweisregeln), nach denen aus den Axiomen e. Ag. als Sätze abgeleitet (bewiesen) werden können.
Wir geben einige wichtige Definitionen aus der *Theorie der Kodifikate (Kalkültheorie)* an. Ein Kodifikat heißt
a) *widerspruchsfrei* genau dann, wenn in ihm nicht alle e. Ag. ableitbar sind;
b) *vollständig* genau dann, wenn für jedes nicht in ihm ableitbare e. Ag. α gilt, daß es bei Vermehrung der Axiome um α nicht widerspruchsfrei ist (so daß also jedes widerspruchsvolle Kodifikat vollständig ist);
c) *unabhängig* genau dann, wenn seine Axiome voneinander unabhängig sind, d. h. wenn keines der Axiome aus den übrigen Axiomen nach den Deduktionsregeln ableitbar ist.
2. Wir erläutern dies sogleich am Beispiel der außerlogische Begriffe nicht enthaltenden *Kodifikate der Aussagenlogik.* Zunächst bestimmen wir das *natürliche Begriffsnetz der Aussagenlogik,* d. h. das Begriffsnetz jener Kodifikate der Aussagenlogik, in denen alle fünf Junktoren als Grundbegriffe auftreten. Dabei sind:
(AB_1) *Grundbegriffe:* a) die (abzählbar vielen) Aussagenvariablen $p_1, p_2, p_3, \ldots$, b) die Junktoren $\neg, \wedge, \vee, \Rightarrow, \Leftrightarrow$;
(AB_2) *einschlägige Aussagengebilde:* a) die Aussagenvariablen, b) mit α und β (als e. Ag.) auch $\neg\alpha$, $(\alpha \wedge \beta)$, $(\alpha \vee \beta)$, $(\alpha \Rightarrow \beta)$, $(\alpha \Leftrightarrow \beta)$, c) außer den nach a) und b) bestimmten keine weiteren Zeichenreihen.
Mit den e. Ag. dieses Begriffsnetzes, in dem eine Unterscheidung zwischen Ausdrücken und Aussagengebilden nicht auftritt, ist *induktiv definiert,* was wir vorangehend schon als die Menge der aussagenlogischen Aussagenformen bezeichnet hatten. Um in dem jetzt streng abgegrenzten Sprachrahmen zu bleiben, hätten wir in den früher angeschriebenen Aussagenformen statt der dort gebrauchten Buchstaben p, q, r die p_i verwenden, statt (1) also z. B.

(1 a) $((p_1 \vee p_2) \wedge \neg p_1) \Rightarrow p_2$

schreiben müssen. Dabei gewinnen wir die Aussagenform (1 a) induktiv (auf dem Wege der sog. *Netzinduktion*) wie folgt: Gemäß (AB_2) a) sind p_1 und p_2 e. Ag., also gemäß (AB_2) b) auch $(p_1 \vee p_2)$ und $\neg p_1$. Durch iterierte Anwendung von (AB_2) b) erweisen sich auch $((p_1 \vee p_2) \wedge \neg p_1)$ und schließlich $(((p_1 \vee p_2) \wedge \neg p_1) \Rightarrow p_2)$ als e. Ag. Wie wir oben schon gesehen haben, können die e. Ag. durch Einsparungsregeln für die als Hilfszeichen verwendeten Klammern vereinfacht werden. Außer der oben bereits angegebenen Regel wird man noch festsetzen, daß Außenklammern weggelassen werden können. Solche Regeln sind genaugenommen noch zu den Bestimmungen des Begriffsnetzes hinzuzunehmen.

3. Von einem Kodifikat wird man in jedem Falle verlangen, daß es widerspruchsfrei ist, da sonst in ihm jede e. Ag. beweisbar und es damit wertlos wäre. Von einem Kodifikat der Aussagenlogik wird man außerdem verlangen, daß es die aussagenlogischen Gesetze (allgemeingültigen Aussagenformen) und nur diese herzuleiten gestattet. Für die widerspruchsfreien Kodifikate der Aussagenlogik erweist sich dies unter gewissen sehr naheliegenden Bedingungen als äquivalent zur Forderung der Vollständigkeit im obigen Sinne. Handelt es sich dabei um ein Kodifikat, dessen Begriffsnetz wie das natürliche so bestimmt ist, daß mit α auch $\neg \alpha$ ein e. Ag. ist, so erweist sich zudem die obige Forderung der Widerspruchsfreiheit für dieses Kodifikat als äquivalent mit der interpretativ einleuchtenderen Forderung, daß in ihm nicht zugleich α und $\neg \alpha$ herleitbar sind. Die gegenüber den beiden anderen keineswegs so dringliche Forderung der Unabhängigkeit hat nun im Rahmen der Aussagenlogik dazu geführt, die zwischen den Junktoren bestehenden Beziehungen zur Einschränkung des Begriffsnetzes auszunutzen, soweit damit eine Reduktion der Axiome möglich ist.

Man nennt ein System von aussagenlogischen Verknüpfungen eine *Verknüpfungsbasis*, wenn sich alle Wahrheitsfunktionen aus ihnen kombinieren lassen. Auf Grund der Normalformentheoreme ist jedes System von Verknüpfungen eine Basis, aus dem sich die Junktionen $\neg, \wedge, \vee$ kombinieren lassen. Insbesondere ist also $\{\neg, \wedge, \vee\}$ eine Basis, die sich wegen $p_1 \wedge p_2 \equiv \neg(\neg p_1 \vee \neg p_2)$ aber noch auf $\{\neg, \vee\}$ reduzieren läßt. Andere möglichst einfache aus den fünf Junktionen ausgewählte Basen sind $\{\neg, \wedge\}$ und die *Frege-Lukasiewicz-Basis* $\{\neg, \Rightarrow\}$. Nur aus einer einzigen Verknüpfung, nämlich v^2_6, besteht die sog. *Sheffersche Basis*.

Für jede derartige Basis kann man nun in der Tat ein Kodifikat angeben, das vollständig ist. Wenn man das zunächst auf die mittels der Basis bildbaren Aussagenformen eingeschränkte Begriffsnetz auf das natürliche erweitert, erhält man wieder ein vollständiges Kodifikat, indem man entsprechende Definitionen als Ersetzungsregeln für den Übergang zu den natürlichen Aussagenformen formuliert. Wir geben als Beispiel ein Deduktionsgerüst zur Basis $\{\neg, \vee\}$ an, das auf Whitehead und Russell zurückgeht. Da wir dabei jedoch die *Abtrennungsregel* (auch *modus ponens* oder *Grundschluß*), in der $\Rightarrow$ vorkommt, als Deduktionsregel verwenden wollen, denken wir uns das $\neg, \vee$ -Begriffsnetz sogleich auf das $\neg, \vee, \Rightarrow$-Begriffsnetz erweitert und die Axiome auch mittels des $\Rightarrow$ ausgedrückt. Eine Anschreibung der Axiome und Hauptregeln in der $\neg, \vee$ -Sprache ist auf Grund der angegebenen definitorischen Einführung von $\Rightarrow$ ohne weiteres möglich. *Axiome* sind jetzt die folgenden (als aussagenlogische Gesetze gewählten) e. Ag.:

[A 1]: $p_1 \vee p_1 \Rightarrow p_1$
[A 2]: $p_1 \Rightarrow p_1 \vee p_2$
[A 3]: $p_1 \vee p_2 \Rightarrow p_2 \vee p_1$
[A 4]: $(p_1 \Rightarrow p_2) \Rightarrow (p_3 \vee p_1 \Rightarrow p_3 \vee p_2)$

Deduktionsregeln (mit α und β als Variablen für e. Ag.) sind:

[D 1]: Von α und $\alpha \Rightarrow \beta$ kann man zu β übergehen.
[D 2]: Von α kann man zu β übergehen, wenn β aus α hervorgeht, indem man eine Aussagenvariable überall, wo sie in α auftritt, durch dasselbe e. Ag. ersetzt.

Hinzu kommt noch die wie eine Deduktionsregel zu handhabende *Definition*:

[D 3]: $\alpha \Rightarrow \beta$ kann stets ersetzt werden durch $\neg\alpha \vee \beta$ und umgekehrt.

Will man, nach entsprechender Erweiterung des Begriffsnetzes, den Anschluß an alle natürlichen Aussagenformen erreichen, so sind ferner die folgenden Definitionen erforderlich:

[D 4]: $\neg(\neg\alpha \vee \neg\beta)$ kann stets ersetzt werden durch $\alpha \wedge \beta$ und umgekehrt.
[D 5]: $(\alpha \Rightarrow \beta) \wedge (\beta \Rightarrow \alpha)$ kann stets ersetzt werden durch $\alpha \Leftrightarrow \beta$ und umgekehrt.

Als *Deduktionsbeispiel* führen wir eine Herleitung des *tertium non datur* ($p_1 \vee \neg p_1$) vor (wobei wir statt p_1, p_2 und p_3 einfach p, q und r schreiben wollen):

$$\left.\begin{array}{ll}(p \Rightarrow q) \Rightarrow (r \vee p \Rightarrow r \vee q) & [A\,4] \\ (p \vee p \Rightarrow p) \Rightarrow (\neg p \vee p \vee p \Rightarrow \neg p \vee p) & \end{array}\right\} [D\,2]$$

$$\left.\frac{p \vee p \Rightarrow p\ [A\,1]\quad (p \vee p \Rightarrow p) \Rightarrow (\neg p \vee p \vee p \Rightarrow \neg p \vee p)}{\left.\begin{array}{c}\neg p \vee p \vee p \Rightarrow \neg p \vee p \\ (p \Rightarrow p \vee p) \Rightarrow \neg p \vee p\end{array}\right\} [D\,3]}\right\} [D\,1]$$

$$\left.\begin{array}{l} p \Rightarrow p \vee q \; [A\,2] \\ p \Rightarrow p \vee p \end{array}\right\} [D\,2]$$

$$\left.\dfrac{p \Rightarrow p \vee p \qquad (p \Rightarrow p \vee p) \Rightarrow \neg p \vee p}{\neg p \vee p}\right\} [D\,1]$$

$$\left.\begin{array}{l} p \vee q \Rightarrow q \vee p \; [A\,3] \\ \neg p \vee p \Rightarrow p \vee \neg p \end{array}\right\} [D\,2]$$

$$\left.\dfrac{\neg p \vee p \qquad \neg p \vee p \Rightarrow p \vee \neg p}{p \vee \neg p}\right\} [D\,1]$$

4. Untersuchungen, die sich mit den rein strukturellen Fragen des Aufbaus der ausgezeichneten Zeichenreihen und ihrer Umformungen innerhalb eines Kodifikats (Kalküls) beschäftigen, rechnet man zur sog. *Syntax* des Kodifikats (Kalküls). Syntaktische Überlegungen, insbesondere gruppiert um die oben definierten Begriffe der *syntaktischen Widerspruchsfreiheit* und *syntaktischen Vollständigkeit* eines Kodifikats, bilden einen wesentlichen Teil der sog. *Metamathematik* (→ Mathematische Grundlagenforschung). Den syntaktischen stehen Untersuchungen über die möglichen Deutungen von Kalkülen gegenüber, die man zur sog. *Semantik* des Kalküls (Kodifikats) rechnet. Ist ein Kalkül ein Kodifikat eines inhaltlich gegebenen Gebietes, so stehen Syntax und Semantik von vornherein in einem engen Zusammenhang. Im Rahmen der Aussagenlogik waren wir von Deutungen in einer Welt der Sachverhalte bzw. einfacher: von der Gegebenheit von Wahrheitswerten und der Deutung der Junktoren als Wahrheitsfunktionen ausgegangen. An dem zuletzt angegebenen Deduktionsgerüst wird deutlich, wie die syntaktischen Bestimmungen hier auf die semantischen Bindungen Bezug nehmen. Nicht nur die Axiome, die allgemeingültige Aussagenformen sind, und die Definitionen [D 3], [D 4], [D 5], deren Ersetzungsvorschriften durch Äquivalenzen begründet werden können, auch die beiden Deduktionsregeln, die *Abtrennungsregel* [D 1] und die *Einsetzungsregel* [D 2], lassen sich in naheliegender Weise semantisch rechtfertigen. So ist unmittelbar einzusehen, daß [D 1] und [D 2] von aussagenlogischen Gesetzen nur zu aussagenlogischen Gesetzen führen können, woraus sogleich auch die syntaktische Widerspruchsfreiheit des Kodifikats folgt.

Die Regeln [D 1] und [D 2] spielen im Rahmen der Aussagenlogik (und auch in der auf sie gegründeten Prädikatenlogik) eine ausgezeichnete Rolle. Alle anderen möglichen Schlußregeln, die die Eigenschaft haben, von Gesetzen zu Gesetzen zu führen, lassen sich mit ihrer Hilfe deduktiv auf die zugehörigen allgemeingültigen subjunktiven Aussagenformen [wie z. B. (14), (15), (16)] zurückführen. Ein Kodifikat der Aussagenlogik (mit endlich vielen Axiomen), das neben Definitionen zur Einführung von Junktoren nur [D 1] und [D 2] als Deduktionsregeln enthält, heißt (nach H. A. Schmidt) *normaldeduktiv.*

Dem effektiven Schließen des Mathematikers sind die normaldeduktiven Kodifikate der Aussagenlogik jedoch wenig angepaßt. Der Mathematiker braucht möglichst viele Schlußregeln, insbesondere solche, die es gestatten, ein abzuleitendes e. Ag. direkt anzugehen etwa, indem er die im Begriffsnetz gegebene *Aufschichtung* und den entgegengesetzten Prozeß der *Abschichtung* direkt deduktiv nachvollzieht. So kann man z. B. den Gesetzen (16 a) und (16 b) entsprechende Regeln zur Einführung des $\vee$:

$$\frac{\alpha}{\alpha \vee \beta}, \quad \frac{\beta}{\alpha \vee \beta}$$

und analog weitere Einführungs- sowie Beseitigungsregeln verwenden. Ein derartiges *Kodifikat des natürlichen Schließens* ist zuerst von *G. Gentzen* (1934) angegeben worden.

B. Prädikatenlogik. I. Begriffsnetz der Prädikatenlogik.

1. Die Kodifikate der Aussagenlogik enthalten in ihrem Begriffsnetz nur logische Grundbegriffe und sind in diesem Sinne rein *logische Kodifikate.* In den Kodifikaten mathematischer Theorien bilden die logischen Kodifikate das logische Kernstück (Fundament). Wir wollen genauer sagen, daß ein logisches Kodifikat (Logikkalkül) $\mathfrak{L}$ das *logische Kernkodifikat* (logische Fundament) eines Kodifikats (Kalküls) $\mathfrak{K}$ ist, wenn zwischen $\mathfrak{L}$ und $\mathfrak{K}$ folgender Zusammenhang besteht: a) Das Begriffsnetz (die Sprache) von $\mathfrak{K}$ geht aus dem Begriffsnetz von $\mathfrak{L}$ dadurch hervor, daß zu den Grundbegriffen (Grundzeichen) von $\mathfrak{L}$ noch gewisse Begriffe (Zeichen) als *Eigenbegriffe* (Eigenzeichen) von $\mathfrak{K}$ hinzukommen. b) Das Deduktionsgerüst von $\mathfrak{K}$ enthält (abgesehen von gegebenenfalls zu beachtenden Unterschieden in der Anwendung der Regeln) außer den Axiomen von $\mathfrak{L}$ noch *Eigenaxiome,* die unter Verwendung der Eigenbegriffe von $\mathfrak{K}$ gebildet sind, die also zu den von den e. Ag. von $\mathfrak{L}$ verschiedenen e. Ag. von $\mathfrak{K}$ gehören.

Die Kodifikate der Aussagenlogik sind nun im allgemeinen zu arm, um als logische Kernkodifikate von kodifizierten mathematischen Theorien dienen zu können. Hierfür kommen durchweg erst die *Kodifikate der Prädikatenlogik* in Frage.

2. Das Begriffsnetz (die Sprache) der *elementaren Prädikatenlogik* (oder *Prädikatenlogik erster Stufe*) ist konsequent bezogen auf die Darstellung von Sachverhalten in *ele-*

mentaren Relationengebilden, die in allen Teilen der Mathematik eine wesentliche Rolle spielen (→ Mengen, Abbildungen, Strukturen E). Zu einem Relationengebilde gehören dabei eine *Menge* M von Dingen (Elementen, Individuen) und auf dieser Menge gegebene *Relationen* (Attribute) (wozu wir als die einstelligen Relationen auch die Eigenschaften und als nullstellige Relationen auch einzelne Elemente von M rechnen). Unter den n-stelligen Relationen auf M wollen wir — wie es in der Mathematik üblich ist — diejenigen besonders hervorheben und behandeln, die (n—1)-stellige *Funktionen* auf M, also Abbildungen der Menge M^{n-1} der (n—1)-tupel von Elementen aus M in die Menge M, sind. Unter Beachtung dieses Unterschiedes und unter Verwendung des Identitätszeichens erhalten wir dann eine über die engere elementare Prädikatenlogik hinausgehende *Prädikatenlogik mit Identitätszeichen und Funktorenvariablen*, kurz eine PIF-Logik.

Wir orientieren uns am Beispiel des Gebildes (**R**, (Z, +)), bestehend aus der (Träger-)Menge **R** aller reellen Zahlen und dem geordneten Paar (Z, +), das seinerseits gebildet wird von der dreistelligen »Zwischen«-Relation Z auf **R** und der zweistelligen Funktion +, die jedem geordneten Paar (x, y) von Elementen aus **R** das Element x + y aus **R** zuordnet. Beim Anschreiben von Aussagen, die sich auf (**R**, (Z, +)) beziehen, wollen wir die *prädikative Schreibweise* und die *Funktionsschreibweise* verwenden: statt »y liegt zwischen x und z« schreiben wir kurz Z (x, y, z), und statt x + y schreiben wir + (x, y).

Man beachte, daß die Addition hier wegen ihres Funktionscharakters als Funktion und nicht wie in → Mengen, Abbildungen, Strukturen E als dreistellige Relation behandelt wird. Würden wir die Addition als dreistellige Relation verwenden, so hätten wir prädikativ zu schreiben + (x, y, z), was für x+y=z stehen würde. Der Unterschied macht sich insbesondere an folgendem bemerkbar: + (x, y, z) geht durch Einsetzung von Zahlzeichen in x, y, z in eine Aussage über, + (x, y) hingegen in einen Zahlennamen. + (x, y, z) ist also eine Aussagenform, + (x, y) ein *Term* (s. u.). Das haben wir im folgenden zu beachten.

Beispiele von Aussagenformen und wahren Aussagen, die sich auf (**R**, (Z, +)) beziehen, sind:

(21) $Z(\sqrt{2}, 3, \pi) \wedge Z(\pi, 3, \sqrt{2})$

(22) $\neg Z(\sqrt{2}, 5, \pi)$

(23) $Z(x, y, z) \Rightarrow \neg Z(y, x, z)$

(24) $+(2, 3) = 5$

(25) $+ (x, y) = + (y, x)$

(26) Für alle x, für alle y, für alle z, für alle u: $Z (x, y, z) \Rightarrow Z (+ (x, u), + (y, u), + (z, u))$.

(27) Für alle x, für alle y: $\neg\, x = y \Rightarrow$ es gibt z, so daß $Z (x, z, y)$.

In diesen Aussagegebilden treten auf: *Subjekte*, d. h. Namen für Dinge aus der Menge **R** (»$\sqrt{2}$«, »3«, »π« usw.), *Subjektsvariable*, d. h. Variable, in die unter gewissen Umständen (z. B. in (23) und (25), wo x, y, z *frei vorkommen*, nicht aber in (26) und (27), wo x, y, z durch die Redeteile »Für alle ...« und »Es gibt ...« *gebunden* sind) Subjekte eingesetzt werden können, *Prädikate*, d. h. Namen für Relationen auf der Menge **R** (hier: »Z«), *Funktoren*, d. h. Namen für Funktionen auf **R** (hier: »+«), die aussagenlogischen *Junktoren*, ferner das *Identitätszeichen* »=« als Name für die in **R** gegebene Identitätsrelation (→ Mengen, Abbildungen, Strukturen) und zwei weitere logische Redeteile: »Für alle x ...« und »Es gibt (wenigstens) ein x ...«.

3. Für »Für alle x« und »Es gibt ein x« führen wir als Kurzzeichen die sog. *Quantoren* ein, den *Generalisator* $\bigwedge_x$ bzw. den *Partikularisator* $\bigvee_x$. Die Aussagen (26) und (27) lassen sich mit ihrer Hilfe schreiben:

(26a) $\bigwedge_x \bigwedge_y \bigwedge_z \bigwedge_u (Z (x, y, z) \Rightarrow Z (+ (x, u), + (y, u), + (z, u))$;

(27a) $\bigwedge_x \bigwedge_y (\neg\, x = y \Rightarrow \bigvee_z Z (x, z, y))$.

Auf endlichen Mengen kann man den Generalisator durch die Konjunktion und den Partikularisator durch die Adjunktion ersetzen. Besteht etwa M nur aus den Elementen a_1, a_2, a_3 und ist E eine Eigenschaft auf M, so gilt offensichtlich:

(28) $\bigwedge_x E (x) \Leftrightarrow E (a_1) \wedge E (a_2) \wedge E (a_3)$,

(29) $\bigvee_x E (x) \Leftrightarrow E (a_1) \vee E (a_2) \vee E (a_3)$.

Wegen dieses Zusammenhanges sind $\bigwedge$ in Anlehnung an $\wedge$ und $\bigvee$ in Anlehnung an $\vee$ als Kurzzeichen gewählt worden. In Verallgemeinerung der *Verneinungsregeln* (5) und (6) wird der Gebrauch der Quantoren so festgelegt, daß für beliebige Aussagenformen A gilt:

(30) $\neg \bigwedge_x A \Leftrightarrow \bigvee_x \neg A$,

(31) $\bigwedge_x A \Leftrightarrow \neg \bigvee_x \neg A$,

(32) $$\neg \bigwedge_x \neg A \Leftrightarrow \bigvee_x A,$$

(33) $$\bigwedge_x \neg A \Leftrightarrow \neg \bigvee_x A.$$

Unter Beachtung von (7) wird demgemäß (27 a) wie folgt verneint:

(27 b) $$\bigvee_x \bigvee_y (\neg x = y \wedge \bigwedge_z \neg Z(x, z, y)).$$

4. Den Reichtum der Ausdrucksmöglichkeiten, der im Rahmen der Sprache der Prädikatenlogik durch die Verwendung des Identitätszeichens gegeben ist, wollen wir an der ohne Identitätszeichen nicht möglichen Umschreibung von *Anzahlaussagen* demonstrieren. Typische Anzahlaussagen sind: Es gibt wenigstens (höchstens, genau) ein (zwei, drei, ...) Dinge mit der Eigenschaft E. Wenigstens (höchstens, genau) ein (zwei, drei, ...) Dinge mit der Eigenschaft E_1 haben auch die Eigenschaft E_2. Zur Anzahl eins haben wir für die drei Aussagen der ersten Art die Darstellung:

(34 a) $$\bigvee_x E(x)$$

(34 b) $$\bigvee_x \bigwedge_y (E(y) \Rightarrow x = y)$$

(34 c) $$\bigvee_x \bigwedge_y (E(y) \Leftrightarrow x = y),$$

für die drei Aussagen der zweiten Art:

(35 a) $$\bigvee_x (E_1(x) \wedge E_2(x))$$

(35 b) $$\bigvee_x \bigwedge_y (E_1(y) \wedge E_2(y) \Rightarrow x = y)$$

(35 c) $$\bigvee_x \bigwedge_y (E_1(y) \wedge E_2(y) \Leftrightarrow x = y).$$

Wir wollen noch zur Anzahl zwei die drei Aussagen der ersten Art angeben, wobei wir statt $\neg x = y$ schreiben $x \neq y$:

(36 a) $$\bigvee_x \bigvee_y (x \neq y \wedge E(x) \wedge E(y))$$

(36 b) $$\bigvee_x \bigvee_y \bigwedge_z (E(z) \Rightarrow z = x \vee z = y)$$

(36 c) $$\bigvee_x \bigvee_y (x \neq y \wedge \bigwedge_z (E(z) \Leftrightarrow z = x \vee z = y)).$$

5. Wir kommen jetzt zur genaueren Festlegung des *Begriffsnetzes der PIF-Logik*. Da ein Kodifikat der PIF-Logik als logisches Kernkodifikat verschiedener kodifizierter mathematischer Theorien dienen soll, wird man in seinem Begriffsnetz die Subjekte, Prädikate und Funktoren als spezifische Bestandteile einzelner Theorien selbstverständlich nicht aufnehmen,

sondern statt dessen nur allgemeine Subjekts-, Prädikaten- und Funktorenvariable verwenden. Das Begriffsnetz der PIF-Logik baut sich demnach wie folgt auf:

Grundbegriffe sind: a) die Subjektsvariablen $x_1, x_2, x_3, \ldots$, b) die Prädikatenvariablen $P_1^1, P_2^1, P_3^1, \ldots, P_1^2, P_2^2, P_3^2, \ldots$, allgemein P_k^n, wobei n die Stellenzahl und k der Unterscheidungsindex ist, c) die Funktorenvariablen $f_1^1, f_2^1, f_3^1, \ldots, f_1^2, f_2^2, f_3^2, \ldots$, allgemein f_k^n, wobei wiederum n die Stellenzahl und k der Unterscheidungsindex ist, d) die Aussagenvariablen $p_1, p_2, p_3, \ldots$, e) die Junktoren $\neg, \wedge, \vee, \Rightarrow, \Leftrightarrow$, die Quantoren $\bigwedge, \bigvee$, das Identitätszeichen $=$.

Einschlägige Ausdrücke (e. A.) sind: a) die *Terme*, die sich wie folgt zusammensetzen: a_1) alle Subjektsvariablen sind Terme, a_2) sind $t_1, \ldots, t_n$ Terme, so ist auch $f_k^n(t_1, \ldots, t_n)$ ein Term, a_3) nur was nach a_1) und a_2) gebildet werden kann, sind Terme; b) die *einschlägigen Aussagegebilde* (e. Ag.), die sich wie folgt zusammensetzen: b_1) alle Aussagenvariablen sind e. Ag., b_2) sind $t_1, \ldots, t_n$ Terme, so ist $P_k^n(t_1, \ldots, t_n)$ ein e. Ag., b_3) sind t_1 und t_2 Terme, so ist $t_1 = t_2$ (üblicherweise statt $=(t_1, t_2)$) ein e. Ag., b_4) sind A und B e. Ag., so auch $\neg A$, $(A \wedge B)$, $(A \vee B)$, $(A \Rightarrow B)$, $(A \Leftrightarrow B)$, b_5) ist A ein e. Ag., so auch $\bigwedge_{x_i} A$ und $\bigvee_{x_i} A$, b_6) nur was nach b_1) bis b_5) gebildet werden kann, ist ein e. Ag.

II. Semantik der PIF-Sprache. 1. Bei der Aufstellung des Begriffsnetzes der PIF-Logik haben wir uns von Aussagen und Aussagenformen leiten lassen, die sich auf Relationengebilde beziehen. Demgemäß ist die PIF-Logik von vornherein semantisch gebunden. Wir wollen diese Bindung jetzt genauer fixieren, indem wir definieren, was unter einer *Deutung der* PIF-*Sprache über einer Dingmenge* M zu verstehen ist: Eine Deutung der PIF-Sprache über M, kurz: M-*Deutung*, soll eine *Abbildung* δ_M sein, durch die jeder Subjektsvariablen x_i genau ein Element $\delta_M(x_i)$ aus M, jeder Prädikatenvariablen P_k^n genau eine n-stellige Relation $\delta_M(P_k^n)$ auf M, jeder Funktorenvariablen f_k^n genau eine n-stellige Funktion $\delta_M(f_k^n)$ auf M und jeder Aussagenvariablen p_i genau ein Wahrheitswert $\delta_M(p_i) \in \{W, F\}$ zugeordnet wird. Ferner soll dabei jedem Term $f_k^n(t_1, \ldots, t_n)$ genau ein Element $\delta_M(f_k^n(t_1, \ldots, t_n))$ aus M zugeordnet werden, was allerdings unter einer noch näher anzugebenden Nebenbedingung zu geschehen hat.

Es wäre nun festzulegen, was es bedeutet, daß ein e. Ag. A *bei einer Deutung* δ_M *erfüllt* ist. Dabei ist über das Zutreffen von n-stelligen Relationen auf n-tupel von Elementen aus M zu reden, ohne möglichst die PIF-Sprache selbst zu verwenden. Wir wollen hierzu die (in → Mengen, Abbildungen, Strukturen dargestellte) *mengentheoretische Auffassung* der Relationen und die *mengentheoretische Sprache* heranziehen. Eine n-stellige Relation $R^{(n)}$ ist danach eine Menge von n-tupeln $(a_1, \ldots, a_n)$ von Elementen $a_i \in M$, also eine Teilmenge des n-fachen kartesischen Produkts M^n von M mit sich, kurz: $R^{(n)} \subseteq M^n$. Das Zutreffen von $R^{(n)}$ auf $(a_1, \ldots, a_n)$ kann demgemäß durch $(a_1, \ldots, a_n) \in R^{(n)}$ ausgedrückt werden. Bezeichnen wir die zweistellige Identitätsrelation in M insbesondere mit D_M, so wäre die Identität von a_1 und a_2 durch $(a_1, a_2) \in D_M$ zu beschreiben. Bei der Beschreibung der Sachverhalte werden wir ferner ›nicht‹, ›und‹, ›oder‹, ›wenn, so‹, ›genau dann, wenn‹ in der als *Metasprache* dienenden Umgangssprache so verwenden, daß dies den obigen aussagenlogischen Normierungen entspricht. Wir beachten schließlich noch, daß die n-stelligen Funktionen $F^{(n)}$ auf M $(n + 1)$-stellige Relationen auf M sind.

Daß a der Wert der Funktion $F^{(n)}$ für das n-tupel $(a_1, \ldots, a_n)$ ist, können wir also mengentheoretisch durch $(a_1, \ldots, a_n, a) \in F^{(n)}$ ausdrücken. Die oben noch offengelassene *Nebenbedingung* für dic Zuordnung des Wertes $\delta_M (f_k^n (t_1, \ldots, t_n))$ läßt sich damit wie folgt aussprechen: $\delta_M (f_k^n (t_1, \ldots, t_n))$ soll stets so gewählt sein, daß

(37) $(\delta_M (t_1), \ldots, \delta_M (t_n), \delta_M (f_k^n (t_1, \ldots, t_n))) \in \delta_M (f_k^n)$.

Schreiben wir für das zu erklärende Erfülltsein von A bei δ_M kurz: δ_M erf A, so möge nun also besagen:

(38 a) δ_M erf p_i, daß $\delta_M (p_i) = W$

(38 b) δ_M erf $P_k^n (t_1, \ldots, t_n)$, daß $(\delta_M (t_1), \ldots, \delta_M (t_n)) \in \delta_M (P_k^n)$

(38 c) δ_M erf $t_1 = t_2$, daß $(\delta_M (t_1), \delta_M (t_2)) \in D_M$

(38 d) δ_M erf $\neg A$, daß *nicht* δ_M erf A

(38 e) δ_M erf $A \wedge B$, daß δ_M erf A *und* δ_M erf B

(38 f) δ_M erf $A \vee B$, daß δ_M erf A *oder* δ_M erf B

(38 g) δ_M erf $A \Rightarrow B$, daß, *wenn* δ_M erf A, *so* δ_M erf B

(38 h) δ_M erf $A \Leftrightarrow B$, daß δ_M erf A *genau dann, wenn* δ_M erf B

(38 i) δ_M erf $\bigwedge_{x_i} A$, daß für alle M-Deutungen δ^*_M, die sich von δ_M höchstens in dem der Variablen x_i zugeordneten Element unterscheiden, gilt δ^*_M erf A

(38 j) δ_M erf $\bigvee_{x_i} A$, daß δ_M erf $\neg \bigwedge_{x_i} \neg A$.

2. Mit der vorangehenden Aufstellung ist die Grundlage für die Semantik der PIF-Sprache geschaffen. Wir können jetzt definie-

ren: Ein e. Ag. der PIF-Sprache heißt *gültig* in M (kurz: M-gültig) genau dann, wenn δ_M erf A für alle zu M gehörigen Deutungen δ_M. Ferner: A heißt *allgemeingültig* oder ein *Gesetz* (Satz) *der* PIF-*Logik*, wenn A gültig in jeder (nichtleeren) Menge M.

Beispiele von Gesetzen der PIF-Logik sind zunächst alle schon *aussagenlogisch allgemeingültigen e. Ag. der* PIF-*Sprache*, d. h. alle Gesetze der Aussagenlogik selbst (deren Begriffsnetz ja im Begriffsnetz der PIF-Logik enthalten ist) und alle diejenigen e. Ag. der PIF-Sprache, die in ein Gesetz der Aussagenlogik übergehen, wenn ihre aussagenlogisch nicht mehr zerlegbaren Bestandteile durch Aussagenvariable ersetzt werden, und zwar verschiedene Bestandteile durch verschiedene Aussagenvariable. Typisch prädikatenlogische Beispiele sind außer den Gesetzen der Form (30) bis (33) alle e. Ag. der folgenden Form (wobei von nun an ξ und ζ für beliebige Subjektsvariable und π^n bzw. φ^n für beliebige Prädikatenvariable $P_1^n, P_2^n, \ldots$ bzw. Funktorenvariable $f_1^n, f_2^n, \ldots$ stehen mögen):

(39 a) $\bigwedge_{\xi} A \Rightarrow A$ (39 b) $A \Rightarrow \bigvee_{\xi} A$

(40 a) $\bigwedge_{\xi} \bigwedge_{\zeta} A \Leftrightarrow \bigwedge_{\zeta} \bigwedge_{\xi} A$

(40 b) $\bigvee_{\xi} \bigvee_{\zeta} A \Leftrightarrow \bigvee_{\zeta} \bigvee_{\xi} A$

(40 c) $\bigvee_{\xi} \bigwedge_{\zeta} A \Rightarrow \bigwedge_{\zeta} \bigvee_{\xi} A$

(41 a) $\bigwedge_{\xi} \xi = \xi$

(41 b) $\bigwedge_{\xi} \bigwedge_{\zeta} (\xi = \zeta \Rightarrow \zeta = \xi)$

(41 c) $\bigwedge_{\xi_1} \bigwedge_{\xi_2} \bigwedge_{\xi_3} (\xi_1 = \xi_2 \wedge \xi_2 = \xi_3 \Rightarrow \xi_1 = \xi_3)$

(41 d) $\bigwedge_{\xi_1} \ldots \bigwedge_{\xi_n} \bigwedge_{\zeta_1} \ldots \bigwedge_{\zeta_n} (\xi_1 = \zeta_1 \wedge \ldots \wedge \xi_n = \zeta_n$
$\Rightarrow (\pi^n (\xi_1, \ldots, \xi_n) \Rightarrow \pi^n (\zeta_1, \ldots, \zeta_n)))$

(41 e) $\bigwedge_{\xi_1} \ldots \bigwedge_{\xi_n} \bigwedge_{\zeta_1} \ldots \bigwedge_{\zeta_n} (\xi_1 = \zeta_1 \wedge \ldots \wedge \xi_n = \zeta_n$
$\Rightarrow \varphi^n (\xi_1, \ldots, \xi_n) = \varphi^n (\zeta_1, \ldots, \zeta_n))$.

Die Gesetze (39) bilden die Grundlage für gewisse prädikatenlogisch wichtige Schlußregeln. In (40) werden die Möglichkeiten zur Vertauschung von Quantoren dargestellt. Die Gesetze (41) bringen zum Ausdruck, daß die Identität auf jeder Menge eine Äquivalenz- und darüber hinaus in allen Relationengebilden eine Kongruenzrelation (→ Mengen, Abbildungen, Strukturen) ist.

Den Nachweis der Allgemeingültigkeit wollen wir für einen Spezialfall von (39a) führen: $\bigwedge_{x_1} P_1^1 x_1 \Rightarrow P_1^1 x_1$. Es ist gemäß (38g) zu zeigen, daß jede Deutung δ (über beliebigem Dingbereich M, den wir deswegen nicht mit angeben), bei der $\bigwedge_{x_1} P_1^1 x_1$ erfüllt ist, auch eine Deutung ist, bei der $P_1^1 x_1$ erfüllt ist. δ sei beliebig gewählt. Daß δ erf $\bigwedge_{x_1} P_1^1 x_1$, treffe im Sinne von (38i) zu. Der Schluß ist nun sehr einfach: δ ist selbst eine Deutung, die sich von δ höchstens im Wert von x_1 unterscheidet. Mithin ist δ wegen (38i) eine Deutung, bei der $P_1^1 x_1$ erfüllt ist, was zu zeigen war.

Während der Nachweis der Allgemeingültigkeit im vorangehenden und in anderen Beispielen gelingt, gibt es jedoch kein allgemeines Verfahren, von einem vorgelegten e. Ag. der PIF-Sprache zu *entscheiden*, ob es allgemeingültig ist oder nicht. Der hier zu nennende *Satz von Church* (→ Mathematische Grundlagenforschung) sagt genauer, daß es für die Prädikatenlogik (schon ohne Identitätszeichen und Funktorenvariablen) kein allgemeines Verfahren zur Entscheidung der Allgemeingültigkeit geben kann. Dies macht einen wesentlichen *Unterschied der Prädikatenlogik zur Aussagenlogik* aus, für die die rein kombinatorisch zu beherrschende Methode der Belegung mit Wahrheitswerten ein Entscheidungsverfahren darstellt. Während demgemäß ein deduktiver Aufbau der Aussagenlogik eigentlich als überflüssig erscheint (abgesehen natürlich von anderen Gesichtspunkten, von denen aus er sehr wesentlich ist), ist man in der Prädikatenlogik in gewissem Ausmaß auf deduktives Vorgehen unmittelbar angewiesen. Bevor wir jedoch ein Deduktionsgerüst für die PIF-Logik angeben, wollen wir den für das logische Verständnis mathematischer Theorien grundlegenden Begriff der *logischen Folgerung* präzisieren. Die Deduktionen im Rahmen der Deduktionsgerüste der PIF-Kalküle erweisen sich nämlich zugleich als angemessene syntaktische Korrelate zu diesem semantischen Begriff.

$\mathfrak{A}$ sei eine (nicht notwendig endliche) Menge von e. Ag. der PIF-Sprache; ferner sei B ein e. Ag. der PIF-Sprache. Wir definieren:

Aus $\mathfrak{A}$ *folgt* B, symbolisch $\mathfrak{A} \Vdash B$, genau dann, wenn für alle Deutungen δ, bei denen δ erf A für alle A aus $\mathfrak{A}$, auch gilt δ erf B.

Ist die Prämissenmenge $\mathfrak{A}$ die *leere Menge* $\emptyset$, so schreiben wir statt $\emptyset \Vdash B$ einfach $\Vdash B$. Da $\emptyset$ trivialerweise bei allen möglichen Deutungen erfüllt ist, gilt:

(42) $\Vdash B$ genau dann, wenn B allgemeingültig.

Ist $\mathfrak{A}$ nichtleer und besteht $\mathfrak{A}$ nur aus *endlich vielen* e. Ag. $A_1, \ldots, A_n$, so schreiben wir statt $\mathfrak{A} \Vdash B$ einfach $A_1, \ldots, A_n \Vdash B$. Durch Rückgang auf die Definitionen und mittels einer aussagenlogischen Umformung sieht man leicht, daß

(43) $A_1, \ldots, A_n \Vdash B$ genau dann, wenn $\Vdash A_1 \wedge \ldots \wedge A_n \Rightarrow B$,

insbesondere also

(43 a) $A \Vdash B$ genau dann, wenn $\Vdash A \Rightarrow B$.

(43 a) stellt den Zusammenhang der *Folgebeziehung* $\Vdash$ mit der aussagenlogischen *Subjunktion* $\Rightarrow$ dar. Eine Präzisierung der Folgebeziehung, zu der sich wesentliche Gedanken schon in der »Wissenschaftslehre« von B. Bolzano (1837) finden, ist in einer strengen Weise zum erstenmal von A. Tarski (1930) gegeben worden.

III. Deduktionsgerüst der PIF-Logik. 1. Wir haben zunächst einige Bemerkungen über das *freie* und *gebundene Vorkommen einer Variablen* in einem e. Ag., über *gebundene Umbenennung* von Variablen und über die *Termeinsetzung* zu machen. Dabei müssen wir uns damit begnügen, diese syntaktischen Begriffe, die sich induktiv über den Aufbau der e. Ag. exakt definieren lassen, an Beispielen zu erläutern.

Wir gehen davon aus, daß in der PIF-Sprache *Quantoren* auftreten, wobei es für die elementare Prädikatenlogik (oder Prädikatenlogik erster Stufe) charakteristisch ist, daß die Quantoren auf Subjektsvariable und nur auf diese angewendet werden dürfen. Lassen wir Quantifizierung von Prädikatenvariablen (sowie Aussagen- und Funktorenvariablen) zu, so gelangen wir zur Sprache der Prädikatenlogik zweiter Stufe, auf die wir am Schluß kurz eingehen. Wir betrachten als Beispiele quantifizierter e. Ag. der PIF-Sprache zunächst (26 a), (27 a) (in denen wir uns x, y, z, u in x_1, x_2, x_3, x_4 umgewandelt denken können) und (39 a). Wir werden in bezug auf (27 a) sagen, daß das ganze e. Ag. $\neg\, x = y \Rightarrow \bigvee_{z} Z(x, z, y)$ den Wirkungsbereich der beiden vorgesetzten Generalisatoren ausmacht, daß jedoch nur $Z(x, z, y)$ zum Wirkungsbereich des Partikularisators gehört. Wir werden ferner in bezug auf (26 a) sagen, daß das ganze e. Ag., das hinter den vier Generalisatoren steht, den Wirkungsbereich aller vier Generalisatoren darstellt, und in bezug auf (39 a), daß das erste A, nicht aber das zweite (andernfalls wir hätten schreiben müssen $\bigwedge_{\xi} (A \Rightarrow A)$), zum Wirkungsbereich des auftretenden Generalisators gehört. Es dürfte damit klar sein, was es bedeutet, wenn wir unter dem *Wirkungsbereich eines*

Quantors denjenigen Teil des auf ihn folgenden einschlägigen Aussagegebildes verstehen, auf den sich der Quantor (der gegebenenfalls noch verwendeten Klammerung gemäß) bezieht.

Wir erklären nun: Eine Subjektsvariable ξ kommt in einem e. Ag. A gebunden vor genau dann, wenn sie in A vorkommt und dabei wenigstens an einer Stelle von A, wo sie nicht als Index eines Quantors verwendet wird, im Wirkungsbereich eines Quantors liegt, der ξ als Index hat. Ferner: Eine Subjektsvariable ξ kommt in A frei vor genau dann, wenn sie in A vorkommt und dabei wenigstens an einer Stelle von A, wo sie nicht als Index eines Quantors verwendet wird, nicht im Wirkungsbereich eines Quantors liegt, der ξ als Index hat. In

(44) $$\bigwedge_{x_1} \bigwedge_{x_5} ((\bigvee_{x_2} x_2 = x_3) \Rightarrow x_3 = x_1 \wedge x_4 = x_2)$$

z. B. kommen x_1 und x_2 gebunden, x_2, x_3 und x_4 frei vor. x_2 kommt also sowohl gebunden als auch frei vor, was den Definitionen gemäß möglich ist.

Sodann sagen wir: Das e. Ag. A geht durch gebundene Umbenennung in das e. Ag. B über genau dann, wenn eine in A gebunden vorkommende Variable ξ dort, wo sie im Wirkungsbereich eines mit ξ indizierten Quantors liegt, sowie unter diesem Quantor selbst durch eine im Wirkungsbereich des Quantors nicht vorkommende Variable ersetzt wird. So geht z. B. (44) durch gebundene Umbenennung in

(44 a) $$\bigwedge_{x_1} \bigwedge_{x_5} ((\bigvee_{x_5} x_5 = x_3) \Rightarrow x_3 = x_1 \wedge x_4 = x_2)$$

über. Nicht zulässig wäre es hier gewesen, x_2 in der ausgeführten Weise statt durch x_5 durch x_3 zu ersetzen. Für ein aus A durch gebundene Umbenennung hervorgehendes e. Ag. B wollen wir auch schreiben: U_g (A).

Schließlich erklären wir die *Termeinsetzung*: Das e. Ag. B geht aus dem e. Ag. A durch Termeinsetzung hervor genau dann, wenn eine Variable ξ an allen Stellen, wo sie in A frei vorkommt, durch einen Term t ersetzt wird, wobei allerdings keine in t vorkommende Variable ξ in den Wirkungsbereich eines mit ξ indizierten Quantors geraten darf (was man durch vorherige gebundene Umbenennung stets ausschließen kann). Ein Beispiel einer Termeinsetzung aus der üblichen mathematischen Sprache ist etwa der Übergang von $x+y = y+x$ zu $(x+z) + (u+v) = (u+v) + (x+z)$, den man im Rahmen der PIF-Sprache z. B. durch den Übergang von $f_1^2 (x_1, x_2) = f_1^2 (x_2, x_1)$ zu $f_1^2 (f_1^2 (x_1, x_3), f_1^2 (x_4, x_5)) = f_1^2 (f_1^2 (x_4, x_5), f_1^2 (x_1, x_3))$ wiedergeben könnte. Für ein aus A durch eine Termeinsetzung hervorgehendes e. Ag. B wollen wir auch schreiben: Te (A).

Es sei bemerkt, daß *gebundene Variable in der Mathematik* auch bei anderen Gelegenheiten auftreten, etwa: in der Summenschreibweise $\sum_{i=1}^{n} a_i$ die Summationsvariable i, in der Anschreibung des bestimmten Integrals $\int_{x=a}^{b} f(x)dx$ die Integrationsvariable x (→ Infinitesimalrechnung im $\mathbf{R}^1$), in der verallgemeinerten Durchschnittsschreibweise $\bigcap_{i \in I} A_i$ die Variable i (→ Mengen, Abbildungen, Strukturen) usw. In allen diesen Fällen gelten die Vorschriften: Gebundene Variable dürfen (unter entsprechenden Nebenbedingungen) umbenannt werden; in sie darf keine Einsetzung vorgenommen werden.

2. Das im folgenden angegebene *Deduktionsgerüst* eines PIF-Kalküls verwendet als *Axiome*: sämtliche aussagenlogisch allgemeingültigen e. Ag. der PIF-Sprache sowie alle durch (41 a) bis (41 e), die sog. *Identitätsaxiome*, gegebenen e. Ag. Dabei hat man darauf zu achten, daß die Identitätsaxiome genaugenommen *Axiomenschemata* sind, die in einzelne Axiome übergehen, wenn man für die dort auftretenden Mitteilungszeichen »ξ«, »ζ«, »π^n«, »φ^n« spezielle Variable $x_1, x_2, \ldots, P_1^1, P_2^1, \ldots, P_1^2, P_2^2, \ldots$ usw. setzt. Wir wollen die Menge aller Axiome mit $\mathfrak{A}_{\mathfrak{r}}$ bezeichnen.

Bei der Anschreibung der *Deduktionsregeln* verwenden wir das Zeichen ⊢, welches, verbunden mit einem e. Ag. A zu ⊢ A, besagen soll, daß A *ableitbar* ist. Die Deduktionsregeln lassen sich dann so darstellen:

[D1] $$\frac{A \in \mathfrak{A}_{\mathfrak{r}}}{\vdash A}$$

(was besagen soll, daß A ableitbar ist, wenn A zu den Axiomen gehört)

[D2] $$\frac{\vdash A \qquad \vdash A \Rightarrow B}{\vdash B}$$ (*Abtrennung*: AT)

[D3] $$\frac{\vdash A \Rightarrow B}{\vdash \bigwedge_{\xi} A \Rightarrow B}$$ (*Vordere Generalisierung*: V G)

[D4] $$\frac{\vdash A \Rightarrow B}{\vdash A \Rightarrow \bigwedge_{\xi} B}$$ (*Hintere Generalisierung*: H G) (mit Nebenbedingung: s. u.)

[D5] $$\frac{\vdash A \Rightarrow B}{\vdash \bigvee_{\xi} A \Rightarrow B}$$ (*Vordere Partikularisierung*: V P) (mit Nebenbedingung: s. u.)

[D6] $$\frac{\vdash A \Rightarrow B}{\vdash A \Rightarrow \bigvee_{\xi} B}$$ (*Hintere Partikularisierung*: H P)

$$[D7] \quad \frac{\vdash A}{\vdash U_g(A)} \quad (\textit{Gebundene Umbenennung}: \text{G U})$$

$$[D8] \quad \frac{\vdash A}{\vdash Te(A)} \quad (\textit{Termeinsetzung}: \text{T E})$$

Die Nebenbedingungen lauten für [D4] bzw. [D5], daß ξ in A bzw. B nicht frei vorkommen darf.

3. Um ein einfaches *Deduktionsbeispiel* zu geben, leiten wir folgenden Einzelfall von (40 c) ab:

$$\bigvee_{x_1} \bigwedge_{x_2} P_1^2(x_1, x_2) \Rightarrow \bigwedge_{x_2} \bigvee_{x_1} P_1^2(x_1, x_2).$$

Beweis:

$$\vdash P_1^2(x_1, x_2) \Rightarrow P_1^2(x_1, x_2) \qquad [D1]$$

$$\vdash P_1^2(x_1, x_2) \Rightarrow \bigvee_{x_1} P_1^2(x_1, x_2) \qquad [D6]$$

$$\vdash \bigwedge_{x_2} P_1^2(x_1, x_2) \Rightarrow \bigvee_{x_1} P_1^2(x_1, x_2) \qquad [D3]$$

$$\vdash \bigwedge_{x_2} P_1^2(x_1, x_2) \Rightarrow \bigwedge_{x_2} \bigvee_{x_1} P_1^2(x_1, x_2) \qquad [D4]$$

$$\vdash \bigvee_{x_1} \bigwedge_{x_2} P_1^2(x_1, x_2) \Rightarrow \bigwedge_{x_2} \bigvee_{x_1} P_1^2(x_1, x_2). \qquad [D5]$$

Stärker angepaßt an die Schlußweisen des Mathematikers wäre eine Ableitung, bei der zunächst $\bigvee_{x_1} \bigwedge_{x_2} P_1^2(x_1, x_2)$ als *Annahme* eingeführt und dann eine zu markierende Variable (etwa) u im Sinne von: ›u sei ein nach Annahme existierendes Element derart, daß $\bigwedge_{x_2} P_1^2(u, x_2)$‹ verwendet werden könnte usw. Diesem Vorgehen wird weitgehend der in die Prädikatenlogik fortgesetzte *Kalkül des natürlichen Schließens* von Gentzen und Quine (1950) gerecht.

4. Für den angegebenen PIF-Kalkül gelten die folgenden wichtigen Sätze, die z. T. untereinander eng zusammenhängen, was wir hier jedoch nicht im einzelnen herausstellen können:

Satz 1: Für alle e. Ag. A: Wenn $\vdash$ A, so $\Vdash$ A.

Dieser Satz besagt, daß alle ableitbaren e. Ag. allgemeingültig sind. Der Kalkül ist damit auch syntaktisch widerspruchsfrei. Allgemein sagt man von einem Kalkül, in dem ein Allgemeingültigkeitsbegriff erklärt ist, daß ihm die Eigenschaft der *Zuverlässigkeit* (auch: *Korrektheit*, engl.: *soundness*) zukommt, wenn in ihm alle ableitbaren e. Ag. allgemeingültig sind. Diese Eigenschaft kommt also dem PIF-Kalkül zu.

Satz 2: Für alle e. Ag. A: Wenn $\Vdash$ A, so $\vdash$ A.

Dieser wesentlich tiefer liegende Satz ist der 1930 von K. Gödel (allerdings für einen vom vorliegenden abweichenden Kalkül) bewiesene *Vollständigkeitssatz*. Er besagt zusammen mit Satz 1, daß die syntaktisch definierte Ableitbarkeit genau der semantisch definierten Allgemeingültigkeit entspricht. Gerade wenn dies zutrifft, nennt man einen Kalkül (für dessen e. Ag. ein Allgemeingültigkeitsbegriff erklärt ist) semantisch vollständig. Die *semantische Vollständigkeit* darf nicht mit der *syntaktischen Vollständigkeit* verwechselt werden, die dem PIF-Kalkül *nicht* zukommt, was man leicht folgendermaßen einsieht. Es sei A das e. Ag., das aussagt, daß es genau 2 Dinge gibt:

$$(45) \qquad \bigvee_{x_1} \bigvee_{x_2} (x_1 \neq x_2 \wedge \bigwedge_{x_3} (x_3 = x_1 \vee x_3 = x_2)).$$

Dann ist A nicht allgemeingültig, da A nur in 2-zahligen Mengen M gültig ist. Also ist A nicht ableitbar. Andererseits aber ist das um A vermehrte Axiomensystem nicht widerspruchsvoll, da z. B. das e. Ag. nicht ableitbar ist, das besagt, daß es genau 3 Dinge gibt.

Eine Korrelation zwischen der Ableitbarkeit und der Folgebeziehung kann auf Grund des folgenden *Endlichkeitssatzes* für die Folgebeziehung hergestellt werden:

Satz 3: Ist $\mathfrak{A}$ eine Menge von e. Ag., so gilt $\mathfrak{A} \Vdash A$ genau dann, wenn es eine endliche Teilmenge $\mathfrak{E}$ von $\mathfrak{A}$ gibt derart, daß $\mathfrak{E} \Vdash A$.

Es sei $\mathfrak{E} = \{A_1, \ldots, A_n\}$, dann ist $\mathfrak{E} \Vdash A$ wegen (43) äquivalent zu $\Vdash A_1 \wedge \ldots \wedge A_n \Rightarrow A$, was wegen Satz 1 und Satz 2 genau dann der Fall, wenn $\vdash A_1 \wedge \ldots \wedge A_n \Rightarrow A$. Definieren wir jetzt die durch $\mathfrak{A} \vdash A$ symbolisierte *Ableitbarkeit von* A *aus einer Menge* $\mathfrak{A}$ *von e. Ag.* so, daß sie gleichbedeutend ist mit der Existenz einer endlichen Teilmenge $\mathfrak{E} = \{A_1, \ldots, A_n\}$ von $\mathfrak{A}$, für die $\vdash A_1 \wedge \ldots \wedge A_n \Rightarrow A$, dann ist Satz 3 äquivalent zu

Satz 3′: $\mathfrak{A} \vdash A$ genau dann, wenn $\mathfrak{A} \Vdash A$.

Äquivalent zur Konjunktion von Satz 1 und Satz 2 ist sodann der 1949 von L. Henkin bewiesene

Satz 4: Eine Menge $\mathfrak{A}$ von e. Ag. ist genau dann syntaktisch widerspruchsfrei, wenn sie erfüllbar ist.

Dabei heißt die Menge von e. Ag. $\mathfrak{A}$ *syntaktisch widerspruchsfrei*, wenn aus $\mathfrak{A}$ nicht jedes e. Ag. ableitbar ist. $\mathfrak{A}$ heißt *erfüllbar*, wenn es wenigstens eine Deutung gibt, bei der simultan alle $A \in \mathfrak{A}$ erfüllt sind.

Wir nennen schließlich den von L. Löwenheim (1915) und Th. Skolem (1920) unabhängig voneinander bewiesenen

Satz 5: Jede erfüllbare Menge von e. Ag. $\mathfrak{A}$ ist bereits über einer abzählbaren Menge M erfüllbar.

Dieser Satz besagt, daß man zur Untersuchung von Folgebeziehungen im Rahmen der elementaren Prädikatenlogik höchstens Mengen von der Mächtigkeit der Menge der natürlichen Zahlen

(→ Kardinal- und Ordinalzahlen) heranzuziehen braucht. Das bedeutet aber zugleich den Nachteil, daß man mit Hilfe elementar-prädikatenlogischer Axiomensysteme solche Gebilde, deren Trägermengen (wie etwa die Menge aller reellen Zahlen) überabzählbar sind, nicht charakterisieren kann (s. u.).

C. LOGIK UND MATHEMATISCHE THEORIEN. Bei der Verwendung der axiomatischen Methode innerhalb der Mathematik pflegt der Mathematiker die zugrunde gelegte Logik im allgemeinen nicht mitzudiskutieren. Wir wollen hier nun das axiomatische Vorgehen des Mathematikers auf dem Hintergrund der Logik darstellen, und zwar soweit es sich um mathematische Theorien handelt, bei deren Kodifizierung als logisches Kernkodifikat der PIF-Kalkül in Frage kommt.

1. Als Beispiel einer (abstrakten) mathematischen Theorie betrachten wir die *Gruppentheorie,* der wir folgendes (zu dem in → Algebra angegebenen gleichwertige) *System von Eigenaxiomen* zugrunde legen:

(G1) $\bigwedge_{x_1} \bigwedge_{x_2} \bigwedge_{x_3} \top (x_1, \top (x_2, x_3)) = \top (\top (x_1, x_2), x_3)$

(G2) $\bigwedge_{x_1} \top (x_1, n) = x_1$

(G3) $\bigwedge_{x_1} \top (x_1, I (x_1)) = n.$

Hier treten als *Eigenbegriffe* auf: die zweistellige Funktorenvariable $\top$ (für die Gruppenverknüpfung), die Subjektsvariable n (für das neutrale Element) und die einstellige Funktorenvariable I (für die Inversenbildung). Wir erhalten ein PIF-logisch fundiertes *Kodifikat der Gruppentheorie,* wenn wir die Grundbegriffe des Begriffsnetzes des PIF-Kalküls um diese Eigenbegriffe und die Axiome des Deduktionsgerüstes um die drei Eigenaxiome erweitern. Als einschlägige Ausdrücke und Aussagegebilde der Gruppentheorie werden wir dann genau diejenigen e. A. und e. Ag. des erweiterten Begriffsnetzes ansehen, die als Prädikaten- und Funktorenvariable höchstens $\top$ und I enthalten. Alle vorangehend eingeführten semantischen und syntaktischen Begriffe lassen sich unmittelbar auf das Kodifikat der Gruppentheorie übertragen. Damit können wir unter Verwendung des Folgerungsbegriffs die *Sätze der Gruppentheorie* als diejenigen e. Ag. A der Gruppentheorie definieren, für die: (G1), (G2), (G3) $\Vdash$ A, wobei wir — um Trivialitäten zu vermeiden — noch diejenigen A ausschließen, für die bereits $\Vdash$ A. Wegen Satz 3′ erhalten wir dieselbe Charakterisierung, wenn wir in dieser Definition $\Vdash$ durch $\vdash$ ersetzen.

Ist nun δ_M eine Deutung des erweiterten Begriffsnetzes über der Menge M, so ist $\delta_M (\top)$ eine zweistellige Funktion (Verknüpfung) in M, δ_M (n) ein Element aus M und δ_M (I) eine einstellige

Funktion in M. Mit (M, (δ_M ($\top$), δ_M (n), δ_M (I))) ist also ein *Relationengebilde* (→Mengen, Abbildungen, Strukturen) gegeben, wobei die Relationen $\top$ und I als Funktionen gekennzeichnet sind. Der Mathematiker nennt ein solches Gebilde eine *Gruppe* oder ein *Modell der Gruppenaxiome,* falls es den in den Gruppenaxiomen ausgesprochenen Anforderungen genügt. Wir können dies auf unserem logischen Hintergrund folgendermaßen präzisieren: Das Gebilde (M, (δ_M ($\top$), δ_M (n), δ_M (I))) heißt ein Modell der Gruppenaxiome (Gruppe) genau dann, wenn δ_M erf (Gi) für i = 1, 2, 3. Die hierbei geübte Vernachlässigung aller von $\top$, n und I verschiedenen Variablen ist gerechtfertigt durch das

Koinzidenztheorem: Ist A ein e. Ag. des PIF-Kalküls und stimmen die Deutungen δ_M und δ_M^* über M in den Werten für alle in A frei vorkommenden Variablen überein, so δ_M erf A genau dann, wenn δ_M^* erf A.

2. Wir wollen einige wichtige Begriffe der mathematischen Axiomatik jetzt vereinfacht mit Hilfe des Modellbegriffs erläutern. Wegen des engen Zusammenhangs der Modelle mit den Deutungen und wegen der Übereinstimmung des Folgerungs- und des Ableitbarkeitsbegriffs lassen sich diese Erläuterungen unmittelbar in entsprechende semantisch oder syntaktisch gefaßte Definitionen im Rahmen unserer vorangehenden logischen Darstellung übersetzen.

Es sei $\mathfrak{A}$ das System der (endlich vielen) Eigenaxiome einer PIF-logisch kodifizierten mathematischen Theorie, A ein e. Ag. der Theorie. Wir können dann zunächst vereinfacht sagen, daß A aus $\mathfrak{A}$ folgt, wenn jedes Modell von $\mathfrak{A}$ auch Modell von A ist. Sodann:

(a) $\mathfrak{A}$ ist *widerspruchsfrei,* wenn $\mathfrak{A}$ wenigstens ein Modell besitzt.

(b) $\mathfrak{A}$ ist *unabhängig,* wenn für jedes Axiom A_i aus $\mathfrak{A}$ gilt: A_i folgt nicht aus $\mathfrak{A} - \{A_i\}$, d. h.: Es gibt ein Modell von $\mathfrak{A} - \{A_i\}$, das nicht Modell von A_i ist.

(c) $\mathfrak{A}$ ist *vollständig,* wenn für alle A gilt: A folgt aus $\mathfrak{A}$ oder $\neg$A folgt aus $\mathfrak{A}$, d. h.: Alle Modelle von $\mathfrak{A}$ sind Modelle von A oder alle Modelle von $\mathfrak{A}$ sind Modelle von $\neg$ A.

(d) $\mathfrak{A}$ ist *monomorph* oder *kategorisch,* wenn alle Modelle von $\mathfrak{A}$ isomorph (→ Mengen, Abbildungen, Strukturen) sind, sonst *polymorph.*

Das obige Axiomensystem der Gruppentheorie ist widerspruchsfrei, da es (sogar endliche) Gruppen gibt. Es ist unabhängig. Das zeigt man leicht durch geeignete Auswahl von Gebilden: Es sei etwa M die Menge aller natürlichen Zahlen (einschließlich 0). Mit δ_M ($\top$) = +, δ_M (n) = 0 und δ_M (I) = D_M (die identische Funktion in M) haben wir z. B. ein Gebilde, das Modell ist von (G1) und (G2), nicht aber von (G3). Entsprechend zeigt man die Unabhängigkeit von (G1) und (G2) von den jeweils übrigen Axiomen. Das Axiomensystem ist ferner unvollständig, da es sowohl Modelle besitzt, die auch Modelle von $\bigwedge_{x_1}\bigwedge_{x_2} \top(x_1, x_2) = \top(x_2, x_1)$ (d. h. kommutative Gruppen) sind, als auch Modelle, die nicht Modelle dieses e. Ag. (d. h. nichtkommutative Gruppen) sind. Es ist nicht monomorph, da es nichtisomorphe (schon in der Anzahl der Elemente sich unterscheidende) Gruppen gibt. Allgemein gilt der unmittelbar einsichtige Satz, daß jedes monomorphe Axiomensystem vollständig ist.

3. Die Bedeutung der modernen *abstrakten Theorien* wie der Gruppentheorie besteht gerade darin, daß ihre Axiomensysteme *nicht monomorph* sind. Sie erhalten dadurch eine große Anwendungsfähigkeit in verschiedenen Teilen der Mathematik. Monomorphe Axiomensysteme leisten demgegenüber eine *axiomatische Charakterisierung* von Gebilden. Diese ist allerdings nur *bis auf Isomorphie* möglich. Identifiziert man jedoch in einer für die Mathematik naheliegenden Weise alle isomorphen Modelle (→ Mengen, Abbildungen, Strukturen), so kann man bei einem monomorphen Axiomensystem von ›dem‹ Modell sprechen. In diesem Sinne sind dann durch monomorphe Axiomensysteme die *konkreten mathematischen Theorien* bestimmt. Ein Beispiel einer PIF-logisch fundierten konkreten Theorie erhalten wir, wenn wir zu den Gruppenaxiomen etwa noch die Anzahlaussage hinzunehmen, die besagt, daß es in M genau 3 Dinge gibt; denn alle Gruppen der Ordnung (Elementezahl) 3 sind isomorph. Nichttriviale Beispiele konkreter mathematischer Theorien sind die auf das Axiomensystem des stetig angeordneten Körpers gegründete Theorie der reellen → Zahlen, die auf die Peano-Axiome gegründete Theorie der natürlichen → Zahlen, die auf das Hilbertsche Axiomensystem gegründete euklidische Geometrie. Alle diese Axiomensysteme übersteigen aber den Rahmen der PIF-Logik. Vielmehr gelten Sätze, daß eine monomorphe Darstellung der genannten Theorien im Rahmen der PIF-Logik nicht möglich ist. Für die euklidische Geometrie und die Theorie der reellen Zahlen folgt das bereits aus dem obigen Satz von Löwenheim und Skolem, da die Menge der reellen Zahlen und die euklidische Punktmenge überabzählbar sind. Die *Nichtcharakterisierbarkeit der natürlichen Zahlen* (durch ein endliches oder abzählbar unendliches Axiomensystem der PIF-Logik) ist ein 1933 von Th. Skolem bewiesenes Resultat. Es steht in engem Zusammenhang mit dem *Gödelschen Unvollständigkeitssatz* (→ Mathematische Grundlagenforschung).

D. Höhere Prädikatenlogik. Axiomatische Mengenlehre. 1. Die elementare Prädikatenlogik ist geeignet, wichtige abstrakte Theorien zu kodifizieren, zu denen insbesondere wesentlich unentscheidbare Theorien (→ Mathematische Grundlagenforschung) gehören. Ein Mangel der elementaren Prädikatenlogik zeigt sich jedoch – wie wir soeben sahen – darin, daß sie nur konkrete mathematische Theorien mit endlichen Modellen zu erfassen gestattet. Die *Prädikatenlogik der zweiten Stufe* sucht diesem Mangel abzuhelfen, indem sie die Beschränkung der Quantifizierung auf Subjektsvariable aufhebt und also auch quantifizierte Aussagen-, Prädikaten- und Funktorenvariable zuläßt. Dadurch ist es z. B. möglich, für die Kodifizierung der Theorie der natürlichen Zahlen unmittelbar das monomorphe Peanosche Axiomensystem (→ Kardinal- und Ordinalzahlen) zu verwenden.

Die größere Ausdrucksfähigkeit der Prädikatenlogik zweiter Stufe macht sich ferner darin bemerkbar, daß die Identität nicht zu den logischen Grundbegriffen gerechnet zu werden braucht, sondern vermöge

(46) $$\xi = \zeta :\Leftrightarrow \bigwedge_{\pi^1} (\pi^1(\xi) \Leftrightarrow \pi^1(\zeta))$$

(im Sinne des sog. *Leibniz-Prinzips*, des *principium identitatis indiscernibilium*) definiert werden kann. Im Rahmen eines für die Logik der zweiten Stufe naheliegenden Kodifikats sind dann die obigen Identitätsaxiome (41 a) – (41 e) beweisbare Sätze.

Für die zweite Stufe ist jedoch die für die erste Stufe (gemäß Satz 2) erzielte Übereinstimmung zwischen Semantik und Syntax nicht in natürlicher Weise erreichbar. 1931 hat *K. Gödel* gezeigt, daß es für die zweite Stufe kein semantisch vollständiges Kodifikat geben kann (→ Mathematische Grundlagenforschung). Eine Aufhebung dieser Diskrepanz ist nur durch Abänderung der natürlichen Deutungen, der sog. *Standardinterpretationen*, möglich. Bei diesen (auch maximal extensional genannten) Interpretationen werden die Prädikatenvariablen wie oben über dem zu jeder Dingmenge M gehörigen Bereich sämtlicher (mengentheoretisch-extensional gegebenen) Relationen auf M gedeutet. Eine geeignete Abänderung bietet sich, wie L. Henkin 1947 zeigte, in einer durch den Satz von Löwenheim und Skolem (Satz 5) gewiesenen Richtung an.

2. Für viele mathematische Begriffsbildungen reicht auch die Sprache der Prädikatenlogik zweiter Stufe nicht mehr aus. Man muß hier von Relationen von Relationen . . . usw. in hinreichender Übereinanderschichtung sprechen können, braucht also Prädikatenprädikate . . . usw. und deren Quantifizierung. Hier be-

stehen nun außer gewissen Zwischenlösungen die beiden Möglichkeiten, entweder die Schichtung der Relationen und dementsprechend der Prädikate durch bestimmte Typenangaben im einzelnen festzuhalten oder die Individuen mitsamt allen Relationen beliebiger Höhe zu einem einzigen Bereich zusammenzufassen und einheitlich zu behandeln. Der ersten Möglichkeit entspricht die sog. *Typentheorie* oder *Stufenlogik*, der zweiten die *axiomatische Mengenlehre* (→ Mathematische Grundlagenforschung). Auf letztere wollen wir noch kurz eingehen.

3. Eine Kodifizierung eines Kernstücks des dem naiven Standpunkt entsprechenden Umgangs mit Mengen (→ Mengen, Abbildungen, Strukturen) ist möglich auf der Basis des elementaren Prädikatenkalküls. Zum Aufbau des Begriffsnetzes werden eine einzige Art von Variablen, die abzählbar vielen Mengenvariablen x, y, ..., das Zeichen $\in$ für die Elementbeziehung sowie die aussagenlogischen Junktoren und die prädikatenlogischen Quantoren gebraucht. Alle e. Ag. gehen aus den atomaren e. Ag. der Gestalt $\xi \in \zeta$ in der oben angegebenen Weise durch Anwendung der Junktoren und Quantoren hervor. Zu den Axiomen des Deduktionsgerüsts rechnen wir die aussagenlogisch allgemeingültigen e. Ag. des Begriffsnetzes sowie gewisse den naiven Umgang mit Mengen wiedergebende Axiome, auf die wir noch eingehen. Die Regeln [D 1] bis [D 7], vermehrt um eine [D 8] entsprechende Regel zur Umbenennung freier Variablen, bilden die Deduktionsregeln.

Für die naive Mengenlehre ist charakteristisch, daß sie zunächst (mehr oder weniger ausdrücklich) davon ausgeht, daß durch jede sprachliche Bedingung eine Menge gegeben sei, wobei der sprachliche Rahmen, aus dem die Bedingungen zu nehmen sind, im allgemeinen nicht genau umrissen wird. Mit Hilfe des vorangehend definierten Begriffsnetzes wollen wir hier einen solchen Rahmen setzen: Als Bedingungen sollen solche e. Ag. A [ξ] zugelassen sein, in denen ξ vollfrei vorkommt, d. h. in denen ξ vorkommt, nicht aber $\bigwedge_{\xi}$ oder $\bigvee_{\xi}$. Der Übergang von Bedingungen zu Mengen kann dann durch das folgende Axiomenschema, das sog. *Komprehensionsprinzip*, beschrieben werden:

(K) $$\bigvee_{\zeta} \bigwedge_{\xi} (\xi \in \zeta \Leftrightarrow A[\xi]),$$

wobei ζ in A nicht frei vorkomme.

Als weiteres Prinzip der naiven Mengenlehre sei hervorgehoben, daß Mengen als gleich angesehen werden, wenn sie dieselben Elemente besitzen. Legen wir zunächst das Leibniz-Prinzip (in mengentheoretischer Form) der Definition der Gleichheit zugrunde, setzen wir also

(LP) $$\xi = \zeta :\Leftrightarrow \bigwedge_{\eta} (\xi \in \eta \Leftrightarrow \zeta \in \eta),$$

so können wir die Gleichheitsforderung durch das folgende sog. *Extensionalitätsprinzip* aussprechen:

(E) $$\bigwedge_{\eta} (\eta \in \xi \Leftrightarrow \eta \in \zeta) \Rightarrow \xi = \zeta.$$

Die Unhaltbarkeit des damit präzisierten ersten Ansatzes der naiven Mengenlehre kommt darin zum Ausdruck, daß der durch Hinzunahme von (K) und (E) zu den Axiomen unter Verwendung von (LP) bestimmte Kalkül syntaktisch widerspruchsvoll ist. Ableitbar in diesem Kalkül ist die *Russellsche Antinomie* (→ Mengen, Abbildungen, Strukturen): Ausgehend von der durch $\neg\, x \in x$ für A [x] gegebenen Spezialisierung von (K) kann gezeigt werden, daß $\bigvee_{y} (y \in y \Leftrightarrow \neg\, y \in y)$ ableitbar ist. Andererseits ist das Negat $\neg \bigvee_{y} (y \in y \Leftrightarrow \neg\, y \in y)$ ableitbar.

4. Während die naive Mengenlehre nach dem Auftreten von Antinomien den ursprünglichen Ansatz aufrechtzuerhalten versucht und (in ihrem informellen Vorgehen) lediglich explizit diejenigen Begriffsbildungen vermeidet, die sich als inkonsistent erwiesen haben, wird die Mengenlehre in den axiomatischen Systemen, begonnen zum erstenmal von *E. Zermelo* 1908, von vornherein als ein reiner Kalkül entwickelt, in dem der ursprüngliche Ansatz revidiert wird. Die Revisionen sind dabei im allgemeinen von der Art, daß eine Semantik für die verschiedenen mengentheoretischen Kalküle in einer mit dem elementaren Prädikatenkalkül vergleichbaren Weise bisher nicht erreicht werden konnte.

Die axiomatischen Mengenlehren weichen teilweise stark voneinander ab und sind nur schwer miteinander vergleichbar. Wir geben im folgenden das Kernstück einer von *H. Hermes* hergestellten Verbindung zwischen der Zermelo-Axiomatik (weitergeführt durch *v. Neumann, Bernays* und *Gödel*) und der Klassentheorie von *W. V. Quine* an. Begriffsnetz und Deduktionsgerüst stimmen bis auf die mengentheoretischen Axiome mit der vorangehenden Darstellung überein. Die Variablen x, y, ... werden jetzt als *Klassenvariable* bezeichnet. Als *Mengen* erscheinen nur spezielle Klassen. »ξ ist eine Menge«, kurz ›Mg ξ‹, wird definiert gemäß

(M) $$\mathrm{Mg}\, \xi :\Leftrightarrow \bigvee_{\zeta} (\zeta \in \xi).$$

Die Gleichheit von Klassen wird gegründet auf die Definition

(G) $$\xi = \zeta :\Leftrightarrow \bigwedge_{\eta} (\xi \in \eta \Leftrightarrow \zeta \in \eta) \wedge \bigwedge_{\eta} (\eta \in \xi \Leftrightarrow \eta \in \zeta).$$

Erstes Axiom (Axiomenschema) ist das *Extensionalitäts-*

prinzip (E). Als zweites Axiom wird ein revidiertes *Komprehensionsprinzip* verwendet:

(KP) $\bigwedge_{\xi} (A[\xi] \Rightarrow \mathrm{Mg}\,\xi) \Rightarrow \bigvee_{\zeta} \bigwedge_{\xi} (\xi \in \zeta \Leftrightarrow A[\xi])$.

Setzt man hier $\neg x \in x$ für A [x], so ergibt sich kein Widerspruch. Man kommt vielmehr auf die Aussage

$$\bigvee_{x} (\neg x \in x \wedge \neg\, \mathrm{Mg}\, x),$$

wonach es also Klassen gibt, die keine Mengen sind.

Zum eigentlichen Ausbau der axiomatischen Mengenlehre werden weitere Axiome benötigt, die die Bildung bestimmter Mengen und die Ausführung bestimmter Mengenoperationen zulassen: Nullmengenaxiom, Einermengenaxiom ($\mathrm{Mg}\,\xi \Rightarrow \mathrm{Mg}\,\{\xi\}$), Vereinigungsmengenaxiom ($\mathrm{Mg}\,\xi \wedge \mathrm{Mg}\,\zeta \Rightarrow \mathrm{Mg}\,\xi \cup \zeta$) usw. (→ Mengen, Abbildungen, Strukturen). Widersprüche konnten dabei in gewissen axiomatischen Mengenlehren bisher nicht aufgewiesen werden. Über diesen gleichsam experimentellen Befund ist man allerdings bis heute auch noch nicht hinausgekommen (→ Mathematische Grundlagenforschung). Interessante Teilergebnisse eines Widerspruchsfreiheitsbeweises, sog. *relative Widerspruchsfreiheitsbeweise*, konnten jedoch erzielt werden. So hat K. *Gödel* 1940 für das *v. Neumannsche System*, das außer einer gewissen Menge von Axiomen $\mathfrak{A}$ noch das Auswahlaxiom A (→ Mengen, Abbildungen, Strukturen) und die Kontinuumshypothese C (→ Kardinal- und Ordinalzahlen) fordert, bewiesen: Ist $\mathfrak{A}$ widerspruchsfrei, so auch $\mathfrak{A} \cup \{A, C\}$.

Mathematische Grundlagenforschung. In der folgenden Darstellung umreißen wir die Hauptrichtungen der modernen mathematischen Grundlagenforschung. Wir werden dabei nur in einigen Hinweisen deutlich machen können, daß die Besinnung auf logische und philosophische Voraussetzungen der Mathematik so alt ist wie diese Wissenschaft selbst. Die heute vorherrschenden Grundlagenstandpunkte werden wir nicht gegeneinander ausspielen, sondern uns vielmehr darauf beschränken, einige wesentliche Merkmale an ihnen hervorzuheben. Tatsächlich ist die heutige Form der Behandlung von Grundlagenfragen nicht der unkontrollierbare Meinungsstreit, sondern eine von Mathematikern selbst betriebene wissenschaftliche Forschung, in der von gewissen Grundannahmen aus bestimmte Konzeptionen mit allen ihren Konsequenzen möglichst rein entwickelt und auf ihre Brauchbarkeit für das Verständnis und die Fundierung der lebendig sich entfaltenden Mathematik geprüft werden.

Viele der im folgenden verwendeten Begriffe, wie logische Konstante, Axiomensystem, Folgerung, Beweis usw., werden genauer im Artikel → Logik und Methodologie erläutert. Dort wird auch der durch die Anerkennung des Aktual-Unendlichen und die uneingeschränkte Verwendung des tertium non datur gekennzeichnete sog. *klassische Grundlagenstandpunkt* stärker betont, der im vorliegenden Artikel etwas zurücktritt, der aber wohl der gesamten Konzeption dieses Bandes wie der heute unter den Mathematikern vorherrschenden Auffassung am meisten entspricht.

I. GRUNDLAGEN DER ANALYSIS UND LOGIZISMUS. 1. Nach einer stürmischen, expansiven Entwicklung der Mathematik im 17. und 18. Jh. setzte um 1830 eine kritische Besinnung auf die Grundlagen der neu eroberten mathematischen Gebiete ein. Es stellte sich heraus, daß die großartigen Erfolge in der Gewinnung neuer Resultate mit einer erstaunlichen Unklarheit in den Grundbegriffen und Beweismethoden verbunden waren. So appellierte die → Infinitesimalrechnung seit ihrer Erfindung durch *G. W. Leibniz* (1646–1716) und *I. Newton* (1643 bis 1727) an eine besondere, nirgendwo begrifflich präzisierte Vorstellung vom Unendlichkleinen, und die → Algebra arbeitete mit den komplexen → Zahlen, ohne daß über die Natur dieser Rechengrößen, von denen Leibniz sagte, sie seien »eine feine und wunderbare Zuflucht des göttlichen Geistes, beinahe ein Amphibium zwischen Sein und Nichtsein«, Klarheit bestanden hätte.

Im Hinblick auf die Analysis gingen die ersten entscheidenden Klärungen u. a. von *A. L. Cauchy* (1789–1857), *C. F. Gauß* (1777–1855) und *B. Bolzano* (1781–1848) aus. Sie wurden fortgesetzt und in gewissem Sinne vollendet vor allem durch *K. Weierstraß* (1815–1897), *G. Cantor* (1845–1918) und *R. Dedekind* (1831–1916). In ihren Untersuchungen hatte sich als Kern des Grundlagenproblems die strenge Fassung der Eigenschaften der reellen Zahlen herausgestellt, und zwar insbesondere der topologischen Eigenschaften, die Dedekind dann in Form der *Ordnungsstetigkeit* (→ Mengen, Abbildungen, Strukturen) zum erstenmal (1858/1872) präzisieren konnte. Die eigentliche Lösung des Problems wurde darin gesehen, daß sowohl die von Weierstraß und Cantor als auch die von Dedekind verwendeten begrifflichen Hilfsmittel (die sog. ›*Dedekindschen Schnitte*‹) eine Rückführung der reellen Zahlen auf die rationalen Zahlen erlaubten.

Das Grundlagenproblem der Analysis wurde dann aber aufs neue wachgerufen mit der Frage nach der Begründung der natürlichen Zahlen, von denen aus schon *M. Ohm* 1822 und später *H. Graßmann* die rationalen Zahlen in rein arithmetischer Weise hatten aufbauen können. Auf die Theorie der natürlichen Zahlen wies schließlich auch die Fundierung des

Systems der komplexen Zahlen zurück. Während *Gauß* den komplexen Zahlen durch ihre geometrische Darstellung in der Zahlenebene die volle mathematische Realität zu sichern versuchte, gelang *R. W. Hamilton* 1837 eine allein mit logischen Mitteln durchgeführte Konstruktion der komplexen Zahlen von den reellen aus, indem er sie als Paare reeller Zahlen mit geeigneten Rechenoperationen definierte (→ Zahlen).

2. Die Aufgabe, die Theorie der natürlichen Zahlen zu fundieren, ist 1884 von *G. Frege* (1846—1925) in seinen ›Grundlagen der Arithmetik‹ und unabhängig von Frege 1887 von *Dedekind* in seiner Schrift ›Was sind und was sollen die Zahlen?‹ gestellt und in dem Sinne gelöst worden, daß es gelang, die natürlichen Zahlen und das Operieren mit ihnen (bis auf gewisse Einschränkungen, s. u. I 4) auf rein logische Begriffe (teils in mengentheoretischer Verkleidung) zurückzuführen (→ Kardinal- und Ordinalzahlen A II). Frege verfolgte dabei entschieden den Gedanken, den analytischen Charakter der arithmetischen Urteile nachzuweisen, und trat damit bewußt in Gegensatz zu *Kant*, der die Aussagen der Mathematik von den analytischen Urteilen der Logik als ›synthetische Urteile a priori‹ absetzte. Zur konsequenten Durchführung seines Gedankens, der dann die ›Grundgesetze der Arithmetik‹ (1893, 1903) gewidmet sind, hatte Frege 1879 in seinem Buch ›*Begriffsschrift*‹ ein logisches System entwickelt, das geeignet war, die Verwendung der logischen Begriffe im Aufbau der Arithmetik streng und kontrollierbar nach Regeln vorzunehmen. Damit war durch Frege zweierlei geleistet worden: er hatte einerseits einen Zusammenhang zwischen *Logik* und Mathematik hergestellt, wie er vorher niemals bestanden hatte, zum andern hatte er die Logik selbst — und das war zur Anpassung der Logik an die Konstruktions- und Schlußweisen der Mathematik erforderlich — erheblich über ihren traditionellen Bestand und ihre traditionelle Form hinausgebracht. Tatsächlich ist seine ›Begriffsschrift‹ eine nahezu vollkommene Realisierung dessen, was *Leibniz* mit der Idee eines ›*calculus ratiocinator*‹ vorgeschwebt hatte und was wir heute einen *Logik-Kalkül* nennen.

Freges Zielsetzung ging letzten Endes dahin, die gesamte damals bekannte Mathematik durch ein lückenloses Gerüst von Definitionen und Beweisen aus den Gesetzen und Grundbegriffen der Logik zu gewinnen. Dieses eine ganze Richtung der mathematischen Grundlagenforschung, den sog. *Logizismus*, bestimmende Programm wurde aufgegriffen vor allem von *B. Russell* und *A. N. Whitehead*, die es in ihrem berühmten dreibändigen Werk ›*Principia Mathematica*‹ (1910 bis 1913) mit aller Genauigkeit und in einem weiten Umfang ausführten. Sie konnten dabei eine Fülle von Ergebnissen und Methoden auch anderer Mathematiker und Grundlagenforscher verarbeiten, insbesondere die vorteilhafte Symbolik *G. Peanos* (1858–1932) und die Ergebnisse jener Logiker der zweiten Hälfte des 19. Jhs., die unter dem Stichwort ›*Algebraisierung der Logik nach mathematischem Vorbild*‹ in einem anderen Sinne als Frege eine Verbindung von Mathematik und Logik herbeigeführt hatten.

3. *G. Boole* (1815–1864), der Begründer der ›*Algebra der Logik*‹, hatte u. a. erkannt, daß das System aller Teilmengen einer Menge (Klasse) bezüglich gewisser mengentheoretischer Operationen eine in einfachen Rechengesetzen beschreibbare Struktur besitzt. Diese Rechengesetze sind heute in der Mathematik allgemein als die Struktureigenschaften eines *Booleschen Ringes* bzw. *Booleschen Verbandes* (→ Mengen, Abbildungen, Strukturen) bekannt. Sie erlauben eine rein algebraische Beherrschung der *Klassenlogik*, in die Boole die ganze *Aristotelische Syllogistik* inhaltlich einbauen konnte. Ebenso war es Boole gelungen – mehr oder weniger von der Klassenlogik ausgehend –, einen Zugang zu der nach neueren Untersuchungen (*Lukasiewicz* 1935, *Mates* 1953) in gewissem Ausmaß bereits den *Stoikern* bekannten *Aussagenlogik* (→ Logik und Methodologie) zu finden. Dabei hat die für die Theorie der logischen Maschinen heute sehr nützliche Boolesche Aussagenlogik dieselbe mathematische Gestalt wie die Klassenlogik, was möglich ist, da auch auf der Menge der Aussagen bezüglich der aussagenlogischen Verknüpfungen ›und‹, ›oder‹, ›nicht‹ die Struktur eines Boole-Verbandes vorliegt.

Die wahre Ordnung der Dinge, nach der die Aussagenlogik die eigentliche Voraussetzung der Klassenlogik ist, auf die sich dann notwendig bestimmte Strukturen der Aussagenlogik übertragen, war *Boole* noch nicht bekannt. Erst *Frege* hatte die fundamentale Bedeutung der Aussagenlogik herausgestellt und ihr eine eigenständige Begründung gegeben.

In der Booleschen Richtung arbeitend, hatten sodann die Logiker *de Morgan*, *Peirce* und *Schröder* eine *Algebra der Relationen* geschaffen, die ebenfalls von mengentheoretischen Vorstellungen ausging (→ Mengen, Abbildungen, Strukturen). Relationen waren bis dahin in der Logik fast vollständig (bis auf Andeutungen bei *Leibniz*) vernachlässigt worden, ein Umstand, der sich für die Beurteilung der mathematischen Aussagen durch die *Philosophie* als außerordentlich nachteilig erwies. Gerade eine Relationenlogik war nötig, um die wesentlich auf Relationen bezogene Mathematik logisch begründen und philosophisch angemessen betrachten zu können.

4. Wir wollen hier noch auf eine gewisse Grenze in der Zurückführung der Mathematik auf Logik hinweisen, die darin zu sehen ist, daß beim logizistischen Aufbau der natürlichen Zahlen die *Existenz unendlicher Mengen* vorausgesetzt werden muß, soll die deduktive Zurückführung vollständig erreicht werden. *Dedekind*, dessen Theorie ohne das Erfülltsein dieser Voraussetzung nicht einmal ein Modell für die arithmetischen Grundgesetze liefert, hatte die Existenz einer unendlichen Menge durch eine schon bei *Bolzano* zu findende Überlegung sichern wollen, durch die »die Gesamtheit aller Dinge, welche Gegenstand meines Denkens sein können« als unendlich vorgestellt wird: Diese Gesamtheit sei S. Jedem Element s aus S kann dann der Gedanke $s' = \varphi(s)$, daß s Gegenstand meines Denkens sein kann, zugeordnet werden. φ ist ersichtlich eine eineindeutige Abbildung von S in S. Nun ist aber sicher die Bildmenge $\varphi(S)$ eine echte Teilmenge von S; denn — so heißt es bei *Dedekind* — mein eigenes Ich z. B., das zweifellos zu S gehört, ist sicher nicht in der Menge der Gedanken $\varphi(S)$ enthalten. Bei *Whitehead-Russell* finden wir dann explizit die Formulierung als *Unendlichkeitsaxiom*. Dieses zu den logischen Grundgesetzen zu rechnen, ist aber mit den ursprünglichen Ideen des Logizismus kaum vereinbar.

II. Typentheorie und axiomatische Mengenlehre. 1. Bei allen Erfolgen in der Durchführung des logizistischen Programms zu Beginn des 20. Jhs. war eine neue Situation in der mathematischen Grundlagenforschung bereits um 1900 eingetreten. Während schon in der *Cantorschen Theorie* der → Kardinal- und Ordinalzahlen Widersprüche aufweisbar waren (*Burali-Forti* 1897, *Cantor* 1899), entdeckte *Russell* 1902 die nach ihm benannte *Antinomie der Mengenlehre* (→ Mengen, Abbildungen, Strukturen), die sowohl alle damals vorliegenden mengentheoretischen Systeme wie auch das logische System *Freges* in den Grundlagen erschütterte. Diese Antinomie betraf im wesentlichen das allgemeine ›*Mengenbildungsprinzip*‹, das es erlaubt, von einer beliebigen Bedingung zum Begriff der Menge aller Objekte, die diese Bedingung erfüllen, überzugehen. Betrachtet man insbesondere die Bedingung, nicht Element von sich selbst zu sein (in mengentheoretischer Symbolik: $x \notin x$), so ergibt sich die *Russellsche Antinomie* sofort in der Form, daß die Menge aller Mengen, die dieser Bedingung genügen, sich sowohl selbst enthält wie nicht selbst enthält.

Einen ersten Ausweg aus dieser kritischen Lage hat nun Russell schon 1903 in einem Anhang zu seinen ›Principles of Mathematics‹ mit der Idee der *Typentheorie* angedeutet und in den ›Principia Mathematica‹ weiter ausgebaut. Der Grundgedanke ist der, das Element-Mengen-Verhältnis durch eine *Typenordnung* der in den erzeugenden Bedingungen auftretenden *Variablen* zu regeln. Als Variable 0-ten Typs erscheinen die Variablen für die Elemente der jeweiligen Grundmenge. Variable für Mengen von Grundelementen werden als Variable vom Typ 1 gekennzeichnet, Variable für Mengen solcher Mengen als Variable vom Typ 2 usw. Eine entsprechende Typenregel verlangt nun, daß der Ausdruck $x \in y$ oder $x \notin y$ in einer sinnvollen Bedingung nur auftreten darf, wenn »y« eine Variable eines um 1 höheren Typs als »x« ist. Die kritische Bedingung $x \notin x$ genügt dieser Regel nicht und wird deshalb zur Mengenbildung nicht zugelassen, so daß die Russellsche Antinomie jetzt nicht abgeleitet werden kann. Es ist *Whitehead* und *Russell* gelungen, weitere Typenregeln aufzustellen, die dafür sorgen, daß auch die anderen bekannten Antinomien der Mengenlehre ausgeschlossen werden. Insbesondere konnte die problematische Definition der *Kardinalzahl* als Äquivalenzklasse gleichmächtiger Mengen im Rahmen der Typentheorie auf eine sichere Grundlage gestellt werden.

2. Einen von den meisten Mathematikern bevorzugten Weg, mit den mengentheoretischen Antinomien fertig zu werden, hat 1908 *E. Zermelo* (1871–1953) eingeschlagen. Er setzte nicht bei den logisch-sprachlichen Begriffen, den Variablen und den mit ihnen gebildeten Ausdrücken, an, sondern bei der Mengenbildung selbst, die er durch bestimmte Axiome regelte, ohne den Ausdrücken Einschränkungen aufzuerlegen. Er ist damit der Begründer der sog. *axiomatischen Mengenlehre,* der heute meistbenutzten Grundlage für die logisch nicht elementaren Teile der Mathematik. Die axiomatische Methode (→ Logik und Methodologie) wird dabei in einer Weise verwendet, wie sie durch die italienische Schule der mathematischen Grundlagenforschung (*Peano, Padoa, Pieri* und andere) theoretisch-programmatisch vorbereitet und von *D. Hilbert* (1862 bis 1943) in seinen ›*Grundlagen der Geometrie*‹ (1899) zum erstenmal effektiv ausgeübt worden ist: Die *Axiome* beanspruchen nicht, evidente, in einem bestimmten Seinsbereich absolut gültige Wahrheiten zu sein, sondern dienen in erster Linie als geeignete Voraussetzungen, um den Umgang mit bestimmten, inhaltlich offengelassenen Begriffen zu regeln und bestimmte mit diesen Begriffen gebildete Aussagen abzuleiten. Wie in Hilberts ›Grundlagen‹ die Begriffe: Punkt, Gerade, Ebene, liegt auf, zwischen usw. nicht mit einem anschaulich, empirisch oder sonstwie aufweisbaren Inhalt belegt, sondern als durch die Axiome selbst genau und vollständig – nach einem schon bei *J. Gergonne* (1819) zu findenden Terminus: *implizit* – definiert angesehen werden, so werden auch in der

axiomatischen Mengenlehre die jeweiligen Grundbegriffe, die in gewissen Systemen (→ Logik und Methodologie) auf den einzigen Begriff ›ist Element von‹ reduziert sind, von jedem ›Inhalt‹ entlastet. Die Fruchtbarkeit dieses Vorgehens ist in dem weiteren Ausbau der axiomatischen Mengenlehre durch *A. A. Fraenkel, J. v. Neumann, P. Bernays, W. V. Quine* u. a. und in der erfolgreichen Anwendung der axiomatischen Mengenlehre in allen mathematischen Disziplinen (→ Mengen, Abbildungen, Strukturen E) überzeugend zutage getreten.

III. Formalismus und Metamathematik. 1. War es so gelungen, die früher gefundenen Widersprüche zu vermeiden, so konnte sich die Grundlagenforschung mit dem neuen Stand der Dinge keineswegs zufriedengeben; blieb es doch durchaus offen, ob nicht andere Antinomien eingeschlossen waren, die man bisher nur noch nicht entdeckt hatte. Das Problem der *Widerspruchsfreiheit* wurde zum zentralen mathematischen Grundlagenproblem unseres Jahrhunderts.

Für sein Axiomensystem der euklidischen Geometrie konnte *Hilbert* einen *relativen Widerspruchsfreiheitsbeweis* führen, indem er den darin vorkommenden mathematischen Begriffen im Sinne der analytischen Geometrie eine Deutung im Bereich der Arithmetik gab, bei der die Axiome in beweisbare Aussagen aus der Theorie der reellen Zahlen übergingen. Er konnte schließen: Ist die Theorie der reellen Zahlen widerspruchsfrei, so auch die axiomatische euklidische Geometrie. Damit war also auch die Frage der Widerspruchsfreiheit der Geometrie letzten Endes mit dem Begründungsproblem für die Arithmetik der natürlichen Zahlen in Verbindung gebracht worden, wobei allerdings noch ein beträchtliches Stück Mengenlehre im Spiel ist, wie der Aufbau der reellen → Zahlen aus den rationalen Zahlen zeigt.

Bei einer so fundamentalen Theorie nun wie der *axiomatischen Mengenlehre,* die den anderen mathematischen Gebieten als Grundlage dienen sollte, war für dieses Relativierungsverfahren ein Ansatzpunkt nicht zu erkennen. Das hier absolut sich stellende Problem der Widerspruchsfreiheit war andererseits auch nicht mehr auf Grund von inhaltlichen Evidenzbetrachtungen anzugehen, da dadurch die naive Mengenlehre mitsamt ihren Antinomien erneut zum Leben erweckt worden wäre. So kam es etwa 1920 (nach ersten Ansätzen 1904) zu dem Hilbertschen Programm des *Formalismus.*

Hilbert ging dabei von den beiden folgenden Voraussetzungen aus: 1. Man kann die mathematischen Theorien auf *Axiome* zurückführen, die wie die Sätze der Theorie in der *Symbolsprache eines Logik-Kalküls* darstellbar sind. 2. Man hat dabei solche Logik-Kalküle zur Verfügung, mit denen sich

alle logischen *Folgerungen* (→ Logik und Methodologie) aus dem jeweiligen Axiomensystem nach Regeln rein mechanisch gewinnen lassen, sog. *vollständige Kalküle*. Diese Voraussetzungen schienen erfüllt für diejenigen Theorien, die sich in der Sprache der *Prädikatenlogik erster* oder *höherer Stufe* und ihrer vorliegenden Erweiterungen, der Typentheorie bzw. axiomatischen Mengenlehre, formalisieren ließen, und das war – als Vereinigung aller dieser Theorien – die gesamte vorhandene Mathematik. Die genannten Kalküle waren sämtlich so weit vorangebracht, daß gewissermaßen experimentell ihre Vollständigkeit gesichert erschien – *Vollständigkeit* in eben dem Sinne, daß man ein *endliches System von Schlußregeln* hat, mit dem man effektiv sämtliche Folgerungen aus vorgelegten Prämissen (Axiomensystemen) der Reihe nach herleiten kann.
Hilbert dachte sich nun das formalisierte (d. h. in der Symbolsprache dargestellte) Axiomensystem einer Theorie mitsamt der entsprechenden Logik zu einem einzigen *formalen System* (Kalkül, Kodifikat, → Logik und Methodologie) zusammengefaßt, um dies als in sich geschlossenes Ganzes unabhängig von jeder Deutung wie ein reines ›Zeichenspiel‹ zu behandeln. Das Problem der Widerspruchsfreiheit konnte dann als die Aufgabe angesehen werden, zu zeigen, daß in dem System gewisse unerwünschte Ausdrücke, wie z. B. die Konjunktion einer ›Aussage‹ A und ihres Negats ($\neg$A), nicht ableitbar sind. Die Untersuchung wurde dabei von Hilbert und seinen Schülern zunächst vor allem auf die Axiomensysteme für die Theorie der natürlichen Zahlen, die sog. *elementare Arithmetik*, gerichtet, zu deren Formalisierung (Kodifizierung) je nach der Art der Axiomatisierung die Prädikatenlogik erster bzw. zweiter Stufe geeignet war.
2. Mit welchen Mitteln sollte nun aber der Widerspruchsfreiheitsbeweis geführt werden? Die Antwort auf diese Frage wird in einer besonderen Disziplin gegeben, die Hilbert ›*Metamathematik*‹ oder ›*Beweistheorie*‹ nennt. Diese beschäftigt sich unmittelbar mit den Zeichenreihen und liefert einfache, aus dem kombinatorischen Manipulieren mit endlichen Mengen als gesichert angesehene sog. ›finite‹ Kontrollmethoden für einen ordentlichen kalkülmäßigen Beweis.
Dabei nimmt die Arithmetik einen besonders ausgezeichneten Platz ein. Das wird deutlich an der Tatsache, daß man die Zeichenreihen eines Kalküls mit Hilfe des Verfahrens der sog. *Gödelisierung* (nach dem Grundlagenforscher *K. Gödel*) durch natürliche Zahlen charakterisieren kann. Dabei werden zunächst die endlich (oder abzählbar unendlich) vielen Einzelzeichen des Kalküls, aus denen die Zeichenreihen wie Wörter

aus Buchstaben aufgebaut sind, in irgendeiner Reihenfolge mit den Indizes 1, 2, 3, ... versehen. Z sei eine aus n (nicht notwendig verschiedenen) Einzelzeichen gebildete Zeichenreihe, wobei die Einzelzeichen in der Reihenfolge ihres Auftretens in Z den Index $i_1, \ldots, i_n$ haben mögen. Unter Verwendung der Primzahlfolge $p_1 = 2, p_2 = 3, p_3 = 5, \ldots$ kann dann Z die Gödelnummer $p_1^{i_1} \cdot p_2^{i_2} \cdot \cdots \cdot p_n^{i_n}$ zugeordnet werden. Auf Grund der Eindeutigkeit der *Primzahlzerlegung* (→ Zahlen) entspricht so jeder Zeichenreihe des Kalküls in umkehrbar eindeutiger Weise eine natürliche Zahl. Insbesondere läßt sich auch die Aussonderung der sog. (einschlägigen) *Ausdrücke* als der ›sinnvollen‹ unter allen möglichen Zeichenreihen mit Hilfe der Gödelisierung beherrschen. Ferner kann man Folgen von Zeichenreihen – in ähnlicher Weise wie den Zeichenreihen selbst – Gödelnummern zuordnen und unter ihnen wiederum die Beweise als spezielle Folgen von Zeichenreihen durch entsprechende Kennzeichnung der zugehörigen Gödelnummern aussondern. Auf diese Weise erhält man an Stelle metamathematischer Begriffe und Aussagen solche über natürliche Zahlen, also im Falle der Arithmetik einen Teil der formalisierten Arithmetik selbst. Insbesondere läßt sich die Widerspruchsfreiheit als arithmetische Aussage formulieren.

3. Diese Bemühungen, sich so gewissermaßen am eigenen Schopf aus dem Sumpf zu ziehen, schienen in der Tat eine Zeitlang den vollen Erfolg zu versprechen. Für einige in der Sprache der Prädikatenlogik erster Stufe formalisierte Axiomensysteme, mit denen allerdings noch nicht die volle elementare Arithmetik erfaßt war, konnte der Widerspruchsfreiheitsbeweis erbracht werden. Ferner schienen sich auch die allgemeinen Voraussetzungen des Hilbertschen Programms zu bestätigen. 1930 gelang Gödel der Nachweis, daß der Prädikatenkalkül erster Stufe tatsächlich in dem oben angegebenen Sinne vollständig ist (*Gödelscher Vollständigkeitssatz*, → Logik und Methodologie). Man durfte also hoffen, auch mit der vollen Arithmetik fertig zu werden, obwohl der Widerspruchsfreiheitsbeweis für das ebenfalls in der Sprache der Prädikatenlogik erster Stufe bleibende Axiomensystem $\mathfrak{Z}$ (nach *Hilbert-Bernays:* ›Grundlagen der Mathematik‹), durch das man die volle Arithmetik axiomatisiert zu haben glaubte, erhebliche Schwierigkeiten machte.

Da zeigte Gödel 1931 in einer weiteren bedeutenden Arbeit, daß ein Widerspruchsfreiheitsbeweis für formale Systeme, die wie das System $\mathfrak{Z}$ ihre eigene Metatheorie in arithmetisierter Form enthalten, mit den Mitteln des Systems grundsätzlich nicht geführt werden kann (ausgehend von der Voraussetzung, daß das System widerspruchsfrei ist; andernfalls ja jeder Ausdruck des Systems ableitbar wäre, also insbesondere jener, der die Widerspruchsfreiheit besagt). Dieses tiefgreifende Ergebnis läßt sich auch folgendermaßen ausdrücken: *In jedem formalen System $\mathfrak{S}$, das $\mathfrak{Z}$ umfaßt (einschließlich $\mathfrak{Z}$ selbst), gibt es mit den Ausdrucksmitteln des Systems gebildete Ausdrücke* A *derart, daß unter Voraussetzung der Widerspruchsfreiheit von $\mathfrak{S}$ weder* A *noch das Negat von* A *aus $\mathfrak{S}$ kalkülmäßig ableitbar und* (wegen der Vollständigkeit der elementaren Prädikatenlogik) *also auch weder* A *noch das Negat von* A *eine Folgerung aus $\mathfrak{S}$ ist.* Es kann nämlich gezeigt werden, daß sich für A stets ein Ausdruck angeben läßt, der *seine eigene Nichtbeweisbarkeit* behauptet, woraus dann die Unmöglichkeit eines Widerspruchsfreiheitsbeweises zu erschließen ist.

Bemerkenswert ist, wie Gödel hier die bereits im Altertum formulierte *Antinomie des Lügners*, die in den natürlichen Sprachen wegen der ›semantischen Abgeschlossenheit‹ dieser Sprachen nicht aufgelöst werden kann, innerhalb eines formalen Systems positiv auswertet. Sie wurde schon von den Griechen auf eine scharfe Form gebracht: »Das, was ich jetzt sage, ist falsch.« Das, was ich jetzt sage, sei: »Das, was ich jetzt sage, ist falsch.« Dann ist das, was ich jetzt sage, genau dann wahr, wenn das, was ich jetzt sage, falsch ist! Diese Antinomie konnte aber erst 1936 von *A. Tarski* durch eine saubere Unterscheidung von Sprache (genauer: *Objektsprache*) und *Metasprache*, wie sie allein in den Kunstsprachen der mathematischen Logik durchführbar ist, endgültig nach ihren Auflösungsmöglichkeiten analysiert werden. Die folgende Überlegung macht deutlich, wie die Gödelsche Konstruktion das fundamentale metamathematische Resultat hervorbringt, indem sie scharf am Rande des Abgrunds der Antinomie vorbeigeht: Wir gehen von der selbstverständlichen Voraussetzung aus, daß $\mathfrak{S}$ die Eigenschaft der ›Zuverlässigkeit‹ besitzt, was bedeutet, daß alle in $\mathfrak{S}$ ableitbaren Ausdrücke Folgerungen, also insbesondere bei der natürlichen Interpretation gültig sind (→ Logik und Methodologie). A sei nun ein Ausdruck, der bei der natürlichen Interpretation seine eigene Unbeweisbarkeit besagt. Wäre nun A beweisbar, dann wäre A bei der natürlichen Interpretation wahr, was aber gerade die Unbeweisbarkeit von A bedeutet, im Widerspruch zur Annahme. Wäre andererseits $\neg$A beweisbar, so wäre $\neg$A bei der natürlichen Interpretation erfüllt, A also widerlegt, was besagt, daß A beweisbar ist. Das aber widerspricht der vorausgesetzten Widerspruchsfreiheit von $\mathfrak{S}$ (→ Logik und Methodologie). Somit ist weder A noch $\neg$A in $\mathfrak{S}$ beweisbar.

4. Durch das *Gödel*sche Resultat wird das formalistische Programm *Hilberts* grundsätzlich in Frage gestellt. Für die

Arithmetik bedeutet es insbesondere, daß das System $\mathfrak{Z}$ und auch die endlichen Erweiterungen von $\mathfrak{Z}$ gar keine axiomatische Charakterisierung der natürlichen Zahlen darstellen: es gibt in $\mathfrak{Z}$ bildbare Ausdrücke, die bei entsprechender Interpretation von $\mathfrak{Z}$ im Bereich der natürlichen Zahlen in wahre Aussagen über natürliche Zahlen übergehen und die doch keine Folgerungen aus $\mathfrak{Z}$ sind – wobei bis heute noch nicht geklärt ist, ob nicht vielleicht auch einige der ungelösten zahlentheoretischen Probleme (→ Zahlen) durch solche Ausdrücke beschrieben werden.

Damit ist zugleich die erste der oben angegebenen Voraussetzungen für einen konsequenten formalistischen Standpunkt als nicht allgemein erfüllt nachgewiesen. Zur Untersuchung der zweiten Voraussetzung hatte Gödel – wie schon erwähnt – einen bestätigenden Beitrag geleistet. Dieses nur die Prädikatenlogik erster Stufe betreffende Ergebnis war aber nicht auf die erweiterte Prädikatenlogik übertragbar. Aus der Arbeit Gödels geht nämlich auch hervor, daß die höheren Prädikatenlogiken, erst recht die Stufenlogik nebst den mengentheoretischen Systemen, unvollständig sind, daß es also keine endliche Menge von Schlußregeln geben kann, mit deren Hilfe aus beliebig vorgelegten Prämissen, die in der Sprache einer höheren Prädikatenlogik formuliert sind, alle Folgerungen rein mechanisch abzuleiten wären. Die Unvollständigkeit der höheren Prädikatenlogiken macht nun erst vollends deutlich, was mit der insgesamt von Gödel gezeigten sog. ›*Unvollständigkeit der Arithmetik*‹ gemeint ist. Versucht man eine Axiomatisierung in der Sprache der elementaren Prädikatenlogik, so hat man zwar einen *vollständigen Logik-Kalkül*, es gibt aber kein *Axiomensystem*, aus dem alle für die natürlichen Zahlen geltenden Aussagen folgen. Versucht man eine Axiomatisierung in einer höheren Prädikatenlogik, so kommt man zwar – wie mit dem Axiomensystem von *Peano* – zu einer vollständigen Charakterisierung der natürlichen Zahlen, man hat dann aber keinen Kalkül mehr zur vollständigen mechanischen Aufzählung der Sätze über natürliche Zahlen.

Es ist damit klar, in welchem Sinne das formalistische Programm eingeschränkt ist: Mathematische Gebilde können nicht immer durch Axiomensysteme charakterisiert werden; die Mathematik läßt sich schon in Teilen nicht – geschweige denn als Ganzes – als ein einziger Kalkül auffassen. Das mathematische Denken erfordert vielmehr eine nicht abbrechende Reihe immer reicherer logischer Systeme. Damit ist jedoch das Programm keineswegs vollständig hinfällig. Es bleibt die Tatsache bestehen, daß wesentliche Bestandteile der Mathematik Kalküle sind. Die Axiomatisierung behält ihre Bedeutung überall da, wo es sich nicht in erster Linie um axiomatische Charakterisierungen handelt, also insbesondere in den modernen allgemeinen mathematischen Theorien (s. u., ferner → Logik und Methodologie). Sodann kann man auch weiterhin Widerspruchsfreiheitsbeweise führen, wenn man nur geeignete Hilfsmittel aus reicheren Systemen heranzieht, die zwar über die Mittel des in Frage stehenden Systems hinausgehen, zugleich aber in einem metamathematisch spezifizierten Sinne legitimiert sind. Solche Widerspruchsfreiheitsbeweise sind z. B. für das System $\mathfrak{Z}$ durch *G. Gentzen* (1936) unter Anwendung der transfiniten Induktion bis zur Ordinalzahl ε_0 erbracht worden oder für die sog. verzweigte Typentheorie durch *P. Lorenzen* (1951). Für die axiomatischen Mengenlehren ist ein solcher Beweis bisher nicht gelungen.

5. In Verbindung mit der Hilbertschen Metamathematik ist das von *Hilbert* formulierte allgemeine *Entscheidungsproblem* von Bedeutung. Dieses Problem kann als die Frage verstanden werden, ob bei einem beliebigen (endlichen) Axiomensystem $\mathfrak{A}$, das sich in der Symbolsprache einer bestimmten Logik anschreiben läßt, für eine beliebige ebenfalls in dieser Sprache darstellbare Aussage A entscheidbar ist, ob A Folgerung aus $\mathfrak{A}$ ist oder nicht. Die Existenz eines *Entscheidungsverfahrens für diese Logik* bedeutet dabei, daß man nicht nur einen Kalkül hat, mit dem genau die Menge aller Folgerungen aus einem beliebigen in der Logiksprache darstellbaren Axiomensystem $\mathfrak{A}$ der Reihe nach hergeleitet (›aufgezählt‹) werden kann (einen sog. vollständigen Logik-Kalkül oder mit einem Terminus von *Leibniz*: eine *›ars inveniendi‹*), sondern ebenso einen Kalkül für die Aufzählung der Menge aller Ausdrücke der Logiksprache, die Nichtfolgerungen von $\mathfrak{A}$ sind. In der Tat würde ein Aufzählprozeß für die Folgerungsmenge, falls A Nichtfolgerung wäre, endlos laufen, ohne die gewünschte Entscheidung herbeizuführen.

Ein Entscheidungsverfahren für eine Logik (eine *›ars iudicandi‹* nach Leibniz) würde den in dieser Logik kodifizierbaren Teil der Mathematik in einem gewissen Ausmaß trivialisieren. Das wird deutlich an der Tatsache, daß man die für die Präzisierung des Entscheidbarkeitsbegriffs gebrauchte *Aufzählbarkeit einer Zeichenmenge durch einen Kalkül* äquivalent auch durch den Begriff der → *Berechenbarkeit mittels einer Maschine* mit genau umrissener Arbeitsweise, einer sog. *Turing-Maschine* (*A. M. Turing*, 1936), ersetzen kann. Da die modernen programmgesteuerten Rechenmaschinen die Leistungsfähigkeit einer Turing-Maschine im Prinzip beliebig approximieren können, könnte man ein Entscheidungsproblem dann also prinzipiell (nicht immer faktisch: wegen der gegebenenfalls technisch nicht zu bewältigenden Anzahl der Rechenschritte) einer solchen Rechenmaschine zur Erledigung überlassen.

Da die höhere Prädikatenlogik nach dem Gödelschen Satz nicht vollständig ist, kann es für sie natürlich kein Entscheidungsverfahren geben. Andererseits hat nun *A. Church* 1936 bewiesen, daß es schon für die elementare Prädikatenlogik kein Entscheidungsverfahren geben kann. Auch die elementare Prädikatenlogik ist also in dem angegebenen Sinne nicht trivial.

Eine engere Fassung erhält das Entscheidungsproblem, wenn man von einem bestimmten Axiomensystem $\mathfrak{A}$ ausgeht und nach einem Verfahren fragt, das für jede einschlägige Aussage A der durch $\mathfrak{A}$ bestimmten Theorie zu entscheiden gestattet, ob A Folgerung aus $\mathfrak{A}$ ist oder nicht. Die Untersuchungen in dieser Richtung machen die von *A. Tarski* und *A. Robinson* entwickelte *Metamathematik der Algebra* aus. Als unentscheidbar haben sich dabei u. a. die allgemeine Gruppen-, Ring- und Körpertheorie sowie die elementare Theorie der angeordneten Ringe und der angeordneten Körper erwiesen. Demgegenüber konnte für andere mathematische Theorien gezeigt werden, daß sie entscheidbar sind, z. B. für die Theorie der kommutativen Gruppen, die Theorie der algebraisch-abgeschlossenen Körper, die Theorie der reell-abgeschlossenen Körper. Mit Hilfe der Methoden der analytischen Geometrie gelang es Tarski, das von ihm angegebene Entscheidungsverfahren für die zuletzt genannte Theorie auch auf ein entsprechendes Bruchstück der *euklidischen Geometrie* zu übertragen. Zur Metamathematik der Algebra gehören sodann *Sätze über Strukturtypen* (→ Mengen, Abbildungen, Strukturen) von folgender Art: a) Gilt die Aussage A für alle kommutativen Körper der Charakteristik 0, so gilt A auch für alle kommutativen Körper genügend hoher Primzahlcharakteristik. b) Gilt A für alle angeordneten Ringe, so gilt A auch für jeden algebraisch-abgeschlossenen Körper der Charakteristik 0.

IV. Intuitionismus, Konstruktivismus, operative Mathematik. 1. Schon vor dem Auftreten der logisch-mengentheoretischen Antinomien hatten Mathematiker gegen den Mengenbegriff, wie er in der Begründung der Analysis durch *Dedekind, Weierstraß* und *Cantor* verwendet wurde, und erst recht gegen die allgemeine Cantorsche Mengenlehre, starke Bedenken geäußert. Es war zunächst *L. Kronecker* (1823 bis 1891), der an der Auffassung unendlicher Mengen als fertiger, in sich abgeschlossener Ganzheiten, wie sie etwa Dedekind in seiner Definition der reellen → Zahlen als Klasseneinteilungen in der Menge aller rationalen Zahlen zugrunde gelegt hatte, Kritik erhob. Für ihn existierten die natürlichen Zahlen, die er als anschaulich gegebenes Fundament der Mathematik voraussetzte, nicht in einer vollendeten Gesamtheit, sondern nur als ein offener Bereich, den man zwar in Folgen von Zählschritten beliebig weit entwickeln, den man aber als Ganzes nicht erfassen kann. Kronecker knüpfte damit an eine antike Unendlichkeitsvorstellung an, nach der das Unendliche nicht wirklich *(aktual)*, sondern nur der Möglichkeit nach *(potentiell)* existiert. Dieser Begriff des Potentiell-Unendlichen ist bereits von *Aristoteles* im Buch III der ›Physik‹ in unübertroffener Weise ausgearbeitet worden und ist als das »infinitum actu non datur« vor allem für die *Scholastik* verbindlich geblieben. Auch bei *Kant* findet er sich wieder, für den »der wahre Begriff der Unendlichkeit ist, daß die sukzessive Synthesis der Einheit in Durchmessung eines Quantums niemals vollendet sein kann«. Dem steht gegenüber die für die neuzeitliche Mathematik immer mehr in den Vordergrund tretende *Platonische An-sich-Auffassung* der in einem abgeschlossenen Seinsbereich ruhenden mathematischen Ideen, die bei *Plato* selbst als unvollendet höchstens in bezug auf die Grenze des menschlichen Auffassungsvermögens gedacht werden.

Ausschlaggebend für Kronecker ist die *konstruktive Erfaßbarkeit* der Objekte, mit denen man in der Mathematik umgehen will, nach dem Vorbild der Herstellung der natürlichen Zahlen im Zählprozeß. In diesem Sinne unzulässig ist dann jeder Inbegriff einer unendlichen Gesamtheit. Ebenso sind die *reinen Existenzbeweise,* die also nicht mit einem Konstruktionsverfahren zum Aufweis des als existent nachzuweisenden Objekts verbunden sind, aus der Mathematik auszuschließen. Als weitere Kritiker in dieser Richtung sind hier zu nennen: *H. Poincaré* (1854–1912), der die Cantorsche Mengenlehre, insbesondere das *Zermelosche Auswahlprinzip* (→ Mengen, Abbildungen, Strukturen) weitgehend ablehnte und in einer Reihe von Artikeln in der ›Revue de métaphysique et de morale‹ auch den Logizismus scharf angegriffen hatte, ferner eine ganze Gruppe französischer Mathematiker (*E. Borel, R. Baire, J. Hadamard, H. Lebesgue* u. a.), die vor allem von der Kluft, die zwischen der Gesamtheit der *›nennbaren‹ reellen Zahlen* und dem vollen reellen Kontinuum besteht, ausgegangen waren und von der Beschränkung auf die nennbaren reellen Zahlen aus die Theorie der (Borel-, Lebesgue- usw.) meßbaren Mengen und Funktionen entwickelt hatten. Die Forderung der Nennbarkeit, d. h. der Charakterisierbarkeit in irgendeiner Sprache, war dann von Borel zur Forderung der *effektiven Berechenbarkeit* eingeengt worden.

Die kritischen Ansätze wurden durch den holländischen Mathematiker *L. E. J. Brouwer* zu einem grundlagentheoretischen

Standpunkt eigener Prägung ausgebaut, dem *Intuitionismus.* Für den Brouwerschen Intuitionismus, der durch andere Vertreter dieser Richtung, wie *H. Weyl* und *A. Heyting*, in verschiedener Hinsicht abgewandelt oder weitergeführt wurde, ist charakteristisch: die *Ablehnung des Aktual-Unendlichen*, die *Forderung der effektiven Konstruktion* als einzig zugelassenen Mittels zur Definition mathematischer Objekte wie zur Ausführung von Existenzbeweisen, die *Ablehnung der axiomatischen Methode*, durch die die Axiomatiker ja gerade über das konstruktiv Erreichbare hinaus wollen, der Rückgang auf die *Urintuition der Zahlenfolge* als Grundlage für die gesamte Mathematik, wobei die Folge der natürlichen Zahlen auf dem Boden der Philosophie Kants als in der Zeit werdend verstanden wird, die *Einschränkung des ›tertium non datur‹*, des logischen Prinzips vom ausgeschlossenen Dritten, auf das Endliche.

2. Es ist hier nicht möglich, die Position des Intuitionismus mit allen ihren Eigenarten in der Grundauffassung von Denken, Sprache und Mathematik verständlich zu machen, und ebenso nicht, den Ausbau der intuitionistischen Logik und Mathematik, der mit erheblichen technischen Schwierigkeiten verbunden ist und bis heute in keiner Weise als abgeschlossen angesehen werden kann, auch nur zu skizzieren. Wir wollen lediglich einige der Motive, die zum intuitionistischen Standpunkt geführt haben, freilegen und einige Konsequenzen daraus ableiten.

Dazu gibt es eine Vielfalt von Möglichkeiten. Wir betrachten etwa die Folge $\psi(n) = 2n + 1$ der ungeraden natürlichen Zahlen > 1, an die ein bis heute noch unentschiedenes zahlentheoretisches Problem (→ Zahlen) geknüpft ist: Besteht die Folge aus lauter nichtvollkommenen Zahlen, oder enthält sie auch vollkommene Zahlen? Es ist klar, wie die Aussage A: ›In der Folge der $\psi(n)$ kommen vollkommene Zahlen vor‹ zu beweisen wäre. Man brauchte nur eine natürliche Zahl n anzugeben, für die $\psi(n)$ vollkommen ist. Dabei könnte man, etwa unter Verwendung einer großen Rechenmaschine, systematisch vorgehen und n die Folge der natürlichen Zahlen ein Stück weit durchlaufen lassen. Bisher konnte auf diese Weise eine vollkommene Zahl jedoch nicht gefunden werden, und man muß sich darüber im klaren sein, daß die aufgewendete Mühe angesichts der nicht abbrechenden Folge der natürlichen Zahlen vollkommen vergebens war und bei jedem weiteren noch so weit getriebenen negativen Versuch ebenso vergebens sein wird: die gestellte Aufgabe bleibt jedesmal exakt dieselbe wie vorher. Andererseits ist nun auch gänzlich unbekannt, welche Möglichkeiten sonst zu einem Beweis der Aussage A bestehen. Es ist denkbar, daß es sowohl für A als auch für non A einen generellen Beweis (dessen selbstverständliche endliche Darstellbarkeit man sich vergegenwärtige) prinzipiell nicht gibt.

Der Erwägung dieser Möglichkeit wird man die in den Regeln der klassischen Logik verankerte Überzeugung entgegenhalten, daß doch *an sich* feststehe, ob A oder non A wahr sei, eines von beiden müsse jedenfalls gelten. Das ist der *Satz vom ausgeschlossenen Dritten.* Aber was bleibt von dieser Überzeugung, wenn wir einmal wirklich unterstellen, daß eine Entscheidung unserer Frage nach bestimmten Regeln in endlich vielen Schritten nicht herbeigeführt werden kann? Sie kann doch dann nur die beiden folgenden Bedeutungen haben. Erstens: Es kommt in der als vollendet angesehenen Menge der ψ (n) eine vollkommene Zahl rein zufällig vor. Dies aber ist widerspruchsvoll in sich, da die betreffende Zahl dann ja durch ein endliches Verfahren erreichbar, das Problem also entscheidbar und das Vorkommen nicht rein zufällig wäre. Zweitens: Alle Elemente ψ (n) sind nichtvollkommen, und zwar nicht gesetzmäßig, sondern bloß zufällig. Damit geraten wir jedoch in eine höchst problematische Situation: Hat es überhaupt einen Sinn, den Zahlen der Folge ψ (n) eine generelle Eigenschaft beizulegen, die ihnen nicht gesetzmäßig, sondern bloß zufällig zukommt, die als eine (nach dem Terminus von Brouwer:) ›*fliehende Eigenschaft*‹ sich in ihrer Kontrollierbarkeit verliert in der Offenheit des nichtabbrechenden Durchlaufungsprozesses? Der Intuitionist verneint diese Frage, und so wird es für ihn möglich, daß weder in der Folge eine vollkommene Zahl vorkommt noch jede Zahl der Folge nichtvollkommen ist, daß also gilt: weder A noch non A. Das aber ist die Leugnung des ›tertium non datur‹, und zwar in seiner Anwendbarkeit auf nicht abgeschlossene unendliche Gesamtheiten.

3. Erhebliche Konsequenzen ergeben sich daraus für die *Analysis.* Es ist schon nicht mehr möglich, allgemein zu sagen, daß zwei durch einen unendlichen Dezimalbruch gegebene reelle Zahlen entweder identisch sind oder nicht. Wir betrachten etwa die reellen Zahlen $r_1 = 0 = 0{,}000\ldots$ und $r_2 = 0{,}\alpha_1\alpha_2\alpha_3\ldots$, wobei

$$\alpha_n = \begin{cases} 0, \text{ falls } \psi\text{ (n) nichtvollkommen,} \\ 1, \text{ falls } \psi\text{ (n) vollkommen.} \end{cases}$$

Die reelle Zahl r_2 ist insofern bestimmt, als sie ja mit einer jeweils angebbaren Zahl n (ε) von Schritten bis auf einen beliebig vorgegebenen maximalen Fehler $\pm\ \varepsilon$ berechnet werden kann. Da nun unser obiges Problem möglicherweise prinzipiell nicht entscheidbar ist, wird der Intuitionist den Dezimalbruch r_2 nicht als etwas Fertiges ansehen, und es wird für ihn weder gelten $r_1 = r_2$ noch $r_1 \neq r_2$.

Sodann lassen sich die wichtigsten Sätze der klassischen Analysis nicht mehr aufrechterhalten, wie etwa der *Satz von Weierstraß-Bolzano*, daß jede beschränkte unendliche Folge mindestens einen Häufungspunkt besitzt, oder Sätze über stetige Funktionen wie der *Zwischenwertsatz* oder der *Satz vom Maximum* (→ Infinitesimalrechnung im $\mathbf{R}^1$). Zur Widerlegung des letzteren nehmen wir etwa die durch $y = r_4 \cdot x$ gegebene Funktion, wobei $r_4 := r_3 - r_2$ und $r_3 := 0{,}\beta_1\beta_2\beta_3\ldots$ mit Hilfe der möglicherweise unentscheidbaren *Goldbachschen Vermutung* definiert sei. Die Goldbachsche Vermutung besagt, daß jede gerade Zahl $2(n+1)$ $(n \geq 1)$ als Summe zweier Primzahlen darstellbar ist. Falls das für eine Zahl $2(n+1)$ zutrifft, wollen wir n eine Goldbach-Zahl nennen. Die Dezimalbruchentwicklung von r_3 sei nun folgendermaßen bestimmt:

$$\beta_n = \begin{cases} 0, & \text{falls } n \text{ Goldbach-Zahl,} \\ 1, & \text{falls } n \text{ keine Goldbach-Zahl.} \end{cases}$$

Für den Intuitionisten ist r_3 wie r_2 eine nichtnegative reelle Zahl, für die weder $r_3 = 0$ noch $r_3 \neq 0$ gilt, und für $r_4 := r_3 - r_2$ gilt dann weder $r_4 = 0$ noch $r_4 > 0$ noch $r_4 < 0$. Die angegebene Funktion ist nun sicher stetig im Intervall $-1 \leq x \leq +1$. Gleichwohl hat sie dort kein Maximum. Wäre $r_4 > 0$, so läge das Maximum bei $x = +1$; wäre $r_4 < 0$, so läge es bei $x = -1$; wäre $r_4 = 0$, so wäre jede Stelle des Intervalls Maximumstelle. Da aber keiner dieser Einzelfälle zutrifft und die Folge sich im nicht abbrechenden Prozeß verliert, hat die Funktion kein Maximum (oder anders: es gibt keine berechenbare Maximumstelle im Intervall $-1 \leq x \leq +1$).

Zu den auch intuitionistisch beweisbaren Sätzen gehört der *Fundamentalsatz der Algebra*, den wir formulieren können: Jede algebraische Gleichung $a_n x^n + a_{n-1} x^{n-1} + \cdots + a_1 x + b = 0$, in der nicht alle (reellen) Koeffizienten $a_i = 0$ sind, besitzt wenigstens eine komplexe Lösung (→ Zahlen, → Gleichungen). Die klassischen Beweise für diesen Satz sind durchweg nicht-konstruktive Existenzbeweise. Was *Brouwer* und andere unter Aufwendung besonderen Scharfsinns auf intuitionistischer Grundlage beweisen konnten, ist eine Abwandlung der obigen Aussage, die in klassischer Deutung dasselbe, in intuitionistischer weniger besagt; die Bedingung »in der nicht alle Koeffizienten $a_i = 0$ sind« ist zu ersetzen durch »bei der wenigstens ein $a_i \neq 0$ ist«. Tatsächlich wird die erste Formulierung schon widerlegt durch das Beispiel $r_2 \cdot x - 1 = 0$, das keine Lösung besitzt, falls wir voraussetzen, daß weder $r_2 = 0$ noch $r_2 \neq 0$ ist. $\frac{1}{r_2}$ ist keine berechenbare reelle Zahl.

4. Löst man vom Intuitionismus die besonderen, hier nicht

näher erörterten Vorstellungen von Evidenz, Intuition, Sprache und Denken ab, so bleibt eine Konzeption übrig, die man als ›*Konstruktivismus*‹ bezeichnen kann. Dabei besitzt der konstruktivistische Kern des Intuitionismus eine eigentümliche Verwandtschaft zu Hilberts *finiten Methoden* der Metamathematik, bei denen ja auch das Unendliche nur potentiell aufgefaßt wird. Eine genauere Fassung des Begriffs ›konstruktiv‹ konnte durch verschiedene Präzisierungen erreicht werden, wobei die *rekursive Realisierbarkeit* im Sinne *S. C. Kleenes* (1945) wohl am ehesten den intuitionistischen Forderungen entspricht.

In einem konstruktivistischen Rahmen bleibend, erreichte nun *P. Lorenzen* mit seiner *operativen Begründung* von Logik und Mathematik eine gewisse Loslösung von den sehr einschneidenden intuitionistischen Bedingungen. An Stelle der vor allem durch die Beschränkung des ›tertium non datur‹ eingeengten Konstruktivität setzte Lorenzen die ›*Definitheit der mathematischen Aussagen*‹. Dieser Begriff ist bezogen auf Aussagen, soweit sie Zeichenreihen *(Figuren)* sind, und auf das schematische Operieren mit diesen Figuren in einem *Kalkül*. Ist eine Zeichenreihe (Figur) Z mit den Grundzeichen und nach den Regeln des Kalküls K von gewissen Ausgangsfiguren aus herstellbar, so heißt Z ableitbar oder *beweisbar* in K. Die Aussage »Z ist ableitbar in K« heißt dann *beweisdefinit*, weil festgelegt ist, wie Z zu beweisen sei, und entscheidbar, ob etwas ein Beweis in K ist oder nicht. Ebenso heißt Z selbst beweisdefinit. So ist z. B. unsere obige Aussage A, die besagt, daß in der Folge [ψ (n)] vollkommene Zahlen vorkommen, beweisdefinit, da ein Beweisbegriff vorliegt, in bezug auf den man entscheiden kann, ob ein Beweis für A vorliegt oder nicht: es muß eine Zahl n angegeben werden, und die zugehörige Zahl ψ (n) muß sich als vollkommen erweisen. Auch die Aussage »Z ist nicht ableitbar in K« heißt definit, und zwar *widerlegungsdefinit*, weil feststeht, wie die Aussage zu widerlegen sei. In diesem Falle heißt auch Z widerlegungsdefinit.

Es zeigt sich, daß die Definitheitsforderung in bezug auf die Arithmetik keine entscheidende Einschränkung der klassischen Aussagen zur Folge hat. Wohl aber verstößt die naive Mengenlehre gegen die Definitheit, da sie die Redeweise »für alle Mengen« oder »es gibt eine Menge« benutzt, ohne für die Aussage »x ist eine Menge« einen Widerlegungs- oder Beweisbegriff festgelegt zu haben. Hier genügt es jedoch, einen definiten Begriff für den sprachlichen Aufbau der Bedingungen (Aussageformen), durch die bei inhaltlicher Auffassung Mengen gegeben sind, zu verwenden. (Zum Zusammenhang zwischen Aussageform und Menge → Mengen, Abbildungen, Strukturen.) *Lo-*

renzen entwickelt demgemäß das für den modernen Aufbau der Analysis benötigte Stück der Mengenlehre als logische Theorie der *Sprachschichten*. Dieser Aufbau war im Ansatz vorgezeichnet in der ›halb-intuitionistischen‹ Schrift »Das Kontinuum« von *H. Weyl* (1918) und in der *verzweigten Typentheorie*. Es gelang Lorenzen dabei, die wichtigsten Sätze der Analysis, die bei rein intuitionistischer Auffassung (und zum Teil auch in Weyls Darstellung) verlorengehen, in konstruktiv kontrollierbarer Weise abzuleiten. Eine konstruktive Begründung für die axiomatische Mengenlehre konnte auf diese Weise jedoch nicht gegeben werden. Die den Mengenbildungsaxiomen entsprechenden Sprachschichten ließen sich konstruktiv bisher nicht erreichen. Lorenzen lehnt demgemäß die axiomatischen Mengenlehren als »reines Phantasieprodukt« ab.

5. Während Weyl in seiner Konstruktion der reellen Zahlen die arithmetischen und logischen Regeln einschließlich des ›tertium non datur‹ ohne Begründung verwendete, gelang Lorenzen eine konstruktive Fundierung auch dieser Voraussetzungen, so daß sein Aufbau der Analysis zugleich die *Widerspruchsfreiheit der klassischen Analysis* darlegte. Entscheidend ist dabei wieder der Kalkülbegriff. Wir haben schon angedeutet, daß die Darstellung der Logik als Kalkül (bis auf gewisse Einschränkungen) zum erstenmal von *Frege* realisiert worden ist. Eine kalkülmäßige Behandlung der Arithmetik einschließlich der entsprechenden Logik finden wir z. B. in den formalen Systemen *Hilberts* wieder. Lorenzens Betrachtungsweise richtet sich nun zunächst ganz allgemein auf Kalküle, und zwar auf die schematischen Operationen, die zur Handhabung von Kalkülen gehören. Dabei werden gewisse allgemeine Einsichten darüber gewonnen, wann eine Zeichenreihe in einem Kalkül ableitbar oder unableitbar ist, wann gewisse Kalkülregeln zulässig sind oder nicht usw. Diese Einsichten führen zu den Prinzipien der sog. ›*Protologik*‹, auf die allein schon der Aufbau der Logik und Arithmetik gegründet werden kann. Dabei wird die Logik in der Form des *Gentzenschen Konsequenzenkalküls* gewonnen, für dessen operative Interpretation Lorenzen neuerdings auch gewinnstrategisch geführte ›Dialoge‹ zwischen zwei Partnern herangezogen hat.

Die Gewinnung eines *operativen Modells für die Peano-Axiome* sei hier kurz angedeutet. Zunächst wird ein Kalkül eingesetzt zur Herstellung von Zahlzeichen |, ||, |||, ... Wir haben dabei eine einzige Ausgangsformel (Axiom)

(A1) |,

die besagt, daß | ein *Zahlzeichen* ist, und eine einzige (Ableitungs-)Regel

$$(R_1) \qquad \frac{z}{z|},$$

die besagt: Ist z ein Zahlzeichen, so ist auch diejenige Figur ein Zahlzeichen, die aus z entsteht, wenn ein | dahintergesetzt wird. Unter Verwendung von x und y als Variable für Zahlzeichen wird sodann die *Gleichheit* durch folgenden Kalkül gegeben:

$$(A_2) \qquad | = |,$$

$$(R_2) \qquad \frac{x = y}{x| = y|}.$$

Die Anwendung protologischer Prinzipien führt nun zu gewissen Einsichten über den Kalkül (A_2, R_2), wobei A(x) eine beliebige Formel sei, in der x vorkommt:

(1) $x| = y| \Rightarrow x = y.$

(2) $\neg x| = x.$

(3 a) $x = x$

(3 b) $x = y \wedge A(x) \Rightarrow A(y)$ } *(Gleichheitsprinzip).*

(4) $A(|) \wedge \bigwedge_x [A(x) \Rightarrow A(x|)] \Rightarrow A(y)$ { *(Induktionsprinzip).*

Eines der verwendeten Ableitungsprinzipien ist z. B. das sog. *Inversionsprinzip.* Es besagt, daß $x| = y|$ nur aus $x = y$ abgeleitet werden konnte. Wenn also $x| = y|$ als ableitbar angenommen wird, so muß auch $x = y$ ableitbar sein. Das aber ist der Grund dafür, daß (1) nicht in Form einer Regel $\frac{x| = y|}{x = y}$ im Gleichheitskalkül aufzutreten braucht.

Beachtet man, daß (3 a) und (3 b) im allgemeinen zur Logik gerechnet werden und daß sich (A_2) und (R_2) aus (3 a) und (3 b) ergeben, so bleiben als rein arithmetische Aussagen: (A_1), (R_1), (1), (2), (4), die gerade den *Peano-Axiomen* (→ Kardinal- und Ordinalzahlen) entsprechen.

Mengen, Abbildungen, Strukturen. Am Ende des vorigen Jhs. hat *Georg Cantor* (1845 – 1918) die *Mengenlehre* begründet. Die mengentheoretischen Begriffsbildungen und Methoden, die zunächst auf speziellere Fragestellungen gerichtet waren, erwiesen sich schon in den Händen Cantors als außerordentlich verallgemeinerungsfähig. Die Mengenlehre wurde bald zu weit mehr als einer einzelnen mathematischen Disziplin. In den letzten Jahrzehnten sind große Teile der Mathematik von ihr beeinflußt und innerlich umgestaltet worden. Auf ihrer Grundlage wurden ganz neue mathematische Gebiete geschaffen und eine vorher unbekannte Vereinheitlichung und Präzisierung der mathematischen Denkweise erreicht. Es wurde sogar möglich, einen Aufbau der gesamten Mathematik aus wenigen Grundprinzipien in Angriff zu nehmen. Dabei spielen außer dem Mengenbegriff die Begriffe *Relation* und *Abbildung*, die ihrerseits wieder auf den Mengenbegriff zurückführbar sind, eine hervorragende Rolle. Selbst der Begriff der *Struktur*, auf den der Mathematiker heute hinzuweisen pflegt, wenn ihm die Frage nach dem Gegenstand der Mathematik vorgelegt wird, läßt sich weitgehend mit mengentheoretischen Mitteln erfassen.

In der folgenden Darstellung geben wir eine Einführung in diese Begriffswelt. Gewisse schon von Cantor ausgearbeitete Teile dessen, was man heute Mengenlehre nennt, haben wir abgezweigt. Sie werden unter dem Thema → Kardinal- und Ordinalzahlen berücksichtigt.

A. Naive und axiomatische Mengenlehre. Cantors ›Beiträge zur Begründung der transfiniten Mengenlehre‹ (1895) beginnen mit der Erklärung: »Unter einer *Menge* verstehen wir jede Zusammenfassung M von bestimmten wohlunterschiedenen Objekten m unserer Anschauung oder unseres Denkens (welche die *Elemente* von M genannt werden) zu einem Ganzen.« Beispiele von Mengen im Sinne dieser Erklärung sind: die Menge der Bürger einer Stadt, die Telefonanschluß haben; die Menge der zu einem bestimmten Zeitpunkt in Afrika lebenden Zebras; die Menge aller Primzahlen; die Menge aller Mengen von Primzahlen. M_p sei die Menge aller Primzahlen. 7 ist dann Element von M_p. Dafür schreibt man kurz: $7 \in M_p$ (wobei $\in$ als typisierter Anfangsbuchstabe des griechischen ἐστί, der Kopula ›ist‹ der aristotelischen Syllogistik, gewählt wurde). Will man ausdrücken, daß für ein Objekt x und eine Menge M die *Elementbeziehung* $\in$ nicht zutrifft, so schreibt man: $x \notin M$, also zum Beispiel: $6 \notin M_p$. *Endliche Mengen* (→ Kardinal- und Ordinalzahlen) kann man durch die Angabe ihrer Elemente bestimmen. Das geschieht bei der erstgenannten Menge z. B. durch ein Telefonbuch. *Unendliche Mengen* lassen sich in dieser Weise nicht vorgeben; man geht auf eine *definierende Bedingung* zurück, z. B. ›x ist eine natürliche Zahl, und x ist durch 3 teilbar‹, ›x ist eine Menge von Primzahlen, und x hat 9 Elemente‹. $x \in M$ wird dabei jeweils gleichgesetzt mit der M definierenden Bedingung ... x ... . Im Beispiel: $x \in M_p$ soll dasselbe bedeuten wie ›x ist eine natürliche Zahl, und x ist nur durch sich selbst und 1 teilbar‹. Mengen werden genau dann als gleich angesehen, wenn sie dieselben Elemente enthalten. Die *Gleichheit* von Mengen M_1 und M_2, die durch Bedingungen $(\ldots x \ldots)_1$, $(\ldots x \ldots)_2$ gegeben sind, ist dann dadurch bestimmt, daß diese Bedingungen *logisch äquivalent* sein müssen. Auch endliche Mengen können durch Bedingungen gegeben werden – so die Menge $\{2, 3\}$, die aus den Elementen 2 und 3 besteht, durch eine der äquivalenten Bedingungen ›$x = 2$ oder $x = 3$‹, ›x ist eine ganze Zahl und $x^2 - 5x + 6 = 0$‹, ›x ist Primzahl und $x < 5$‹. Für die durch eine Bedingung ... x ... bestimmte Menge schreibt man häufig $\{x| \ldots x \ldots\}$, gelesen: die Menge aller x, für die gilt ... x .... Der Umgang mit diesem *Mengenoperator* wird gemäß obiger Festsetzung dadurch geregelt, daß $y \in \{x | \ldots x \ldots\}$ mit ... y ... gleichbedeutend sein soll.

Wir betrachten jetzt die Bedingung für Mengen, sich nicht selbst als Element zu enthalten: $x \notin x$. Diese Bedingung wird z. B. von der Menge $\{2, 3\}$ erfüllt. Im Sinne Cantors kann man die Menge $X := \{x| x \notin x\}$ bilden, d. h. die Menge X, die definiert ist als *die Menge aller Mengen, die sich nicht selbst als Element enthalten.* $x \in X$ gilt also genau dann, wenn $x \notin x$, kurz: $x \in X \Leftrightarrow$ $\Leftrightarrow x \notin x$. Wir fragen, ob $X \in X$ oder $X \notin X$. Die Annahme $X \in X$ ist gleichbedeutend mit $X \notin X$, also nicht zulässig. Ebenso ist die Annahme $X \notin X$ zu verwerfen; denn dann gilt nach Definition gerade $X \in X$. Die Menge X hat sich also genau dann selbst zum Element, wenn sie sich nicht selbst zum Element hat. Dies ist die berühmte *Russellsche Antinomie.* Ihr logischer Kern wird häufig in ein anschaulicheres Gewand gekleidet, z. B. in der paradoxen Geschichte vom Dorfbarbier, der dadurch gekennzeichnet wird, daß er genau diejenigen Männer des Dorfes barbiere, die sich nicht selber barbieren. Von ihm selbst gilt, daß er sich genau dann selbst barbiert, wenn er sich nicht selbst barbiert. — Die Russellsche Antinomie zeigt, daß die Cantorsche Erklärung des Mengenbegriffs wie die uneingeschränkte Erzeugung von Mengen aus Bedingungen zu Widersprüchen führen. In der Cantorschen Mengenlehre sind noch weitere Antinomien aufgefunden worden (→ Kardinal- und Ordinalzahlen). Gleichwohl hält man in der *naiven Mengenlehre* an den Vorstellungen Cantors fest; man vermeidet lediglich Begriffsbildungen, die sich als inkonsistent erwiesen haben, wie z. B. den Begriff der Menge aller Mengen, die sich nicht selbst als Element enthalten.

In der *axiomatischen Mengenlehre,* zu der ein erster Beitrag 1908 von *E. Zermelo* gegeben wurde, geht man — wie in anderen streng aufgebauten mathematischen Theorien — von *Axiomen* aus. Die Axiomatisierungen erfolgen dabei i. a. im Rahmen der Prädikatenlogik erster Stufe (→ Logik und Methodologie). Sie sind so gehalten, daß möglichst weitgehend die Aussagen der naiv-anschaulichen Mengenlehre abgeleitet werden können, ohne daß jedoch die bekannten Widersprüche auftreten. Ein besonderes Problem der mathematischen Grundlagenforschung besteht dann darin, zu zeigen, daß nicht doch noch irgendwelche bisher nicht gesehenen Widersprüche in dem jeweiligen System ableitbar sind. In einen solchen *Widerspruchsfreiheitsbeweis* wäre der Nachweis der Widerspruchsfreiheit der verwendeten Logik notwendig mit einzubeziehen. Ein derartiger Beweis ist allerdings bis heute noch nicht gelungen. – Im folgenden werden wir in der Mengenlehre den naiven Standpunkt zugrunde legen. Wir werden jedoch stärker als in den anderen Artikeln dieses Bandes von den logischen Symbolen Gebrauch machen.

LOGISCHE SYMBOLE (s. a. → Logik und Methodologie)	
$\neg$ nicht	$\bigwedge_x$ für alle x gilt
$\wedge$ und	$\bigvee_x$ es gibt ein x derart, daß gilt
$\vee$ oder (im nichtausschließenden Sinne)	
$\Rightarrow$ wenn – so	
$\Leftrightarrow$ genau dann, wenn	
$:=$ definitionsgemäß gleich	
$:\Leftrightarrow$ definitionsgemäß genau dann, wenn	

B. Mengenalgebra. Wir erklären hier die wichtigsten Verknüpfungen und Beziehungen für Mengen. Es wird sich dabei ein enger Zusammenhang zwischen den *mengentheoretischen* und den *logischen Operationen* zeigen. A, B, C, ... seien beliebige Mengen.

1. Der *Durchschnitt* von A und B, $A \cap B$, besteht aus genau denjenigen Objekten, die Elemente von A und B sind:

$$x \in A \cap B :\Leftrightarrow x \in A \wedge x \in B$$

oder in der Mengenschreibweise:

$$A \cap B := \{x | x \in A \wedge x \in B\}.$$

In Worten: x ist Element des Durchschnitts der Mengen A und B definitionsgemäß genau dann, wenn x Element von A ist und x Element von B ist (bzw.: Der Durchschnitt der Mengen A, B ist definitionsgemäß gleich der Menge aller x, für die gilt: x ist Element von A und x ist Element von B).

Die *Vereinigung* von A und B, $A \cup B$, besteht aus genau denjenigen Objekten, die Elemente von A oder B sind:

$$x \in A \cup B :\Leftrightarrow x \in A \vee x \in B.$$

Für Durchschnitt und Vereinigung lassen sich folgende wichtige *Rechenregeln* beweisen, wobei man sich lediglich auf die Eigenschaften von $\wedge$ und $\vee$ zu besinnen hat:

(1a)	$A \cap A = A$	*Idempotenz*
(1b)	$A \cup A = A$	
(2a)	$(A \cap B) \cap C = A \cap (B \cap C)$	*Assoziativität*
(2b)	$(A \cup B) \cup C = A \cup (B \cup C)$	
(3a)	$A \cap B = B \cap A$	*Kommutativität*
(3b)	$A \cup B = B \cup A$	

(4a) $A \cap (A \cup B) = A$
(4b) $A \cup (A \cap B) = A$ *Adjunktivität*
(5a) $A \cap (B \cup C) = (A \cap B) \cup (A \cap C)$
(5b) $A \cup (B \cap C) = (A \cup B) \cap (A \cup C)$ *Distributivität*

Zur leichteren Erfassung mengentheoretischer Zusammenhänge kann man oft eine Veranschaulichung durch Punktmengen in der Ebene heranziehen (Abb. 30; spezielle Verfahren: *Eulersche Kreise, Venn-Diagramme*).

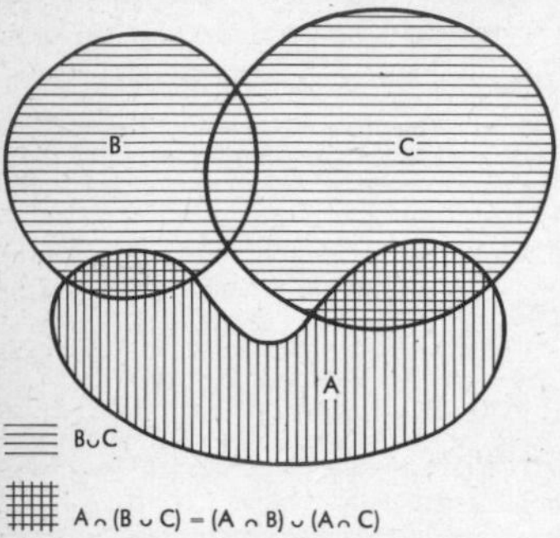

Abb. 30: Veranschaulichung des Gesetzes (5 a)

Durchschnitt und Vereinigung lassen sich ohne Schwierigkeiten für beliebig viele Mengen erklären. I sei irgendeine *Indexmenge*, z. B. die Menge der natürlichen Zahlen bis 1000, die Menge aller natürlichen Zahlen, die Menge aller reellen Zahlen. Jedem Element $i \in I$ sei eine Menge A_i zugeordnet. Unter dem *Durchschnitt* $\bigcap_{i \in I} A_i$ aller Mengen A_i mit $i \in I$ verstehen wir die Menge aller Objekte, die allen A_i angehören:

$$x \in \bigcap_{i \in I} A_i :\Leftrightarrow \bigwedge_i (i \in I \Rightarrow x \in A_i),$$

unter der *Vereinigung* $\bigcup_{i \in I} A_i$ der A_i die Menge aller Objekte, die zu wenigstens einem der A_i gehören:

$$x \in \bigcup_{i \in I} A_i :\Leftrightarrow \bigvee_i (i \in I \wedge x \in A_i).$$

Um Gesetze über die Operationen mit Mengen oder mengentheoretische Definitionen ohne lästige Zusatzbedingungen aussprechen zu können, ist es nützlich, den Begriff des Durchschnittes auch dann anzuwenden, wenn die Mengen A und B kein Element gemeinsam haben, wenn $x \in A \wedge x \in B$ also nicht erfüllbar *(kontradiktorisch)* ist. Man führt dazu den Begriff der *leeren Menge* (oder *Nullmenge*) ø ein. Wir können ø mit Hilfe einer offensichtlich nicht erfüllbaren Bedingung, z. B. $x \neq x$, definieren: $ø := \{x | x \neq x\}$. Da alle nichterfüllbaren Bedingungen äquivalent sind, gibt es nur *eine* leere Menge. ø enthält kein Element; denn $x \in ø$ ist ja gleichbedeutend mit $x \neq x$. Mengen A, B, für die gilt $A \cap B = ø$, heißen *disjunkt* oder *fremd.* Sind die A_i mit $i \in I$ nichtleer und paarweise disjunkt und gilt $B = \bigcup_{i \in I} A_i$, so nennt man die Menge $\{A_i\}$ aller A_i eine *Klasseneinteilung* (auch *Zerlegung* oder *Partition*)

von B. Unter den verschiedenen Klasseneinteilungen einer Menge heißt eine Klasseneinteilung $\{A'_j\}$ mit $j \in J$ *feiner* als eine Klasseneinteilung $\{A_i\}$ mit $i \in I$ genau dann, wenn es zu jedem j mit $j \in J$ ein i mit $i \in I$ gibt derart, daß A'_j in A_i enthalten ist.
Wir wollen noch an einem Beispiel verdeutlichen, welche Konsequenzen sich aus der Verwendung der leeren Menge ergeben. Wir betrachten eine Menge (oder, wie man auch sagt: ein *System*) A von Mengen. Ein solches System heißt *abgeschlossen gegenüber endlicher Durchschnitts-* bzw. *Vereinigungsbildung* genau dann, wenn mit je zwei Mengen A_1, A_2 aus A stets auch $A_1 \cap A_2$ bzw. $A_1 \cup A_2$ zu A gehören. Sind nun die Mengen aus A allesamt Teilmengen einer festen Menge M, so kann man den Begriff *Abgeschlossenheit* auch für *beliebige Durchschnitts-* und *Vereinigungsbildung* definieren: A heißt abgeschlossen gegenüber beliebiger Durchschnitts- beziehungsweise Vereinigungsbildung genau dann, wenn bezüglich jeder Indexmenge I mit den A_i aus A stets auch $\bigcap_{i \in I} A_i$ bzw. $\bigcup_{i \in I} A_i$ zu A gehören. Hier ist dann unter ausdrücklicher Bezugnahme auf M auch zugelassen, daß I die *leere Indexmenge* ist; und zwar ergibt sich $\bigcap_{i \in \emptyset} A_i = M$ bzw. $\bigcup_{i \in \emptyset} A_i = \emptyset$. Nach der Normierung von $\Rightarrow$ und $\wedge$ in der → Logik ist nämlich die Bedingung $x \in M \wedge \bigwedge_i (i \in \emptyset \Rightarrow x \in A_i)$ (die ohne die Zusatzbedingung $x \in M$ zur *Allmenge*, einem inkonsistenten Mengenbegriff, führen würde) für *alle* $x \in M$ erfüllt, hingegen die Bedingung $x \in M \wedge \bigvee_i (i \in \emptyset \wedge x \in A_i)$ (worin die Zusatzbedingung $x \in M$ auch wegfallen kann) für *kein* x erfüllbar, da $i \in \emptyset$ nicht erfüllbar ist.
Zu einer Menge A von Teilmengen einer Menge M, die abgeschlossen gegenüber beliebiger Durchschnitts- bzw. beliebiger Vereinigungsbildung ist, gehört damit stets auch die Menge M selbst bzw. die leere Menge ø.
2. Zwischen Mengen kann die Relation des *Enthaltenseins* (oder der *Inklusion*) bestehen. Wir definieren: Die Menge A ist in der Menge B enthalten, symbolisch $A \subseteq B$, genau dann, wenn jedes Element von A auch Element von B ist:

$$A \subseteq B :\Leftrightarrow \bigwedge_x (x \in A \Rightarrow x \in B).$$

(Es ist also der Fall A = B eingeschlossen.) Statt ›A ist enthalten in B‹ sagt man auch: ›A ist *Untermenge* (Teilmenge) von B‹ oder aber ›B umfaßt A‹, ›B ist *Obermenge* von A‹ (was man auch symbolisch durch $B \supseteq A$ wiedergibt). Da $x \neq x \Rightarrow x \in A$ wegen der unerfüllbaren Prämisse in allen Fällen wahr ist, ist die leere Menge Teilmenge einer jeden Menge. Gilt $A \subseteq B \wedge A \neq B$, so sagt man, daß A *echt enthalten* ist in B, und schreibt dafür

$A \subset B$. Ferner benutzt man analog die anderen Redeweisen (wobei man für ›B *umfaßt* A *echt*‹ auch schreibt $B \supset A$). Die Enthaltenseinsbeziehungen $\subseteq$ und $\subset$ sind streng zu unterscheiden von der Elementbeziehung $\in$. So ist die leere Menge zwar enthalten in (ist Teilmenge) jeder Menge, nicht aber Element jedes Mengensystems. Es gilt $\{2\} \subset \{2, 3\}$, nicht aber $2 \subset \{2, 3\}$, sondern $2 \in \{2, 3\}$. Allgemein ist $x \in A$ äquivalent zu $\{x\} \subseteq A$. Die $\in$-Beziehung ist zudem nicht *transitiv*, d. h., es gilt nicht allgemein: $x \in y \wedge y \in z \Rightarrow x \in z$. Zum Beispiel folgt ja aus ›Mr. Smith gehört der britischen Nation an, und die britische Nation ist Mitglied der Vereinten Nationen‹ nicht, daß Mr. Smith den Vereinten Nationen angehört. Die Transitivität gehört jedoch zu den folgenden wichtigen Eigenschaften der $\subseteq$-Beziehung:

(6) $A \subseteq A$ — *Reflexivität*

(7) $A \subseteq B \wedge B \subseteq A \Rightarrow A = B$ — *Identitivität*

(8) $A \subseteq B \wedge B \subseteq C \Rightarrow A \subseteq C$ — *Transitivität*

Eine Menge M, auf der eine *Relation* (Beziehung) R erklärt ist, die reflexiv, identitiv und transitiv ist, faßt man mit R zu einem *Begriffspaar* zusammen und nennt dieses eine *geordnete Menge* oder eine *Ordnung*, M die *Trägermenge* dieser Ordnung, die Relation R selbst eine *Ordnungsrelation* auf M. Für diese geordnete Menge oder Ordnung schreibt man häufig kurz (M, R). Ist M eine Menge von Mengen, so ist also $(M, \subseteq)$ eine geordnete Menge. Diejenigen Ordnungen, deren Trägermenge eine Menge von Teilmengen einer Menge ist und deren Ordnungsrelation die Enthaltenseinsrelation ist, heißen *Mengenordnungen*. Es gilt der Satz: *Jede Ordnung ist isomorph zu einer Mengenordnung.* Der Beweis ist einfach: Wir betrachten ein Beispiel, an dem man sieht, wie der Beweis allgemein geführt wird. M sei die Menge der (positiven) Teiler von 12, also $M = \{1, 2, 3, 4, 6, 12\}$. Die Relation R sei definiert gemäß $xRy :\Leftrightarrow$ x ist ein Teiler von y, wofür man auch kurz schreibt x/y (→ Zahlen). Man bestätigt, daß R eine Ordnungsrelation auf M ist; (M, R) ist also eine Ordnung. Jedem Element $x \in M$ ordnen wir die Menge $M_x := \{y | y \in M \wedge yRx\}$ zu, d. h. die Menge aller Elemente aus M, die Teiler von x sind. Die Zuordnung $x \rightarrow M_x$ (gelesen: x Pfeil M_x) ist dann ein *Isomorphismus* (s. u.) von (M, R) auf die Mengenordnung, deren Elemente die Mengen M_x sind. Es gilt: $xRy \Leftrightarrow M_x \subseteq M_y$. Für unser Beispiel wird die Isomorphie unmittelbar sichtbar an Hand der zugehörigen *Ordnungsdiagramme* (Abb. 31). Zu jeder endlichen Ordnung läßt sich nämlich ein solches Diagramm (auch *Hasse-Diagramm* genannt) zeichnen, indem man jedes Element a, b, ... der Ordnung durch genau einen Punkt P_a, P_b, ... der Zeichenebene wiedergibt, wobei man (unter Zulassung seitlicher Verschie-

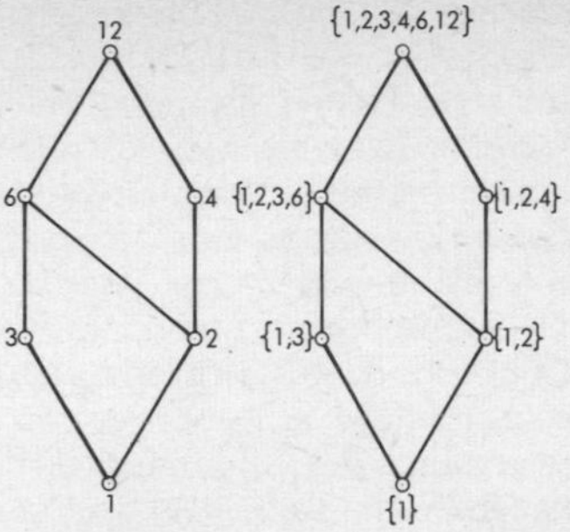

Abb. 31: Hasse-Diagramm zweier isomorpher Ordnungen: Im linken Diagramm stellt jeder von einem Punkt P_a auf einem einsinnig nach unten laufenden Weg erreichbare Punkt P_b eine Zahl b dar, die ein Teiler der Zahl a ist, im rechten Diagramm eine Menge b, die Teilmenge der Menge a ist

bungen) P_a unter P_b wählt, wenn a im Sinne der Ordnungsrelation ›kleiner‹ ist als b. Liegen ›zwischen‹ a und b keine weiteren Elemente der Ordnung, so wird P_a mit P_b durch einen Strich verbunden. Haben bei dieser Darstellung zwei Ordnungen ›dasselbe‹ Diagramm, d. h. gehen die Diagramme durch eine bloße Umbenennung der Elemente auseinander hervor, so sind die Ordnungen isomorph.

3. Das *Komplement* von A *bezüglich* B, $C_B A$ (auch genannt die *Differenz* von B und A und dann geschrieben B—A), besteht aus genau denjenigen Elementen von B, die nicht Elemente von A sind:

$$x \in C_B A :\Leftrightarrow x \in B \wedge x \notin A.$$

Es ist dabei nicht vorausgesetzt, daß $A \subseteq B$ (Abb. 32). Häufig wird jedoch eine feste *Grundmenge* G betrachtet und das Komplement der Teilmengen A von G ausschließlich bezüglich G gebildet. Man schreibt dann statt $C_G A$ einfach CA (oder auch $\bar{A}$, was allerdings heute meistens in der→Topologie zur Bezeichnung der abgeschlossenen Hülle von A verwendet wird) und nennt CA (ohne ausdrücklich G immer mit zu erwähnen) das *Komplement* von A (Abb. 33). Es ist nicht möglich, beim Komplementbegriff ganz auf die Grundmenge G zu verzichten und $x \in CA$

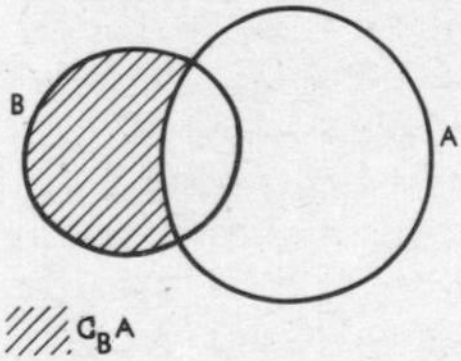

Abb. 32: Das Komplement von A bezüglich B

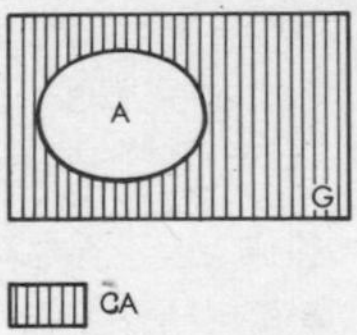

Abb. 33: Das Komplement von A, wobei A Teilmenge einer festen Grundmenge G ist

einfach durch $x \notin A$ zu definieren; die Komplementbildung würde dann bei der Nullmenge zu dem widerspruchsvollen Begriff der ›Allmenge‹ führen. Für die Komplementbildung gilt u. a.

(9 a) $A \cap \complement A = \emptyset$

(9 b) $A \cup \complement A = G$ *Komplementarität*

Man nennt eine Menge M, auf der zwei (Rechen-) Operationen $\sqcap$ und $\sqcup$ erklärt sind, die die Gesetze (2 a) bis (4 b) erfüllen (man denke sich diese Gesetze hingeschrieben, wobei an Stelle von $\cap$ und $\cup$ die Operationsvariablen $\sqcap$ bzw. $\sqcup$ und an Stelle der Mengenvariablen A, B, C die Buchstaben a, b, c als Variable für Elemente aus M gesetzt sind), bezüglich $\sqcap$ und $\sqcup$ einen *Verband*. Sind auch (5 a) und (5 b) erfüllt, so spricht man von einem *distributiven Verband*. Ist M eine Menge von Mengen, die abgeschlossen ist gegenüber der Bildung von $\cap$ und $\cup$, bei der also mit zwei Mengen A und B auch $A \cap B$ und $A \cup B$ zu M gehören, so ist M bezüglich $\cap$ und $\cup$ ein distributiver Verband und wird als *Mengenverband* bezeichnet. Ein distributiver Verband, in dem noch eine innere Abbildung (einstellige innere Operation) φ und zwei Elemente n, e ausgezeichnet sind, für die (9 a) und (9 b) mit φ (a) für $\complement A$, n für $\emptyset$ und e für G gelten, ist ein sog. *Boolescher Verband*. Ein Beispiel für einen Booleschen Verband ist also die Menge aller Teilmengen einer Menge G bezüglich der Operationen $\cap$, $\cup$, $\complement$ und der ausgezeichneten Elemente $\emptyset$ und G. Es gilt analog zum obigen Satz der Ordnungstheorie der bemerkenswerte *Darstellungssatz der Verbandstheorie: Jeder distributive Verband ist isomorph zu einem Mengenverband.*

4. Die Bedeutung der Gesetze eines Boole-Verbandes für die *Mengenalgebra* besteht darin, daß man alle allgemeinen Aussagen über Teilmengen einer Menge G aus ihnen ableiten kann, ohne auf die oben angegebenen Definitionen für $\cap$, $\cup$, $\complement$ und $\subseteq$ zurückzugreifen. So folgen z. B. die Idempotenzgesetze (1 a) u. (1 b) unmittelbar aus (4 a) u. (4 b). Gemäß (4 b) gilt nämlich $A \cap A = A \cap (A \cup (A \cap A))$, und dies ist nach (4 a) gleich A. Analog beweist man (1 b). Als weitere allgemeine Folgerungen erwähnen wir noch: $A \cap \emptyset = \emptyset$, $A \cup G = G$, $A \cup \emptyset = A$, $A \cap G = A$, $A \cap B = A \Leftrightarrow A \cup B = B$, $\complement\emptyset = G$, $\complement G = \emptyset$, $\complement\complement A = A$ und die *Gesetze von de Morgan*:

$$\complement(A \cap B) = \complement A \cup \complement B, \quad \complement(A \cup B) = \complement A \cap \complement B.$$

Diese Folgerungen gelten natürlich entsprechend auch in jedem anderen Booleschen Verband. Will man in den Folgerungen das Inklusionszeichen $\subseteq$ verwenden, so kann man dieses vermöge $A \subseteq B :\Leftrightarrow A \cap B = A$ einführen. Allgemein läßt sich durch $aRb :\Leftrightarrow a \sqcap b = a$ in jedem Verband eine Relation R definieren, die den Bedingungen (6), (7), (8) einer Ordnungsrelation genügt. Handelt es sich um einen Booleschen Verband, so hat R dann auch alle Eigenschaften, die $\subseteq$ zukommen, wie z. B.:

$A \subseteq B \Leftrightarrow A \cap \complement B = \emptyset \Leftrightarrow \complement A \cup B = G$, $A \cap B \subseteq (A \cap C) \cup (B \cap \complement C)$, $A \subseteq G$, $\emptyset \subseteq A$, $A \subseteq B \Leftrightarrow \complement B \subseteq \complement A$.

Auf den Zusammenhang der Ordnungen mit den Verbänden gehen wir weiter unten noch einmal ein.

5. Bei der Konstruktion von Mengen spielt die Bildung der *Potenzmenge* $\mathfrak{P}$ (A) einer Menge A eine wichtige Rolle. $\mathfrak{P}$ (A) ist definiert als die (soeben schon erwähnte) *Menge aller Teilmengen* von A: $x \in \mathfrak{P}(A) :\Leftrightarrow x \subseteq A$. Wir betrachten einige Beispiele:

$$\mathfrak{P}(\emptyset) = \{\emptyset\}, \quad \mathfrak{P}(\{2\}) = \{\emptyset, \{2\}\}, \quad \mathfrak{P}(\{2,3\}) = \{\emptyset, \{2\}, \{3\}, \{2,3\}\},$$
$$\mathfrak{P}(\mathfrak{P}(\emptyset)) = \{\emptyset, \{\emptyset\}\}, \quad \mathfrak{P}[\mathfrak{P}(\{2\})] = \{\emptyset, \{\emptyset\}, \{\{2\}\}, \{\emptyset, \{2\}\}\}.$$

Für endliche Mengen A gilt folgende Aussage über die *Anzahl der Elemente*, die man leicht durch *vollständige Induktion* (→ Kardinal- und Ordinalzahlen) beweist: Ist n die Elementanzahl von A, so ist 2^n die Elementanzahl von $\mathfrak{P}$ (A).

6. Häufig werden in der Mathematik Mengen angegeben, bei denen die Reihenfolge der Elemente von Bedeutung ist. Soll etwa die Lage eines Punktes im Raum in bezug auf ein kartesisches Koordinatensystem festgelegt werden, so geschieht das durch ein *Koordinatentripel* (x_1, x_2, x_3), speziell etwa durch (4, 2, 17). Wir dürfen diese Angabe nicht mit der Menge {4, 2, 17} verwechseln; denn sonst könnten wir den durch (4, 2, 17) bestimmten Punkt nicht von dem davon verschiedenen durch (2, 4, 17) bestimmten Punkt unterscheiden. Ebensowenig könnten wir (1, 1, 2) von (1, 2, 2) unterscheiden, da beide gleich {1, 2} wären. Mit (x_1, x_2, x_3) ist ein *geordnetes Tripel*, mit (x_1, x_2) ein *geordnetes Paar*, mit $(x_1, \ldots, x_n)$ ein *geordnetes n-tupel* gemeint. Wir geben eine mengentheoretische Definition dieser Begriffe: Das geordnete Paar (x_1, x_2) mit der *ersten Koordinate* x_1 und der *zweiten Koordinate* x_2 ist definiert gemäß $(x_1, x_2) := \{\{x_1\}, \{x_1, x_2\}\}$. Das geordnete Tripel (x_1, x_2, x_3) ist definiert gemäß $(x_1, x_2, x_3) := ((x_1, x_2), x_3)$. Mit Hilfe einer *rekursiven Definition* (→ Kardinal- und Ordinalzahlen) gelangt man zum Begriff des geordneten n-tupels: $(x_1, \ldots, x_n) := ((x_1, \ldots, x_{n-1}), x_n)$. Von geordneten Paaren wird man verlangen, daß $(x_1, x_2) = (y_1, y_2) \Leftrightarrow x_1 = y_1 \wedge x_2 = y_2$. Diese und die entsprechende Bedingung für n-tupel sind bei unserer Definition, die auf *Kuratowski* und *Wiener* zurückgeht, in der Tat erfüllt.

Mit Hilfe des Begriffs des geordneten Paares kann man den wichtigen Begriff des *kartesischen Produkts* (oder der *Produktmenge*) von A und B (A × B) erklären. A × B ist die Menge aller geordneten Paare, deren erste Koordinate ein Element aus A und deren zweite Koordinate ein Element aus B ist:

$$u \in A \times B :\Leftrightarrow \bigvee_x \bigvee_y [u = (x, y) \wedge x \in A \wedge y \in B].$$

Analog erklärt man das Produkt von n Mengen:

$$u \in A_1 \times \cdots \times A_n :\Leftrightarrow$$
$$\bigvee_{x_1} \cdots \bigvee_{x_n} [u = (x_1, \ldots, x_n) \wedge x_1 \in A_1 \wedge \cdots \wedge x_n \in A_n].$$

Für das n-fache Produkt von A mit sich selbst schreibt man auch A^n, also speziell A^2 für $A \times A$. Produktmengen spielen eine hervorragende Rolle bei der Konstruktion neuer mathematischer Gebilde (s. u.): Ist etwa A die Menge aller natürlichen Zahlen, so werden mit Hilfe von $B := A \times A = \{(1,1), (1,2), (2,1), (1,3), (2,2), (3,1), (1,4), (2,3), (3,2), (4,1), \ldots\}$ die ganzen Zahlen C konstruiert, mit Hilfe von $D := C \times C$ die rationalen → Zahlen. Ist A die *Zahlengerade*, dann ist $A \times A$ die *Zahlenebene*, wenn man in naheliegender Weise eine topologische Struktur in $A \times A$ einführt. Ist A ein Intervall auf der Zahlengeraden, B ein Kreis in der Zahlenebene, dann ist — bei entsprechender Einführung einer → *Topologie* — $A \times B$ ein Zylinder, $B \times B$ ein Torus.

C. Relationen. I. Allgemeines. 1. Wir kommen zur mengentheoretischen Präzisierung des Begriffs der *Relation*. Wir betrachten als Beispiel die *kleiner-als-Relation* $<$ auf der Menge $M_0 := \{1, 2, 3\}$. Daß $2 < 3$ gilt, können wir auch so ausdrücken: die Relation $<$ trifft auf das geordnete Paar (2, 3) zu. In diesem Sinne ist die Relation $<$ auf M_0 durch die Menge derjenigen geordneten Paare aus $M_0 \times M_0$ bestimmt, auf die $<$ zutrifft. Das legt nahe, $<$ direkt als *Paarmenge* $\{(1,2), (1,3), (2,3)\}$ aufzufassen und allgemein unter einer *zweistelligen Relation* R *auf einer Menge* M eine Teilmenge von $M \times M$ zu verstehen: R ist eine zweistellige Relation auf M $:\Leftrightarrow$

$$\bigwedge_u (u \in R \Rightarrow u \in M \times M).$$

Wir werden dieser Definition gemäß im folgenden die mengentheoretische Schreibweise verwenden, also statt $2 < 3$ oder $<(2,3)$ schreiben: $(2,3) \in <$, allgemein also $(x,y) \in R$ statt xRy oder R(x,y). Eine entsprechende Definition und Schreibweise bietet sich für *n-stellige Relationen* an. Dabei sind dann insbesondere die *einstelligen Relationen* oder *Eigenschaften* auf M dasselbe wie die Teilmengen von M, und als *nullstellige Relationen* fassen wir die Elemente von M selbst auf. Bemerkung: Gemäß unserer mengentheoretischen Auffassung der Relationen hätten wir für die kleiner-als-Relation auf der Menge M_0 eigentlich ein anderes Zeichen als $<$ wählen müssen, da $<$ ja als Standardzeichen für die entsprechende, viel umfassendere Relation auf der Menge **R** aller reellen Zahlen, also für die entsprechende unendliche Teilmenge von **R** × **R**, eingeführt ist. Da man aber im allgemeinen auch ohne besondere Zusätze versteht, daß in einer Teilmenge A einer Menge M jeweils die *Beschränkung* der auf M definierten Relationen auf die Teilmenge A gemeint ist, vermeidet man möglichst eine derartige Belastung der mathematischen Symbolik. Nur in Fällen, wo eine Verwirrung möglich ist, führt man besondere Zeichen ein. Man schreibt dann für die Beschränkung einer Relation R auf eine Teilmenge A von M meistens R|A (gelesen: ›R beschränkt auf A‹), wobei R|A, falls R n-stellig ist, definiert ist gemäß: $R|A := R \cap A^n$. Man nennt R|A auch die *Spur* von R in A.

Wir wollen unsere Betrachtungen in der Hauptsache auf *zweistellige Relationen* (im folgenden einfach: *Relationen*) beschränken, da sie bei den meisten mathematischen Erörterungen im Vordergrund stehen. Bevor wir dabei auf Einzelheiten eingehen, sei zunächst als ein wichtiges Veranschaulichungsmittel die Methode angegeben, zu einer auf einer endlichen Menge M gegebenen Relation R ein *Pfeildiagramm* (oder, wie man auch sagt: einen *gerichteten Graphen*) zu zeichnen: Die Elementc x, y, ... aus M werden je durch genau einen Punkt P_x, P_y, ... der Zeichenebene dargestellt und diese Punkte dann folgendermaßen durch Pfeile (oder allg.: gerichtete Linien) verbunden: gilt (x,y) ∈R, so führt ein Pfeil von P_x nach P_y, gilt (x,y) ∈R und (y,x) ∈R, so steht zwischen P_x und P_y ein Doppelpfeil, gilt (x,x) ∈R, so hat P_x eine Schlinge (Rückkehrpfeil). Die Abb. 34 möge auf einer Menge {a, b, c, d, e, f} von sechs Menschen die durch ›x hat ein Bild von y in seiner Wohnung‹ gegebene Relation darstellen.

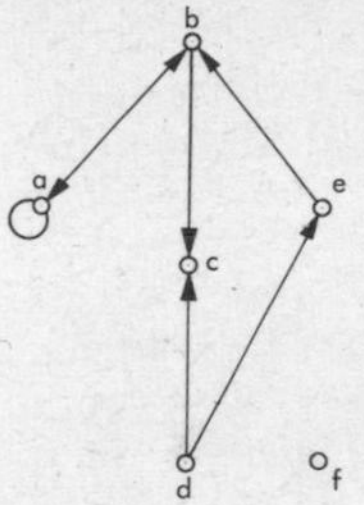

Abb. 34: Pfeildiagramm einer Relation auf der Menge {a, b, c, d, e, f}

Es handelt sich bei dieser Relation um die Paarmenge {(a,a), (a,b), (b,a), (b,c), (d,c), (d,e), (e,b)}, in der f nicht auftritt, was besagt, daß f weder ein Bild von sich selbst noch von einem der a, b, c, d, e in seiner Wohnung hat und sein Bild auch in deren Wohnungen fehlt. Abb. 35 ist ein Pfeildiagramm der oben schon betrachteten Relation ›ist Teiler von‹ auf der Menge {1, 2, 3, 4, 6, 12}. Man erkennt am Vergleich mit Abb. 31 den Vorteil des Hasse-Diagramms, das allerdings nur bei Ordnungsrelationen anwendbar ist. Abb. 36 ist das Pfeildiagramm der *Identitätsrelation (Identität)* auf einer Menge M, worunter man allgemein diejenige Relation auf M versteht, in der jedes Element von M zu sich selbst, aber zu keinem anderen steht.

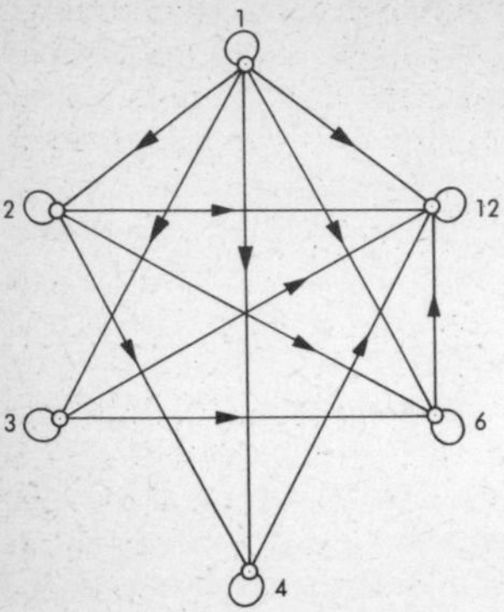

Abb. 35: Pfeildiagramm der Relation ›ist Teiler von‹ auf der Menge {1, 2, 3, 4, 6, 12}

Abb. 36: Pfeildiagramm der Identität auf einer Menge

2. Ist R eine Relation, so definiert man als den *Vorbereich* $\mathfrak{V}(R)$ von R die Menge aller Elemente, die in R als *erste Koordinaten* auftreten:

$$x \in \mathfrak{V}(R) :\Leftrightarrow \bigvee_y (x,y) \in R.$$

Zu jedem Element $x \in \mathfrak{V}(R)$ gibt es also eine nicht leere Menge $\{y | (x,y) \in R\}$, die Menge der sog. R-*Hinterglieder* von x. Der *Nachbereich* $\mathfrak{N}(R)$ ist die Menge aller Elemente, die in R als *zweite Koordinaten* auftreten:

$$y \in \mathfrak{N}(R) :\Leftrightarrow \bigvee_x (x, y) \in R.$$

Zu jedem $y \in \mathfrak{N}(R)$ gibt es entsprechend eine nichtleere Menge $\{x | (x,y) \in R\}$, die Menge der R-*Vorderglieder* von y. Die Vereinigungsmenge $\mathfrak{F}(R) := \mathfrak{V}(R) \cup \mathfrak{N}(R)$ nennt man das *Feld* von R. Es gilt für jede Relation R auf einer Menge M, daß $R \subseteq \mathfrak{F}(R) \times \mathfrak{F}(R) \subseteq M \times M$. Im Beispiel $<$ auf M_0 ist $\mathfrak{F}(<) = M_0$, $\mathfrak{V}(<) = \{1,2\}$, $\mathfrak{N}(<) = \{2,3\}$. Im Beispiel der Abb 34 ist $\mathfrak{V}(R) = \{a, b, d, e\}$, $\mathfrak{N}(R) = \{a, b, c, e\}$, $\mathfrak{F}(R) = \{a, b, c, d, e\}$, die Menge der R-Vorderglieder von a ist die Menge {a,b}. Diese Menge stellt auf der betrachteten Grundmenge {a, b, c, d, e, f} die Eigenschaft dar, ein Bild von a in der Wohnung zu haben. Allgemein entspricht in einem Pfeildiagramm einer Relation dem Vorbereich die Menge der Punkte, von denen Pfeile ausgehen, dem Nachbereich die Menge der Punkte, zu denen Pfeile hinführen.

3. Da Relationen als Mengen definiert sind, kann man die mengentheoretischen Operationen zum Aufbau einer *Relatio-*

nenalgebra verwenden. Neben Durchschnitt, Vereinigung, Komplement und Inklusion führt man dabei noch zwei eigentlich relationentheoretische Operationen ein: die Bildung der zu R *inversen* (auch: *konversen*) *Relation* R^{-1} gemäß

$$(x,y) \in R^{-1} :\Leftrightarrow (y,x) \in R$$

und die *Verkettung* oder Bildung des *Produktes* R ∘ S von Relationen R, S gemäß

$$(x,y) \in R \circ S :\Leftrightarrow \bigvee_z [(x,z) \in R \wedge (z,y) \in S].$$

Dem Übergang zur inversen Relation entspricht im Pfeilbild die Umkehrung aller Pfeilrichtungen, der Verkettung von R und S zu R ∘ S die Einführung eines Pfeiles von einem Punkt P_x zu einem Punkt P_y immer dann, wenn es einen R-Pfeil von P_x zu einem P_z und einen S-Pfeil von diesem P_z nach P_y gibt. Wir betrachten ein Verkettungsbeispiel mit Relationen auf der Menge {a, b, c, d, e, f}. R sei die durch Abb. 34 dargestellte Relation, S die Relation {(a,f), (b,c)}, wobei (x,y) ∈S etwa bedeuten möge: x ist Onkel von y. Es ist dann R ∘ S = {(a,c), (a,f), (b,f), (e,c)}, und (x,y) ∈ R ∘ S besagt: x hat ein Bild eines Onkels von y in seiner Wohnung. S ∘ R ist in diesem Falle die *leere Relation*, d. h. die leere Menge. Die Relationenverkettung ist also nicht allgemein kommutativ.

Sind die Relationen speziell auf der *Menge* **R** *der reellen Zahlen* gegeben, so lassen sie sich als Punktmengen in der reellen Zahlenebene (x,y-Koordinatenebene) darstellen; umgekehrt stellt jede solche Punktmenge eine Relation auf **R** dar. Man kann sich die Operationen dann unmittelbar geometrisch verdeutlichen. Die Bildung der inversen Relation bedeutet z. B. die *Spiegelung* der Punktmenge an der Geraden y=x, wobei die Gerade selbst die Identitätsrelation in **R** darstellt. Die Relation < auf **R** wird dargestellt durch die Menge aller Punkte, die oberhalb der Geraden y = x liegen. Die zu < inverse Relation $<^{-1}$ ist die größer-als-Relation >; sie wird durch die Punktmenge unterhalb der Geraden y = x wiedergegeben. Die zu < komplementäre Relation ∁< ist die größer-als-oder-gleich-Relation ≥, dargestellt durch das Komplement der zu < gehörigen Punktmenge. ≥ ist dasselbe wie > ∪ =. Die Vereinigung < ∪ > ist dasselbe wie die Relation ≠ (ungleich) und der Durchschnitt < ∩ > die leere Relation.

4. Relationen werden nach gewissen *Relationeneigenschaften* unterschieden, von denen wir einige angeben wollen. Wir sagen von einer Relation R auf M

(10) R ist *reflexiv* $:\Leftrightarrow \bigwedge_x (x,x) \in R$

(11) R ist *symmetrisch* $:\Leftrightarrow \bigwedge_x \bigwedge_y [(x,y) \in R \Rightarrow (y,x) \in R]$

(**12**) R ist *transitiv*: $\Longleftrightarrow$
$$\bigwedge_x \bigwedge_y \bigwedge_z ([(x,y) \in R \wedge (y,z) \in R] \Rightarrow (x,z) \in R)$$
(**13**) R ist *identitiv*: $\Longleftrightarrow$
$$\bigwedge_x \bigwedge_y ([(x,y) \in R \wedge (y,x) \in R] \Rightarrow x = y)$$
(**14**) R ist *konnex*: $\Longleftrightarrow$
$$\bigwedge_x \bigwedge_y [(x,y) \in R \vee (y,x) \in R]$$
(**15**) R ist *semikonnex*: $\Longleftrightarrow$
$$\bigwedge_x \bigwedge_y [x = y \vee (x,y) \in R \vee (y,x) \in R]$$
(**16**) R ist *asymmetrisch*: $\Longleftrightarrow$
$$\bigwedge_x \bigwedge_y [(x,y) \in R \Rightarrow (y,x) \notin R]$$
(**17**) R ist *linkseindeutig*: $\Longleftrightarrow$
$$\bigwedge_x \bigwedge_y \bigwedge_z ([(x,y) \in R \wedge (z,y) \in R] \Rightarrow x = z)$$
(**18**) R ist *rechtseindeutig*: $\Longleftrightarrow$
$$\bigwedge_x \bigwedge_y \bigwedge_z ([(x,y) \in R \wedge (x,z) \in R] \Rightarrow y = z)$$
(**19**) R ist *eineindeutig*: $\Longleftrightarrow$

R ist links- und rechtseindeutig.

Diese Relationeneigenschaften, die wir in unseren weiteren Ausführungen noch durch Beispiele erläutern werden, lassen sich auch direkt mit den Mitteln der Relationenalgebra beschreiben. Dazu führen wir für die *Identität* auf M das Symbol D (*Diagonale* in $M \times M$) und für die *Totalrelation* $M \times M$ auf M das Symbol T ein. Das Definiens auf der rechten Seite von (10) bis (18) kann dann der Reihe nach ersetzt werden durch: $D \subseteq R$, $R \subseteq R^{-1}$, $R \circ R \subseteq R$, $R \cap R^{-1} \subseteq D$, $R \cup R^{-1} = T$, $D \cup R \cup R^{-1} = T$, $R \subseteq \complement R^{-1}$, $R \circ R^{-1} \subseteq D$, $R^{-1} \circ R \subseteq D$ (was also besagt: R ist reflexiv genau dann, wenn die Identitätsrelation in R enthalten ist, R ist symmetrisch genau dann, wenn R Teilmenge des Inversen von R ist, usw.). In der Darstellung von Relationen R auf der Menge der reellen Zahlen **R** durch Punktmengen P(R) in der reellen x,y-Koordinatenebene haben die Eigenschaften (10) bis (19) eine unmittelbare anschauliche Bedeutung. So bedeutet z. B. die Reflexivität von R, daß P (R) die Gerade $y = x$ umfaßt, die Symmetrie von R bedeutet die geometrische Symmetrie von P (R) zur Achse $y = x$, die Rechtseindeutigkeit (Funktionseigenschaft) besagt, daß in P(R) keine übereinanderliegenden Punkte vorkommen. Wir erwähnen noch, daß man linkseindeutige, nichtrechtseindeutige Relationen (wie $\{(x,y) \mid x \text{ ist Vater von } y\}$ auf der Menge aller Menschen) auch *einmehrdeutig* und rechtseindeutige, nichtlinkseindeutige Relationen (wie $\{(x,y) \mid x \text{ hat } y \text{ zum Vater}\}$ auf der Menge aller Menschen) auch *mehreindeutig* nennt.

II. Abbildungen, Funktionen. 1. Allgemeines. Mit den rechtseindeutigen Relationen ist das gegeben, was in der Mathematik als *Abbildung* oder *Funktion* bezeichnet wird. Den beiden Bezeichnungen gemäß, die von der Vorgeschichte dieses Begriffs in der Geometrie und Analysis herrühren, haben sich parallel zueinander verschiedene Begriffsbildungen und *Sprechweisen* herausgebildet, die auch wechselweise gebraucht werden. Unabhängig von diesen besonderen Sprechweisen läßt sich zunächst sagen: Durch eine *rechtseindeutige Relation* F wird jedem Element x aus dem Vorbereich $\mathfrak{V}$(F) genau ein Element y aus dem Nachbereich $\mathfrak{N}$(F) *zugeordnet*. Das kommt im *Pfeildiagramm* dadurch zum Ausdruck, daß von einem Punkt niemals zwei oder mehr Pfeile ausgehen können (Abb. 37). Für das x vermöge F zugeordnete Element y schreibt man auch ›F(x)‹, so daß ›(x,y) ∈F‹ und ›y = F(x)‹ gleichwertige Schreibweisen sind. Statt ›F‹ schreibt man ferner x ⟶ F (x), was genauso als Name für das Objekt F anzusehen ist wie das entsprechende Mengensymbol ›{(x,y) | ... x,y ...}‹. An Stelle des Mengenoperators {(x,y) | } steht hier der *Funktionalisator* x ⟶ und an Stelle einer F definierenden Bedingung ... x,y ... der *Term* ›F (x)‹. Sind F_1 und F_2 rechtseindeutige Relationen, so ist auch $F_1 \circ F_2$ eine rechtseindeutige Relation. Statt

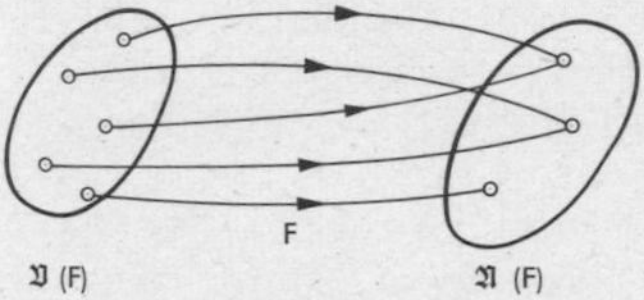

Abb. 37: Pfeildiagramm einer rechtseindeutigen Relation F

$$(x,z) \in F_1 \circ F_2 \Leftrightarrow \bigvee_y [(x,y) \in F_1 \wedge (y,z) \in F_2]$$

können wir schreiben:

$$z = F_2 (F_1 (x)) \Leftrightarrow \bigvee_y [y = F_1 (x) \wedge z = F_2 (y)].$$

Der *Produktschreibweise* für rechtseindeutige Relationen entspricht also die *Einsetzung der Terme ineinander*, wobei man auf den durch unsere Festlegung der Produktschreibweise bedingten Unterschied in der Reihenfolge zu achten hat: $(F_1 \circ F_2)(x) = F_2 (F_1 (x))$! Um diesen Unterschied zu vermeiden, wird häufig wenigstens bei rechtseindeutigen Relationen das Produkt gerade in der entgegengesetzten Reihenfolge geschrieben (also etwa bei reellen Funktionen F_1 und F_2, die durch $F_1 (x) = e^x$ und $F_2 (x) = x^2$ gegeben sein mögen, für $x \longrightarrow \longrightarrow F_2 (F_1 (x)) = e^{2x}$ nicht $F_1 \circ F_2$, sondern $F_2 \circ F_1$); auch in den anderen Artikeln dieses Bandes wird dies so gehandhabt. Neben F (x) ist jedoch vor allem im Rahmen der *Abbildungsterminologie* auch die Schreibweise x^F in Gebrauch, bei der sich keine Abweichung von der von uns eingeführten Reihenfolge ergibt: $x^{F_1 \circ F_2}$ ist dasselbe wie $(x^{F_1})^{F_2}$ und bedeutet, daß auf x zunächst die Zuordnung F_1 angewendet wird und auf x^{F_1} dann die Zuordnung F_2 (Abb. 40).

Unter den rechtseindeutigen Relationen sind diejenigen ausgezeichnet, die auch linkseindeutig sind. Sie stellen – wie man sagt – eine *umkehrbar eindeutige* oder *eineindeutige* (oder kurz: 1–1-) *Zuordnung* zwischen den Elementen von $\mathfrak{V}$ (F) und den Elementen von $\mathfrak{N}$ (F) her. Im Pfeildiagramm bedeutet das, daß nun auch niemals mehr als ein Pfeil zu einem Punkt hinführen darf. Ist F eineindeutig, so ist auch die inverse Relation F^{-1} eineindeutig, und es gilt $F \circ F^{-1} = D_{\mathfrak{V}(F)}$, $F^{-1} \circ F = D_{\mathfrak{N}(F)}$, wobei $D_{\mathfrak{V}(F)}$ bzw. $D_{\mathfrak{N}(F)}$ die Identität in $\mathfrak{V}$ (F) bzw. $\mathfrak{N}$ (F) ist. Die Gleichung $F^{-1}(F(x)) = x$ ist also gültig für alle x aus $\mathfrak{V}$ (F) und die Gleichung $F(F^{-1}(y)) = y$ für alle y aus $\mathfrak{N}$ (F).

Wir beachten noch, daß jede (zweistellige) *Relation* R auf einer *Menge* M in natürlicher Weise eine *rechtseindeutige Relation* $\hat{R}$ auf der *Potenzmenge* $\mathfrak{P}$ (M) induziert, durch die jeder Teilmenge A von $\mathfrak{V}$ (R), d. h. jedem Element A aus $\mathfrak{P}$ ($\mathfrak{V}$[R]), die Menge aller derjenigen Elemente zugeordnet wird, die R-Hinterglieder von Elementen aus A sind. Dabei gilt $\mathfrak{V}(\hat{R}) = \mathfrak{P}(\mathfrak{V}[R])$ und $\mathfrak{N}(\hat{R}) \subseteq \mathfrak{P}(\mathfrak{N}[R])$. Statt $\hat{R}$ (A) schreibt man meistens einfach R (A) und statt R ({x}) für $x \in \mathfrak{V}$ (R) meistens auch nur R (x). R (x) stellt dann also die *Menge der Hinterglieder* von x bezüglich der Relation R dar.

2. ABBILDUNGSTERMINOLOGIE. Wir berücksichtigen jetzt zunächst einige Begriffsbildungen und Sprechweisen, die zur Intention ›*Abbildung*‹ gehören. F sei eine Abbildung (also eine rechtseindeutige Relation), X sei der *Vorbereich* von F, Y eine *Obermenge des Nachbereichs* von F. Man sagt dann, daß die Menge X vermöge F in bzw. auf die Menge Y abgebildet wird, je nachdem, ob $Y \supseteq \mathfrak{N}$ (F) oder $Y = \mathfrak{N}$ (F). Eine Abbildung ›auf‹ ist also stets auch eine Abbildung ›in‹. Durch eine Abbildung F von X in Y wird insbesondere jede Teilmenge X′ von X auf eine Teilmenge Y′ von Y abgebildet. Für Y′ schreibt man F (X′) und nennt es das *Bild* oder die *Bildmenge* von X′ bei der Abbildung F. Ist umgekehrt eine Teilmenge Y′ von Y gegeben, so nennt man (auch wenn Y′ nicht ganz in F (X) liegt) die Menge aller Elemente x aus X, für die $F(x) \in Y'$, die *Originalmenge* (auch das *Urbild* oder *inverse Bild*) von Y′ bezüglich F und schreibt dafür $F^{-1}(Y')$. (Es ist dabei nicht vorausgesetzt, daß F^{-1} als inverse Relation von F wieder eine Abbildung, also eine rechtseindeutige Relation ist; aber natürlich ist F^{-1} eine Abbildung, wenn damit – wie wir vorangehend bemerkten – die auf der Potenzmenge induzierte Relation $\widehat{F^{-1}}$ gemeint ist.) Das Ur-

bild einer aus einem einzelnen Element y aus Y bestehenden Menge nennt man manchmal auch die *Faser* von y bezüglich der Abbildung F. Die Menge aller F-Fasern von Punkten aus F (X) stellt eine Klasseneinteilung von X dar, welche dann die *Faserung* von X bezüglich F heißt. Ist ganz X die Faser eines $y \in Y$, d. h., enthält F (X) nur ein Element y, so heißt F eine *konstante Abbildung*. — Als Beispiel einer Abbildung wollen wir die Zuordnung betrachten, durch die jedem Punkt eines Gebietes auf der Erdoberfläche die Maßzahl der in Metern gemessenen Höhe des Punktes über N. N. zugeordnet wird. Es handelt sich also um eine Abbildung der Menge der Punkte des Gebietes in die Menge der reellen Zahlen. Zu jeder der dabei als Bildpunkte auftretenden reellen Zahlen gehört als Faser die Menge der Punkte, die die durch diese Zahl angegebene Höhe haben; das ist eine sog. Höhenschicht. Es ist klar, wie auf diese Weise das Gebiet gefasert wird. War die Abbildung eine konstante Abbildung, so handelte es sich um ein ebenes Gebiet.

Für die Abbildungen F einer Menge X in eine Menge Y ist in neuerer Zeit die folgende Terminologie in Gebrauch gekommen, die für häufig auftretende Fälle einfachere sprachliche Formulierungen erlaubt: Ist F eine Abbildung auf Y, so nennt man F *surjektiv*; ist F eineindeutig, so heißt F *injektiv*; ist F injektiv und surjektiv, so heißt F *bijektiv*. Für eine Abbildung F von X in Y schreibt man dabei auch $F\colon X \longrightarrow Y$, und falls eines der angegebenen Merkmale zutrifft, schreibt man etwa $F\colon X \xrightarrow{\text{inj.}} Y$. Injektive Abbildungen (auch: *Injektionen* oder *Einbettungen*) treten in der Mathematik besonders häufig auf. Ist F eine Abbildung von X in Y, so ist z. B. die Abbildung $x \longrightarrow (x, F(x))$ von X in $X \times Y$ injektiv (oder eine Einbettung von X in $X \times Y$). Beispiele dazu liegen bei der Darstellung reeller Funktionen mittels *Graphen* in der Zahlenebene vor (→ Infinitesimalrechnung im $\mathbf{R}^1$). Injektive Abbildungen spielen sodann vor allem bei Erweiterungen mathematischer Gebilde, wie sie etwa beim Aufbau der → Zahlen vorgenommen werden, eine wichtige Rolle. So läßt sich der Bereich der natürlichen Zahlen isomorph (strukturtreu) in den Bereich der ganzen Zahlen injizieren (einbetten). Das führt dazu, daß man die dabei als Bild natürlicher Zahlen auftretenden ganzen Zahlen elementweise mit den entsprechenden natürlichen Zahlen *identifiziert* und so zu einem echten Oberbereich des Bereichs der natürlichen Zahlen kommt.

Bei der Anwendung der relationentheoretischen Verkettung auf Abbildungen werden — wie man sagt — die Abbildungen *hintereinandergeschaltet*. Ist F eine Abbildung von X in Y, G eine Abbildung von Y in Z, so ist das Produkt $H = F \circ G$

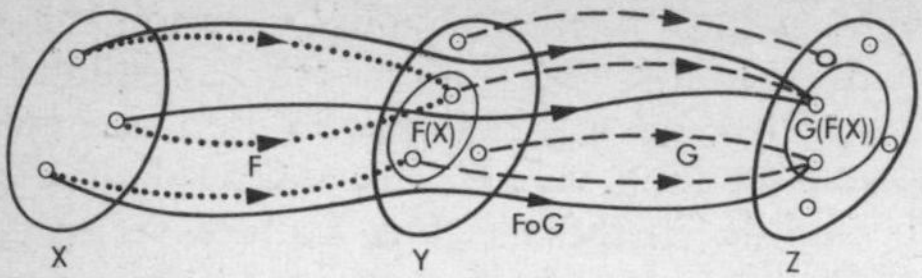

Abb. 38: Pfeildiagramm für das Produkt F o G von Abbildungen F: X → Y und G: Y → Z

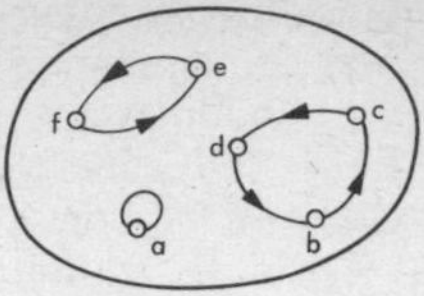

Abb. 39: Pfeildiagramm der Permutation

$$\begin{pmatrix} a & b & c & d & e & f \\ a & c & d & b & f & e \end{pmatrix}$$

der Menge {a, b, c, d, e, f}

eine Abbildung von X in Z (Abb. 38). Haben dabei F und G eine und dieselbe der drei Eigenschaften, surjektiv, injektiv oder bijektiv zu sein, so hat auch H diese Eigenschaft. Von besonderem Interesse sind die eineindeutigen Abbildungen einer Menge X auf sich selbst, die sog. *Permutationen* von X (Abb. 39). Die Menge dieser Abbildungen bildet bezüglich der Hintereinanderschaltung eine *Gruppe* (→ Algebra). Dabei ist die *identische Abbildung* x → x, die als Relation nichts anderes ist als die Identität D_X in X, das neutrale Element. Die Gültigkeit des *Assoziativgesetzes* wird durch Abb. 40 demonstriert.

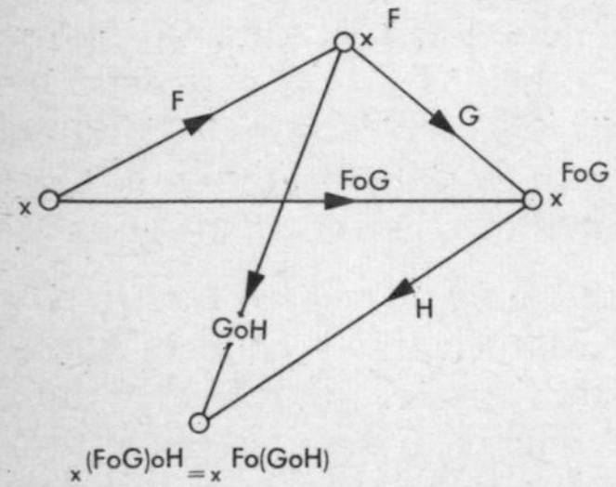

Abb. 40: Zur Demonstration des Assoziativgesetzes für die Hintereinanderschaltung von Abbildungen

3. Verknüpfungen. Mit Hilfe des Abbildungsbegriffs läßt sich der Begriff der *algebraischen Verknüpfung* oder *Operation* (→ Algebra) erklären. A, B, C seien Mengen. Eine Abbildung von A × B in C wollen wir eine (zweistellige) Verknüpfung nennen. Eine (zweistellige) *innere Verknüpfung* in einer Menge M ist dann eine (zweistellige) Verknüpfung, bei der die Mengen A, B, C mit M identisch sind. Es handelt sich also um eine Abbildung $\top : M \times M \rightarrow M$, wobei man für das Bild $z \in M$ von $(x,y) \in M \times M$ auch schreibt: $z = x \top y$. Daneben betrachtet man in verschiedenen Teilen der Mathematik auch sog. *äußere Verknüpfungen*. Eine *äußere Verknüpfung erster Art* $\perp$ in M liegt vor, wenn B und C mit M identisch sind: $\perp : A \times M \longrightarrow M$. Für das Bild $z \in M$ von $(a,x) \in A \times M$

schreibt man wieder $z = a \perp x$. Vermöge einer derartigen Verknüpfung wird jedem Element $a \in A$ eine Abbildung $T_a: x \longrightarrow z = a \perp x$ von M in sich zugeordnet. Man sagt: die Menge A *operiert* auf M; A nennt man deshalb auch den *Operatorenbereich* von $\perp$. Zu *äußeren Verknüpfungen zweiter Art* gelangt man, wenn A und B mit M identisch sind, wenn also eine Abbildung $\perp\!\!\perp: M \times M \longrightarrow C$ vorliegt. Auch hier schreibt man häufig $c = x \perp\!\!\perp y$ für das Bild $c \in C$ von $(x,y) \in M \times M$. Beispiele von inneren Verknüpfungen sind die *Gruppen-* und *Verbandsoperationen*, insbesondere also die Addition und die Multiplikation in der Menge der rationalen Zahlen und die Durchschnitts- und Vereinigungsbildung in der Potenzmenge einer Menge. Auch die sog. *vektorielle Multiplikation* von Vektoren des dreidimensionalen euklidischen *Vektorraumes* ist eine innere Verknüpfung. Eine äußere Verknüpfung erster Art ist z. B. die bekannte ›Multiplikation‹ von Vektoren aus einem Vektorraum über einem Körper mit den Körperelementen. Eine äußere Verknüpfung zweiter Art ist die sog. *skalare Multiplikation* von Vektoren (allgemein aus einem sog. *Skalarproduktraum*), wobei C der jeweilige Skalarenkörper ist. Ferner ist die ›äußere‹ oder *Graßmannsche Multiplikation* von Vektoren eines n- (speziell 2- oder 3-) dimensionalen Vektorraumes eine äußere Verknüpfung zweiter Art. Hier besteht C aus den Graßmannschen Plangrößen oder zweistufigen schiefsymmetrischen *Tensoren*.

Der Begriff der (zweistelligen) Verknüpfung läßt sich verallgemeinern zum Begriff der *n-stelligen Verknüpfung (Operation)*. Darunter versteht man eine Abbildung eines n-fachen kartesischen Produkts $A_1 \times \cdots \times A_n$ von Mengen $A_1, \ldots, A_n$ in eine Menge C. Jede solche Abbildung läßt sich in verschiedener Weise wieder als Relation auffassen. Wir können z. B. sagen, daß eine n-stellige Operation $\varphi: A_1 \times \cdots \times A_n \longrightarrow C$ eine $(n+1)$-stellige Relation auf $A_1 \cup \cdots \cup A_n \cup C$ ist. Insbesondere ist eine zweistellige innere Operation $\top$ in einer Menge M eine dreistellige Relation auf M. Sie kann dargestellt werden als $\{(x, y, z) \mid z = x \top y\}$, d. h. als die Menge aller Tripel (x, y, z) von Elementen aus M, für die $z = x \top y$. Ferner ist eine *einstellige innere Operation* in M als Abbildung von M in M eine zweistellige Relation auf M, und unter einer *nullstelligen Operation* in M versteht man eine einstellige Relation auf M, also eine Teilmenge von M. Manchmal jedoch ist es zweckmäßig, die nullstelligen Operationen wie die nullstelligen Relationen als Elemente von M aufzufassen.

4. Funktionsterminologie. Rechtseindeutige Relationen F werden auch *Funktionen* genannt, vor allem dann, wenn der Nach-

bereich $\mathfrak{N}$(F) Teilmenge einer Menge mit einer algebraischen Struktur ist, d. h. Teilmenge einer Menge, in der algebraische Operationen erklärt sind, etwa eines *Ringes* oder eines *Körpers*. Statt von einer Abbildung von X in Y spricht man dann üblicherweise von einer Funktion auf X mit Werten in Y. X heißt die *Definitions-* oder *Argumentmenge*, $F(X) \subseteq Y$ die *Wertmenge*. Ist F eineindeutig, so nennt man F umkehrbar und F^{-1} die *Umkehrfunktion* oder *inverse Funktion* von F. Wie in der Abbildungsterminologie spricht man ferner von der *identischen Funktion*, von *konstanten Funktionen*, von der *Hintereinanderschaltung* von Funktionen. Ist die Argumentmenge X einer Funktion F als Teilmenge eines n-fachen kartesischen Produkts $X_1 \times \cdots \times X_n$ dargestellt, jedes Element von X also ein n-tupel $(x_1, \ldots, x_n)$, so nennt man F auch eine *Funktion von* n *Veränderlichen*. Für den Wert von F an der *Stelle* $(x_1, \ldots, x_n)$ schreibt man dabei kurz $F(x_1, \ldots, x_n)$ und nicht, wie es begrifflich genauer wäre, $F((x_1, \ldots, x_n))$. Als Beispiele nennen wir die reellwertigen Funktionen mehrerer reeller Veränderlichen (→ Infinitesimalrechnung im $\mathbf{R}^n$), für die wir (ausgedrückt für n Veränderliche) allgemein schreiben können

$$F\colon X \longrightarrow \mathbf{R}\ [X \subseteq \mathbf{R}^n]$$

oder

$$(x_1, \ldots, x_n) \longrightarrow F(x_1, \ldots, x_n)\quad [(x_1, \ldots, x_n) \in X \subseteq \mathbf{R}^n].$$

Zu ihnen gehören für n = 2 natürlich auch die zweistelligen inneren Verknüpfungen in **R**.

Hervorheben wollen wir noch die sog. *charakteristische Funktion* einer Teilmenge M′ von M. Darunter versteht man diejenige Funktion F auf M mit der Wertmenge {0,1}, für die gilt

$$F(x) = \begin{cases} 1, \text{ falls } x \in M', \\ 0, \text{ falls } x \notin M'. \end{cases}$$

Mit Hilfe der charakteristischen Funktion ist es möglich, eine Teilmenge als Funktion, nämlich als die jeweilige charakteristische Funktion, aufzufassen. *Der Funktionsbegriff, der logisch auch unabhängig vom Mengenbegriff eingeführt werden kann, erweist sich damit als ebenso grundlegend für die Mathematik wie der Mengenbegriff.*

5. FUNKTIONENMENGEN. Häufig werden Mengen von Funktionen auf X mit Werten in Y betrachtet. Die Menge aller Funktionen auf X mit Werten in Y bezeichnen wir mit $\mathfrak{F}$(X, Y). Ist in einer solchen Funktionenmenge eine → Topologie bzw. eine algebraische Struktur, z. B. die eines Ringes oder eines Körpers (→ Algebra), eingeführt, so spricht man von einem *Funktionenraum* bzw. von einem *Funktionenring* oder *Funktionenkörper*. Eine algebraische Struktur z. B. läßt sich in

$\mathfrak{F}(X, Y)$ immer dann einführen, wenn auf Y eine algebraische Struktur gegeben ist. X sei zum Beispiel eine Fläche Φ im Raum. Eine *reellwertige Funktion* auf Φ ist dann eine Abbildung von Φ in die Menge **R**. Wir wollen die in **R** erklärte Addition auf die Menge $\mathfrak{F}(\Phi, \mathbf{R})$, das heißt die Menge aller reellwertigen Funktionen auf Φ, übertragen. Dazu addieren wir die Werte der Funktionen punktweise, das heißt: sind F und G Funktionen aus $\mathfrak{F}(\Phi, \mathbf{R})$, die in einem Punkt $x \in \Phi$ den Wert F (x) bzw. G (x) haben, so soll die *Summenfunktion* in x den Wert $H(x) := F(x) + G(x)$ haben. Wir können also $H = F + G$ definieren als die reellwertige Funktion $x \longrightarrow F(x) + G(x)$ auf Φ oder – ausgedrückt in der Mengenschreibweise – als die Funktion $\{(x, y) \mid x \in \Phi \wedge y = F(x) + G(x)\}$. Diese Definition entspricht genau dem Verfahren, nach dem man reelle Funktionen auf der reellen Achse addiert (Abb. 41). Allgemein kann man in dieser natürlichen Weise stets eine in einer Menge Y gegebene innere Verknüpfung $\top$ auf $\mathfrak{F}(X, Y)$ übertragen, indem man für alle F, $G \in \mathfrak{F}(X, Y)$ definiert: $F \top G := \{(x, y) \mid x \in X \wedge y = F(x) \top G(x)\}$. Ist dabei Y bezüglich $\top$ eine Gruppe, so ist auch $\mathfrak{F}(X,Y)$ bezüglich $\top$ eine Gruppe. (Bemerkung: Genau genommen müßte man für die in $\mathfrak{F}(X, Y)$ eingeführte Verknüpfung ein anderes Zeichen verwenden, da sie mengentheoretisch etwas ganz anderes ist als $\top$; wie wir schon hervorgehoben haben, verzichtet man jedoch, solange keine Verwechslungen möglich sind, auf solche Unterscheidungen, um die mathematische Symbolik nicht unnötig zu belasten.)

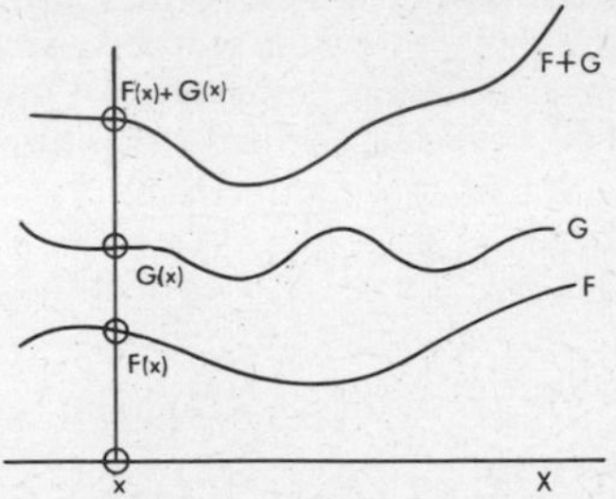

Abb. 41: Die Addition reellwertiger Funktionen

Wir erwähnen noch einen wichtigen allgemeinen Zusammenhang, der bei Abbildungen von Funktionenmengen aufeinander hervortritt. Es sei $\varphi: X \longrightarrow X'$ eine Abbildung von X in X'. Dann ist in natürlicher Weise eine Abbildung $\varphi^*: \mathfrak{F}(X',Y) \longrightarrow \mathfrak{F}(X,Y)$ der Funktionenmenge $\mathfrak{F}(X',Y)$ in die Funktionenmenge $\mathfrak{F}(X, Y)$ gegeben, die durch $F = \varphi^*(F') := \varphi \circ F'$ mit $F' \in \mathfrak{F}(X', Y)$ und $F \in \mathfrak{F}(X, Y)$ definiert ist:

$$\begin{array}{ccccc} & & Y & & \\ & F \nearrow & & \nwarrow F' & \\ X & & \xrightarrow{\varphi} & & X' \end{array}$$

$$\mathfrak{F}(X,Y) \xleftarrow{\varphi^*} \mathfrak{F}(X',Y)$$

Ist φ bijektiv, so ist auch φ^* bijektiv. Man sieht hier, wie man mit Hilfe einer Abbildung von X in X′ auf X′ gegebene Funktionen nach X transportieren kann. Davon macht man z. B. Gebrauch, um auf einer Fläche Φ reellwertige Funktionen vorzugeben. φ ist dabei eine *Koordinatenabbildung* für die Umgebung eines Punktes von Φ, d. h. eine topologische Abbildung eines Gebietes von Φ in die reelle Koordinatenebene. Auf der Koordinatenebene hat man reelle Funktionen zweier Veränderlichen in bekannter Weise gegeben. Diese können dann vermöge φ^* nach Φ überführt werden (→ Differentialgeometrie, Bd. 2). Ist Φ eine abstrakte *Riemannsche Fläche*, so wählt man φ als eine sog. *Ortsuniformisierende*, durch die auf Φ komplexe Koordinaten eingeführt werden. φ^* erlaubt dann den Transport komplexwertiger (insbesondere holomorpher) Funktionen nach Φ (→ Funktionentheorie).

6. Familien, Folgen. Es gibt eine Fülle von bisher noch nicht erläuterten Redeweisen in der Mathematik, die sich alle auf Situationen beziehen, in denen Abbildungen betrachtet werden. So redet man gegebenenfalls von *Transformationen*, *Funktionalen*, *Operatoren*, *Feldern* usw., wobei stets gewisse Abbildungen gemeint sind. Man kann daran die universelle Bedeutung des Abbildungsbegriffs erkennen. Wir heben hier noch besonders den Begriff der *Familie* (von Elementen oder Mengen) hervor, der sich ebenfalls auf Abbildungen bezieht. Wir knüpfen dazu an die obige Erklärung des Durchschnitts und der Vereinigung beliebiger Mengen von Mengen an. Dort hatten wir von einer *Indexmenge* I Gebrauch gemacht. Die Mengen A_i mit $i \in I$ waren dadurch verfügbar gemacht, daß jedem Element von I genau eine Menge zugeordnet war. Wir hatten es also mit einer Abbildung $i \longrightarrow A_i$ $(i \in I)$ der Menge I in die Potenzmenge einer Menge A, deren Teilmengen die A_i sind, zu tun. Die Betrachtungsweise ist dabei allerdings so, daß die Abbildung selbst gegenüber der Menge der A_i, d. h. der Menge der Bilder, zurücktritt. Das hat seinen Niederschlag in einer besonderen Terminologie gefunden. Liegt eine Abbildung $F: I \longrightarrow M$ vor, so nennt man in den entsprechenden Situationen die Menge I die Indexmenge, die Menge $F(I) \subseteq M$ eine *indizierte Menge* und die Abbildung F selbst eine *Familie*. Für das $i \in I$ zugeordnete Element F (i) verwendet man dabei eine *Indexschreibweise* – etwa a_i –, und für F schreibt man statt $i \longrightarrow a_i$ auch $(a_i)_{i \in I}$. Ist die Indexmenge ein Produkt $I \times J$ von Mengen I, J, so nennt man $(i, j) \longrightarrow F(i, j)$ auch eine *Doppelfamilie* und schreibt entsprechend a_{ij} statt F (i, j).

Spezielle Familien sind die *Folgen*. Für sie ist $I = \mathbf{N}$ (die Menge der natürlichen Zahlen). Man spricht von einer *Dop-*

pelfolge, wenn $I = \mathbf{N} \times \mathbf{N}$. Bei der Verwendung der Folgen in Grenzwertuntersuchungen in der → Infinitesimalrechnung und allgemeiner in der → Topologie macht man davon Gebrauch, daß auf der Indexmenge **N** die Relation $\leq$ vorliegt, die u. a. reflexiv und transitiv ist und die zudem die Eigenschaft besitzt, daß man zu zwei Indizes i_1, i_2 stets einen Index i_3 angeben kann mit $i_1 \leq i_3$ und $i_2 \leq i_3$ (hier einfach den größeren der beiden Indizes i_1, i_2). Es zeigt sich nun, daß man Familien mit Werten in einem topologischen Raum genau dann zur Einführung eines *Grenzwertbegriffs* verwenden kann, wenn auf ihrer Indexmenge eine sog. *Richtungsrelation* gegeben ist, d. h. eine Relation R, die reflexiv und transitiv ist und für die gilt: $\bigwedge_x \bigwedge_y \bigvee_z [(x, z) \in R \wedge (y, z) \in R]$. (Auf die Identitivität kann verzichtet werden, so daß es sich also nicht notwendig wie bei $\leq$ um eine Ordnungsrelation handeln muß.) Eine Menge nebst einer Richtungsrelation auf dieser Menge nennt man eine *gerichtete Menge.* In den Familien, deren Indexmengen als gerichtete Mengen gegeben sind, hat man dann die für eine allgemeine Grenzwerttheorie angemessene *Verallgemeinerung der Folgen* vor sich. Man nennt diese Familien nach den beiden Mathematikern, die die Verallgemeinerung zuerst angegeben und ihre Bedeutung erkannt haben, *Moore-Smith-Folgen.* Logisch gleichwertig zum Begriff der Moore-Smith-Folge ist der Begriff des *Filters,* der heute aus technischen Gründen in der Topologie bevorzugt wird.

Die Bezeichnung ›Familie‹ wird häufig auch dann verwendet, wenn von einer Indexmenge gar nicht die Rede ist, also einfach im Sinne von Menge. Das ist insofern zugelassen, als zu jeder Menge M in natürlicher Weise eine Familie gehört: man nehme M selbst als Indexmenge und die identische Abbildung D_M, die jedes Element von M sich selbst zuordnet, als die entsprechende Familie. Grundsätzlich muß man sich klarmachen, daß in einer Familie ein und dasselbe Element mehrfach auftreten kann, in einer Menge jedoch nur einmal.

Als Anwendungsbeispiel geben wir abschließend an, wie der Begriff des kartesischen Produkts von n Mengen auf eine beliebige Familie von Mengen erweitert werden kann. Man definiert: Das *kartesische Produkt* $\times_{i \in I} A_i$ *einer Familie von Mengen* $(A_i)_{i \in I}$ ist die Menge aller Familien $(x_i)_{i \in I}$ mit $x_i \in A_i$. Diese Definition stimmt für eine endliche Indexmenge $\{1, \ldots, n\}$ mit der früheren Definition überein; man braucht nur — was naheliegt — $(x_i)_{i \in \{1, \ldots, n\}}$ mit dem n-tupel $(x_1, \ldots, x_n)$ zu identifizieren. Die Definition führt im Falle, daß die A_i für alle $i \in I$ mit einer Menge B übereinstimmen, zur Menge $\mathfrak{F}$ (I, B), insbesondere mit I = **N** zu $\mathfrak{F}$(**N**, B), der Menge aller Folgen von Elementen aus B. Wie man Funktionen auf n-fachen kartesischen Produkten betrachtet, so auch auf unendlichfachen Produkten. Man spricht dann von *Funktionen mit unendlich vielen Veränderlichen.*

III. ÄQUIVALENZRELATIONEN. Relationen, die *reflexiv, symmetrisch* und *transitiv* sind, heißen *Äquivalenzrelationen.* Sie sind für den Aufbau der Mathematik von großer Bedeutung. Liegt nämlich auf einer Menge M eine Äquivalenzrelation R vor, so kann man die Elemente von M derart in disjunkte Klassen (Teilmengen) einteilen, daß Elemente x, y aus M genau dann in derselben Klasse liegen, wenn sie äquivalent sind, d. h. wenn (x, y) ∈R gilt. Mit dieser Klasseneinteilung läßt sich ein *Abstraktionsprozeß* verbinden, der darin besteht, daß man von den Unterschieden der Elemente innerhalb der Klassen absieht und die Klassen selbst als neue Individuen auffaßt. Die *Äquivalenzklassen* lassen sich dabei durch ein beliebiges ihrer Elemente repräsentieren. Man kann leicht beweisen: Zu jeder Äquivalenzrelation auf M gehört eine Klasseneinteilung von M; ebenso ist durch jede Klasseneinteilung $\{A_i\}$ von M eine Äquivalenzrelation R auf M bestimmt gemäß der Festsetzung, daß (x, y) ∈R genau dann gelten soll, wenn x und y in derselben Klasse A_i liegen. Dieser Zusammenhang ist im endlichen Falle unmittelbar an einem Pfeildiagramm zu erkennen (Abb. 42).

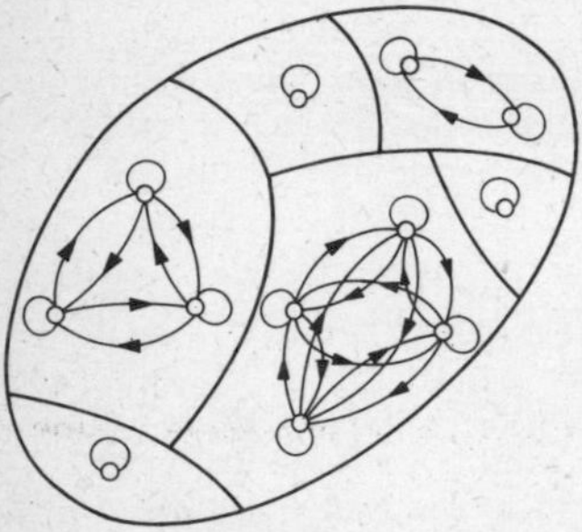

Abb. 42: Pfeildiagramm einer Äquivalenzrelation auf einer Menge und die zugehörigen Äquivalenzklassen

Die ›feinste‹ Äquivalenzrelation auf einer Menge M ist die *Identität* D_M. Die zugehörigen Äquivalenzklassen nach dieser Relation enthalten je genau ein Element und bilden die feinste Zerlegung von M. Die Abstraktion nach dieser Relation führt über das ursprünglich Gegebene nicht hinaus. Die ›gröbste‹ Äquivalenzrelation auf M ist die *Totalrelation* T = = M × M. Die Menge M selbst ist hier die einzige Äquivalenzklasse. Bei einer Abstraktion nach T wird von allen Unterschieden der Elemente von M abgesehen. Außer diesen Extrema gibt es aber auch viele andere Beispiele von Äquivalenzrelationen. Auf geeigneten Mengen aus dem außermathematischen Bereich sind das z. B. Beziehungen wie: gleichlang, gleichschwer, gleichalt, die zu abstrakten Begriffen wie Länge, Gewicht, Alter führen. Beispiele aus der Mathematik sind: *kongruent, ähnlich, parallel, gleichmächtig, isomorph*. Mit ihnen gelangt man auf dem Wege der *Definition durch Abstraktion* zum Beispiel zur Auffassung ›des‹ aus drei (brauchbaren) Stücken zu konstruierenden Dreiecks als einer Äquivalenzklasse von kongruenten Dreiecken; der Richtungen im euklidischen Raum als Äquivalenzklassen paralleler Geraden; der geometrischen Vektoren als Äquivalenzklassen gleichlanger, gleichorientierter paralleler Strecken; der natürlichen Zahlen als Äquivalenzklassen gleichmächtiger endlicher Mengen (→ Kardinal- und Ordinalzahlen); der abstrakten Gruppen als Äquivalenzklassen isomorpher Gruppen (s. u. Abschnitt E). Als Beispiel einer Äquivalenzrelation aus der *Zahlentheorie* nennen wir noch die *Kongruenz* modulo einer ganzen Zahl m, die für zwei ganze Zahlen x, y genau dann zutrifft, wenn x – y durch m teilbar ist (→ Zahlen). Wie man hier schreibt: $x \equiv y \pmod m$, so schreibt man in ähnlicher Weise manchmal auch bei anderen Äquivalenzrelationen: $x \equiv y$ (mod R) (gelesen: x ist äquivalent zu y modulo R). Ferner wird häufig das Zeichen $\sim$ (in der Form $x \sim y$) als allgemeines Zeichen für eine Äquivalenzrelation verwendet.

Die Menge der zu einer Äquivalenzrelation R auf einer Menge M gehörigen Äquivalenzklassen nennt man auch die *Quotientenmenge* von M nach R, symbolisch M/R. Der demgemäß auch als ›*Quotientenbildung*‹ bezeichnete Übergang von M zur Menge M/R spielt nun in der Mathematik vor allem dann eine große Rolle, wenn R mit einer auf M gegebenenfalls vorliegenden Struktur in einem natürlichen Sinne (s. u.) *verträglich* ist. In diesem Falle läßt sich die Struktur in einfacher Weise auf die Quotientenmenge als sog. *Quotientenstruktur* übertragen. Dem Übergang von M nach M/R entspricht eine Abbildung φ, bei der jedem Element $x \in M$ gerade die Äquivalenzklasse $[x] := \varphi(x)$ zugeordnet wird, in der x liegt. Diese Abbildung heißt die *kanonische Abbildung* von M auf M/R. Es gilt: $(x, y) \in R \Leftrightarrow \varphi(x) = \varphi(y)$.

Mit Hilfe von Abbildungen lassen sich Äquivalenzrelationen und Quotientenbildungen von einer Menge auf eine andere Menge übertragen. Auf der Menge M′ sei die Äquivalenzrelation R′ gegeben. F sei eine Abbildung von M in M′. Die Menge der F-Urbilder der Äquivalenzklassen von M′ bezüglich R′ stellt dann eine Zerlegung von M dar, die sog. *Urbildzerlegung* von M bezüglich F und R′, die im Falle, daß R′ die Identität in M′ ist, mit der oben schon betrachteten F-Faserung von M übereinstimmt. Zur Urbildzerlegung gehört nun eine Äquivalenzrelation R auf M, die man auch das *Urbild* von R′ bezüglich F nennt. Durch F ist zugleich eine Abbildung H der Quotientenmenge M/R in die Quotientenmenge M′/R′ bestimmt, nämlich die – wie oben erklärt – zu jeder Relation gehörige Abbildung H = $\hat{F}$, beschränkt auf diejenigen Teilmengen von M, die Elemente von M/R sind. Ist φ bzw. φ' die kanonische Abbildung von M auf M/R bzw. von M′ auf M′/R′, so gilt dann $\varphi \circ H = F \circ \varphi'$. Ein entsprechendes Abbildungsdiagramm nennt man wegen der Gleichwertigkeit der beiden Wege von M nach M′/R′ ein *kommutatives Diagramm:*

$$\begin{array}{ccc} M & \xrightarrow{\quad F \quad} & M' \\ \Big\downarrow \varphi & & \Big\downarrow \varphi' \\ M/R & \xrightarrow[\quad H \quad]{} & M'/R' \end{array}$$

Liegt allgemein eine Menge M mit einer Äquivalenzrelation R auf M und eine Menge M′ mit einer Äquivalenzrelation R′ auf M′ vor, so nennt man eine Abbildung F von M in M′ *verträglich mit den Äquivalenzrelationen* R *und* R′ genau dann, wenn es eine Abbildung H: M/R ⟶ M′/R′ gibt, so daß das zugehörige Diagramm kommutativ ist. Man zeigt leicht, daß dies logisch äquivalent ist mit: $(x, y) \in R \Rightarrow (F(x), F(y)) \in R'$. Gemäß dieser Definition ist also insbesondere eine Abbildung F: M → M′ stets mit einer auf M′ gegebenen Äquivalenzrelation und deren F-Urbild verträglich. Die damit herausgestellten allgemeinen Zusammenhänge spielen in verschiedenen Teilen der Mathematik eine Rolle, vor allem in der → Algebra. Dabei tragen M und M′ bestimmte *Strukturen,* und F und H sind *homomorphe* Abbildungen (s. Abschnitt E).

IV. ORDNUNGSRELATIONEN. 1. EINTEILUNG. Wir haben oben schon Ordnungsrelationen kennengelernt und dort als solche Relationen gekennzeichnet, die *reflexiv, identitiv* und *transitiv* sind. Es handelt sich um eine Verallgemeinerung der ≤-(kleiner-oder-gleich-) Beziehung, wie sie in bekannter Weise auf der Menge der reellen Zahlen gegeben ist, unter Verzicht auf die allgemeine Vergleichbarkeit der Elemente. Ordnungsrelationen sind überall in der Mathematik anzutreffen, und der Begriff der *geordneten Menge* oder *Ordnung* gehört zu den fundamentalen mathematischen Begriffen.

Wie oben schon angedeutet, wollen wir unter einer Ordnung ein *geordnetes Paar* (M, R) verstehen, dessen erste Koordinate eine Menge M und dessen zweite Koordinate eine auf M gegebene Ordnungsrelation R ist. Ist die Vergleichbarkeit aller Elemente aus M bezüglich der Ordnungsrelation

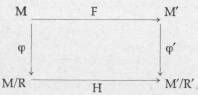

R gewährleistet, d. h. ist R auch *konnex* in M, so nennt man (M, R) eine *linear* (auch *konnex* oder *total*) *geordnete Menge* oder eine *Kette.* Zu jeder Ordnungsrelation R auf M können wir die Relation $R \cap CD$ bilden, wobei D die Identität in M ist. Im Falle der Ordnungsrelationen $\leq$, $\subseteq$, ›ist ein Teiler von‹ führt das zu den Relationen $<$, $\subset$, ›ist ein echter Teiler von‹. Diese Relationen sind *asymmetrisch* und *transitiv.* Man bezeichnet Relationen, die asymmetrisch und transitiv sind, als *strikte Ordnungsrelationen* und spricht demgemäß auch von strikt geordneten Mengen oder *strikten Ordnungen.* Ist R eine lineare Ordnungsrelation (wie zum Beispiel $\leq$), so ist $R \cap CD$ (im Beispiel: $<$) außerdem *semikonnex.* Durch diese Eigenschaft werden die linearen unter den strikten Ordnungsrelationen ausgezeichnet. Allgemein gilt: Ist R eine (lineare) Ordnungsrelation auf M, so ist $R^* := R \cap CD$ eine (lineare) strikte Ordnungsrelation auf M; ist R^* eine (lineare) strikte Ordnungsrelation auf M, so ist $R := R^* \cup D$ eine (lineare) Ordnungsrelation auf M. Jede (lineare) strikte Ordnungsrelation läßt sich in der angegebenen Weise aus einer (linearen) Ordnungsrelation gewinnen und umgekehrt. Als *Variable für Ordnungsrelationen* wollen wir das Zeichen $\sqsubseteq$, für strikte Ordnungsrelationen das Zeichen $\sqsubset$ verwenden. Wir schreiben von nun an wieder $x \sqsubseteq y$ statt $(x, y) \in \sqsubseteq$ (gelesen: x *kleiner oder gleich* y, auch: x *enthalten in* y oder: x *vor* y) und $x \sqsubset y$ (gelesen: x *kleiner als* y, auch: x *echt enthalten in* y oder: x *strikt vor* y) statt $(x, y) \in \sqsubset$ und verwenden die Zeichen so, daß durch $\sqsubset$ jeweils die zu $\sqsubseteq$ gehörige strikte Ordnungsrelation bezeichnet wird. Der eben hervorgehobene Zusammenhang läßt sich dann durch $x \sqsubset y \Leftrightarrow x \sqsubseteq y \wedge x \neq y$ bzw. $x \sqsubseteq y \Leftrightarrow x \sqsubset y \vee x = y$ darstellen. Wegen dieser Entsprechung ist es gleichgültig, ob man eine Ordnungstheorie auf den Ordnungsbegriff im strikten oder nichtstrikten Sinne aufbaut. Beweistechnisch ist es jedoch meistens vorteilhaft, mit der jeweiligen nichtstrikten Ordnungsrelation zu arbeiten. So kommt es z. B. häufig vor, daß die Identität von Elementen a, b einer Ordnung $(M, \sqsubseteq)$ (etwa von Mengen aus einer Menge von Mengen) gezeigt werden soll. Man beweist dann zunächst, daß $a \sqsubseteq b$, sodann, daß $b \sqsubseteq a$, woraus wegen der Identitivität $a = b$ folgt. (Bemerkung: Die Terminologie in der Ordnungstheorie ist nicht einheitlich. Vielfach werden z. B. unsere Ordnungen ›*partielle Ordnungen*‹ genannt und nur im konnexen Falle ›Ordnungen‹.)

2. Begriffe der allgemeinen Ordnungstheorie. Es sei zunächst eine Bemerkung zur Inversen einer Ordnungsrelation vorausgeschickt. An den Eigenschaften der Ordnungsrela-

tionen erkennt man sofort: Ist R eine Ordnungsrelation auf M, so ist R^{-1} wieder eine Ordnungsrelation (derselben Art) auf M. R^{-1} wird als die zu R *entgegengesetzte Ordnungsrelation* bezeichnet. Für die zu $\sqsubseteq$ bzw. $\sqsubset$ entgegengesetzte Ordnungsrelation schreiben wir $\sqsupseteq$ bzw. $\sqsupset$. Es sind dann $x \sqsubseteq y$ und $y \sqsupseteq x$ (gelesen: y *größer oder gleich* x, auch: y *umfaßt* x oder: y *nach* x) bzw. $x \sqsubset y$ und $y \sqsupset x$ (gelesen: y *größer als* x, auch: y *umfaßt* x *echt* oder: y *strikt nach* x) äquivalente Aussagen.

Es sei nun $(M, \sqsubseteq)$ eine Ordnung, M′ eine Teilmenge von M. Auch $(M', \sqsubseteq)$ ist dann (bei entsprechender *Beschränkung* von $\sqsubseteq$ auf M′) eine Ordnung, eine sog. *Teilordnung* von $(M, \sqsubseteq)$. Die folgenden Begriffsbildungen beziehen sich auf Teilmengen M′ einer Ordnung $(M, \sqsubseteq)$. Zur Verdeutlichung wollen wir dabei als M die Menge **N** aller natürlichen Zahlen und als Ordnungsrelation auf **N** die durch ›x ist ein Teiler von y‹ (symbolisch x/y) gegebene Relation / betrachten, als Ordnung also das Paar (**N**, /). Zu endlichen Beispielen von M′ geben wir zudem ein *Hasse-Diagramm* an, dessen Anlage wir oben schon erläutert hatten. Wir definieren:

(20) a ist ein *maximales Element* von M′ :⇔

$$a \in M' \wedge \neg \bigvee_x (x \in M' \wedge a \sqsubset x),$$

d. h.: a liegt in M′ und es gibt kein Element aus M′, das größer ist als a, was nach logischer Umformung auch geschrieben werden kann: $a \in M' \wedge \bigwedge_x [(x \in M' \wedge x \sqsupseteq a) \Rightarrow x = a]$. Nehmen wir als Teilmenge M′ von (**N**, /) die Menge **N** selbst oder die Menge der geraden Zahlen, so gibt es kein maximales Element in M′. Ist M′ eine Menge von Primzahlen, so ist jedes Element von M′ maximal. Ist M′ = {2, 3, 4, 8}, so sind 3 und 8 maximale Elemente (Abb. 43). Ist M′ = {1, 2, 3, 4, 6, 12}, so ist 12 einziges maximales Element von M′ (Abb. 31). Allgemein gilt: Ist $M' \neq \emptyset$ eine endliche Teilmenge einer geordneten Menge $(M, \sqsubseteq)$, so gibt es in M′ wenigstens ein maximales Element.

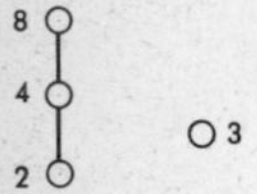

Abb. 43: Hasse-Diagramm der Ordnung ({2, 3, 4, 8}, /)

(21) a ist *größtes Element* von M′ :⇔

$$a \in M' \wedge \bigwedge_x (x \in M' \Rightarrow x \sqsubseteq a).$$

Bei den soeben betrachteten Wahlen von M′ in (**N**, /) hat nur das letzte Beispiel ein größtes Element. Allgemein gilt: In einer Teilmenge M′ einer geordneten Menge $(M, \sqsubseteq)$ gibt es höchstens ein größtes Element. Wenn es existiert, so ist es einziges maximales Element von M′.

(22) a ist eine *obere Schranke* von M′ :⇔ $a \in M \wedge \bigwedge_x (x \in M' \Rightarrow x \sqsubseteq a)$.

Man beachte, daß eine obere Schranke einer Teilmenge M′ – wenn überhaupt eine solche existiert – nicht zu M′ zu gehören braucht. Insbesondere ist im Falle M′ = ø jedes Element von M obere Schranke von M′, da dann die rechte Seite von (22) (die Schrankenbedingung) trivialerweise erfüllt ist. In (**N**, /) ist eine obere Schranke von {2, 3, 4, 8} z. B. 24, aber auch alle anderen gemeinsamen Vielfachen von 2, 3, 4, 8 sind obere Schranken. Hat eine Teilmenge M′ einer geordneten Menge (M, $\sqsubseteq$) eine obere Schranke, so nennt man M′ auch *nach oben beschränkt.* Man macht sich klar, daß in (**N**, /) alle endlichen Teilmengen und nur diese nach oben beschränkt sind.

(23) a ist die *obere Grenze* von M′ :⇔ a ist obere Schranke von M′ ∧ $\bigwedge_y \bigwedge_x (y \in M \wedge x \in M' \wedge x \sqsubseteq y \Rightarrow a \sqsubseteq y)$

(d. h. a ist die kleinste obere Schranke von M′). In (**N**, /) existiert zu jeder nach oben beschränkten (also zu jeder endlichen) Teilmenge M′ die obere Grenze, nämlich das sog. *kleinste gemeinschaftliche Vielfache* der Elemente von M′. Um ein Beispiel zu haben, bei dem die Existenz einer oberen Schranke noch nicht die Existenz der oberen Grenze zur Folge hat, betrachten wir die Menge **P** der rationalen Zahlen und auf ihr die gewöhnliche Ordnungsrelation ≤. In dieser linear geordneten Menge (**P**, ≤) ist die Teilmenge $M' := \{x \mid 0 \leq x \wedge x^2 \leq 2\}$ nach oben beschränkt. Obere Schranken sind alle rationalen Zahlen a, für die $0 \leq a \wedge 2 < a^2$ gilt. Unter ihnen gibt es jedoch kein kleinstes Element (→ Zahlen).

Die Begriffe *minimales Element*, *kleinstes Element*, *untere Schranke* und *untere Grenze* von M′ werden *dual* zu den obigen Begriffen erklärt, d. h. dadurch, daß in (20) bis (23) $\sqsubseteq$ bzw. $\sqsubset$ durch die inverse Relation $\sqsupseteq$ bzw. $\sqsupset$ ersetzt wird. Mit Hilfe des Begriffs ›kleinstes Element‹ läßt sich der Begriff ›*Wohlordnung*‹ definieren. Eine Ordnung (M, $\sqsubseteq$) heißt Wohlordnung genau dann, wenn jede nichtleere Teilmenge M′ von M ein kleinstes Element besitzt. Die Wohlordnungen bilden die Grundlage für die *Ordinalzahltheorie* (→ Kardinal- und Ordinalzahlen). Beispiele von Wohlordnungen sind (**N**, ≤) und alle endlichen Ketten. (**N**, /) ist keine Wohlordnung. Ferner sind (**P**, ≤) und (**R**, ≤) keine Wohlordnungen; denn schon in **P** selbst gibt es ja bezüglich ≤ kein kleinstes Element. Wir werden weiter unten eine fundamentale mengentheoretische Aussage erörtern, die damit äquivalent ist, daß es zu jeder Menge M eine Ordnungsrelation

$\sqsubseteq$ derart gibt, daß (M, $\sqsubseteq$) eine Wohlordnung ist. Allgemein gilt, daß eine Wohlordnung (M, $\sqsubseteq$) stets eine Kette ist. Sind nämlich x, y Elemente aus M, so ist {x, y} eine nichtleere Teilmenge von M und hat deshalb ein kleinstes Element. Gemäß der Feststellung, daß dies x oder y sein muß, haben wir: x $\sqsubseteq$ y oder y $\sqsubseteq$ x, also die Konnexität von $\sqsubseteq$.

3. Ordnungen und Verbände. Mittels der Begriffe obere bzw. untere Grenze einer Teilmenge M′ einer geordneten Menge (M, $\sqsubseteq$), die man auch das *Supremum* bzw. *Infimum* von M′ nennt, symbolisch ›sup M′‹ bzw. ›inf M′‹, läßt sich die Ordnungstheorie unmittelbar in Verbindung bringen mit der *Verbandstheorie.* (M, $\sqsubseteq$) sei eine Ordnung. Zu jeder zweielementigen (und damit — wie man leicht einsieht — zu jeder endlichen) Teilmenge von M existiere das Infimum und das Supremum, so daß man stets inf (x, y) und sup (x, y) bilden kann (genauer müßte man schreiben: inf {x, y} und sup {x, y}). In M lassen sich dann vermöge

(**24**) $\quad x \sqcap y := \inf (x, y), \quad x \sqcup y := \sup (x, y)$

zwei innere Operationen $\sqcap$, $\sqcup$ erklären, die die Verbandsgesetze (2 a) bis (4 b) erfüllen. (M; $\sqcap$, $\sqcup$) ist also ein *Verband.* Umgekehrt kann man in jedem Verband (M; $\sqcap$, $\sqcup$) vermöge

(**25**) $\quad x \sqsubseteq y :\Leftrightarrow x \sqcap y = x$

eine Relation $\sqsubseteq$ definieren, so daß (M, $\sqsubseteq$) eine Ordnung ist, in der stets inf (x, y) und sup (x, y) existieren, und zwar so, daß die Gleichungen (24) gelten. Der Zusammenhang ist derart, daß unter Beachtung von (24) und (25) auf derselben Trägermenge M die Verbände mit den Ordnungen, bei denen je zwei Elemente eine untere und eine obere Grenze besitzen, übereinstimmen.

In einem *Mengenverband* treten $\cap$, $\cup$ an die Stelle von $\sqcap$, $\sqcup$; die durch (25) definierte Beziehung $\sqsubseteq$ kommt also auf $\subseteq$ hinaus, und es gelten entsprechend die Beziehungen (24). Als weitere Beispiele wollen wir noch Mengen M von natürlichen Zahlen mit / als Ordnungsrelation auf ihnen betrachten. Das inf (x, y) ist hier der *größte gemeinschaftliche Teiler* von x und y [g. g. T. (x, y)] und das sup (x, y) das *kleinste gemeinschaftliche Vielfache* von x und y [k. g. V. (x, y)]. Existiert also in M für x, y aus M stets der g. g. T. und das k. g. V. (wie das z. B. in **N** selbst oder in der Menge {1, 2, 3, 4, 6, 12} der Fall ist), so ist M in bezug auf diese Operationen ein Verband. Wegen des aufgezeigten Zusammenhangs zwischen Verbänden und Ordnungen ist das *Hasse-Diagramm* auch eine angemessene Veranschaulichung für endliche Verbände. So stellt Abb. 31 zwei isomorphe Verbände dar, wobei man im linken Diagramm den g. g. T. und das k. g. V. ablesen kann. Beim rechten Diagramm hat man aber darauf zu achten, daß der dort als Mengenordnung dargestellte Verband kein Mengenverband ist, da z. B. $\{1, 3\} \sqcup \{1, 2\}$ nicht zu den betrachteten Mengen gehört. Nur die Operation $\sqcap$ stimmt hier mit dem mengentheoretischen Durchschnitt überein. Abb. 44

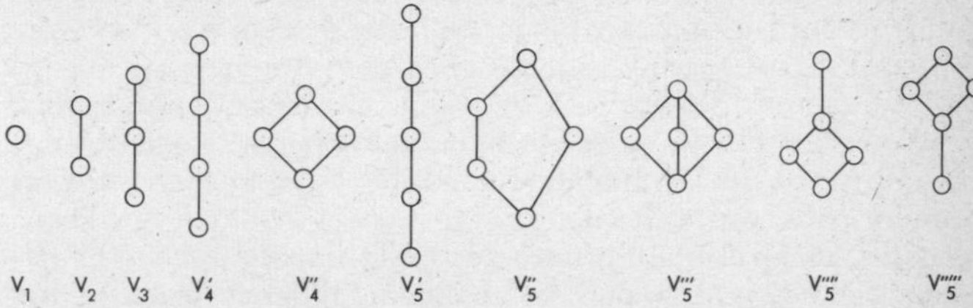

Abb. 44: Die Verbände mit 5 oder weniger Elementen

gibt bis auf Isomorphie alle Verbände mit 5 oder weniger Elementen wieder. Es sei noch hervorgehoben, daß jede (auch unendliche) Kette in dem angegebenen Sinne ein Verband ist. Denn wegen der Konnexität gilt für Elemente x, y einer Kette stets $x \sqsubseteq y \vee y \sqsubseteq x$. Sind x und y verschieden, so ist also inf (x, y) das kleinere und sup (x, y) das größere der beiden Elemente.
Die Übereinstimmung von gewissen Ordnungen und Verbänden kommt insbesondere zur Geltung beim Begriff der *Ordnungsvollständigkeit*. Eine Ordnung, in der zu jeder Teilmenge Supremum und Infimum existieren, heißt *vollständig*. Da die vollständigen Ordnungen stets Verbände sind, spricht man demgemäß auch von *vollständigen Verbänden*. Jeder endliche Verband ist in diesem Sinne vollständig. Ferner ist der Verband aller Teilmengen einer Menge M vollständig. Ist nämlich A eine Menge von Elementen aus der Potenzmenge $\mathfrak{P}(M)$, also eine Menge von Teilmengen A_i mit $i \in I$ von M, so ist:

$$\inf A = \bigcap_{i \in I} A_i, \quad \sup A = \bigcup_{i \in I} A_i.$$

Wir nennen hier den zum Vollständigkeitsnachweis wichtigen Satz: *Eine Ordnung* $(M, \sqsubseteq)$ *ist schon dann ein vollständiger Verband, wenn jede Teilmenge* $A \subseteq M$ *eine untere Grenze besitzt.* Der Beweis ist einfach: Es ist noch zu zeigen, daß jede Teilmenge $A \subseteq M$ auch eine obere Grenze hat. Dazu bildet man die Menge S der oberen Schranken von A, die gegebenenfalls leer ist. Nach Voraussetzung existiert inf S. Ist S insbesondere leer, so sind alle Elemente von M untere Schranken von S (da die Schrankenbedingung trivialerweise erfüllt ist); es ist dann also inf S das größte Element von M. Wir zeigen, daß allgemein inf S das gesuchte sup A ist. Sicher ist inf S obere Schranke von A.

Ist nun s irgendeine obere Schranke von A, so gilt $s \in S$, also $\inf S \sqsubseteq s$. Somit ist inf S die kleinste obere Schranke von A, d. h. die obere Grenze von A. – Um von einer Mengenordnung zu zeigen, daß sie vollständig ist, genügt nach diesem Satz also der Nachweis, daß sie abgeschlossen ist gegenüber beliebiger Durchschnittsbildung. Eine Menge $\mathfrak{H}$ von Teilmengen einer Menge M mit der zuletzt genannten Eigenschaft nennt man ein *Hüllensystem*. Dabei beachte man die oben erörterte Tatsache, daß M als Durchschnitt der leeren Menge von Elementen von $\mathfrak{H}$ selbst zu $\mathfrak{H}$ gehört. Ein Beispiel eines Hüllensystems ist die Menge aller *konvexen* Teilmengen der euklidischen Ebene, d. h. derjenigen Teilmengen, bei denen mit je zwei Punkten der Ebene auch die volle Verbindungsstrecke zur Teilmenge gehört. Dieses Beispiel zeigt zugleich, daß die zu einem Hüllensystem als einer vollständigen Mengenordnung gehörige verbandstheoretische Vereinigung $\sqcup$ zweier Teilmengen A, B, die als sup (A, B) bestimmt ist (analog wie in der Mengenordnung der Abb. 31), nicht mit der mengentheoretischen Vereinigung übereinzustimmen braucht. Sind A, B etwa zwei sich nicht überdeckende Kreisscheiben, so ist $A \cup B$ nicht konvex, während $A \sqcup B = \sup(A, B)$, die sog. *konvexe Hülle* von A und B, wieder eine konvexe Menge ist, deren Rand durch die Kreislinien und die beiden äußeren gemeinsamen Tangenten der Kreise bestimmt ist.

4. Lineare Ordnungstheorie. $(M, \sqsubseteq)$ sei eine *Kette*. Wir betrachten Teilmengen M′ von M, die mit einem Element aus M auch alle kleineren Elemente aus M enthalten. Solche Mengen nennen wir einen *Anfang* von $(M, \sqsubseteq)$:

(26) $$M' \text{ ist Anfang von } (M, \sqsubseteq) :\Leftrightarrow$$
$$M' \subseteq M \wedge \bigwedge_x \bigwedge_y [(x \in M' \wedge y \in M \wedge y \sqsubseteq x) \Rightarrow y \in M'].$$

Wir betrachten sodann die *Zerlegungen* (Klasseneinteilungen) (A, B) der Menge M in einen *nichtleeren Anfang* (Unterklasse) A und eine *nichtleere Restmenge* (Oberklasse) B; eine solche Zerlegung heißt ein *Dedekindscher Schnitt* in $(M, \sqsubseteq)$:

(27) $$(A, B) \text{ ist ein Dedekindscher Schnitt in } (M, \sqsubseteq) :\Leftrightarrow$$
$$A \neq \emptyset \wedge B \neq \emptyset \wedge A \text{ ist Anfang von } (M, \sqsubseteq) \wedge$$
$$\wedge A \cap B = \emptyset \wedge M = A \cup B.$$

Man kann nun verschiedene Arten von Dedekindschen Schnitten definieren und kommt so zu den Begriffen, die für die *ordnungstheoretische Analyse der → Zahlen* von großer Bedeutung sind. Diese Analyse ist zum erstenmal von *R. Dedekind* (1872) für die reellen Zahlen durchgeführt worden. Wir definieren: Ein Dedekindscher Schnitt (A, B) heißt ein

Sprung, wenn A ein größtes und B ein kleinstes Element hat; eine *Lücke*, wenn A kein größtes und B kein kleinstes Element hat; eine *Stetigkeitsstelle* (erster Art), wenn A ein größtes und B kein kleinstes, oder (zweiter Art) wenn A kein größtes und B ein kleinstes Element hat. Wir nennen eine Kette *lückenlos*, wenn unter ihren Dedekindschen Schnitten keine Lücken vorkommen, sonst *lückenhaft*. Wir nennen eine Kette, die mindestens zwei Elemente hat, *dicht*, wenn in ihr keine Sprünge vorkommen, sonst *sprunghaft*. Eine Kette mit mindestens zwei Elementen heißt *stetig*, wenn in ihr alle Dedekindschen Schnitte Stetigkeitsstellen sind. – Zur Erläuterung dieser Begriffe geben wir zunächst folgende leicht zu beweisende Zusammenhänge an: Eine Kette mit mindestens zwei Elementen ist genau dann stetig, wenn sie lückenlos und dicht ist; eine Kette mit mindestens zwei Elementen ist genau dann dicht, wenn es *zwischen* zwei Elementen stets ein drittes Element (und damit unendlich viele Elemente) der Kette gibt. Dabei sagt man von drei Elementen a, b, c einer beliebigen Ordnung $(M, \sqsubseteq)$, daß b *zwischen* a und c liegt, wenn gilt: $a \sqsubset b$ und $b \sqsubset c$ (kurz: $a \sqsubset b \sqsubset c$). In bezug auf die gewöhnliche Ordnungsbeziehung $\leq$ bilden die natürlichen Zahlen eine überall sprunghafte Kette mit einem kleinsten, aber keinem größten Element. Die rationalen Zahlen bilden eine dichte Kette ohne ein kleinstes und größtes Element, in der jedoch Lücken vorkommen. Ein Beispiel einer Lücke liegt in dem Schnitt vor, dessen Restmenge B gleich der oben betrachteten Menge $\{a \mid 0 \leq a \wedge \wedge\ 2 < a^2\}$ ist, die kein kleinstes Element enthält. Der zugehörige Anfang A enthält kein größtes Element, was man unter Beachtung der Tatsache, daß es keine rationale Zahl gibt, deren Quadrat 2 ist, genauso zeigt. Erst die reellen Zahlen bilden eine dichte, lückenlose, also stetige Kette. Betrachtet man die Zahlenbereiche nicht als gegeben, sondern denkt sie sich stufenweise entwickelt (→ Zahlen), so läßt sich die Kette $(\mathbf{R}, \leq)$ aus der Kette der rationalen Zahlen $(\mathbf{P}, \leq)$ dadurch gewinnen, daß man in $(\mathbf{P}, \leq)$ die Menge der Stetigkeitsstellen erster Art und der Lücken betrachtet. Auf dieser Menge von Dedekindschen Schnitten, die die Menge der reellen Zahlen darstellen soll, wird eine lineare Ordnungsrelation gemäß

$$(A_1, B_1) \leq' (A_2, B_2) :\Leftrightarrow A_1 \subseteq A_2$$

erklärt. Dabei bildet die Teilmenge der Stetigkeitsstellen erster Art in bezug auf $\leq'$ eine Ordnung, die zu $(\mathbf{P}, \leq)$ isomorph ist. Es handelt sich hier um die oben bereits erwähnte Isomorphie zwischen einer Ordnung und der entsprechenden Mengenordnung. Allgemein kann man in der angegebenen Weise zu jeder dichten Kette $(M, \sqsubseteq)$, die kein kleinstes und kein größtes Element besitzt, eine stetige Kette konstruieren, die eine zu (M, $\sqsubseteq$) isomorphe Teilkette enthält.

Die Bedeutung der Lückenschließung liegt u. a. darin, daß für lückenlose (also speziell für stetige) Ketten der *Satz von der oberen* (bzw. *unteren*) *Grenze* gilt: Jede nach oben (bzw. unten) beschränkte Teilmenge besitzt eine obere (bzw. untere) Grenze. Umgekehrt ist jede Kette, in der die Aussage von der oberen (unteren) Grenze gilt, lückenlos. Damit stimmt für Ketten, die ein größtes und ein kleinstes Element besitzen, der Begriff der *Lückenlosigkeit* mit dem Begriff der *Vollständigkeit* überein. Die Kette (**R**, $\leq$) insbesondere können wir dadurch vollständig machen, daß wir einfach noch zwei neue Elemente, die wir mit $-\infty$ und $+\infty$ bezeichnen wollen, als kleinstes bzw. größtes Element einführen. Für nach oben bzw. unten nicht beschränkte Mengen reeller Zahlen ist dann $+\infty$ bzw. $-\infty$ die obere bzw. untere Grenze. (Man beachte jedoch, daß man die Körperstruktur von **R** nicht auf $\mathbf{R} \cup \{-\infty, +\infty\}$ erweitern kann.) Wir heben noch hervor, daß sich das Dedekindsche Verfahren so verallgemeinern läßt, daß man damit zu jeder Ordnung (M, $\sqsubseteq$) einen vollständigen Verband konstruieren kann, der eine zu (M, $\sqsubseteq$) isomorphe Teilordnung enthält.

D. AUSWAHLAXIOM, ZORNSCHES LEMMA, WOHLORDNUNGSSATZ.

1. Bei der obigen Definition des *kartesischen Produkts* $\underset{i \in I}{\times} A_i$ einer Familie von Mengen $(A_i)_{i \in I}$ (s. o. Abs. C II 6) erschien es uns als selbstverständlich, daß dieses Produkt nicht leer ist, wenn die Indexmenge I und die A_i sämtlich nicht leer sind, d. h., daß unter den angegebenen Voraussetzungen wenigstens eine Familie $(x_i)_{i \in I}$ mit $x_i \in A_i$ existiert. Formuliert für den Fall, daß I eine Menge M von Mengen und die Familie (aufgefaßt als Abbildung) die identische Abbildung ist, handelt es sich dabei um die Annahme: *Zu jeder Menge* M *von nichtleeren Mengen gibt es eine Funktion (Abbildung)* F, *deren Definitionsmenge* M *ist und deren Wert* F (A) *für alle* A$\in$M *jeweils ein Element von* A *ist.* Es ist dies das berühmte *Auswahlaxiom* (in der Zermeloschen Fassung), so genannt, weil man F als eine ›*Auswahlfunktion*‹ ansehen kann, die aus jeder zu M gehörigen Menge A je ein Element auswählt. Die Gültigkeit dieser Aussage, die durchweg als Axiom bezeichnet wird, weil sie in verschiedenen Axiomensystemen der Mengenlehre auftritt, ist für endliche Mengensysteme M leicht (durch vollständige Induktion) zu beweisen. Schwerwiegende Einwände sind jedoch gegen die den eigentlichen Kern des Axioms darstellende Ausweitung auf unendliche Mengensysteme M gemacht worden. Diese Einwände stehen – wie die Verwendung als Axiom in der axiomatischen Mengenlehre ja unmittelbar zeigt –

jenseits der zwischen der naiven und der axiomatischen Mengenlehre bestehenden Differenzen. Sie kommen von einer ganz anderen Seite der mathematischen Grundlagenforschung, nämlich von den Vertretern des *intuitionistischen*, des *konstruktivistischen* und des *operativen Standpunkts*, die große Teile der Mengenlehre, auch der axiomatisch aufgebauten, konsequent ablehnen. Für sie ist ein reines Existenzprinzip, das wie das Auswahlaxiom die Existenz gewisser unendlicher Mengen (Funktionen) postuliert, ohne eine Angabe über deren effektive Konstruktion zu enthalten, unannehmbar (→ Mathematische Grundlagenforschung).

2. Die meisten Mathematiker teilen diese Bedenken gegen das Auswahlaxiom jedoch nicht; sie machen beim Aufbau und weiteren Ausbau der Mathematik sogar sehr ausgiebig davon Gebrauch. Es hat sich dabei aber gezeigt, daß es in den meisten Fällen vorteilhaft ist, nicht das Auswahlaxiom direkt zu verwenden, sondern statt dessen einige andere, hierzu äquivalente Aussagen heranzuziehen. Unter diesen Aussagen, die eigentümlicherweise keineswegs so ›evident‹ sind wie das Auswahlaxiom und somit die Schärfe dieses Axioms besonders hervortreten lassen, sind die beiden wichtigsten der *Wohlordnungssatz* und das *Zornsche Lemma*. Der Wohlordnungssatz besagt, daß jede Menge wohlgeordnet werden kann. Das bedeutet in einer oben (C IV 2) schon gebrauchten genaueren Formulierung: Zu jeder Menge M gibt es eine Ordnungsrelation $\sqsubseteq$ derart, daß (M, $\sqsubseteq$) eine Wohlordnung ist. Dieser Satz (1904 von *Zermelo* zum erstenmal aus dem Auswahlaxiom abgeleitet) spielte in Verbindung mit der *transfiniten Induktion* (→ Kardinal- und Ordinalzahlen) vor allem in älteren auf unendliche Mengen bezogenen Beweisen eine wichtige Rolle. An seine Stelle ist in neuerer Zeit das Zornsche Lemma getreten, dessen Anwendung gewisse unnatürliche Seiten der auf dem Wohlordnungssatz beruhenden Schlußweisen vermeidet. Tatsächlich nimmt die bei der Anwendung des Wohlordnungssatzes zugrunde gelegte wohlordnende Relation im allgemeinen gar keinen Bezug auf solche in dem jeweiligen Sachverhalt häufig schon vorliegenden Ordnungsstrukturen, die für den zu führenden Beweis von Bedeutung sein könnten. Dieser Situation wird aber das Zornsche Lemma in hohem Maße gerecht, so daß bei seiner Verwendung die Beweise häufig kürzer und durchsichtiger werden. Das Zornsche Lemma besagt: *Eine geordnete Menge, in der es zu jeder Teilkette (linear geordneten Teilmenge) eine obere Schranke gibt, besitzt wenigstens ein maximales Element.* Wir nennen einige Sätze aus der → Algebra, zu deren Beweis man mit Vorteil das Zornsche Lemma verwendet: a) In einem *kommutativen Ring* R *mit Einselement* ist jedes von

R verschiedene Ideal in einem maximalen Ideal enthalten. — b) Jeder *Vektorraum* besitzt eine Basis. — c) Jeder Körper besitzt eine algebraisch abgeschlossene Hülle *(Satz von Steinitz)*. — Ferner ist der obige *Darstellungssatz der Verbandstheorie* zu nennen.

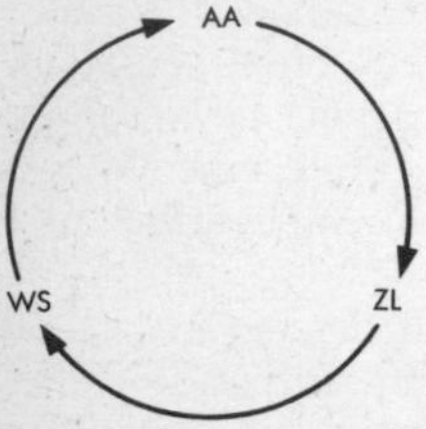

Abb. 45: Zum Äquivalenzbeweis für drei Aussagen

3. Einen Äquivalenzbeweis für mehr als zwei Aussagen sucht man möglichst so einzurichten, daß man diese Aussagen dabei in einer *zyklischen Anordnung* durchläuft. So kann man etwa der Reihe nach zeigen: Aus dem Auswahlaxiom (AA) folgt das Zornsche Lemma (ZL), aus ZL folgt der Wohlordnungssatz (WS), aus WS folgt AA (Abb. 45). Es ist klar, daß damit zum Beispiel auch gezeigt ist: aus WS folgt ZL (nämlich über AA). Wir wollen uns hier auf die weniger schwierigen Teile ZL ⇒ WS und WS ⇒ AA beschränken.

ZL ⇒ WS: M sei eine beliebige Menge; M soll wohlgeordnet werden. Dazu betrachten wir die Menge $\mathfrak{M}$ aller Wohlordnungen $\mathfrak{W}_i = (M_i, W_{M_i})$, deren Trägermengen Teilmengen von M sind. (W_{M_i} seien also Wohlordnungsrelationen auf M_i, wobei man beachte, daß es auf einer Menge i. a. mehrere verschiedene Wohlordnungsrelationen geben kann, z. B. auf allen Mengen von n Elementen genau n! Stück.) $\mathfrak{M}$ ist sicher nicht leer, da die leere Relation die leere Teilmenge von M wohlordnet. Wir haben zu zeigen, daß in $\mathfrak{M}$ auch eine Wohlordnung vorkommt, deren Trägermenge M ist. Um dabei das Zornsche Lemma anwenden zu können, versuchen wir, $\mathfrak{M}$ zu einer geordneten Menge zu machen, die den Voraussetzungen des Zornschen Lemmas genügt (die — wie man auch sagt — eine *induktiv geordnete Menge* ist). Eine geeignete Ordnungsrelation auf $\mathfrak{M}$ bietet sich in der Relation ›$\mathfrak{W}_i$ ist ein *Anfangsstück* von $\mathfrak{W}_j$‹ (kurz: $\mathfrak{W}_i S \mathfrak{W}_j$) an, die wir in unmittelbarer Anlehnung an (26) folgendermaßen definieren:

(28) $\mathfrak{W}_i S \mathfrak{W}_j :\Leftrightarrow \mathfrak{W}_i = (M_i, W_{M_i})$ ist Teilordnung von $\mathfrak{W}_j \wedge$
$\wedge$ M_i ist Anfang von $\mathfrak{W}_j$.

Zunächst ist sofort zu sehen, daß die Relation S eine Ordnungsrelation auf $\mathfrak{M}$ ist. Daß sie auch induktiv ist, zeigen wir so: Wir nehmen aus $(\mathfrak{M}, S)$ irgendeine Teilkette $\mathfrak{K}$ heraus. Wir bilden die Vereinigung V aller Trägermengen von Wohlordnungen aus $\mathfrak{K}$ und führen in V die Relation W_V ein, wobei x W_V y in V genau dann gelten soll, wenn es in $\mathfrak{K}$ eine Wohlordnung

(M_i, W_{M_i}) gibt, so daß $x\, W_{M_i}\, y$ gilt. Es ist klar, daß W_V eine lineare Ordnungsrelation auf V ist; denn der W_V-Vergleich kann immer in einer geeigneten Wohlordnung aus $\mathfrak{K}$ vorgenommen werden. Ferner sieht man, daß jede Wohlordnung aus $\mathfrak{K}$ ein Anfangsstück von $\mathfrak{V} = (V, W_V)$ ist. Eine einfache Überlegung zeigt schließlich, daß $\mathfrak{V}$ eine Wohlordnung ist. Ist nämlich U eine nichtleere Teilmenge von V, also etwa u ein Element aus U, so gehört u zu wenigstens einer der Trägermengen der Wohlordnungen aus $\mathfrak{K}$, etwa zu M_0. Der Durchschnitt $M_0 \cap U \subseteq M_0$ hat ein kleinstes Element a. Da (M_0, W_{M_0}) ein Anfangsstück von (V, W_V) ist, liegt jedes Element $x \in V$ mit $x\, W_V\, a$ in M_0, also, falls zugleich $x \in U$ ist, auch in $M_0 \cap U$, so daß $x = a$ ist. Damit ist a kleinstes Element von $V \cap U = U$. $\mathfrak{V} = (V, W_V)$ gehört also zu $(\mathfrak{M}, S)$ und ist obere Schranke von $\mathfrak{K}$. – Wir können jetzt das Zornsche Lemma anwenden. Da $(\mathfrak{M}, S)$ die Voraussetzungen erfüllt, gibt es in $(\mathfrak{M}, S)$ ein maximales Element $\mathfrak{W}$. Die Trägermenge von $\mathfrak{W}$ muß M sein. Denn gäbe es in M ein Element b, das nicht zur Trägermenge von $\mathfrak{W}$ gehörte, dann brauchte man $\mathfrak{W}$ nur um das Element b als das größte Element zu erweitern und hätte damit eine Wohlordnung aus $(\mathfrak{M}, S)$, die bezüglich der S-Relation größer wäre als $\mathfrak{W}$ im Widerspruch zur Maximalität von $\mathfrak{W}$.

WS ⇒ AA: Wir knüpfen an die obige Formulierung des Auswahlaxioms an. $\mathfrak{M}$ sei eine Menge von nichtleeren Mengen, $A_0 = \bigcup_{A \in \mathfrak{M}} A$ die Vereinigungsmenge aller Mengen A von $\mathfrak{M}$. Nach dem Wohlordnungssatz kann A_0 wohlgeordnet werden. $(A_0, \sqsubseteq)$ sei eine Wohlordnung. Es ist eine Funktion F zu definieren, die jedem $A \in \mathfrak{M}$ jeweils ein Element aus A zuordnet. Da jedes A als nichtleere Teilmenge von A_0 ein kleinstes Element bezüglich $\sqsubseteq$ besitzt, können wir definieren: $F(A) :=$ das kleinste Element von A. F ist dann eine Auswahlfunktion für das Mengensystem $\mathfrak{M}$.

E. Relationengebilde, elementare Strukturtheorie. 1. In den letzten Jahrzehnten ist im Aufbau der Mathematik eine tiefgreifende Wandlung eingetreten. Die Einteilung nach den traditionellen mathematischen Gebieten wie Zahlentheorie, Differentialrechnung, Geometrie usw. wurde übergriffen von den neu entwickelten Theorien der geordneten Mengen, der Verbände, der Gruppen, Ringe, Körper, der Vektorräume, der topologischen Räume usw. Dadurch ist es möglich geworden, die Mathematik unter dem Gesichtspunkt der ›*Struktur*‹ ganz neu zu ordnen. Von diesen Möglichkeiten hat in vollem Ausmaß zum erstenmal eine sich ständig erneuernde Gruppe französischer Mathematiker, die unter dem Decknamen ›Nikolas *Bourbaki*‹ schreiben, Gebrauch gemacht. Seit 1935 arbeitet Bourbaki an einer vielbändigen Gesamtdarstellung ›Éléments de Mathématiques‹, in der nach der Logik und der Mengenlehre zunächst die mathematischen *Grundstrukturen* (Mutterstrukturen) entwikkelt werden. Als diese gelten bei Bourbaki die *Ordnungsstrukturen*, die *algebraischen Strukturen* und die *topologischen Strukturen*. Dabei ist die Theorie der Ordnungsstrukturen dasselbe wie die Theorie der geordneten Mengen; die Theorie der algebraischen Strukturen beschäftigt sich allgemein mit mathematischen Gebilden, in denen Verknüpfungen gegeben sind, also insbesondere mit den Gruppen, Ringen, Körpern, Vektorräumen; die Untersuchung der topologischen Strukturen ist die Angelegenheit der allgemeinen Topologie. Durch Koppelung von Grundstrukturen kommt Bourbaki zu den *multiplen Strukturen* und damit zu spezielleren Theorien, die schließlich die klassischen mathematischen Disziplinen selbst ausmachen. So wird ja z. B. in der → Infinitesimalrechnung Gebrauch davon gemacht, daß auf der Menge der reellen Zahlen Grundstrukturen aller drei Arten gekoppelt vorkommen: eine algebraische Struktur (die reellen Zahlen bilden einen Körper), eine Ordnungsstruktur (die reellen Zahlen bilden eine Ordnung) und eine topologische Struktur (es ist ein Limesbegriff erklärt). Die nicht zu weit spezialisierten multiplen Strukturen sind besondere Forschungsgebiete der heutigen Mathematik geworden. Es sind hier neuartige Theorien relativ allgemeinen Charakters entstanden, Theorien über angeordnete Gruppen, Ringe und Körper, über topologische Gruppen, topologische Vektorräume, differenzierbare Mannigfaltigkeiten, analytische Faserräume usw. Zu ihrer Entwicklung hat Bourbaki selbst wesentliche Beiträge geleistet.

2. Die Aufteilung in drei Arten von Grundstrukturen – wie wir sie bei Bourbaki finden – läßt sich noch weiter reduzieren. Das ist sinnvoll, da es Begriffsbildungen und Methoden gibt, die bei der Untersuchung aller Arten von Strukturen angewendet werden. Man kommt so zu einer *allgemeinen Strukturtheorie*, in die wir einen ersten Einblick geben wollen. Wir werden sehen, daß dabei Mengen, Relationen und Abbildungen eine wesentliche Rolle spielen.

Zunächst definieren wir den Begriff des *Relationengebildes*. Darunter soll eine *Menge* M mitsamt einem n-*tupel* $\sigma = (R_1^{(i_1)}, \ldots, R_n^{(i_n)})$ von *Relationen* auf M verstanden werden, genauer: das *geordnete Paar* (M, σ). M nennen wir *Trägermenge* von (M, σ) und das Relationen-n-tupel σ, in dem $R_k^{(i_k)}$ als i_k-stellig vorausgesetzt ist, eine *konkrete Relationenstruktur* (erster Stufe) auf M. Wir betrachten als Trägermenge etwa die Menge der reellen Zahlen **R** und auf dieser die gewöhnliche Ordnungsrelation $\leq$. Dann ist die geordnete Menge (**R**, $\leq$) (wie allgemein jede geordnete Menge) ein Relationengebilde. Wenn wir die gewöhnlichen Rechenoperationen $+$ und $\cdot$ auf **R** als dreistellige Relationen auffassen, so ist auch [**R**, $(+, \cdot)$] ein Relationengebilde. Ein davon verschiedenes Relationengebilde mit derselben Trägermenge **R** ist [**R**, $(+, 0, N, \cdot, 1, Rz, \leq)$], das wir als den angeordneten Körper der reellen Zahlen mit den Elementen 0 und 1 als ausgezeichneten nullstelligen Relationen und den Funktionen der Negativen- und Reziprokenbildung N und Rz als ausgezeichneten zweistelligen Relationen kennzeichnen können. Da sich die algebraischen Operationen allgemein als Relationen auffassen lassen und da auch eine topologische Struktur (oder Topologie) auf einer Menge als Relationenstruktur darstellbar ist (was wir hier jedoch nicht näher aufzeigen wollen), haben wir mit unseren Begriffen sicher die drei oben hervorgehobenen Grundstrukturen miterfaßt. (Bemerkung: Für manche Bedürfnisse der Mathematik sind allerdings auch unsere Definitionen zu eng. So ist es nicht immer möglich, die jeweiligen Gegebenheiten auf Relationen, die auf einer bestimmten Menge erklärt sind, zurückzuführen. Man muß zugleich auch Relationen auf der Potenzmenge der jeweiligen Grundmenge und auf Mengen noch höherer Stufenordnung [im Sinne der sog. *Typentheorie*] zulassen [→ Logik und Methodologie]. Auch sind bei den jüngsten Entwicklungen der Mathematik, z. B. in der homologischen Algebra und Cohomologietheorie, ganz neue strukturtheoretische Gesichtspunkte aufgetreten, die durch den Begriff der ›*Kategorie*‹ präzisiert werden, worauf wir hier allerdings nicht eingehen können.)

Die Einteilung der Gebilde geschieht in der modernen Mathematik mit Hilfe von *Axiomensystemen.* Axiomensysteme stellen *Eigenschaften von Gebilden* dar, z. B. die Eigenschaft, eine Ordnung, eine Gruppe, ein Verband, ein Körper, ein topologischer Raum zu sein. Der abstrakte Charakter der neueren Mathematik besteht gerade darin, daß sie in ihren Untersuchungen häufig von der Bezugnahme auf einzelne konkrete Gebilde absieht und nur die allgemeinen Eigenschaften von Gebilden studiert (→ Logik und Methodologie). Ein Gebilde, das die durch ein Axiomensystem $\mathfrak{A}$ dargestellte Eigenschaft besitzt, nennt man ein *Modell* von $\mathfrak{A}$ oder kurz $\mathfrak{A}$-*Gebilde.* Im Sinne einer den Strukturbegriff präzisierenden Terminologie wollen wir von einem Modell (M, σ) von $\mathfrak{A}$ auch sagen, daß es eine konkrete Struktur σ vom Typ $\mathfrak{A}$ oder eine $\mathfrak{A}$-Struktur, also speziell z. B. Ordnungsstruktur, Verbandsstruktur, Gruppenstruktur usw., besitzt.

3. Die hier zu besprechenden allgemeinen Verfahren der Mathematik bestehen u. a. darin, aus vorgegebenen Gebilden (›Ge-

bilde‹ im folgenden kurz für ›Relationengebilde‹) neue Gebilde zu konstruieren und Zusammenhänge zwischen Gebilden zu untersuchen. Bei den Konstruktionen kommt es dann vor allem darauf an, möglichst viele Modelle des jeweils betrachteten Axiomensystems zu gewinnen. Im allgemeinen werden natürlich nur Gebilde mit derselben *Stellenverteilung* in Verbindung gebracht, Stellenverteilung eines Gebildes $[M, (R_1^{(i_1)}, \ldots, R_n^{(i_n)})]$ (z. B. $[\mathbf{R}, (+, 0, N, \cdot, 1, Rz, \leq)]$) verstanden als das Zahlen-n-tupel $(i_1, \ldots, i_n)$ (z. B. [3, 0, 2, 3, 0, 2, 2]). Gebilde mit derselben Stellenverteilung wollen wir *homolog* nennen. Durch ein Axiomensystem wird die Stellenverteilung vorgeschrieben. Modelle desselben Axiomensystems können also stets als homolog angesehen werden.

Als erstes Beispiel eines Konstruktionsverfahrens nennen wir die Erzeugung von *Produktgebilden*. Sind $\mathfrak{G} = (M, \sigma)$ und $\mathfrak{G}^* = (M^*, \sigma^*)$ homologe Gebilde mit $\sigma = (R_1^{(i_1)}, \ldots, R_n^{(i_n)})$, $\sigma^* = (R^*{}_1^{(i_1)}, \ldots, R^*{}_n^{(i_n)})$, so kann man auf der Produktmenge $M \times M^*$ die sog. *direkte Produktstruktur* $\sigma \times \sigma^* = (R_1^{(i_1)} \times R^*{}_1^{(i_1)}, \ldots, R_n^{(i_n)} \times R^*{}_n^{(i_n)})$ einführen. Dabei versteht man unter $R_k^{(ik)} \times R^*{}_k^{(ik)}$ (k von 1 bis n) die i_k-stellige Relation auf $M \times M^*$, die gemäß

(29) $$[(x_1, x_1^*), \ldots, (x_{i_k}, x_{i_k}^*)] \in R_k^{(ik)} \times R^*{}_k^{(ik)} :\Leftrightarrow (x_1, \ldots, x_{i_k}) \in R_k^{(ik)} \wedge (x_1^*, \ldots, x^*_{i_k}) \in R^*{}_k^{(ik)}$$

definiert ist. Das Gebilde $(M \times M^*, \sigma \times \sigma^*)$ nennt man dann das *direkte Produkt* von $\mathfrak{G}$ und $\mathfrak{G}^*$, kurz bezeichnet mit $\mathfrak{G} \times \mathfrak{G}^*$. Die Produktbildung wird in Abb. 46 am Beispiel endlicher Ordnungen verdeutlicht. Für Ordnungen $(M, \sqsubseteq)$ und $(M^*, \sqsubseteq^*)$ (mit $\sqsubseteq'$ für $\sqsubseteq \times \sqsubseteq^*$) bedeutet (29), daß

$$(x_1, x_1^*) \sqsubseteq' (x_2, x_2^*) :\Leftrightarrow x_1 \sqsubseteq x_2 \wedge x_1^* \sqsubseteq^* x_2^*.$$

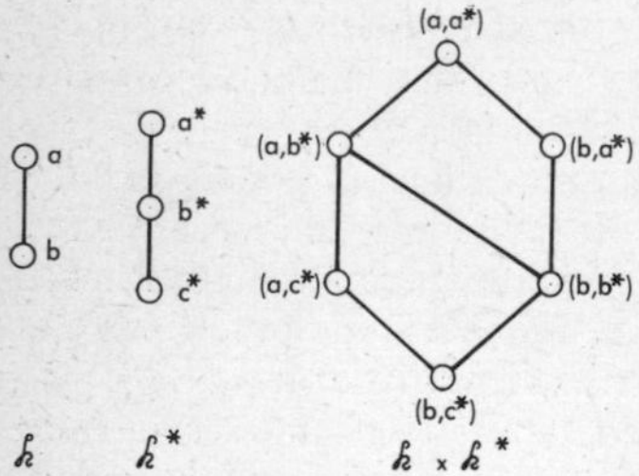

Abb. 46: Direktes Produkt zweier Ordnungen

Das einfache ausgewählte Beispiel zeigt zugleich, daß bei der Produktbildung wichtige Eigenschaften der Faktoren verlorengehen können: hier die Konnexität; denn das Produkt zweier Ketten $\mathfrak{K}$, $\mathfrak{K}^*$ mit je mehr als einem Element ist keine Kette. Allgemein aber gilt, daß das direkte Produkt von zwei geordneten Mengen stets wieder eine geordnete Menge, von zwei Verbänden stets wieder ein Verband, von zwei Gruppen stets wieder eine Gruppe und von zwei topologischen Räumen stets wieder ein topologischer Raum ist.

Als eine weitere Methode zur Konstruktion neuer Gebilde erwähnen wir die auf die Struktur bezogene *Quotientenbildung*. Sie ist durchführbar, wenn auf der Trägermenge M eines Gebildes $\mathfrak{G} = (M, \sigma)$ eine *Äquivalenzrelation* R gegeben ist, die mit σ in folgendem Sinne *verträglich* ist: Für alle $R_k^{(ik)}$ aus σ und alle $x_1, \ldots, x_{i_k}$ und $x_1', \ldots, x_{i_k}'$ aus M muß gelten:

$$(30)\quad (x_1, \ldots, x_{i_k}) \in R_k^{(ik)} \wedge x_1 R x_1' \wedge \cdots \wedge x_{i_k} R x_{i_k}' \Rightarrow (x_1', \ldots, x_{i_k}') \in R_k^{(ik)}.$$

Eine solche Äquivalenzrelation auf M nennt man auch eine *Kongruenzrelation* bezüglich σ oder eine Kongruenzrelation im Gebilde $\mathfrak{G}$. Ist nun R eine Kongruenzrelation in $\mathfrak{G}$, dann kann man die Quotientenmenge M/R in natürlicher Weise zur Trägermenge eines zu $\mathfrak{G}$ homologen Gebildes $\tilde{\mathfrak{G}} = (M/R, \tilde{\sigma})$ machen: die Relationen $\tilde{R}_k^{(ik)}$ von $\tilde{\sigma}$ werden gemäß

$$(31)\quad ([x_1], \ldots, [x_{i_k}]) \in \tilde{R}_k^{(ik)} :\Leftrightarrow (x_1, \ldots, x_{i_k}) \in R_k^{(ik)}$$

definiert, was auf Grund der vorausgesetzten Eigenschaften von R unabhängig von den Repräsentanten x_i geschieht, die wir aus den Klassen $[x_i]$ herausgegriffen haben. Die Struktur $\tilde{\sigma}$ bezeichnet man als *Quotientenstruktur* von σ nach R (symbolisch: σ/R) und $\tilde{\mathfrak{G}}$ als *Quotientengebilde* von $\mathfrak{G}$ nach R (symbolisch: $\mathfrak{G}$/R). Abb. 47 gibt eine durch eine Klasseneinteilung dargestellte Kongruenzrelation in einer Ordnung, das Hasse-Diagramm der zugehörigen Quotientenordnung sowie das Pfeildiagramm der zugehörigen kanonischen Abbildung wieder. Wichtige Beispiele von Quotientengebilden aus der → Algebra sind die *Faktorgruppen* (häufig auch im Sinne unserer Terminologie: *Quotientengruppen*), die *Quotientenringe* und *Quotientenkörper*. Die Kongruenzrelationen sind hier durch *Normalteiler* und *Ideale* bzw. *maximale Ideale* gegeben. ›Gruppe‹ und ›Ring‹ sind (wie auch ›Ordnung‹) Beispiele von Strukturtypen, bei denen die Quotientenbildung aus dem Typ nicht hinausführt.

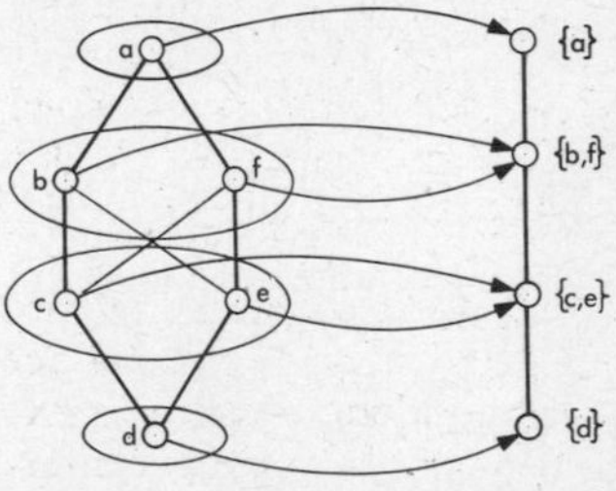

Abb. 47: Quotientenbildung in einer Ordnung

Wir erläutern sodann den Begriff der *Beschränkung* einer Struktur und den damit in Verbindung stehenden Begriff des *Untergebildes* (oder *Teilgebildes*). Wir betrachten in einem Gebilde $\mathfrak{G} = (M, \sigma)$ eine Teilmenge $M' \subseteq M$. Unter der Beschränkung von $\sigma = (R_1^{(i_1)}, \ldots, R_n^{(i_n)})$ auf M', symbolisch $\sigma|M'$, verstehen wir die Struktur, die von den auf M' beschränkten Relationen $R_k^{(i_k)}|M'$ (für k von 1 bis n) gebildet wird. Dabei können im Hinblick auf den jeweils betrachteten Typ gewisse wichtige Eigenschaften der $R_k^{(i_k)}$ verlorengehen. Man nimmt deshalb meistens Bezug auf ein Axiomensystem $\mathfrak{A}$ und bezeichnet, falls (M, σ) ein Modell von $\mathfrak{A}$ ist, genau diejenigen Gebilde $(M', \sigma|M')$, die ebenfalls Modelle von $\mathfrak{A}$ sind, als *$\mathfrak{A}$-Untergebilde* (auch *$\mathfrak{A}$-Teilgebilde*) von (M, σ). In diesem Sinne spricht man von *Teilverbänden, Teilordnungen, Untergruppen, Unterringen, topologischen Unterräumen* usw.

Die Menge $\mathfrak{M}$ aller $\mathfrak{A}$-Untergebilde eines $\mathfrak{A}$-Gebildes (M, σ) bildet bezüglich der für die Trägermengen bestehenden Inklusion $\subseteq$ eine *Mengenordnung*. Ist dann der Durchschnitt beliebig vieler Untergebilde aus $\mathfrak{M}$ wieder ein $\mathfrak{A}$-Untergebilde von (M, σ), so ist $\mathfrak{M}$ – nach einer früheren Feststellung (C IV 3) – ein *vollständiger Verband*. Wann die Eigenschaft, vom Typ $\mathfrak{A}$ zu sein, sich durch Beschränkung auf beliebige Durchschnitte überträgt, hängt wesentlich von der logisch-sprachlichen Fassung der Axiome von $\mathfrak{A}$ ab (→ Logik und Methodologie). Wir erwähnen hier nur, daß diese Voraussetzung für den Typ ›Ordnung‹, ›Verband‹, ›Gruppe‹, ›Ring‹ und ›Körper‹ erfüllt ist. Zwischen den Eigenschaften eines Gebildes und den Eigenschaften des zugehörigen Verbandes der Untergebilde bestehen gewisse Zusammenhänge. Diese sind in der neueren Zeit vor allem für *Gruppen* genauer untersucht worden.

4. Ein wichtiges Hilfsmittel, um Beziehungen zwischen Gebilden herzustellen und Strukturen auf Mengen zu induzieren, sind die *Abbildungen*. Fundamental ist in diesem Zusammenhang der Begriff der *homomorphen Abbildung*. $\mathfrak{G} = (M, \sigma)$ und $\mathfrak{G}^* = (M^*, \sigma^*)$ seien homologe Gebilde. Eine Abbildung h der Trägermenge M von $\mathfrak{G}$ in (auf) die Trägermenge M^* von $\mathfrak{G}^*$ heißt ein *Homomorphismus* von $\mathfrak{G}$ in (auf) $\mathfrak{G}^*$ genau dann, wenn für alle $R_k^{(i_k)}$ aus σ und alle $x_1, \ldots, x_{i_k}$ aus M gilt:

$$\textbf{(32)} \quad (x_1, \ldots, x_{i_k}) \in R_k^{(i_k)} \Rightarrow (h(x_1), \ldots, h(x_{i_k})) \in R^*{}_k^{(i_k)}.$$

Ein Homomorphismus von $\mathfrak{G}$ in $\mathfrak{G}$ selbst heißt *Endomorphismus* von $\mathfrak{G}$. Ist h ein Homomorphismus von (M, σ) in (M^*, σ^*), dann bezeichnet man das durch Beschränkung von σ^* auf die Bildmenge $h(M) \subseteq M^*$ bestimmte Gebilde $(h(M), \sigma^*|h(M))$ als *homomorphes Bild* von (M, σ). Wichtige Beispiele von Homomorphismen sind die *kanonischen Abbildungen* eines Gebildes in seine Quotientengebilde. Die Abbildungen 47 und 48 stellen Beispiele von Homomorphismen

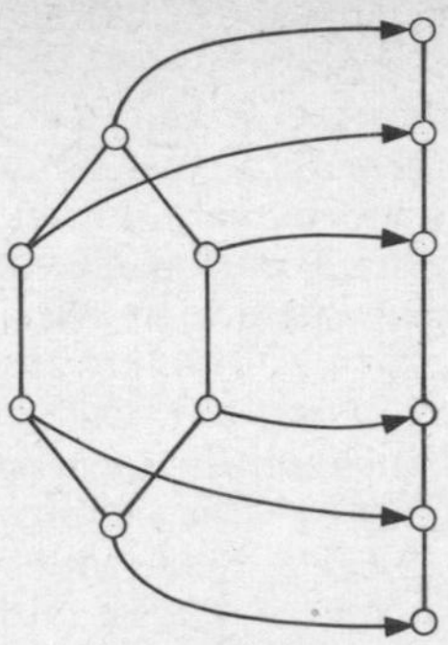

Abb. 48: Pfeildiagramm eines Ordnungshomomorphismus

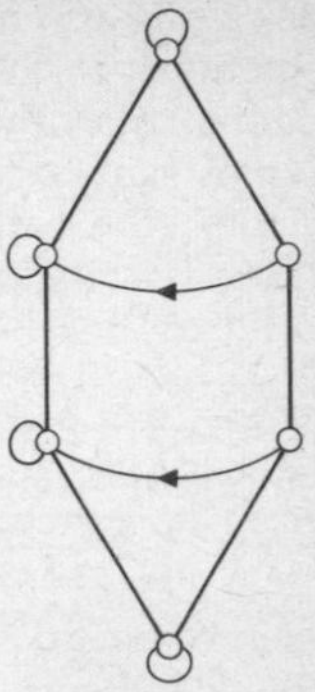

Abb. 49: Pfeildiagramm eines Endomorphismus

zwischen Ordnungen dar; Abb. 49 gibt ein Beispiel eines Endomorphismus einer Ordnung wieder. Einen Homomorphismus h einer Ordnung (M, $\sqsubseteq$) in eine Ordnung (M*, $\sqsubseteq^*$) nennt man auch eine *monoton wachsende* Abbildung von (M, $\sqsubseteq$) in (M*, $\sqsubseteq^*$). Dabei bedeutet dann (32), daß

$$x_1 \sqsubseteq x_2 \Rightarrow h\,(x_1) \sqsubseteq^* h\,(x_2).$$

Gilt diese Implikation auch für die zugehörigen strikten Relationen $\sqsubset$ und $\sqsubset^*$, so heißt h *streng monoton wachsend.* Gilt sie jeweils, wenn $\sqsubseteq^*$ bzw. $\sqsubset^*$ durch die inverse Relation ersetzt werden, so heißt h *monoton* (bzw. *streng monoton*) *abnehmend.* Eine Abbildung heißt (streng) *monoton* schlechthin, wenn sie (streng) monoton wachsend oder (streng) monoton abnehmend ist. Beispiele für Ordnungshomomorphismen (insbesondere Endomorphismen) sind also alle aus der reellen Funktionenlehre bekannten monotonen reellen Funktionen.

Die Bedeutung der homomorphen Abbildungen zeigt sich vor allem in der Tatsache, daß man Quotientengebilde in vielen Fällen mit ihrer Hilfe gewinnen kann. So gehören bei *algebraischen Gebilden* $\mathfrak{G}$, d. h. Gebilden, in denen alle Relationen Operationen sind (→ Algebra), nicht nur zu jeder Kongruenzrelation ein kanonischer Homomorphismus, sondern auch umgekehrt zu jedem Homomorphismus h eine Kongruenzrelation R_h auf $\mathfrak{G}$, die durch

$$\textbf{(33)} \qquad x_1 R_h x_2 :\Leftrightarrow h\,(x_1) = h\,(x_2)$$

definiert ist. Für die Gruppentheorie bedeutet das insbesondere, daß Homomorphismen geeignete Hilfsmittel sind, um *Nor-*

malteiler einer Gruppe zu bestimmen und die Struktur der Quotientengruppe zu untersuchen.

Ein homomorphes Bild eines Gebildes vom Typ 𝔄 kann wieder vom Typ 𝔄 sein: z. B. ist ein homomorphes Bild einer Gruppe stets wieder eine Gruppe. Andererseits können aber auch wichtige Eigenschaften verlorengehen, z. B. die Transitivität einer zweistelligen Relation. Um das zu zeigen, betrachten wir die Gebilde $\mathfrak{G} = (M, <)$ und $\mathfrak{G}^* = (M, \neq)$ mit $M = \{1, 2, 3\}$. $\mathfrak{G}$ erfüllt das Transitivitätsaxiom: $x_1 < x_2 \wedge x_2 < x_3 \Rightarrow x_1 < x_3$. Als Homomorphismus von $\mathfrak{G}$ auf $\mathfrak{G}^*$ wählen wir die identische Abbildung D. Die Homomorphiebedingung (32) ist erfüllt: es gilt $x_1 < x_2 \Rightarrow D(x_1) = x_1 \neq x_2 = D(x_2)$. Die Relation $\neq$ ist jedoch nicht transitiv; denn $1 \neq 2 \wedge 2 \neq 1 \Rightarrow 1 \neq 1$ ist falsch. Man führt den Begriff des Homomorphismus aus diesem Grunde meistens in Verbindung mit einem Axiomensystem (also typgebunden) ein und nennt einen Homomorphismus von $\mathfrak{G}$ in $\mathfrak{G}^*$ einen *𝔄-Homomorphismus* genau dann, wenn $\mathfrak{G}$ und $\mathfrak{G}^*$ Modelle von 𝔄 sind. Man redet demgemäß von Verbandshomomorphismen, Ordnungshomomorphismen usw. Wir haben in unseren obigen aus der Ordnungstheorie genommenen Beispielen immer schon typgebundene Homomorphismen betrachtet.

Spezielle Homomorphismen sind die *isomorphen Abbildungen (Isomorphismen)*, die dem schon mehrfach benutzten Isomorphiebegriff zugrunde liegen. Eine Abbildung von M in (auf) M^* heißt Isomorphismus von $\mathfrak{G} = (M, \sigma)$ in (auf) $\mathfrak{G}^* = (M^*, \sigma^*)$ genau dann, wenn sie injektiv (bijektiv) und nebst ihrer Umkehrung ein Homomorphismus ist. Gebilde, die isomorph aufeinander abgebildet werden können, nennt man *isomorph*. Beispiele isomorpher Ordnungen liegen in den Abb. 31 und 46 vor. Stellt man diese Diagramme nebeneinander, so ist klar, wie die Isomorphismen durch entsprechende Pfeile einzuzeichnen wären. Wir erwähnen noch, daß für algebraische Gebilde in der Definition des Isomorphismus die Bedingung, daß die Umkehrabbildung auch ein Homomorphismus ist, wegfallen kann. Dies ist hier beweisbar; nicht jedoch für beliebige Relationengebilde, wie schon das einfache Beispiel in Abb. 48 zeigt, in dem die inverse Abbildung kein Homomorphismus ist.

Unter den Isomorphismen haben die isomorphen Selbstabbildungen eines Gebildes auf sich, die sog. *Automorphismen* des Gebildes, eine besondere Bedeutung. Die Automorphismen eines Gebildes $\mathfrak{G}$ bilden eine Gruppe, die volle *Automorphismengruppe* von $\mathfrak{G}$. Diese Gruppe und ihre Untergruppen, die man allgemein als Automorphismengruppen von $\mathfrak{G}$ bezeichnet, sind ein geeignetes Hilfsmittel für Strukturuntersuchungen. Die *Galoistheorie*, in der an Hand der Automorphismengruppe eines Körpers K Aussagen über die Unterkörper von K gemacht werden, ist dafür ein Beispiel (→ Gleichungen). Auch *F. Kleins Erlanger Programm* ist hier zu nennen. Es beruht auf der Tatsache, daß es geometrische Systeme (Geometrien) gibt, die durch ihre Automorphismengruppe charakterisiert und von einer Gruppe her, die dann als Automorphismengruppe fungiert, aufgebaut werden können. Es sei noch hervorgehoben, daß gelegentlich zu einer Automorphismengruppe Γ eines Gebildes 𝔊 eine Kongruenzrelation R_Γ in 𝔊 gehört, die in folgender Weise erklärt ist:

$$(34) \qquad x_1 R_\Gamma x_2 \;:\Leftrightarrow\; \bigvee_{g} (g \in \Gamma \wedge x_2 = g(x_1)).$$

Die Quotientenbildung nach dieser Kongruenzrelation ist in vielen Theorien (z. B. der Theorie der Mannigfaltigkeiten) eines der wichtigsten Verfahren, um die Struktur von Gebilden zu untersuchen und neue Gebilde zu erzeugen. Abb. 50 stellt ein Pfeildiagramm eines Automorphismus A einer Ordnung dar. Es ist neben der identischen Abbildung D der einzige Automorphismus dieser Ordnung. ({D, A}, ∘) ist also die Automorphismengruppe.

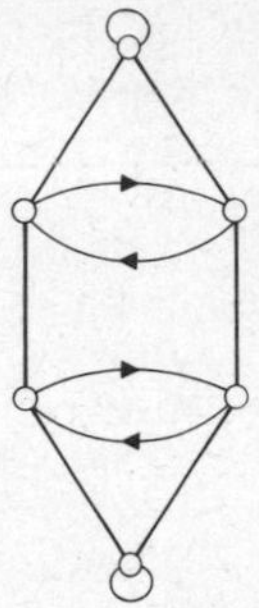

Abb. 50: Pfeildiagramm eines Automorphismus

5. Die Isomorphie ist auf jeder Menge von Gebilden eine Äquivalenzrelation. Wir wollen eine bestimmte (hinreichend große) Menge von Gebilden zugrunde legen. (Der Begriff ›Menge aller Gebilde‹ ist inkonsistent.) Die Abstraktion nach dieser Äquivalenzrelation führt dann zum Begriff der *abstrakten Struktur*. Wir definieren: Eine abstrakte Struktur ist eine Äquivalenzklasse isomorpher Gebilde. Bezeichnen wir die zu 𝔊 gehörige Klasse mit Σ, dann wollen wir auch sagen, daß 𝔊 die abstrakte Struktur Σ hat. Nach dieser Redeweise haben also isomorphe Gebilde dieselbe abstrakte Struktur. In der sog. *Strukturtheorie der Gruppen* interessiert man sich z. B. gerade für die abstrakten Strukturen von Gruppen: man versucht, in einer Isomorphieklasse einen Repräsentanten (und damit die ganze Klasse) möglichst genau zu kennzeichnen. Ein besonders einfaches Beispiel von abstrakten Strukturen stellen die *Ordinalzahlen* dar; sie sind abstrakte Strukturen von wohlgeordneten Mengen (→ Kardinal- und Ordinalzahlen).

Es ist möglich, von abstrakten Strukturen von Gruppen, geordneten Mengen, Körpern usw. zu sprechen, da die Isomorphierelation mit der Eigenschaft, ein 𝔄-Gebilde zu sein, in dem oben

angegebenen Sinne verträglich ist: Ist $\mathfrak{S}$ ein Modell von $\mathfrak{A}$ und ist $\mathfrak{S}^*$ isomorph zu $\mathfrak{S}$, so ist $\mathfrak{S}^*$ ein Modell von $\mathfrak{A}$. Einem durch ein Axiomensystem $\mathfrak{A}$ bestimmten Strukturtyp entspricht also nicht nur eine Menge von Gebilden (oder konkreten Strukturen), sondern auch eine bestimmte Menge von abstrakten Strukturen. Diese Menge ist leer, wenn $\mathfrak{A}$ *widerspruchsvoll* ist. Sie hat genau ein Element, wenn $\mathfrak{A}$ *monomorph* ist; sie hat mindestens zwei Elemente, wenn $\mathfrak{A}$ *polymorph* ist (→ Logik und Methodologie).
Wir wollen abschließend noch darauf hinweisen, daß man den Strukturbegriff und damit zusammenhängende Begriffe wie Gebilde, Strukturtyp usw. oft anders definiert, als wir es vorangehend getan haben. Die Unterschiede sind aber nur unwesentlich und bewirken eine mehr oder weniger gute Anpassung an die üblichen mathematischen Redeweisen. Gewisse sprachliche Härten lassen sich wohl bei keiner dieser Definitionen vermeiden, wenn man sie konsequent anwendet.

Topologie. Die Topologie ist die jüngste selbständige Teildisziplin der Mathematik. Der eminente Aufschwung dieser mathematischen Theorie, für die früher auch der Name ›analysis situs‹ gebräuchlich war, begann etwa um die Jahrhundertwende mit *H. Poincaré* und *L. E. J. Brouwer*; gegenwärtig macht die Topologie die wohl fruchtbarste und erfolgreichste Entwicklung durch. Das Wort Topologie leitet sich ab vom griechischen Wort τόπος; Aufgabe der Topologie ist es, die Eigenschaften ›allgemeiner Räume‹, unabhängig von Winkel- und Streckenmessungen usw., zu untersuchen. Man unterscheidet zwischen der sog. mengentheoretischen und der algebraischen (= kombinatorischen) Topologie; letztere wird hier nicht behandelt.
MENGENTHEORETISCHE TOPOLOGIE. Man versucht, den Raumbegriff so allgemein zu fassen, daß nicht nur der Anschauungsraum sowie der allgemeine n-dimensionale Zahlenraum $\mathbf{R}^n$, $n \geq 1$, sondern darüber hinaus auch noch die Räume der *Riemannschen Geometrie,* die unendlich-dimensionalen *Hilberträume,* die *Phasenräume der Physik* etc. darunterfallen.
I. METRISCHE RÄUME. Gegeben sei eine nichtleere Menge X von Objekten x, x′, ... Eine *Metrik* über X ist eine Funktion $d(x, x')$ über dem Produkt $X \times X$ mit Werten in der Menge der nichtnegativen reellen Zahlen, für die folgende Bedingungen erfüllt sind:
1) $d(x, x') = 0$ dann und nur dann, wenn $x = x'$,
2) $d(x, x') = d(x', x)$ für alle $x, x' \in X$ *(Symmetrie),*
3) $d(x, x') \leq d(x, x'') + d(x'', x')$ für alle $x, x', x'' \in X$ *(Dreiecksungleichung).*

Eine Menge X zusammen mit einer Metrik über X heißt ein *metrischer Raum;* die Metrik heißt der Menge X *aufgeprägt.* Die Elemente x, x′, ... von X heißen *Punkte;* d (x, x′) heißt der *Abstand* (= *Entfernung, Distanz*) der Punkte x und x′. Ist $x_0 \in X$ ein fester Punkt und $\varepsilon > 0$ irgendeine reelle Zahl, so heißt die Menge

$$U_\varepsilon(x_0) := \{x \in X : d(x, x_0) < \varepsilon\}$$

die ›*Kugelumgebung* um x_0 mit dem Radius ε‹ oder kürzer die ›ε-Umgebung von x_0‹. Wir werden im folgenden sehen, daß sich mittels dieses Umgebungsbegriffes bereits die wesentlichen, aus der reellen Analysis (→ Infinitesimalrechnung) bekannten Grundbegriffe erklären lassen; die reelle Analysis ordnet sich damit in natürlicher Weise in die allgemeine Theorie der metrischen Räume ein.

BEISPIELE METRISCHER RÄUME: Dem Zahlenraum $\mathbf{R}^n$ der geordneten n-tupel $\mathfrak{x} = (x_1, \ldots, x_n)$ reeller Zahlen $x_1, \ldots, x_n$ kann auf mannigfache Weise eine Metrik aufgeprägt werden. Die übliche *euklidische Entfernungsdefinition* ist

$$d(\mathfrak{x}, \mathfrak{x}') := \sqrt{\sum_{i=1}^{n} (x_i - x_i')^2}, \text{ wenn } \mathfrak{x}' := (x_1', \ldots, x_n').$$

Die Gültigkeit der Axiome 1) und 2) ist evident, Axiom 3) ist etwas schwieriger zu verifizieren. Die Kugelumgebungen $U_\varepsilon(\mathfrak{x}_0)$ sind im Falle n = 3 gewöhnliche Vollkugeln vom Radius ε ausschließlich der Randsphäre (= Oberfläche). Durch

$$\hat{d}(\mathfrak{x}, \mathfrak{x}') := \max_{1 \leq i \leq n} |x_i - x_i'|$$

wird, wie man direkt nachrechnet, dem $\mathbf{R}^n$ eine zweite Metrik aufgeprägt. Die Kugelumgebungen $U_\varepsilon(\mathfrak{x}_0)$ sind jetzt achsenparallele Würfel von der Kantenlänge 2ε um $\mathfrak{x}_0$ als Mittelpunkt.

Eine weitere Metrik über dem $\mathbf{R}^n$ wird durch

$$\tilde{d}(\mathfrak{x}, \mathfrak{x}') := \sum_{i=1}^{n} |x_i - x_i'|$$

gegeben. Hier sind für n = 3 die Kugelumgebungen Oktaeder um $\mathfrak{x}_0$ als Mittelpunkt.

Ein interessantes Beispiel eines metrischen Raumes, welches den $\mathbf{R}^n$ mit seiner euklidischen Metrik verallgemeinert, ist der *Hilbertsche Raum* H aller reellen Zahlenfolgen $\mathfrak{x} = (x_1, x_2, \ldots)$ mit konvergenter Quadratsumme $\sum_{i=1}^{\infty} x_i^2$. Der Abstand wird durch

$$d(\mathfrak{x}, \mathfrak{x}') := \sqrt{\sum_{i=1}^{\infty} (x_i - x_i')^2}$$

definiert. Die durch

$$Q := \{\mathfrak{x} = (x_1, x_2, \ldots) \in H: 0 \leq x_i \leq \frac{1}{2i}, i = 1, 2, \ldots\}$$

definierte Teilmenge von H heißt der *Hilbertquader*. Q ist eine besonders wichtige Teilmenge des Hilbertschen Raumes. Viele Mengen, denen man es nicht ohne weiteres ansieht, lassen sich zu metrischen Räumen machen. So wird z. B. die Menge R aller stetigen reellwertigen Funktionen f (x) über dem abgeschlossenen Einheitsintervall $\overline{\{0, 1\}}$ zu einem metrischen Raum, wenn man ihr durch

$$d(f, g) := \sqrt{\int_0^1 [f(x) - g(x)]^2 \, dx}$$

eine Metrik aufprägt. Dabei bedarf es natürlich eines Beweises, daß die Axiome 1), 2) und 3) erfüllt sind. Auch in R kann man analog wie oben im $\mathbf{R}^n$ andere Metriken einführen. So ist etwa

$$d(f, g) := \max_{0 \leq x \leq 1} |f(x) - g(x)|$$

eine weitere Metrik.

Ein der geometrischen Anschauung sehr fern stehendes Beispiel eines metrischen Raumes spielt in der Zahlentheorie eine wichtige Rolle. **Z** sei der Ring der ganzen Zahlen und $p \in \mathbf{Z}$ eine feste Primzahl. Unter dem *p-Betrag* einer ganzen Zahl $a \neq 0$ versteht man die reelle Zahl $|a|_p := 2^{-e}$, wenn $a = a_0 p^e$ mit zu p teilerfremdem ganzzahligen a_0. Setzt man noch $|0|_p := 0$, so gelten die *p-adischen* Betragsgesetze:

1) $|a|_p \geq 0$; $|a|_p = 0$ genau dann, wenn $a = 0$.
2) $|ab|_p = |a|_p |b|_p$.
3) $|a + b|_p \leq \max(|a|_p, |b|_p)$.

Nur 3) ist zu beweisen. Sei $|b|_p = 2^{-f}$, also $b = b_0 p^f$ mit zu p teilerfremdem, ganzzahligem b_0. Ist etwa $e \leq f$, so gilt $a + b = cp^e$ mit ganzzahligem, evtl. noch durch p teilbarem c. Falls $c = c_0 p^g$, wo jetzt c_0 zu p teilerfremd ist, so folgt wegen $g \geq 0$:

$$|a + b|_p = |c_0 p^{e+g}|_p = 2^{-(e+g)} = 2^{-e} \cdot 2^{-g} \leq 2^{-e}$$

und also

$$|a + b|_p \leq \max(|a|_p, |b|_p)$$

wegen $e \leq f$. Der Fall $f \leq e$ wird analog erledigt. Durch

$$d(a, b) := |a - b|_p$$

wird **Z** nun zu einem metrischen Raum. Es gilt sogar die verschärfte Dreiecksungleichung

$$d(a, c) \leq \max[d(a, b), d(b, c)].$$

Metrische Räume mit dieser Eigenschaft heißen auch *ultrametrisch*.

II. Umgebungen, topologische Räume, offene und abgeschlossene Mengen. In jedem metrischen Raum X sind die Kugelumgebungen eines Punktes wohldefiniert. Dieselben sind aber nur ein Spezialfall der allgemeinen Umgebungen eines Punktes, die wie folgt erklärt werden: Eine Teilmenge U von X heißt eine *Umgebung des Punktes* $x_0 \in X$, wenn es eine Kugelumgebung $U_\varepsilon(x_0)$ gibt mit $U_\varepsilon(x_0) \subset U$. Für den so eingeführten Umgebungsbegriff gelten die folgenden Aussagen:

U0: x_0 *liegt in jeder Umgebung* U *von* x_0.

U1: *Ist* U *eine Umgebung von* x_0, *so ist auch jede Obermenge* V *von* U *eine Umgebung von* x_0.

U2: *Sind* U_1 *und* U_2 *Umgebungen von* x_0, *so ist auch* $U_1 \cap U_2$ *eine Umgebung von* x_0.

U3: *Zu jeder Umgebung* U *von* x_0 *gibt es eine Umgebung* W *von* x_0 *mit* $W \subset U$, *so daß* U *auch Umgebung eines jeden Punktes* $x \in W$ *ist.*

Die Beweise für U0—U3 liegen auf der Hand.

Es ist nun eine prinzipielle und keineswegs triviale Erkenntnis, daß man für den weiteren Aufbau der mengentheoretischen Topologie zunächst nur die in U0—U3 formulierten Eigenschaften der Umgebungen benötigt. Diese Einsicht geht auf *H. Weyl* und *F. Hausdorff* zurück, die so zu den Begründern der allgemeinen Theorie der topologischen Räume wurden. Man definiert heute folgendermaßen: Eine *Topologie über einer Menge* X ist dadurch definiert, daß jedem Element $x \in X$ ein System $\mathfrak{U}(x)$ von Teilmengen von X, sog. *Umgebungen* U von x, zugeordnet ist mit folgenden Axiomen:

U0: $x \in U$ *für jedes* $U \in \mathfrak{U}(x)$.

U1: $U \in \mathfrak{U}(x) \Rightarrow V \in \mathfrak{U}(x)$ *für jedes* $V \supset U$.

U2: $U_1, U_2 \in \mathfrak{U}(x) \Rightarrow U_1 \cap U_2 \in \mathfrak{U}(x)$.

U3: *Zu jedem* $U \in \mathfrak{U}(x)$ *existiert ein* $W \in \mathfrak{U}(x)$, *so daß* $U \in \mathfrak{U}(y)$ *für alle* $y \in W$.

Eine Menge X zusammen mit einer Topologie über X heißt ein *topologischer Raum.* Insbesondere kann also jeder metrische Raum als ein topologischer Raum aufgefaßt werden, wenn man wie oben seine Umgebungen definiert. Die Theorie der topologischen Räume umfaßt daher die Theorie der metrischen Räume als Spezialfall. Die Axiome U0—U3 gehören zu den *Hausdorffschen Umgebungsaxiomen,* die Hausdorff in seinem 1914 erschienenen, heute bereits klassischen Werk über Mengenlehre der Topologie zugrunde legte; nur das dortige *Trennungsaxiom* (s. u. V) befindet sich nicht unter ihnen. Der Begriff des topologischen Raumes ist vom logischen Standpunkt aus einfacher als der Begriff des metrischen Raumes, da die Definition der Metrik die Theorie der reellen Zahlen voraussetzt, was bei der Definition der Topologie nicht der Fall ist.

Über jeder Menge X kann die sog. *diskrete Topologie* eingeführt werden. Als Umgebungen von $x_0 \in X$ erklärt man alle x_0

enthaltenden Teilmengen von X; dann sind ersichtlich die Axiome U_0—U_3 erfüllt. Diese Topologie kann auch *von einer Metrik induziert* werden; man hat nur zu setzen

$$d(x, x') := 1, \text{ wenn } x \neq x'; \; d(x, x) := 0.$$

Ein topologischer Raum X, dessen Topologie von einer Metrik induziert werden kann, heißt *metrisierbar.* Nicht jeder topologische Raum ist metrisierbar: versieht man z. B. eine mindestens zweipunktige Menge X mit der sog. *gröbsten Topologie,* bei der $\mathfrak{U}(x)$ für jedes $x \in X$ nur aus der Menge X selbst besteht, so ist dieser topologische Raum X nicht metrisierbar. Das Problem, die metrisierbaren Räume genau zu klassifizieren, wurde erst 1950 vollständig gelöst, nachdem bereits *P. Urysohn* um 1920 herum wichtige Teillösungen geliefert hatte.

Verschiedene Metriken über einer Menge X können sehr wohl dieselbe Topologie über X induzieren; z. B. induzieren die drei oben angegebenen Metriken d, $\hat{d}$ und $\tilde{d}$ des $\mathbf{R}^n$ dieselbe Topologie. Im folgenden denken wir uns den $\mathbf{R}^n$ stets mit dieser Topologie versehen.

Ist M eine Teilmenge eines topologischen Raumes X, so führt man in weitgehender Übereinstimmung mit der naiven Vorstellung die folgenden Redeweisen ein: Ein Punkt $x_0 \in X$ heißt *innerer Punkt* von M, wenn es eine Umgebung $U \in \mathfrak{U}(x_0)$ mit $U \subset M$ gibt. x_0 heißt *äußerer Punkt* von M, wenn es ein $U \in \mathfrak{U}(x_0)$ gibt, so daß $U \cap M$ leer ist. x_0 heißt *Randpunkt* von M, wenn x_0 weder ein innerer noch ein äußerer Punkt von M ist. Die Menge aller Randpunkte von M heißt der *Rand* von M; er wird häufig mit ∂M bezeichnet.

Ist $\{a, b\} = \{x \in \mathbf{R}^1 : a < x < b\}$ ein *Intervall* auf der reellen Zahlengeraden, so sind alle Punkte von $\{a, b\}$ innere Punkte; a und b selbst sind Randpunkte von $\{a, b\}$; alle übrigen Punkte sind äußere Punkte von $\{a, b\}$.

Für jeden topologischen Raum X lassen sich die grundlegenden Begriffe ›offene Menge‹ und ›abgeschlossene Menge‹ erklären. Eine Teilmenge $V \subset X$ heißt *offen,* wenn es zu jedem Punkt $x \in V$ eine Umgebung U von x mit $U \subset V$ gibt. V heißt *abgeschlossen,* wenn das *Komplement* $\complement V$ von V in X, d. h. die Menge aller nicht zu V gehörenden Punkte von X (→ Mengen, Abbildungen, Strukturen) offen ist.

Die offenen (und damit zugleich auch die abgeschlossenen) Mengen des $\mathbf{R}^1$ werden durch folgenden Satz charakterisiert: *Jede offene Menge W der reellen Zahlengeraden* $\mathbf{R}^1$ *ist darstellbar als Vereinigungsmenge von abzählbar unendlich vielen offenen Intervallen, deren Endpunkte nicht zu W gehören.*

Das System aller offenen Mengen eines topologischen Raumes X hat folgende Eigenschaften:

O1: *Die Vereinigung von (beliebig vielen) offenen Mengen ist offen. Die leere Menge sowie X selbst ist offen.*

O2: *Der Durchschnitt von endlich vielen offenen Mengen ist offen.*

Entsprechend gilt für das System der abgeschlossenen Mengen von X:

A1: *Der Durchschnitt von (beliebig vielen) abgeschlossenen Mengen ist abgeschlossen. Die leere Menge sowie X selbst ist abgeschlossen.*

A2: *Die Vereinigung von endlich vielen abgeschlossenen Mengen ist abgeschlossen.*

Eine Topologie über einer Menge X ist vollständig durch die Gesamtheit der zugehörigen offenen bzw. abgeschlossenen Mengen charakterisiert. Man kann sogar den Begriff ›offen‹ bzw. ›abgeschlossen‹ an Stelle des Umgebungsbegriffs zum Fundamentalbegriff der Topologie machen, indem man etwa jetzt sagt: Eine *Topologie über einer Menge* X ist ein System von Teilmengen von X, die man offene Mengen (bzw. abgeschlossene Mengen) nennt, so daß die Axiome O1 und O2 (bzw. A1 und A2) erfüllt sind. Hieraus läßt sich rückwärts wieder der Umgebungsbegriff herleiten: als Umgebung U eines Punktes $x_0 \in X$ hat man einfach jede Menge von X anzusehen, die eine x_0 enthaltende offene Menge enthält (bzw. deren Komplement $\complement U$ eine x_0 nicht enthaltende abgeschlossene Menge umfaßt).

Der Umgebungsbegriff wird noch einmal verallgemeinert, indem man auch Umgebungen beliebiger Teilmengen M von X einführt. Eine Menge $U \subset X$ heißt *Umgebung der Menge* $M \subset X$, wenn es eine offene Menge V in X mit $M \subset V \subset U$ gibt. Ersichtlich ist U genau dann eine Umgebung von M, wenn U Umgebung eines jeden Punktes von M ist.

III. Berührpunkt, Häufungspunkt, dichte Menge, zusammenhängende Menge. Ein zentraler Begriff der Analysis ist der Begriff des Häufungspunktes einer Menge. Er läßt sich in jedem topologischen Raum X erklären. Zunächst wird gesagt, was man unter einem Berührpunkt versteht.

Ein Punkt $x_0 \in X$ heißt *Berührpunkt* einer Menge $M \subset X$, wenn in jeder Umgebung von x_0 Punkte von M liegen. Die Menge aller Berührpunkte von M heißt die *Hülle* von M; man bezeichnet sie mit $\overline{M}$.

Es gilt stets $\overline{M} = M \cup \partial M$, speziell also $M \subset \overline{M}$. Es läßt sich zeigen, daß $\overline{M}$ die kleinste M umfassende abgeschlossene Menge ist. Insbesondere ist daher M genau dann abgeschlossen, wenn $M = \overline{M}$.

Ein Punkt $x_0 \in X$ heißt *Häufungspunkt* einer Menge $M \subset X$, wenn x_0 Berührpunkt von $M - \{x_0\} = \{$alle Punkte von M mit Ausnahme von x_0} ist. Auf Grund dieser Definition bestehen die Berührpunkte von M genau aus den Häufungspunkten von M und den isolierten Punkten von M; dabei heißt $x_1 \in X$ ein *isolierter Punkt* von M, wenn es eine Umgebung von x_1 gibt, in der x_1 der einzige Punkt von M ist. Die Hülle $\overline{M}$ entsteht aus M durch Hinzufügung aller Häufungspunkte von M.

Eine Teilmenge M des topologischen Raumes X heißt *dicht* (auch: *überall dicht*) in X, wenn X die Hülle von M ist: $\overline{M} = X$. Dies ist genau dann der Fall, wenn jede nichtleere offene Teilmenge von X Punkte mit M gemeinsam hat. M heißt *nirgends dicht* in X, wenn M keine inneren Punkte besitzt.

Ist M nirgends dicht in X, so ist CM dicht in X. Die Umkehrung gilt nicht; so ist z. B. die Menge **P** der rationalen Zahlen dicht im $\mathbf{R}^1$, doch auch **CP**, d. h. die Menge der irrationalen Zahlen, liegt dicht im $\mathbf{R}^1$. Indessen läßt sich allgemein zeigen, daß eine abgeschlossene Menge $M \subset X$ stets und nur dann nirgends dicht in X ist, wenn CM dicht in X ist.

Ein topologischer Raum X heißt *zusammenhängend,* wenn es keine offenen nichtleeren Teilmengen U, V von X gibt mit $U \cup V = X$, $U \cap V = \emptyset$. Nach dieser Definition ist der n-dimensionale Zahlenraum zusammenhängend. Um sagen zu können, wann eine Teilmenge $M \subset X$ zusammenhängend heißen soll, müssen wir M selbst zu einem topologischen Raum machen. Ist X metrisch, so kann M ohne weiteres als metrischer Raum aufgefaßt werden, da ja für zwei Punkte von M die Distanz wohldefiniert ist. Ist X aber nur als topologischer Raum gegeben, so definieren wir eine Topologie auf M, indem wir per definitionem alle diejenigen Teilmengen von M als offen erklären, die als Durchschnitt einer offenen Menge von X mit M darstellbar sind. Dann prüft man unmittelbar, daß O1 und O2 erfüllt sind, so daß M in der Tat zu einem topologischen Raum wird. Die so gewonnene Topologie über M heißt auch die *Spurtopologie* bzw. *Relativtopologie* über M; M selbst heißt, versehen mit dieser Topologie, ein *Teilraum* bzw. *Unterraum* von X.

Die Menge $M \subset X$ heißt nun *zusammenhängend,* wenn M als Teilraum von X ein zusammenhängender topologischer Raum ist. Offene und zusammenhängende Teilmengen von X heißen auch *Gebiete* in X. Ist $M \subset X$ zusammenhängend, so auch jede Menge $N \subset X$ mit $M \subset N \subset \overline{M}$.

Die Menge $\mathbf{P} \subset \mathbf{R}^1$ der rationalen Zahlen ist nicht zusammenhängend, sondern vielmehr im höchsten Maße total unzusammenhängend. Dieser wichtige Begriff wird dabei wie folgt präzisiert: In einem topologischen Raum X nenne man zwei Punkte x, x′ *äquivalent,* wenn es eine zusammenhängende Teilmenge M von X gibt, die x und x′ enthält. Dadurch wird eine Äquivalenzrelation (→ Mengen, Abbildungen, Strukturen) in X definiert. Die zugehörigen Äquivalenzklassen heißen die *Zusammenhangskomponenten* von X; es sind stets abgeschlossene Mengen. X heißt *total-unzusammenhängend,* wenn jede Zusammenhangskomponente von X aus nur einem Punkt besteht.

Die zusammenhängenden Teilmengen der Zahlengeraden $\mathbf{R}^1$ lassen sich einfach beschreiben. Es gilt: *Die einzigen zusammenhängenden Mengen im* $\mathbf{R}^1$ *sind die einpunktigen Mengen und beliebige Intervalle. Die einzigen Gebiete sind die offenen Intervalle.*

Um auch für $n > 1$ Aussagen über Gebiete im $\mathbf{R}^n$ machen zu können, führen wir den Begriff des *Polygons* (= Streckenzug) ein. Unter einem *Polygon im euklidischen Zahlenraum* $\mathbf{R}^n$ mit den Ecken $\mathfrak{x}_0, \mathfrak{x}_1, \ldots, \mathfrak{x}_k$ versteht man die Vereinigungsmenge der k Verbindungsstrecken von $\mathfrak{x}_{i-1}$ nach $\mathfrak{x}_i$, $i = 1, \ldots, k$. Dabei ist zugelassen, daß die Strecken sich überschneiden. Man sagt, daß $\mathfrak{x}_0$ und $\mathfrak{x}_k$ durch ein Polygon miteinander verbunden seien. Dann gilt: *Eine offene Menge* M *im* $\mathbf{R}^n$, $n \geq 1$, *ist genau dann ein Gebiet, wenn je zwei ihrer Punkte durch ein ausschließlich in* M *verlaufendes Polygon verbunden werden können.* Die Zusammenhangskomponenten einer offenen Menge im $\mathbf{R}^n$ sind Gebiete.

IV. Stetige Abbildungen. Homöomorphismen. Produkt- und Quotiententopologie. Eine *Abbildung* (= Funktion) f einer Menge X in eine Menge Y, in Zeichen f: X → Y, ordnet jedem Element $x \in X$ ein wohlbestimmtes Element $f(x) \in Y$ zu. Sind insbesondere X, Y topologische Räume, so interessiert man sich vor allem für solche Abbildungen, die »die Topologien von X bzw. Y respektieren«. Abbildungen dieser Art nennt man stetig, ihre genaue Definition ist wie folgt: *Eine Abbildung* f: X → Y *eines topologischen Raumes* X *in einen topologischen Raum* Y *heißt stetig, wenn eine (und dann alle) der drei folgenden gleichwertigen Bedingungen erfüllt ist:*

1) *Die Urbildmenge* $f^{-1}(B)$ *einer jeden in* Y *offenen Menge* $B \subset Y$ *ist offen in* X.
2) *Die Urbildmenge* $f^{-1}(B)$ *einer jeden in* Y *abgeschlossenen Menge* $B \subset Y$ *ist abgeschlossen in* X.
3) *Zu jedem Punkt* $x \in X$ *und jeder Umgebung* $V \in \mathfrak{U}[f(x)]$ *des Bildpunktes* $f(x) \in Y$ *gibt es eine Umgebung* $U \in \mathfrak{U}(x)$ *mit* $f(U) \subset V$.

Die Bedingung 3) ist von lokaler Natur. Es kann sein, daß eine nicht stetige (= *unstetige*) Abbildung f die Bedingung 3) für gewisse Punkte $x \in X$ erfüllt. Dann heißt f *stetig in diesen Punkten,* und man kann sagen: f: X → Y *ist stetig genau dann, wenn* f *in jedem Punkt von* X *stetig ist.*

Bedingung 3) ist nichts anderes als die in der Analysis vorwiegend benutzte (ε, δ)-Bedingung für Stetigkeit. Sind nämlich beide Räume X, Y metrisch, so genügt es, an Stelle allgemeiner Umgebungen $V \in \mathfrak{U}[f(x)]$ Kugelumgebungen U_ε um f(x) zu betrachten, so daß man sagen kann: f *ist stetig in* $x_0 \in X$, *wenn es zu jedem* $\varepsilon > 0$ *ein* $\delta > 0$ *gibt, so daß* $d[f(x), f(x_0)] < \varepsilon$ *für alle* $x \in X$ *mit* $d(x, x_0) < \delta$. Für $X = Y = \mathbf{R}^1$ und $d(x, x') = |x - x'|$ ist dies dann die bekannte Stetigkeitsbedingung.
Sind $f: X \to Y$ und $g: Y \to Z$ zwei Abbildungen, so heißt die durch $x \to g[f(x)]$ definierte eindeutige Zuordnung die *zusammengesetzte Abbildung* oder die *Produktabbildung,* in Zeichen $g \circ f$. Es gilt: Sind X, Y, Z topologische Räume und ist $f: X \to Y$ stetig in $x_0 \in X$ und $g: Y \to Z$ stetig in $f(x_0) \in Y$, so ist $g \circ f$ stetig in $x_0 \in X$. Insbesondere ist $g \circ f$ stetig (schlechthin), wenn g und f beide stetig sind.
Ist $f: X \to Y$ eine umkehrbar eindeutige stetige Abbildung von X auf Y, so ist die Umkehrabbildung $f^{-1}: Y \to X$ nicht notwendig stetig. Setzt man z. B. $X := \{x \in \mathbf{R}^1: 0 \leq x < 2\pi\}$, Y := Einheitssphäre im $\mathbf{R}^2$, und definiert man $f: X \to Y$ durch die Zuordnung

$$x \to f(x) := (\cos x, \sin x),$$

so ist f eine stetige bijektive Abbildung. f^{-1} ist aber im Punkte $(1, 0) \in Y$ nicht stetig.
Eine bijektive stetige Abbildung $f: X \to Y$, deren Umkehrabbildung f^{-1} ebenfalls stetig ist, heißt eine *homöomorphe Abbildung* bzw. ein *Homöomorphismus* von X auf Y. Zwei topologische Räume X und Y heißen *homöomorph,* wenn es einen Homöomorphismus von X auf Y gibt. Homöomorphe topologische Räume sind als topologische Strukturen nicht zu unterscheiden. Der Begriff des Homöomorphismus entspricht dem Begriff des Isomorphismus, der in der Theorie der algebraischen Strukturen (→ Algebra) fundamental ist.
Für metrische Räume gibt es eine natürliche Verfeinerung des Begriffes des Homöomorphismus. Sind X, Y metrisch, so heißt eine bijektive Abbildung $f: X \to Y$ eine *isometrische* (= längentreue) *Abbildung* bzw. eine *Isometrie,* wenn gilt

$$d[f(x_1), f(x_2)] = d(x_1, x_2) \text{ für alle } x_1, x_2 \in X.$$

Jede Isometrie ist ein Homöomorphismus.
Sind X, Y topologische Räume, so kann man dem *kartesischen Produkt* $X \times Y$ in natürlicher Weise eine Topologie aufprägen, indem man wie folgt die ›offenen Mengen von $X \times Y$‹ definiert: Zunächst werden alle Mengen $U \times V$, bei denen U offen in X und V offen in Y ist, offen genannt. Darüber hinaus sollen auch alle Mengen $W \subset X \times Y$ offen heißen, die sich als Vereinigungsmenge von solchen offenen Produktmengen $U \times V$ schreiben lassen. Man zeigt dann, daß O1 und O2 erfüllt

sind und also eine Topologie über $X \times Y$ definiert ist. Man nennt sie die *Produkttopologie* und $X \times Y$ das *topologische Produkt* aus X und Y. Man hat zwei natürliche Projektionsabbildungen $p: X \times Y \to X$, $q: X \times Y \to Y$, die durch die Zuordnungen

$$p: (x, y) \to x, \quad q: (x, y) \to y$$

definiert sind. Es ist leicht zu sehen, daß p und q beide stetig sind. Darüber hinaus sind p und q auch *offene Abbildungen* (eine Abbildung $f: X \to Y$ heißt offen, wenn $f(U)$ für alle offenen Mengen $U \subset X$ offen in Y ist).

Es macht keine Schwierigkeiten, die vorstehenden Betrachtungen auf endlich viele Faktoren X, Y, Z, . . . auszudehnen. So ist z. B. der $\mathbf{R}^n$ nichts anderes als das topologische Produkt von n Exemplaren der Zahlengeraden $\mathbf{R}^1$. Das Produkt aus n Kreislinien heißt ein n-dimensionaler *Torus;* für $n = 2$ ergeben sich *Rettungsringe.*

Ist im topologischen Raum X irgendwie eine Äquivalenzrelation r definiert, so ist es oft nützlich, auch die Menge X/r der r-Äquivalenzklassen zu einem topologischen Raum zu machen. Man geht folgendermaßen vor: Es bezeichne $\varphi: X \to X/r$ die Restklassenabbildung, die jedem Punkt $x \in X$ die x enthaltende r-Äquivalenzklasse zuordnet. Eine Teilmenge $U' \subset X/r$ heißt alsdann offen, wenn ihr φ-Urbild $\varphi^{-1}(U')$ offen in X ist. Man überzeugt sich, daß damit dem Restklassenraum X/r eine Topologie aufgeprägt ist, die man *Restklassentopologie* oder besser *Quotiententopologie* nennt. X/r heißt – versehen mit dieser Topologie – *Quotientenraum.* Die Abbildung $\varphi: X \to X/r$ ist wieder stetig.

Als Beispiel betrachten wir auf der Zahlengeraden $\mathbf{R}^1$ die Äquivalenzrelation $x \equiv x' \bmod 1$, d. h. wir nennen zwei reelle Zahlen x, x′ äquivalent, wenn $x - x'$ ganzzahlig ist. Der zugehörige Quotientenraum ist die Kreislinie. Analog kann der n-dimensionale Torus als Quotientenraum des $\mathbf{R}^n$ erhalten werden, wenn man den $\mathbf{R}^n$ in äquivalente Punkte bzgl. eines Periodengitters aufteilt.

V. HAUSDORFFSCHE, REGULÄRE UND NORMALE RÄUME. Die bislang diskutierten topologischen Räume sind noch so allgemein, daß sie viele von den gewohnten Raumvorstellungen stark abweichende Züge tragen. Durch weitere Axiome wird man daher den Räumen immer stärker einschränkende Bedingungen auferlegen, wodurch dann Pathologien nach und nach ausgeschlossen werden. Die topologische Struktur wird so ausgeprägter und die entsprechende mathematische Theorie reichhaltiger. Wir behandeln in diesem Abschnitt die sog. *Trennungsaxiome.*

Ein topologischer Raum X heißt ein *hausdorffscher Raum* (und seine Topologie entsprechend eine *hausdorffsche To-*

pologie), wenn es zu je zwei verschiedenen Punkten $x, x' \in X$ Umgebungen $U \in \mathfrak{U}(x)$, $V \in \mathfrak{U}(x')$ gibt, deren Durchschnitt leer ist: $U \cap V = \emptyset$.
Durch dieses sog. *Hausdorffsche Trennungsaxiom* wird erreicht, daß verschiedene Punkte durch Umgebungen getrennt werden können; es ist jetzt nicht mehr möglich (wie etwa bei der gröbsten Topologie), daß sämtliche Umgebungen eines Punktes $x_0 \in X$ auch noch andere Punkte außer x_0 gemeinsam haben.
Jeder Unterraum eines hausdorffschen Raumes ist hausdorffsch; in einem hausdorffschen Raum ist jede endliche Menge abgeschlossen. Produkträume aus hausdorffschen Räumen sind wieder hausdorffsch. Beispiele für hausdorffsche Räume sind alle metrischen Räume; speziell ist also der $\mathbf{R}^n$ hausdorffsch.
In einem hausdorffschen Raum X kann man den Begriff des Limes einer Folge sinnvoll definieren. Ein Punkt $x^* \in X$ heißt *Limes der Punktfolge* $x_1, x_2, \ldots \in X$, in Zeichen $x^* = \lim_{n \to \infty} x_n$, wenn zu jeder Umgebung U von x^* ein i. a. von U abhängender Index $n_0 = n_0(U)$ existiert derart, daß alle Punkte x_n mit $n > n_0$ in U liegen. Man sagt dann auch, daß *die Folge* x_n *gegen* x^* *konvergiert*. Die vorstehende Definition kann natürlich auch in beliebigen topologischen Räumen gegeben werden; doch läßt sich dann nicht beweisen, daß der Limes einer Folge (wenn überhaupt ein solcher existiert) eindeutig bestimmt ist. Da für Limiten aber eine solche Eigenschaft unbedingt gelten muß, beschränkt man sich auf hausdorffsche Räume, für welche in der Tat gilt: *Eine Folge hat höchstens einen Limes.*
Ein topologischer Raum X und seine Topologie heißen *regulär*, wenn X hausdorffsch ist und es zu jeder abgeschlossenen Menge $M \subset X$ und jedem nicht in M enthaltenen Punkt $x \in X$ Umgebungen U von M und V von x gibt mit $U \cap V = \emptyset$.
Jeder Teilraum eines regulären Raumes ist regulär; es gibt hausdorffsche Räume, die nicht regulär sind.
Ein topologischer Raum X und seine Topologie heißen *normal*, wenn X hausdorffsch ist und es zu je zwei abgeschlossenen punktfremden Mengen $M, N \subset X$ Umgebungen U von M und V von N gibt mit $U \cap V = \emptyset$.
Jeder normale Raum ist regulär; die Umkehrung gilt nicht. *Jeder metrische Raum ist normal.* Der Ring der stetigen reellwertigen Funktionen auf einem normalen Raum ist sehr reichhaltig. Es gilt nämlich: *Ein hausdorffscher Raum* X *ist genau dann normal, wenn es zu je zwei disjunkten abgeschlossenen Teilmengen* M, N *von* X *eine stetige Funktion* $f: X \to \overline{\{0, 1\}}$ *gibt mit* $f(x) = 0$ *auf* M *und* $f(x) = 1$ *auf* N.

Insbesondere kann man in normalen Räumen also verschiedene Punkte durch die Werte einer reellen stetigen Funktion trennen.
Der Begriff des normalen Raumes liegt bereits sehr dicht am Begriff des metrischen Raumes. Dies besagt der folgende berühmte *Satz von Urysohn*: *Jeder normale Raum, der eine abzählbare Basis besitzt, ist einem Unterraum des Hilbertschen Raumes* H *homöomorph und also speziell metrisierbar.* Dabei sagt man, daß ein topologischer Raum X eine *abzählbare Basis* besitzt, wenn es abzählbar viele offene Mengen U_1, U_2, ... in X gibt derart, daß jede weitere offene Menge in X Vereinigungsmenge aus gewissen dieser U_i ist.
VI. Kompakte und lokal-kompakte Räume. Die jetzt zu behandelnden Räume werden durch Überdeckungseigenschaften definiert, die weitaus schärfere Einschränkungen liefern als die Trennungsaxiome. Ein System $\mathfrak{D} = \{D_\nu, \nu \in N\}$ von Teilmengen $D_\nu \subset X$, wo die Indizes ν in einer beliebigen Indexmenge N laufen, heißt eine *Überdeckung* von X, wenn jeder Punkt von X in wenigstens einer Menge D_ν liegt, wenn also gilt $X = \bigcup D_\nu$. Die Überdeckung $\mathfrak{D}$ heißt *endlich* bzw. *unendlich*, je nachdem ob endlich oder unendlich viele Mengen D_ν vorkommen. $\mathfrak{D}$ heißt *offen* bzw. *abgeschlossen*, wenn alle D_ν offene bzw. abgeschlossene Mengen in X sind. Ist N′ eine Teilmenge von N und $\mathfrak{D}' := \{D_\nu, \nu \in N'\}$ ebenfalls eine Überdeckung von X, so heißt $\mathfrak{D}'$ eine *Teilüberdeckung* von $\mathfrak{D}$. Man definiert nun: Ein topologischer Raum X und seine Topologie heißen *kompakt*, wenn X hausdorffsch ist und jede offene Überdeckung von X eine endliche Teilüberdeckung besitzt. Eine Teilmenge $M \subset X$ heißt *kompakt*, wenn M als Teilraum kompakt ist.
Jede endliche Menge und jede konvergente Folge einschließlich ihres Limes ist kompakt. Im $\mathbf{R}^n$ sind die kompakten Mengen identisch mit den zugleich abgeschlossenen und beschränkten Mengen; dies ist im wesentlichen der Inhalt des *Heine-Borelschen Überdeckungssatzes* der Analysis (→ Infinitesimalrechnung).
In einem kompakten Raum X hat jede unendliche Teilmenge mindestens einen Häufungspunkt; dies nennt man auch wohl die *Weierstraß-Bolzano-Eigenschaft* von X. In einem hausdorffschen Raum ist jede kompakte Menge abgeschlossen. In einem kompakten Raum ist jede abgeschlossene Menge kompakt. Jeder kompakte Raum ist normal. Das Produkt $X \times Y$ zweier topologischer Räume ist genau dann kompakt, wenn beide Faktoren X und Y kompakt sind.
Ist $f: X \to Y$ eine stetige Abbildung eines kompakten Raumes X in einen hausdorffschen Raum Y, so ist die Bildmenge $f(X) \subseteq Y$ kompakt. Diese Aussage impliziert speziell:

Eine reelle stetige Funktion f (x) über einem kompakten Raum X nimmt ihr Maximum und ihr Minimum an, d. h., es gibt Punkte x_{max} und x_{min} in X derart, daß für alle $x \in X$ gilt:

$$f(x_{min}) \leq f(x) \leq f(x_{max}).$$

Ein topologischer Raum X heißt *lokal-kompakt*, wenn er hausdorffsch ist und jeder Punkt von X eine kompakte Umgebung besitzt.

Der $\mathbf{R}^n$ ist lokal-kompakt, aber nicht kompakt. Jeder lokal-kompakte Raum X ist regulär. Ein lokal-kompakter, nicht kompakter Raum X läßt sich durch Hinzufügung eines einzigen Punktes x_∞ stets zu einem kompakten Raum machen; genauer: Zu X gibt es bis auf Homöomorphie genau einen kompakten Raum $\hat{X}$ und einen Punkt $x_\infty \in \hat{X}$, so daß X zu $\hat{X} - \{x_\infty\}$ homöomorph ist. Das Paradebeispiel für diesen sog. *Alexandroffschen Kompaktifizierungsprozeß* ist die Einführung des unendlich fernen Punktes (›Nordpols‹) der Riemannschen Zahlenkugel in der → Funktionentheorie.

VII. Gleichmässige Stetigkeit. Vollständigkeit. Für beliebige topologische Räume gibt es kein Verfahren, den in der Analysis so überaus wichtigen Begriff der gleichmäßigen Stetigkeit einzuführen. Dazu muß man nämlich eine Möglichkeit haben, Umgebungen verschiedener Punkte der Größe nach vergleichen zu können. Die allgemeinsten Räume, für welche dies durchführbar ist, wurden von *A. Weil* eingeführt und *uniforme Räume* genannt. Im folgenden beschränken wir unsere Betrachtungen auf metrische Räume.

Eine Abbildung $f: X \to Y$ eines metrischen Raumes X in einen metrischen Raum Y heißt *gleichmäßig stetig*, wenn es zu jedem $\varepsilon > 0$ ein $\delta = \delta(\varepsilon) > 0$ derart gibt, daß $d[f(x), f(x')] < \varepsilon$ stets dann gilt, wenn $d(x, x') < \delta$.

Der Unterschied zur Definition der gewöhnlichen Stetigkeit besteht darin, daß δ gleichmäßig, d. h. unabhängig von den Punkten $x \in X$ wählbar sein soll. Der Abstand d (x, y) ist selbst, aufgefaßt als Abbildung $X \times Y \to \mathbf{R}^1$, gleichmäßig stetig.

Eine Folge $x_1, x_2, \ldots$ eines metrischen Raumes X heißt eine *Cauchy-Folge*, wenn es zu jedem $\varepsilon > 0$ eine natürliche Zahl $n_0 = n_0(\varepsilon)$ derart gibt, daß

$$d(x_n, x_{n'}) < \varepsilon \text{ für } n, n' > n_0.$$

Jede konvergente Folge ist eine Cauchy-Folge. Besitzt eine Cauchy-Folge eine konvergente Teilfolge, so ist sie selbst konvergent mit demselben Limes. Indessen braucht nicht jede Cauchy-Folge konvergent zu sein: auf dem Raum **P** der rationalen Zahlen bildet die Folge der Dezimalnäherungsbrüche für $\sqrt{2}$ eine nicht konvergente Cauchy-Folge.

Ein metrischer Raum heißt *vollständig*, wenn in ihm jede Cauchy-Folge konvergiert. Die reelle Zahlengerade ist vollständig. In einem metrischen Raum ist jeder vollständige Teilraum abgeschlossen; in einem vollständigen Raum ist jeder abgeschlossene Teilraum ebenfalls vollständig.

Jeder metrische Raum X läßt sich in einen vollständigen $\tilde{X}$ einbetten; genauer: Es gibt bis auf Isometrien genau einen vollständigen Raum $\tilde{X}$, der einen zu X homöomorphen Teilraum enthält, welcher in $\tilde{X}$ dicht liegt. Die Konstruktion von $\tilde{X}$ aus X verläuft nach der Idee des *Cantor*schen Verfahrens zur Konstruktion der reellen Zahlen aus den rationalen Zahlen mit Hilfe von Fundamentalfolgen (= Cauchy-Folgen) (→ Zahlen).

VIII. DIMENSIONSTHEORIE. Der Anschauungsraum $\mathbf{R}^3$ ist nach der herkömmlichen Vorstellung 3-dimensional. Allgemeiner sagt man, daß der Zahlenraum $\mathbf{R}^n$ der geordneten n-tupel reeller Zahlen n-dimensional ist (→ Algebra). Ziel der allgemeinen Dimensionstheorie ist es, einer möglichst großen Klasse topologischer Räume eine nicht negative ganze Zahl als Dimension so zuzuordnen, daß homöomorphe Räume gleichdimensional sind und der $\mathbf{R}^n$ insbesondere die Dimension n behält. Bemühungen, einen solchen Dimensionsbegriff zu präzisieren, gehen in das 19. Jh. zurück; man sagte etwa, ein ›geometrisches Gebilde‹ ist n-dimensional (ist ∞^n-ausgedehnt), wenn n die kleinste Zahl von reellen Parametern ist, die zur Beschreibung der Punkte des Gebildes nötig sind. Die Fragwürdigkeit solcher Definitionsversuche wurde evident, als *Cantor* eine bijektive Abbildung des $\mathbf{R}^1$ auf den $\mathbf{R}^2$ angab und *Peano* mittels seiner berühmten *Peanokurve* ein Intervall der Zahlengeraden $\mathbf{R}^1$ stetig auf ein Quadrat der Zahlenebene $\mathbf{R}^2$ abbilden konnte.

Das Resultat, daß homöomorphe Räume gleichdimensional sein sollen, hat in Verbindung mit der natürlichen Forderung, daß dem $\mathbf{R}^n$ die Dimension n zukommt, zur Folge, daß $\mathbf{R}^n$ und $\mathbf{R}^m$ nur für $n = m$ homöomorph sein können. Diese Aussage ist auf Grund der Cantorschen bzw. Peanoschen Abbildung keineswegs trivial. Ein erster Beweis wurde 1911 von *Brouwer* gegeben. Im folgenden stützen wir uns auf einen Dimensionsbegriff, der auf *Menger* und *Urysohn* zurückgeht. Die Definition geschieht durch vollständige Induktion und führt zu einer befriedigenden Theorie für die Klasse der metrisierbaren Räume, die eine abzählbare Basis offener Mengen besitzen. Es werden von nun an ausschließlich solche Räume betrachtet. Zunächst führt man die Räume der Dimension 0 ein (Induktionsbeginn). Ein topologischer Raum X heißt *0-dimensional* im Punkte $x_0 \in X$, wenn x_0 beliebig kleine offene Umgebungen U mit leerem Rand ∂U besitzt (man sagt allgemein: ein Punkt x_0 besitzt beliebig kleine Umgebungen mit der Eigenschaft E, wenn in jeder Umgebung von x_0 eine Umgebung enthalten ist, die die Eigenschaft E hat). X heißt *0-dimensional,* wenn X in allen Punkten 0-dimensional ist.

Es ist klar, daß jeder zu einem 0-dimensionalen Raum homöomorphe Raum ebenfalls 0-dimensional ist; weiter ist der $\mathbf{R}^0$, d. h. die einpunktige Menge, 0-dimensional. Allgemeiner ist jeder endliche oder abzählbar unendliche Raum X von der Dimension 0. Speziell ist der Raum **P** der rationalen Zahlen 0-dimensional. Doch auch der Raum der Irrationalzahlen ist 0-dimensional, denn es gilt sogar: *Jeder Teilraum* X *der Zahlengeraden* $\mathbf{R}^1$, *der kein Intervall enthält, ist 0-dimensional.*

Die allgemeine induktive Definition der Dimension formuliert sich nun wie folgt: Ein topologischer Raum X heißt *höchstens n-dimensional* im Punkte $x_0 \in X$, $n \geq 1$, wenn es beliebig kleine offene Umgebungen U von x_0 derart gibt, daß der Teilraum ∂U höchstens (n–1)-dimensional ist. X heißt *höchstens n-dimensional,* wenn X in jedem Punkt höchstens n-dimensional ist. X heißt *n-dimensional* in $x_0 \in X$, wenn X höchstens n-dimensional in x_0 und nicht höchstens (n—1)-dimensional in x_0 ist. X heißt *n-dimensional,* wenn X höchstens n-dimensional und nicht höchstens (n—1)-dimensional ist. X heißt *unendlich-dimensional,* wenn es keine natürliche Zahl n derart gibt, daß X höchstens n-dimensional ist.

Auf Grund dieser Definition, die am Ende einer langen mathematischen Entwicklung steht, ist klar, daß der Dimensionsbegriff eine topologische Invariante ist, d. h., daß homöomorphe Räume gleiche Dimension haben. Weiter folgt unmittelbar, daß die Zahlengerade und jedes ihrer Intervalle 1-dimensional ist. Durch Induktion ist auch noch leicht zu sehen, daß der $\mathbf{R}^n$ höchstens n-dimensional ist; tiefliegend ist aber die Aussage, daß er wirklich n-dimensional ist. Der *Hilbertsche Raum* H ist unendlich-dimensional.

Ist X ein n-dimensionaler Raum, so ist jeder Unterraum von X höchstens n-dimensional. Ein Raum, der als abzählbare Vereinigung von abgeschlossenen Unterräumen der Dimension $\leq$ n darstellbar ist, ist selbst höchstens n-dimensional.

Bezeichnet dim X die Dimension von X, so gilt für das topologische Produkt zweier Räume die Ungleichung

$$\dim (X \times Y) \leq \dim X + \dim Y.$$

Im allgemeinen ist dies keine Gleichung, z. B. gibt es kompakte 2-dimensionale Räume X, Y, für welche $X \times Y$ die Dimension 3 hat. In vielen wichtigen Fällen gilt aber das Gleichheitszeichen, z. B. für topologische Mannigfaltigkeiten.

Die Klasse der endlich-dimensionalen topologischen Räume ist keineswegs so groß und pathologisch, wie es auf den ersten Blick scheint. So bewiesen bereits *Menger* und *Nöbeling* 1930, daß jeder höchstens n-dimensionale kompakte Raum X zu einem Unterraum des (2 n + 1)-dimensionalen Zahlenraums $\mathbf{R}^{2n+1}$ homöomorph ist. Da weiter gezeigt werden kann, daß jeder Raum in einen kompakten Raum gleicher Dimension eingebettet (= homöomorph auf einen Unterraum abgebildet) werden kann, so ist sogar jeder n-dimensionale topologische Raum als Teilraum eines $\mathbf{R}^{2n+1}$ realisierbar.

IX. Topologische und differenzierbare Mannigfaltigkeiten. Die Theorie der Mannigfaltigkeiten hat in der Gegenwart einen großen Aufschwung erfahren. Topologische Mannigfaltigkeiten sind topologische Räume, die sich lokal nicht von Zahlenräumen unterscheiden. Die exakte Definition ist: Ein zusammenhängender hausdorffscher Raum X mit einer abzählbaren Basis offener Mengen heißt eine *topologische Mannigfaltigkeit*, wenn jeder Punkt $x_0 \in X$ eine Umgebung U besitzt, die zu einem Zahlenraum $\mathbf{R}^n$ homöomorph ist. X ist dann notwendig n-dimensional.

Der $\mathbf{R}^n$ selbst ist eine topologische Mannigfaltigkeit. Weitere Mannigfaltigkeiten sind die Sphären, Tori und projektiven Räume. Das Produkt aus endlich vielen Mannigfaltigkeiten ist wieder eine Mannigfaltigkeit.

Auf allen in der klassischen Mathematik bekannt gewordenen Mannigfaltigkeiten lassen sich die Grundbegriffe der → Infinitesimalrechnung einführen. Dies beruht darauf, daß diese Mannigfaltigkeiten neben ihrer topologischen Struktur sämtlich noch eine sog. differenzierbare Struktur tragen. Um diesen in der heutigen Mathematik fundamentalen Begriff präzise zu fassen, führen wir zunächst die Begriffe der ›Karte‹ und des ›differenzierbaren Atlas‹ ein. Ist X eine n-dimensionale topologische Mannigfaltigkeit, so versteht man unter einer *Karte* auf X jedes Paar (U, ψ), wo U eine offene Menge in X und ψ eine topologische Abbildung von U auf eine offene Menge ψ (U) des $\mathbf{R}^n$ ist. Zwei Karten (U, ψ) und (V, φ) auf X heißen *differenzierbar verträglich*, wenn $U \cap V$ leer ist bzw. wenn die Abbildung

$$\varphi \circ \psi^{-1} \colon \psi(U \cap V) \to \varphi(U \cap V)$$

eine umkehrbar differenzierbare Abbildung ist; hier ist die Redeweise ›differenzierbar‹ sinnvoll (→ Infinitesimalrechnung im $\mathbf{R}^n$), da $\varphi(U \cap V)$ und $\psi(U \cap V)$ offene Mengen in n-dimensionalen Zahlenräumen sind (vgl. Abb. 51). Ein *differenzierbarer Atlas* auf einer topologischen Mannigfaltigkeit X ist nun ein System $\{(U_i, \varphi_i)\}$ (wo i eine Indexmenge N durchläuft) von paarweise miteinander differenzierbar verträglichen Karten derart, daß die U_i eine Überdeckung von X bilden. Ein differenzierbarer Atlas auf X heißt auch eine *differenzier-*

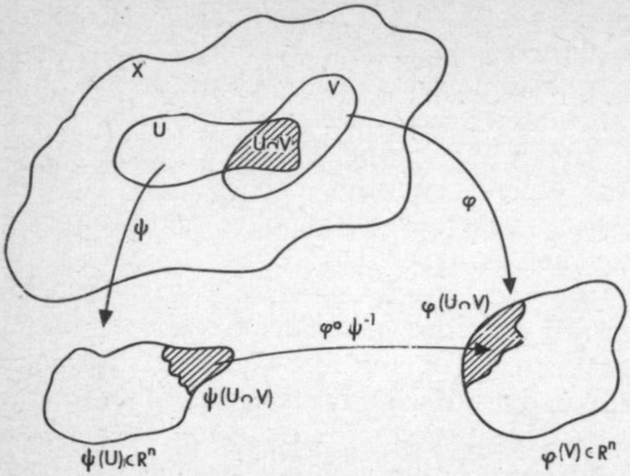

Abb. 51: Verträglichkeit zweier Karten

bare Struktur auf X. Eine topologische Mannigfaltigkeit X, die mit einem differenzierbaren Atlas versehen ist, heißt eine *differenzierbare Mannigfaltigkeit.* Die Zahlenräume, Sphären, Tori und projektiven Räume sind in kanonischer Weise mit einem differenzierbaren Atlas versehen und also differenzierbare Mannigfaltigkeiten.

Auf einer differenzierbaren Mannigfaltigkeit X kann der Begriff der differenzierbaren Funktion erklärt werden. Eine Funktion $f: X \to \mathbf{R}^1$ heißt *differenzierbar* in einem Punkt $x_0 \in X$, wenn es eine Karte (U, φ) im Strukturatlas von X mit $x_0 \in U$ derart gibt, daß $f \circ \varphi^{-1}$ im Punkte $\varphi(x_0) \in \mathbf{R}^n$ differenzierbar ist. Auf Grund der Verträglichkeitsbedingung spielt es dabei keine Rolle, welche Karte man hier aus dem Strukturatlas wählt.

Sind X, Y differenzierbare Mannigfaltigkeiten, so kann der Begriff der stetigen Abbildung $f: X \to Y$, der ja nur die Topologien berücksichtigt, zum Begriff der differenzierbaren Abbildung verfeinert werden. f heißt *differenzierbar,* wenn f auf Y differenzierbare Funktionen in auf X differenzierbare Funktionen liftet, genauer, wenn für jede in einer offenen Menge $V \subset Y$ differenzierbare Funktion g die in die offene Menge $f^{-1}(V) \subset X$ geliftete Funktion $f \circ g$ differenzierbar ist. Die *Kettenregel* für differenzierbare Funktionen besagt nun: *Sind* X, Y, Z *differenzierbare Mannigfaltigkeiten und* $f: X \to Y$, $g: Y \to Z$ *differenzierbare Abbildungen, so ist auch* $g \circ f: X \to Z$ *eine differenzierbare Abbildung.*

Ist $f: X \to Y$ eine differenzierbare topologische Abbildung, so braucht die Umkehrabbildung nicht notwendig differenzierbar zu sein (für $X = Y = \mathbf{R}^1$ ist z. B. die Umkehrabbildung der durch die Zuordnung $x \to x^3$ definierten differenzierbaren topologischen Abbildung $f: \mathbf{R}^1 \to \mathbf{R}^1$ im Nullpunkt nicht differenzierbar). Eine topologische Abbildung $f: X \to Y$, die nebst ihrer

Umkehrabbildung differenzierbar ist, heißt ein *Diffeomorphismus;* X und Y heißen entsprechend *diffeomorph.* Diffeomorphe Mannigfaltigkeiten können nicht durch differenzierbare Eigenschaften voneinander unterschieden werden.
Man hat lange geglaubt, daß jede topologische Mannigfaltigkeit auch automatisch ein differenzierbares Kleid trägt. Gegenbeispiele hierfür wurden erst 1960 entdeckt. Weiter hat man zeigen können, daß eine topologische Mannigfaltigkeit, z. B. die 7-dimensionale Sphäre S^7, verschiedene differenzierbare Strukturen tragen kann (*J. Milnor,* 1956).
In der klassischen Differentialgeometrie wurden seit jeher die differenzierbaren Untermannigfaltigkeiten der Zahlenräume studiert. Dabei nennt man eine abgeschlossene Teilmenge M des $\mathbf{R}^k$ eine (d-*dimensionale*) *differenzierbare Untermannigfaltigkeit* des $\mathbf{R}^k$, wenn es zu jedem Punkt $x_0 \in M$ eine Umgebung $U \subset \mathbf{R}^n$ derart gibt, daß $U \cap M$ bei geeigneter Numerierung der Koordinaten des $\mathbf{R}^k$ durch ein Gleichungssystem

$$x_{d+1} = f_{d+1}(x_1, \ldots, x_d), \ldots, x_k = f_k(x_1, \ldots, x_d)$$

beschrieben wird, wo $f_{d+1}, \ldots, f_k$ differenzierbare Funktionen in U sind. Die 2-dimensionalen Untermannigfaltigkeiten des $\mathbf{R}^3$ sind die *Flächen.*
Die Frage, ob der abstrakte Begriff der differenzierbaren Mannigfaltigkeit allgemeiner ist als der konkrete Begriff der differenzierbaren Untermannigfaltigkeit eines Zahlenraumes, wurde 1936 von *H. Whitney* beantwortet. Er bewies, daß jede n-dimensionale differenzierbare Mannigfaltigkeit einer Untermannigfaltigkeit des $\mathbf{R}^{2n+1}$ diffeomorph ist.

Zahlen. A. Die ganzen Zahlen. In diesem Abschnitt werden, ausgehend von den natürlichen Zahlen, die als bekannt angesehen werden müssen, die ganzen Zahlen konstruiert. Anschließend werden die einfachsten Sätze der elementaren Zahlentheorie diskutiert; es liegt in der Natur einer lexikalischen Darstellung, daß unsere Ausführungen häufig oberflächlich bleiben müssen. Wir stellen zunächst die wichtigsten Tatsachen über die natürlichen Zahlen zusammen.

I. Die natürlichen Zahlen. Darunter verstehen wir die Zahlen 1, 2, 3, 4 usw. Über die Art der Gegebenheit der natürlichen Zahlen sind verschiedene Auffassungen vorgetragen worden. Nach *Kronecker* sind sie, die den Gegenstand der klassischen Zahlentheorie bilden, ›vom lieben Gott gemacht‹ und als solche einer näheren Analyse durch den menschlichen Geist entrückt; nach *Dedekind, Frege* und *Russell* sind auch die natürlichen Zahlen Menschenwerk und ein Teil der mathematischen

Logik (→ Kardinal- und Ordinalzahlen). Der italienische Mathematiker *Peano* hat 1889 als erster eine Charakterisierung der natürlichen Zahlen durch die berühmten fünf *Peano-Axiome* gegeben. Diese können wie folgt formuliert werden:

P1: *1 ist eine natürliche Zahl.*

P2: *Jede natürliche Zahl besitzt eine eindeutig bestimmte natürliche Zahl als ›Nachfolger‹.*

P3: *1 ist nicht der Nachfolger einer natürlichen Zahl.*

P4: *Verschiedene natürliche Zahlen haben stets verschiedene Nachfolger.*

P5: *Eine Eigenschaft, die der 1 zukommt und mit jeder natürlichen Zahl auch ihrem Nachfolger, kommt allen natürlichen Zahlen zu.*

P5 ist das sog. *Induktionsaxiom*, welches für am wenigsten naiv gehalten wird. Wir wollen kurz angeben, wie die für das Rechnen mit den natürlichen Zahlen benötigten Begriffe aus den im Axiomensystem verankerten *Grundbegriffen* ›Eins (1)‹ und ›Nachfolger‹ gewonnen werden können. Bezeichnen wir den *Nachfolger* einer natürlichen Zahl a allgemein mit a′, so erklärt man

$$2 := 1'$$
$$3 := 2'$$
$$4 := 3'$$
usw.

Die *Addition* wird induktiv (d. h. unter Anwendung von P5) definiert:

$$a + 1 := a'$$
$$a + b' := (a + b)'.$$

Analog geht man bei der Definition der *Multiplikation* vor:

$$a \cdot 1 := a$$
$$a \cdot b' := (a \cdot b) + a.$$

Die *Anordnung* der natürlichen Zahlen wird auf die Addition zurückgeführt: a heißt *kleiner als* b (in Zeichen $a < b$) genau dann, wenn es eine natürliche Zahl c derart gibt, daß gilt $a + c = b$.

Es lassen sich jetzt alle bekannten *Rechenregeln* beweisen. Wir stellen einige dieser Regeln (ohne Beweis) zusammen:

Sind a, b beliebige natürliche Zahlen, so gilt stets genau eine der folgenden drei Aussagen:

$$a = b, \quad a < b, \quad a > b,$$

dabei steht $a > b$ für $b < a$ (man liest dann: a *größer als* b für: b kleiner als a).

Die *Ordnungsrelation* ist *transitiv*, d. h. aus $a < b$ und $b < c$ folgt $a < c$. Hingegen ist sie nicht *reflexiv* und auch nicht *symmetrisch* (→ Mengen, Abbildungen, Strukturen). Die Addition von natürlichen Zahlen ergibt stets wieder eine natürliche Zahl und geschieht im übrigen gemäß den folgenden Regeln, wobei die Symbole a, b, c für beliebige natürliche Zahlen stehen:

A1: $(a + b) + c = a + (b + c)$ *(Assoziativgesetz)*
A2: $a + b = b + a$ *(Kommutativgesetz)*

Analog liefert die Multiplikation natürlicher Zahlen stets wieder eine natürliche Zahl und es gilt:

M1: $(a \cdot b) \cdot c = a \cdot (b \cdot c)$ *(Assoziativgesetz)*
M2: $a \cdot b = b \cdot a$ *(Kommutativgesetz)*
M3: $a \cdot 1 = a$ *(Neutralität der 1)*

Es sei darauf hingewiesen, daß weder die Assoziativ- noch die Kommutativgesetze trivial sind. Davon kann man sich u. a. dadurch überzeugen, daß man Kindern nacheinander Aufgaben zum »kleinen Einmaleins« stellt, in denen jeweils die Reihenfolge der Faktoren vertauscht ist. Die Antwort wird in der Regel stets durch Nachdenken gefunden; die oben formulierten Rechengesetze dringen erst viel später in das Bewußtsein.
Addition und Multiplikation werden durch die folgende Rechenregel miteinander in Beziehung gesetzt:

D1: $a \cdot (b + c) = (a \cdot b) + (a \cdot c)$ *(Distributivgesetz).*

Dabei werden i. a. auf der rechten Seite die Klammern fortgelassen, indem man vereinbart, daß das Multiplikationszeichen $\cdot$ stärker bindet als das Additionszeichen $+$.
Es ist nun von äußerster Wichtigkeit, daß die *Ordnungsbeziehung* ›kleiner als ($<$)‹ durch Addition und Multiplikation nicht zerstört wird. Es gilt vielmehr:

O1: Aus $a < b$ folgt $a + c < b + c$.
O2: Aus $a < b$ folgt $a \cdot c < b \cdot c$.

Man sagt, daß die *Ordnungsstruktur* mit der *algebraischen Struktur* verträglich ist.
II. KONSTRUKTION DER GANZEN ZAHLEN. Sind a, b vorgegebene natürliche Zahlen, so ist es naheliegend, nach allen natürlichen Zahlen c zu fragen, für welche gilt: $a + c = b$. Dies kann man auch so formulieren, daß man im Bereiche der natürlichen Zahlen alle Lösungen der Gleichung $a + x = b$ sucht. Die Antwort auf diese Frage lautet bekanntlich: Die Gleichung $a + x = b$ besitzt, wenn $a < b$, genau eine natürliche Zahl c als Lösung; man schreibt dann $c = b - a$. Ist hingegen $a = b$ oder $a > b$, so ist die Gleichung im Bereich der natürlichen Zahlen unlösbar.
Dieser Tatbestand – daß nämlich die Umkehrung der Addition, die wir auch *Subtraktion* nennen wollen, nur partiell durch-

geführt werden kann – ist aus den verschiedensten Gründen unbefriedigend. Man hat sich daher schon sehr früh bemüht, den Bereich der natürlichen Zahlen derart zu erweitern, daß im vergrößerten Bereich einschränkungslos subtrahiert werden kann. Bei einer solchen Erweiterung hat man natürlich darauf bedacht zu sein, den Erweiterungsbereich so klein und so einfach wie möglich zu gestalten. Vor allem wird man anstreben, die Operationen der Addition und Multiplikation auch auf die neu hinzukommenden Zahlen so auszudehnen, daß die Rechenregeln A1, 2 und M1, 2, 3 sowie D1 weiterhin gelten. (Man nennt diese Forderung das *Permanenzprinzip.*) Weiter ist es wünschenswert, auch die Ordnungsrelation in den größeren Bereich fortzusetzen.

Wir werden im folgenden ein Konstruktionsverfahren für einen Erweiterungsbereich der natürlichen Zahlen, der allen vorstehenden Forderungen gerecht wird, beschreiben. Um die Konstruktion zu motivieren, wollen wir zunächst so tun, als ob wir die zu konstruierenden Objekte, d. h. die *ganzen Zahlen*, bereits gut kennen. Dann wissen wir, daß sich jede ganze Zahl γ, insbesondere auch jede negative, als *Differenz* $a - b$ zweier natürlicher Zahlen darstellen läßt. Da γ durch diese beiden natürlichen Zahlen a, b eindeutig festgelegt wird, ist es naheliegend, zu versuchen, γ durch das *geordnete Paar* (a, b) zu beschreiben. Bei dieser Auffassung von γ als *Zahlenpaar* muß man aber berücksichtigen, daß verschiedene Zahlenpaare sehr wohl dieselbe ganze Zahl beschreiben können, z. B. kann man neben dem Paar (a, b) auch noch die unendlich vielen weiteren Paare $(a + c, b + c)$, wo c eine beliebige natürliche Zahl ist, benutzen. Einer ganzen Zahl γ entspricht also sofort eine große Klasse von Zahlenpaaren.

Man kann sich diese *Mehrdeutigkeit* der Darstellung auch in einfacher Weise geometrisch klarmachen. Dazu markiere man in der xy-Ebene alle »natürlichen Gitterpunkte«, d. h. alle Punkte (a, b), deren Koordinaten beide natürliche Zahlen sind. Durch jeden solchen Gitterpunkt (a, b) lege man diejenige Gerade $g_{a,b}$, die die x-Achse unter einem Winkel von 45° schneidet. $g_{a,b}$ wird nach den Formeln der analytischen Geometrie durch die Gleichung $y = x + (b - a)$ beschrieben und schneidet daher die x-Achse, d. h. die Gerade $y = 0$, im Punkte $a - b$ (Abb. 52). Da man umgekehrt auch durch jeden Punkt 0, ± 1, ± 2, ... auf der x-Achse eine unter dem Winkel von 45° ansteigende Gerade legen kann, die natürliche Gitterpunkte enthält, so entsprechen sich also diese Geraden und die ganzen Zahlen eineindeutig. Man kann daher jede ganze Zahl durch die Gesamtheit aller natürlichen Gitterpunkte (a, b) charakterisieren, die auf der zugehörigen Geraden liegen. So wird z. B. bei dieser Auffassung die 0

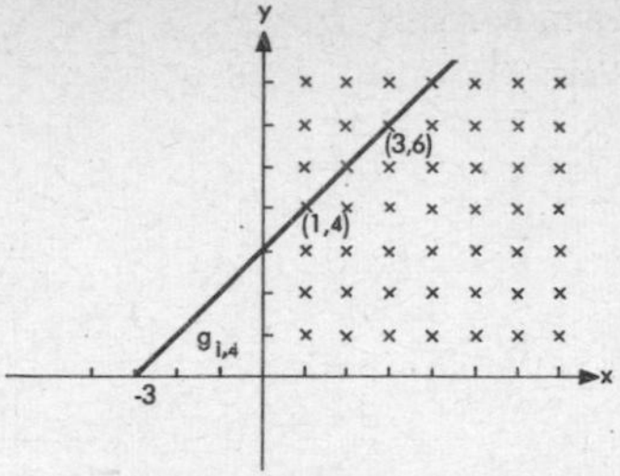

Abb. 52: Darstellung negativer ganzer Zahlen durch Paare natürlicher Zahlen

durch die Gitterpunkte (1, 1), (2, 2), ..., die Zahl −3 durch die Gitterpunkte (1, 4), (2, 5), (3, 6), ... beschrieben.

Es erhebt sich die Frage, ob man die *Rechenoperationen* für ganze Zahlen nun auch durch Rechenvorschriften mit solchen Klassen von Zahlenpaaren angeben kann. Für die *Addition* ist das sofort klar: sollen zum Beispiel −3 und −5 addiert werden, so nehme man zwei repräsentierende Gitterpunkte, etwa (1, 4) und (10, 15) und addiere koordinatenweise. Man bekommt den Gitterpunkt (11, 19), der in der Tat die Summe −8 repräsentiert. Für die Multiplikation ist die Sachlage komplizierter, doch werden wir im folgenden sehen, daß auch das Produkt zweier ganzer Zahlen durch Rechenvorschriften in den entsprechenden Gitterpunktklassen ausgedrückt werden kann.

Nach diesen Plausibilitätsbetrachtungen gehen wir nun dazu über, die ganzen Zahlen abstrakt zu definieren. Zu diesem Zweck betrachten wir – gemäß den oben entwickelten Vorstellungen – die Gesamtheit aller geordneten Paare (a, b) von natürlichen Zahlen a, b. Wir nennen zwei Paare (a_1, b_1) und (a_2, b_2) *äquivalent*, in Zeichen $(a_1, b_1) \sim (a_2, b_2)$, wenn $a_1 + b_2 = b_1 + a_2$. (Hierdurch wird genau erfaßt, daß $a_1 - b_1 = a_2 - b_2$, d. h., daß die Geraden g_{a_1, b_1} und g_{a_2, b_2} übereinstimmen.) Wir behaupten, daß dadurch eine *Äquivalenzrelation* und somit eine *Klasseneinteilung* definiert ist (→ Mengen, Abbildungen, Strukturen). Dazu haben wir nacheinander zu zeigen:

1. Es gilt stets: $(a_1, b_1) \sim (a_1, b_1)$.
2. Falls $(a_1, b_1) \sim (a_2, b_2)$, so gilt auch $(a_2, b_2) \sim (a_1, b_1)$.
3. Falls $(a_1, b_1) \sim (a_2, b_2)$ und $(a_2, b_2) \sim (a_3, b_3)$, so gilt auch $(a_1, b_1) \sim (a_3, b_3)$.

ad 1.: Trivial, da $a_1 + b_1 = b_1 + a_1$.

ad 2.: Trivial, da $a_1 + b_2 = b_1 + a_2$ sofort $a_2 + b_1 = b_2 + a_1$ impliziert.

ad 3.: Die Voraussetzung besagt $a_1 + b_2 = b_1 + a_2$, $a_2 + b_3 = b_2 + a_3$. Addiert man zur ersten Gleichung b_3, so entsteht: $(a_1 + b_2) + b_3 = (b_1 + a_2) + b_3$ oder $(a_1 + b_3) + b_2 = b_1 + (a_2 + b_3)$. Verwendet man rechts die zweite Gleichung, so ergibt sich: $(a_1 + b_3) + b_2 = b_1 + (b_2 + a_3)$ oder

$(a_1 + b_3) + b_2 = (b_1 + a_3) + b_2$. Das impliziert aber $a_1 + b_3 = b_1 + a_3$, d. h. $(a_1, b_1) \sim (a_3, b_3)$.

Die vermöge $\sim$ *entstandenen Äquivalenzklassen nennen wir ganze Zahlen.* Wir bezeichnen sie mit kleinen griechischen Buchstaben und haben nacheinander eine Addition und Multiplikation für sie zu erklären. Seien γ_1, γ_2 zwei beliebige ganze Zahlen. Wir wählen für sie *Repräsentanten* (a_1, b_1), (a_2, b_2) und definieren $\gamma_1 + \gamma_2$ als diejenige Äquivalenzklasse, die $(a_1 + a_2, b_1 + b_2)$ enthält. Damit diese Definition sinnvoll ist, muß man sich sofort überlegen, ob die Summe $\gamma_1 + \gamma_2$ unabhängig von der Wahl der Repräsentanten definiert ist. Dies ist der Fall, denn man verifiziert unmittelbar: Falls $(a_1, b_1) \sim \sim (a_1', b_1')$ und $(a_2, b_2) \sim (a_2', b_2')$, so gilt: $(a_1 + a_2, b_1 + b_2) \sim \sim (a_1' + a_2', b_1' + b_2')$.

Als nächstes ist zu zeigen, daß die Rechenregeln A1 und A2 gelten. Wir bestätigen etwa das Erfülltsein von A2. Seien wieder (a_1, b_1) bzw. (a_2, b_2) Repräsentanten der ganzen Zahlen γ_1 bzw. γ_2. Dann wird $\gamma_1 + \gamma_2$ von $(a_1 + a_2, b_1 + b_2)$ und $\gamma_2 + \gamma_1$ von $(a_2 + a_1, b_2 + b_1)$ repräsentiert. Da aber für natürliche Zahlen das Kommutativgesetz der Addition erfüllt ist, so gilt $(a_1 + a_2, b_1 + b_2) = (a_2 + a_1, b_2 + b_1)$, und es folgt $\gamma_1 + \gamma_2 = \gamma_2 + \gamma_1$.

Wir zeigen weiter:

A3: Es gibt ein Nullelement 0 derart, daß $\gamma + 0 = \gamma$ für jede ganze Zahl γ.

In der Tat! Alle Paare (1, 1), (2, 2), . . ., (a, a), . . . sind äquivalent. Die zu dieser Klasse gehörende ganze Zahl nennen wir die *Null* und symbolisieren sie durch 0. Ist (a, b) ein Repräsentant von γ, so wird $\gamma + 0$ z. B. von $(a + 5, b + 5)$ repräsentiert. Da $(a + 5, b + 5) \sim (a, b)$, so folgt die Behauptung.

Wir zeigen nun, daß im Bereich der ganzen Zahlen die *Subtraktion* einschränkungslos ausführbar ist.

A4: Zu jeder ganzen Zahl γ gibt es eine entgegengesetzte ganze Zahl $-\gamma$ derart, daß $\gamma + (-\gamma) = 0$.

Ist (a, b) ein Repräsentant von γ, so wähle man für $-\gamma$ die durch (b, a) repräsentierte ganze Zahl. Dann wird $\gamma + (-\gamma)$ von $(a + b, b + a)$ und also auch von $(a + b, a + b)$ repräsentiert, d. h. es gilt $\gamma + (-\gamma) = 0$.

Eine Menge von Dingen, in der je zwei Elementen γ_1, γ_2 eine Summe $\gamma_1 + \gamma_2$ so zugeordnet ist, daß A1–A4 gelten, nennt man allgemein eine *kommutative* oder auch *abelsche Gruppe* (→ Algebra).

In jeder abelschen Gruppe ist die Null eindeutig bestimmt. Sind nämlich 0 und 0^* zwei Nullen, so gelten für jedes Gruppenelement γ die Gleichungen

$$\gamma + 0 = \gamma \text{ und } \gamma + 0^* = \gamma.$$

Setzt man in der ersten Gleichung $\gamma = 0^*$ und in der zweiten Gleichung $\gamma = 0$, so folgt

$$0^* + 0 = 0^*, 0 + 0^* = 0$$

und hieraus nach dem kommutativen Gesetz $0^* = 0$.

Auch das entgegengesetzte Element ist jeweils eindeutig bestimmt. Wir zeigen sofort allgemeiner, daß für jede abelsche Gruppe gilt:

Zu zwei gegebenen Gruppenelementen γ_1, γ_2 gibt es genau ein Gruppenelement ξ derart, daß $\gamma_1 + \xi = \gamma_2$.

Beweis: Wir beweisen zunächst die Existenz von ξ. Wir setzen $\xi := (-\gamma_1) + \gamma_2$, wo $-\gamma_1$ das gemäß A4 existierende entgegengesetzte Element von γ_1 ist. Dann ergibt sich unter Benutzung aller vier Rechengesetze:

$$\gamma_1 + \xi = \gamma_1 + [(-\gamma_1) + \gamma_2] = [\gamma_1 + (-\gamma_1)] + \gamma_2 = 0 + \gamma_2 = \gamma_2 + 0 = \gamma_2.$$

Um die Eindeutigkeit der Lösung zu beweisen, gehen wir von der Annahme aus, daß β und β' zwei Gruppenelemente sind, für die gilt:

$$\gamma_1 + \beta = \gamma_2, \gamma_1 + \beta' = \gamma_2.$$

Dann folgt $\gamma_1 + \beta = \gamma_1 + \beta'$. Wir befreien uns hier von γ_1, indem wir auf beiden Seiten $-\gamma_1$ addieren. Dann ergibt sich unter Benutzung von A1 und A2:

$$\beta + [\gamma_1 + (-\gamma_1)] = \beta' + [\gamma_1 + (-\gamma_1)]$$

und somit $\beta = \beta'$.

Man nennt bei gegebenen γ_1, γ_2 die Lösung der Gleichung $\gamma_1 + \xi = \gamma_2$ die *Differenz* von γ_1 und γ_2 und schreibt sie auch in der Form $\xi = \gamma_2 - \gamma_1$. Aus den vorstehenden Überlegungen folgt speziell die Eindeutigkeit des entgegengesetzten Elementes, wenn man $\gamma_2 = 0$ setzt.

Zurückkehrend zu den ganzen Zahlen haben wir somit bewiesen, daß diese Menge bezüglich der *Addition* eine *abelsche Gruppe* bildet. Damit ist auf Grund der oben durchgeführten allgemeinen Überlegungen insbesondere garantiert, daß man im Bereiche der ganzen Zahlen einschränkungslos subtrahieren kann.

Es war unsere Absicht, die ganzen Zahlen als einen Erweiterungsbereich der natürlichen Zahlen zu konstruieren. Wir müssen uns daher jetzt die Frage vorlegen, welche Äquivalenzklassen den natürlichen Zahlen entsprechen. Die Antwort ist nach der eingangs gegebenen Motivierung unserer Konstruktion klar: der natürlichen Zahl a entspricht die durch $(a + n, n)$ repräsentierte *Äquivalenzklasse*, wobei n irgendeine natürliche Zahl ist. Wir wollen daher diese speziellen Äquivalenzklassen von nun an *natürliche Zahlen* nennen. Damit dies sinnvoll ist, haben wir uns allerdings noch zu überzeugen, daß die Summe zweier natürlicher Zahlen im alten Sinne genau die Summe im neuen Sinne ist. Seien also a bzw. b zwei alte natürliche Zahlen und α bzw. β die ihnen entsprechenden neuen natürlichen Zahlen, die also z. B. von $(a + 1, 1)$ bzw. $(b + 1, 1)$ repräsentiert werden. Dann ist $(a + b + 2, 2)$ ein Repräsentant von $\alpha + \beta$. Daher ist $\alpha + \beta$ andererseits auch die zu $a + b$ gehörende neue Zahl. Man kann diese letzten Aussagen präziser beschreiben, wenn man folgendermaßen vorgeht. Man definiert zunächst eine *Abbildung* φ der Menge der (alten) natürlichen Zahlen in die Menge der ganzen Zahlen, indem man jeder natürlichen Zahl a die von $(a + 1, 1)$ repräsentierte ganze Zahl $\alpha = \varphi(a) := (a + 1, 1)$ als Bild zuordnet. Da φ verschiedene natürliche Zahlen auf verschiedene ganze Zahlen abbildet (Beweis!), so werden vermöge φ die natürlichen Zahlen in der Menge der ganzen Zahlen *realisiert.* Diese Realisierung ist *additionstreu,* denn wir haben gezeigt, daß stets $\varphi(a + b) = \varphi(a) + \varphi(b)$ ist.

Als nächstes haben wir eine *Multiplikation* für ganze Zahlen zu definieren. Seien also wieder γ_1 bzw. γ_2 zwei beliebig vorgegebene ganze Zahlen und (a_1, b_1) bzw. (a_2, b_2) zwei ihrer Repräsentanten. Dann definieren wir das *Produkt* $\gamma_1 \cdot \gamma_2$ als diejenige Äquivalenzklasse, die das Paar $(a_1a_2 + b_1b_2, a_1b_2 + b_1a_2)$ enthält. Diese auf den ersten Blick vielleicht merkwürdig anmutende Definition wird wieder sofort verständlich, wenn man bedenkt, daß (a_1, b_1) bzw. (a_2, b_2) die Differenz $a_1 - b_1$ bzw. $a_2 - b_2$ repräsentiert und daß gilt: $(a_1 - b_1)(a_2 - b_2) = a_1a_2 + b_1b_2 - (a_1b_2 + b_1a_2)$. Wir haben – strenggenommen – auch jetzt zu zeigen, daß die obige Definition unabhängig von der Wahl der Repräsentanten ist, d. h. daß aus $(a_1, b_1) \sim (a_1', b_1')$ und $(a_2, b_2) \sim (a_2', b_2')$ folgt: $(a_1a_2 + b_1b_2, a_1b_2 + b_1a_2) \sim (a_1'a_2' + b_1'b_2', a_1'b_2' + b_1'a_2')$. Der Beweis ist elementar, doch umständlich; wir wollen daher auf ihn verzichten.

Es müssen nun die Rechenregeln $M_{1,2,3}$ verifiziert werden. Wir zeigen etwa das Erfülltsein des *Assoziativgesetzes.* Seien also (a_1, b_1), (a_2, b_2), (a_3, b_3) Repräsentanten der ganzen Zahlen $\gamma_1, \gamma_2, \gamma_3$. Dann wird $\gamma_1 \cdot \gamma_2$ von $(a_1a_2 + b_1b_2, a_1b_2 + b_1a_2)$ und $(\gamma_1 \cdot \gamma_2) \cdot \gamma_3$ von $[(a_1a_2 + b_1b_2)\, a_3 + (a_1b_2 + b_1a_2)\, b_3, (a_1a_2 + b_1b_2)\, b_3 + (a_1b_2 + b_1a_2)\, a_3]$ repräsentiert. Entsprechend ist $(a_2a_3 + b_2b_3, a_2b_3 + b_2a_3)$ ein Repräsentant von $\gamma_2 \cdot \gamma_3$ und $[a_1(a_2a_3 + b_2b_3) + b_1(a_2b_3 + b_2a_3), a_1(a_2b_3 + b_2a_3) + b_1(a_2a_3 + b_2b_3)]$ ein Repräsentant von $\gamma_1 \cdot (\gamma_2 \cdot \gamma_3)$. Nun sieht man aber sofort, da für natürliche Zahlen das Assoziativ-, Kommutativ- und Distributivgesetz erfüllt ist, daß die so gefundenen Repräsentanten von $(\gamma_1 \cdot \gamma_2) \cdot \gamma_3$ und $\gamma_1 \cdot (\gamma_2 \cdot \gamma_3)$ übereinstimmen. Also gilt das *Assoziativgesetz* der Multiplikation auch für ganze Zahlen. In analoger Weise verifiziert man das *Kommutativgesetz*.

Um M3 zu prüfen, beachten wir, daß die ganze Zahl 1 z. B. durch das Paar (8, 7) repräsentiert wird, $\gamma_1 \cdot 1$ daher durch $(8a_1 + 7b_1, 7a_1 + 8b_1)$. Nun gilt: $(8a_1 + 7b_1, 7a_1 + 8b_1) = [a_1 + 7(a_1 + b_1), b_1 + 7(a_1 + b_1)] \sim (a_1, b_1)$, d. h. $\gamma_1 \cdot 1 = \gamma_1$.

Schließlich hat man noch D1 zu testen. Auch hier zeigt eine einfache Rechnung, daß das *Distributivgesetz* erfüllt ist, da es für natürliche Zahlen gilt.

Eine Menge von Dingen, für die außer der Addition noch eine Multiplikation erklärt ist, so daß neben A1–4 noch M1–3 und D1 gelten, nennt man üblicherweise einen *kommutativen Ring mit Einselement* (→ Algebra). Wir haben daher das Resultat, daß die *Menge der ganzen Zahlen* einen kommutativen Ring mit Einselement bildet.

Wir wissen bereits, daß in diesem Ring, den wir im folgenden durchweg mit **Z** bezeichnen, die natürlichen Zahlen vermöge der Abbildung φ additionstreu als Teilmenge realisiert sind. Diese Realisierung ist nun auch *multiplikationstreu.* Denn sind a, b beliebige natürliche Zahlen, so wird $\varphi(a)$ bzw. $\varphi(b)$ von $(a+1,1)$ bzw. $(b+1,1)$ und also $\varphi(a) \cdot \varphi(b)$ von $[(a+1)(b+1)+1, (a+1)+(b+1)]$ repräsentiert. Da aber $[(a+1)(b+1)+1, (a+1)+(b+1)] = [ab+1+(a+b+1), 1+(a+b+1)] \sim \sim (ab+1,1)$, so folgt $\varphi(a) \cdot \varphi(b) = \varphi(a \cdot b)$, d. h., die Realisierung des Produktes $a \cdot b$ wird erhalten, indem man zunächst a und b in **Z** realisiert und dann in **Z** das Produkt bildet.

Es bleibt jetzt noch zu zeigen, daß sich in **Z** auch eine *Ordnungsrelation* einführen läßt, derart, daß die Realisierung der natürlichen Zahlen in **Z** durch φ ordnungstreu ist. Seien also γ_1, γ_2 zwei verschiedene ganze Zahlen und (a_1, b_1), (a_2, b_2) zwei Repräsentanten. Da $\gamma_1 \neq \gamma_2$, so gilt $(a_1, b_1) \nsim (a_2, b_2)$, d. h. $a_1 + b_2 \neq b_1 + a_2$. Falls $a_1 + b_2 < b_1 + a_2$, so nennen wir γ_1 *kleiner als* γ_2 und schreiben $\gamma_1 < \gamma_2$; falls $a_1 + b_2 > b_1 + a_2$, so heißt γ_1 *größer als* γ_2, und man schreibt $\gamma_1 > \gamma_2$. (Auch diese Definition wird durch die Vorstellung, daß γ_1 bzw. γ_2 die Differenz $a_1 - b_1$ bzw. $a_2 - b_2$ ist, sofort verständlich; denn $\gamma_1 < \gamma_2$ ist mit $a_1 - b_1 < a_2 - b_2$, d. h. $a_1 + b_2 < b_1 + a_2$ gleichbedeutend.) Wieder läßt sich zeigen, daß diese Definition unabhängig von den zufällig gewählten Repräsentanten ist. Weiter bestätigt man leicht, daß von zwei vorgelegten ganzen Zahlen γ_1, γ_2 mit $\gamma_1 \neq \gamma_2$ eine stets kleiner als die andere ist. Schließlich impliziert $\gamma_1 < \gamma_2$ und $\gamma_2 < \gamma_3$ auch $\gamma_1 < \gamma_3$, so daß in **Z** in der Tat eine Ordnungsrelation definiert ist (man führe die Beweise für die letzten Behauptungen durch!).

Wir müssen uns ferner überlegen, ob auch O1 und O2 für ganze Zahlen gelten. Seien also $\gamma_1, \gamma_2, \gamma$ drei ganze Zahlen mit $\gamma_1 < \gamma_2$. Wir wählen Repräsentanten (a_1, b_1), (a_2, b_2) und (a, b) und wissen also: $a_1 + b_2 < b_1 + a_2$. Dann gilt aber auch $(a_1 + a) + (b_2 + b) < (b_1 + b) + (a_2 + a)$, d. h. $\gamma_1 + \gamma < \gamma_2 + \gamma$. Also ist O1 erfüllt.

Wir prüfen weiter O2. Da $\gamma_1\gamma$ von $(a_1a + b_1b, a_1b + b_1a)$ und $\gamma_2\gamma$ von $(a_2a + b_2b, a_2b + b_2a)$ repräsentiert wird, so gilt $\gamma_1\gamma < \gamma_2\gamma$ genau dann, wenn $a_1a + b_1b + a_2b + b_2a < < a_1b + b_1a + a_2a + b_2b$, d. h. $(a_1 + b_2)\,a + (b_1 + a_2)\,b < < (a_1 + b_2)\,b + (b_1 + a_2)\,a$. Dies ist nun aber nicht mehr allgemein richtig, denn für $a = b$, d. h. $\gamma = 0$, haben wir Gleichheit. Die Rechenregel O2 kann also im erweiterten Bereich der ganzen Zahlen höchstens in einer modifizierten Form gelten. Diese kann so formuliert werden:

O2′: Aus $\gamma_1 < \gamma_2$ folgt $\gamma_1 \cdot \gamma < \gamma_2 \cdot \gamma$ für jedes $\gamma > 0$.

Zum Beweise bemerken wir zunächst, daß sich die zusätzliche Bedingung $\gamma > 0$ für den Repräsentanten (a, b) von γ, wenn wir 0 durch (a, a) darstellen, in der Ungleichung $a > b$ ausdrückt. Man kann daher eine natürliche Zahl c finden derart, daß $a = b + c$. Dann folgt:

$(a_1 + b_2)\,a + (b_1 + a_2)\,b = (a_1 + b_2 + b_1 + a_2)\,b + (a_1 + b_2)\,c,$

$(a_1 + b_2)\,b + (b_1 + a_2)\,a = (a_1 + b_2 + b_1 + a_2)\,b + (b_1 + a_2)\,c.$

Nun gilt $a_1 + b_2 < b_1 + a_2$ wegen $\gamma_1 < \gamma_2$. Hieraus folgt (nach O2 für natürliche Zahlen): $(b_1 + a_2)\,c > (a_1 + b_2)\,c$ und daher weiter nach O1: $(a_1 + b_2)\,a + (b_1 + a_2)\,b < < (a_1 + b_2)\,b + (b_1 + a_2)\,a$, d. h. $\gamma_1 \cdot \gamma < \gamma_2 \cdot \gamma$. – Es sei vermerkt, daß man analog zeigen kann: Aus $\gamma_1 < \gamma_2$ und $\gamma < 0$ folgt $\gamma_1 \cdot \gamma > \gamma_2 \cdot \gamma$. (Dies kann natürlich auch direkt aus O2′ gefolgert werden.)

An Stelle der Relation $<$ benutzt man auch gelegentlich die Relation $\leq$. Dabei schreibt man $a \leq b$, wenn $a = b$ oder $a < b$. Diese Relation ist nicht nur transitiv, sondern auch noch reflexiv. Man schreibt analog wie früher auch $a \geq b$ für $b \leq a$ (→ Mengen, Abbildungen, Strukturen).

Eine ganze Zahl $\gamma \neq 0$, für die gilt $\gamma > 0$, heißt *positiv*, andernfalls heißt γ *negativ*. In O2′ sind dann die bekannten Vorzeichenregeln der Multiplikation enthalten: Das Produkt aus zwei positiven bzw. zwei negativen Zahlen ist positiv (plus mal plus = minus mal minus = plus); das Produkt aus einer positiven und einer negativen Zahl ist negativ (plus mal minus = minus).

Da jedes positive γ von einem Paar $(b + c, b)$ dargestellt wird, so hat jedes $\gamma > 0$ also auch einen Repräsentanten $(c + 1, 1)$. Hieraus folgt: Vermöge φ wird die Menge der natürlichen Zahlen genau auf die Menge der positiven ganzen Zahlen abgebildet. Weiter sieht man sofort, daß φ *ordnungstreu* ist, d. h. daß aus $a < b$ stets $\varphi(a) < \varphi(b)$ folgt.

Ist γ positiv bzw. negativ, so ist $-\gamma$ notwendig negativ bzw. positiv. Wäre nämlich $\gamma > 0$ und $-\gamma > 0$, so folgt durch Addition $0 = \gamma + (-\gamma) > 0$, d. h. $0 > 0$ im Widerspruch zu $0 = 0$. Analog schließt man den Fall $\gamma < 0, -\gamma < 0$ aus. *Hieraus folgt, daß die Menge der ganzen Zahlen genau aus den natürlichen Zahlen und ihren entgegengesetzten sowie der Null besteht.*

Wir notieren zum Abschluß als eine Folgerung aus O2′ die sog. *Kürzungsregel: Sind $\gamma_1, \gamma_2, \gamma$ drei ganze Zahlen und gilt $\gamma_1 \cdot \gamma = \gamma_2 \cdot \gamma$ mit $\gamma \neq 0$, so gilt bereits $\gamma_1 = \gamma_2$.*

Wir führen den Beweis durch *indirekte Schlußweise* (→ Logik und Methodologie). Angenommen, es wäre $\gamma_1 \neq \gamma_2$. Dann dürfen wir ohne Einschränkung der Allgemeinheit annehmen – evtl. hat man γ_1 und γ_2 umzunumerieren –, daß $\gamma_1 < \gamma_2$. Falls nun $\gamma > 0$, so folgt bereits $\gamma_1\gamma < \gamma_2\gamma$ aus O2′ im Widerspruch zur Voraussetzung. Falls aber $\gamma < 0$, so folgt $\gamma_1\gamma > \gamma_2\gamma$, was ebenso der Voraussetzung widerspricht. Es bleibt also nur $\gamma_1 = \gamma_2$ übrig.

Aus der Kürzungsregel ergibt sich insbesondere:

Sind γ_1, γ_2 ganze Zahlen und gilt $\gamma_1 \cdot \gamma_2 = 0$, so ist notwendig $\gamma_1 = 0$ oder $\gamma_2 = 0$.

Diese Eigenschaft der ganzen Zahlen drückt man auch dadurch aus, daß man sagt: *Der Ring* **Z** *der ganzen Zahlen ist nullteilerfrei.* (Wir werden später – s. u. S. 359 – auch ein Beispiel eines nicht nullteilerfreien Ringes kennenlernen.) Allgemein nennt man einen nullteilerfreien Ring einen *Integritätsring.* Dann lassen sich unsere bisherigen Überlegungen etwa wie folgt zusammenfassen:

Die Menge der ganzen Zahlen bildet einen angeordneten kommutativen Integritätsring **Z** mit Einselement. Die positiven ganzen Zahlen können mit den natürlichen Zahlen identifiziert werden; jede nicht natürliche ganze Zahl ist die entgegengesetzte Zahl einer natürlichen Zahl oder die Null. **Z** ist der ›kleinste‹ Integritätsring, der die Menge der natürlichen Zahlen umfaßt, d. h., es gibt keinen von **Z** verschiedenen Unterintegritätsring von **Z**, der ebenfalls alle natürlichen Zahlen enthält. (Natürlich besitzt **Z** sehr wohl echte Unterintegritätsringe ohne Einselement, jeder solche Unterring besteht aus den ganzzahligen Vielfachen einer festen natürlichen Zahl $\neq 1$.)

Es müßte nun unsere weitere Aufgabe sein, alle von der Schule her bekannten Rechengesetze, also etwa die *Klammerregeln* $(-\alpha) \cdot (-\beta) = \alpha\beta$ und $\alpha \cdot (-\beta) = -\alpha \cdot \beta$, die *binomischen Formeln* $(\alpha + \beta)^2 = \alpha^2 + 2\alpha\beta + \beta^2$, $(\alpha + \beta)^3 =$

$= \alpha^3 + 3\alpha^2\beta + 3\alpha\beta^2 + \beta^3$ usw. aus unseren wenigen Grundregeln herzuleiten. Wir wollen jedoch damit keine Zeit verlieren und uns sofort der elementaren Zahlentheorie zuwenden.

III. Elementare Zahlentheorie im Ring der ganzen Zahlen. Von nun an bezeichnen wir die Elemente von **Z** mit kleinen lateinischen Buchstaben. Im *Integritätsring* **Z** ist die *additive Struktur* infolge der einschränkungslos eindeutigen Lösbarkeit der Gleichung $a + x = b$ für beliebige $a, b \in \mathbf{Z}$ weitaus einfacher zu übersehen als in der Menge der natürlichen Zahlen. Die *multiplikative Struktur* von **Z** ist indessen genauso kompliziert wie die des Bereiches der natürlichen Zahlen. Die sich unmittelbar aufdrängende Frage nach der Umkehrungsmöglichkeit der Multiplikation (*Division*) – d. h. nach der Lösbarkeit der Gleichung $a \cdot x = b$ mit vorgegebenen natürlichen Zahlen a, b – vereinfacht sich keineswegs, wenn man für a, b und x ganze Zahlen zuläßt. Zwar kann man sofort sagen, daß für $a = 0$, $b \neq 0$ überhaupt keine Lösung existiert und daß für $a = b = 0$ jede ganze Zahl eine Lösung ist. Doch wenn man diese trivialen Fälle ausschließt, indem man $a \neq 0$ voraussetzt, so steht man bereits vor dem Hauptproblem der elementaren Zahlentheorie, eben dem Teilbarkeitsproblem. Im folgenden sollen die wichtigsten Resultate und Methoden dieser Theorie beschrieben werden.

a) Teilbarkeitsbegriff. Ist b eine beliebige ganze Zahl, so heißt jede ganze Zahl a, für welche die Gleichung $a \cdot x = b$ eine ganzzahlige Lösung besitzt, ein *Teiler* von b. Man schreibt dann abkürzend a/b und liest dies ›a teilt b‹. (Das Symbol a/b darf nicht mit dem später einzuführenden Bruchsymbol $\frac{a}{b}$ verwechselt werden. Für zwei Elemente $a, b \in \mathbf{Z}$ gilt a/b genau dann, wenn $\frac{b}{a} \in \mathbf{Z}$.) Ist a Teiler von b, so heißt b ein *Vielfaches* von a. Es gilt stets 1/b. Mit a ist auch immer $-a$ ein Teiler von b, denn $a \cdot a' = b$ läßt sich auch in der Form $(-a) \cdot (-a') = b$ schreiben. Man kennt daher bereits alle Teiler von b, wenn man die positiven Teiler von b kennt. Die Teilbarkeitsbeziehung ist *reflexiv*, d. h. a/a. Weiter ist sie wie die Ordnungsbeziehung *transitiv*, d. h. a/b und b/c hat a/c zur Folge. Das ist klar, denn aus $a \cdot a' = b$ und $b \cdot b' = c$ folgt $a \cdot (a' \cdot b') = c$. Indessen ist die Teilbarkeitsbeziehung nicht symmetrisch, z. B. gilt 2/4, aber nicht 4/2. Daher liegt *keine* Äquivalenzrelation vor. Es folgt ferner aus $c \cdot a / c \cdot b$ und $c \neq 0$ sofort a/b nach der Kürzungsregel. Der Fall a/b und b/a ist somit nur möglich, wenn $a = \pm b$; denn aus den beiden Gleichungen $a \cdot a' = b$ und $b \cdot b' = a$ folgt, daß $a = b = 0$ oder $a' \cdot b' = 1$, d. h. $a' = \pm 1$.

Jede ganze Zahl a hat die trivialen Teiler $\pm$ a und $\pm$ 1. Alle Teiler von a außer $\pm$ a heißen *echte Teiler* von a.

b) PRIMZAHLEN. Wir beschränken auf Grund der vorangehenden Erwägungen unsere weiteren Überlegungen weitgehend auf natürliche Zahlen. Wir wollen untersuchen, in welchem Umfange eine beliebig vorgegebene natürliche Zahl n als *Produkt* von kleineren natürlichen Zahlen darstellbar ist. Wir setzen $n > 1$ voraus und sind auch nur an solchen Produktdarstellungen von n interessiert, in denen alle *Faktoren* größer als 1 sind. Im ungünstigsten Fall gibt es überhaupt keine Produktdarstellung dieser Art. Dann wollen wir n eine *unzerlegbare Zahl* oder auch eine *Primzahl* nennen. Primzahlen sind also genau diejenigen natürlichen Zahlen $p > 1$, die außer 1 und p keine weiteren positiven Teiler haben. Die ersten Primzahlen sind

$$2, 3, 5, 7, 11, 13, 17, 19, 23, 29, \ldots .$$

Ist $n > 1$ keine Primzahl, so existiert notwendig eine Produktdarstellung $n = n_1 \cdot n_2$, wo $1 < n_1 < n$ und $1 < n_2 < n$. Solche Zahlen n heißen *zusammengesetzt* oder *zerlegbar*. Die Faktoren n_1, n_2 in einer solchen Produktzerlegung $n = n_1 \cdot n_2$ sind entweder unzerlegbar oder wieder als Produkt kleinerer Zahlen darstellbar. Es ist einleuchtend, daß man auf diese Weise nach endlich vielen Schritten zu einer Darstellung

$$n = p_1 \cdot p_2 \cdot \ldots \cdot p_s \quad (s \geq 1)$$

gelangt, in der alle Faktoren $p_1, \ldots, p_s$ Primzahlen sind. Es gilt somit der Satz, daß jede natürliche Zahl $n > 1$ als Produkt $n = p_1 \cdot \ldots \cdot p_s$ von Primzahlen darstellbar ist. Ein stichhaltiger Beweis hierfür kann mittels *vollständiger Induktion* (→ Kardinal- und Ordinalzahlen) etwa so geführt werden: Für $n = 2$ ist die Behauptung klar, da 2 eine Primzahl ist. Sei die Behauptung für alle natürlichen Zahlen $< n$ bereits bewiesen. Ist $n = p$ eine Primzahl, so ist man auch jetzt fertig. Andernfalls gibt es eine Zerlegung $n = n_1 \cdot n_2$ mit $1 < n_1 < n$, $1 < n_2 < n$. Da für n_1 und n_2 nach Induktionsvoraussetzung eine Primzahlzerlegung existiert, so folgt, daß auch n eine solche gestattet.

c) PRIMZAHLVERTEILUNG. Da jede natürliche Zahl aus Primzahlen aufgebaut werden kann, kommt der *Menge* aller Primzahlen ein besonderes Interesse zu. Die erste Frage, die man stellen wird, ist die nach der *Anzahl* aller Primzahlen. Bereits *Euklid* hat gezeigt: *Es gibt unendlich viele Primzahlen.* Sein Beweis verläuft wie folgt: Es seien $p_1, \ldots, p_k$ Primzahlen. Man bildet das Produkt $a := (p_1 \cdot p_2 \cdot \ldots \cdot p_k) + 1$ und betrachtet eine Primzahl p, die a teilt. p ist notwendig von allen $p_1, \ldots, p_k$ verschieden; denn wäre etwa $p = p_j$ für einen gewissen Index j zwischen 1 und k, so hätte man eine Gleichung $p_j \cdot b + 1 = cp_j$, wo b das Produkt der restlichen $k-1$ Primzahlen $p_1, \ldots, p_{j-1}, p_{j+1}, \ldots, p_k$ ist. Aus $1 = p_j \cdot (c-b)$ folgt aber $p_j = 1$, so daß p_j keine Primzahl wäre.

Zur Frage, wie die Primzahlen im einzelnen unter den natürlichen Zahlen verteilt sind, gibt es eine umfangreiche mathematische Literatur. Die Verteilung ist äußerst unregelmäßig. Es gibt einerseits in der Primzahlfolge plötzlich große Lücken; z. B. liegt zwischen 1327 und 1361 sowie zwischen 9551 und 9587 keine Primzahl. Andererseits treten recht häufig ›Primzahlzwillinge‹ auf, d. h. Fälle, in denen mit p auch $p + 2$ eine Primzahl ist. Dagegen können niemals drei aufeinanderfolgende ungerade Zahlen q, $q+2$, $q+4$ $(q \geq 5)$ sämtlich Primzahlen sein, da ersichtlich eine von ihnen stets durch 3 teilbar ist. Es gibt aber dennoch ›große Primzahldrillinge und Primzahlvierlinge‹ (d. h. 3 bzw. 4 Primzahlen in einer Dekade), z. B. 101, 103, 107, 109; 299 471, 299 473, 299 477, 299 479. Es ist bis heute unbekannt, ob es unendlich viele Primzahlzwillinge gibt.

Euler hat bereits gezeigt, daß die (unendliche) Reihe $\Sigma \frac{1}{p}$, erstreckt über die Reziproken aller Primzahlen, *divergiert* (→ Infinitesimalrechnung). Dadurch konnte er insbesondere einen vom Euklidschen Beweis wesentlich verschiedenen Beweis für die Existenz unendlich vieler Primzahlen führen. Aus dem Eulerschen Satz folgt, daß die Primzahlen notwendig dichter als die *Quadratzahlen* liegen; denn die unendliche Reihe $\sum_{n=1}^{\infty} \frac{1}{n^2}$ *konvergiert.*

Bezeichnet man mit $\pi(n)$ die Anzahl der Primzahlen bis n, so gilt der berühmte und äußerst tiefliegende

$$\textit{Primzahlsatz:} \lim_{n \to \infty} \pi(n) \cdot \left(\frac{\ln n}{n}\right) = 1.$$

Der Beweis dieser Aussage, deren Richtigkeit schon von *Gauß* vermutet wurde, gelang im Jahre 1896 den beiden Mathematikern *Hadamard* und *de la Vallée-Poussin.*

Klassisch ist auch das Problem, wann unter den Elementen einer *arithmetischen Progression* $a_n = q \cdot n + r$, wo $q > 1$ und r mit $0 \leq r < q$ fest vorgegebene Zahlen sind und n alle natürlichen Zahlen durchläuft, unendlich viele Primzahlen auftreten. Besitzen q und r einen gemeinsamen Teiler > 1, so ist kein a_n eine Primzahl. Es sind daher höchstens solche Progressionen interessant, bei denen q und r »teilerfremd« sind, d. h. keinen gemeinsamen Teiler > 1 haben. Hier gilt nun der fundamentale *Satz von Dirichlet: Jede arithmetische Progression* $a_n = q \cdot n + r$, *in der* q *und* r *teilerfremd sind, enthält unendlich viele Primzahlen.*

Nur in Spezialfällen (z. B. $q = 3, r = 2; q = 4, r = 3$) sind elementare Beweise dieses Theorems möglich. Um den Allgemeinfall zu erledigen, bedurfte es gänzlich neuer, analytischer Methoden. Durch ihre Entwicklung, die eine der mathematischen Großtaten des 19. Jhs. ist, wurde *Dirichlet* zum eigentlichen Begründer der *analytischen Zahlentheorie.*

d) Der Hauptsatz der elementaren Zahlentheorie. Nach diesen Abschweifungen in die analytische Zahlentheorie kehren wir nun zum Zerlegungsproblem der natürlichen Zahlen in Primzahlen zurück. Wir haben uns zwar überzeugen können, daß jede natürliche Zahl > 1 als Produkt von Primzahlen geschrieben werden kann; indessen wissen wir nicht, wie viele Zerlegungen dieser Art möglich sind. Natürlich kann man die Reihenfolge der Faktoren ändern; doch wird man zwei Zerlegungen, die sich nur in dieser Weise voneinander unterscheiden, als nicht wesentlich verschieden ansehen. Es zeigt sich nun, daß man überhaupt keine Möglichkeit hat, wesentlich verschiedene Primzahlzerlegungen für eine natürliche Zahl > 1 zu finden. Es gilt nämlich der

Hauptsatz der elementaren Zahlentheorie: Jede natürliche Zahl > 1 ist – abgesehen von der Reihenfolge der Faktoren – eindeutig als Produkt von Primzahlen darstellbar.

Wir brauchen lediglich die Eindeutigkeit dieser Darstellung nachzuweisen. Wir benutzen eine kunstvolle, *indirekte Schlußweise,* die von *Zermelo* herrührt und nur elementare Eigenschaften der natürlichen Zahlen benutzt. Angenommen, es gäbe natürliche Zahlen mit nicht eindeutiger Primzahlzerlegung. Dann gibt es eine kleinste natürliche Zahl m, die wenigstens zwei verschiedene Zerlegungen besitzt (hier wird die Tatsache benutzt, daß jede nicht leere Menge von natürlichen Zahlen eine kleinste natürliche Zahl enthält!). Insbesondere ist also m keine Primzahl. Als *Standardzerlegung* von m wollen wir hier vorübergehend diejenige bezeichnen, in der der kleinste Primteiler p von m als Faktor vorkommt. Die Standardzerlegung von m existiert und ist eindeutig bestimmt; denn in $m = p \cdot r$ hat der Faktor r wegen $r < m$ genau eine Zerlegung. Ist nun $m = q_1 \cdot \ldots \cdot q_k$ eine von der Standardzerlegung verschiedene Zerlegung, so sind also alle hier vorkommenden Primzahlen q_i größer als p. Da m keine Primzahl ist, so ist $k \geq 2$. Wir setzen $s := q_2 \cdot \ldots \cdot q_k$; dies ist dann wegen $s < m$ (man beachte $m = q_1 \cdot s$ und $q_1 > 1$) bereits die Zerlegung von s. Wir bilden weiter

$$m' := m - p \cdot s.$$

Dann folgt $m' = (q_1 - p)\, s$, woraus sich wegen $s \geq 2$ und $q_1 > p$ ergibt: $2 \leq m' < m$. Insbesondere ist m' also eindeutig in Primfaktoren zerlegbar. Da $m' = p \cdot (r - s)$, so kommt p notwendig in der Zerlegung von m' und also auch in der Zerlegung von $(q_1 - p)\, s$ vor. In der Zerlegung $q_2 \cdot \ldots \cdot q_k$ von s kann p aber nicht auftreten, da p kleiner als alle q_i ist. Folglich muß p in der Zerlegung von $q_1 - p$ vorkommen. Aus $q_1 - p = t \cdot p$ folgt indessen $q_1 = p \cdot (t + 1)$, was der Primzahleigenschaft von q_1 widerspricht. Die Annahme, daß es natürliche Zahlen > 1 mit nicht eindeutiger Primzahlzerlegung gibt, ist somit zum Widerspruch geführt, d. h. der Hauptsatz ist bewiesen.

e) Die kanonische Zerlegung natürlicher Zahlen. Es ist zweckmäßig, in der Primzahlzerlegung einer gegebenen Zahl gleiche Primzahlfaktoren zu *Potenzen* zusammenzufassen und die Potenzen nach der Größe der auftretenden Primzahlen anzuordnen. So erhält man die *kanonische Zerlegung* der natürlichen Zahl n:

$$n = p_1^{t_1} \cdot p_2^{t_2} \cdot \ldots \cdot p_r^{t_r}$$

mit $p_1 < p_2 < \ldots < p_r$ und positiven Exponenten $t_1, t_2, \ldots, t_r$. Der Exponent t_i besagt, daß die Primzahl p_i insgesamt t_i-mal als Faktor vorkommt. Aus diesem Grunde nennt man t_i auch die *Vielfachheit* von p_i. Z. B. ist $2^2 \cdot 3^3 \cdot 5^2 \cdot 7$ die kanonische Zerlegung von 18 900; hier hat z. B. 5 die Vielfachheit 2. Um den Fall $n = 1$ nicht ausschließen zu müssen, verabredet man gern, daß die Anzahl r der Primzahlen auch den Wert 0 haben darf und das »leere Produkt« der Primzahlpotenzen dann eben die Zahl 1 bedeuten soll.

Unter Benutzung des Satzes von der eindeutigen Primzahlzerlegung können wir nun sofort ein Kriterium dafür angeben, daß die Gleichung $a \cdot x = b$, $a \neq 0$, eine Lösung hat. Es gilt offensichtlich:

Sind a und b natürliche Zahlen, so ist die Gleichung $a \cdot x = b$ genau dann durch eine natürliche Zahl x (eindeutig) lösbar, wenn jede Primzahl, die in der Zerlegung von a mit der Vielfachheit t vorkommt, auch in der Zerlegung von b mindestens mit der Vielfachheit t vorkommt.

Mittels dieser Aussage lassen sich jetzt mühelos alle *positiven Teiler* einer natürlichen Zahl n anschreiben, wenn die kanonische Zerlegung $p_1^{t_1} \cdot p_2^{t_2} \cdot \ldots \cdot p_r^{t_r}$ von n bekannt ist. Genau die Zahlen $p_1^{v_1} \cdot p_2^{v_2} \cdot \ldots \cdot p_r^{v_r}$, wo $v_1, v_2, \ldots, v_r$ unabhängig voneinander alle Zahlen von 0 bis $t_1, t_2, \ldots, t_r$ durchlaufen und $p_i^{v_i}$ im Falle $v_i = 0$ den Wert 1 bedeutet, sind Teiler von n. Es gibt daher genau $(t_1 + 1) \cdot (t_2 + 1) \cdot \ldots \cdot (t_r + 1)$ verschiedene positive Teiler von n. Die Zahl 18 900 hat z. B. $3 \cdot 4 \cdot 3 \cdot 2 = 72$ positive Teiler.

Sind a und b zwei natürliche Zahlen und etwa $p_1, \ldots, p_r$ alle verschiedenen Primzahlen, die a bzw. b teilen, so können wir a und b in folgender Weise schreiben:

$$a = p_1^{t_1} \cdot p_2^{t_2} \cdot \ldots \cdot p_r^{t_r}, \quad b = p_1^{u_1} \cdot p_2^{u_2} \cdot \ldots \cdot p_r^{u_r},$$

wenn wir verabreden, daß t_i bzw. u_j null gesetzt werden soll, falls p_i bzw. p_j nicht in der Zerlegung von a bzw. b vorkommt. Dann ist offensichtlich

$$a \cdot b = p_1^{t_1+u_1} \cdot p_2^{t_2+u_2} \cdot \ldots \cdot p_r^{t_r+u_r}$$

die Primzahlzerlegung von $a \cdot b$. Hierin ist insbesondere die *allgemeine Potenzregel*

$$c^n \cdot c^m = c^{n+m}, n > 0, m > 0,$$

enthalten, wobei c^n, c^m und c^{n+m} abkürzend für das n-fache, m-fache und $(n + m)$-fache Produkt von c mit sich selbst steht.

f) VOLLKOMMENE ZAHLEN. MERSENNESCHE UND FERMATSCHE PRIMZAHLEN. Eine natürliche Zahl $\neq 1$ heißt *vollkommen*, wenn sie gleich der Summe ihrer positiven echten Teiler ist. Vollkommene Zahlen wurden schon von Euklid betrachtet; im Mittelalter haben sie die Aufmerksamkeit der Philosophen auf sich gelenkt und Anlaß zu allerlei Spekulationen gegeben. Die kleinste vollkommene Zahl ist 6, die nächsten sind 28, 496, 8128, 33550336. Alle diese Zahlen sind gerade; man weiß bis auf den heutigen Tag noch nicht, ob es auch ungerade vollkommene Zahlen gibt. Dagegen überblickt man theoretisch die geraden vollkommenen Zahlen vollständig; denn Euklid und Euler haben gezeigt:

Eine gerade Zahl $n > 1$ *ist genau dann vollkommen, wenn es eine natürliche Zahl* s *gibt, derart, daß gilt* $n = 2^s(2^{s+1}-1)$ *mit einer Primzahl* $2^{s+1}-1$.

Ein näheres Studium dieser Zahlen führt somit zwingend zu der Frage, für welche Exponenten t die Zahl $m := 2^t - 1$ eine Primzahl ist. Man nennt Primzahlen dieser Art *Mersennesche Primzahlen*. Offensichtlich ist m höchstens dann eine Mersennesche Primzahl, wenn der Exponent t selbst eine Primzahl ist. Denn gilt $t = t_1 \cdot t_2$ mit $t_1 > 1$, $t_2 > 1$, so hat man die Produktzerlegung (geometrische Reihe)

$$m = (2^{t_1})^{t_2} - 1 = (2^{t_1} - 1)\,[1 + 2^{t_1} + (2^{t_1})^2 + \cdots + (2^{t_1})^{t_2-1}],$$

wo beide rechts auftretenden Faktoren größer als 1 sind. Für die ersten vier Primzahlen $t = 2, 3, 5, 7$ ergeben sich die Mersenneschen Primzahlen $m = 3, 7, 31, 127$, die zu den vollkommenen Zahlen 6, 28, 496, 8128 Anlaß geben. Hingegen ergibt sich für $t = 11$ keine Primzahl, da $2^{11} - 1 = 2047 = 23 \cdot 89$. Für $t = 13$ erhält man wieder eine Primzahl $m = 2^{13} - 1 = 8191$ und damit die fünfte vollkommene Zahl

$$n = 2^{12} \cdot (2^{13} - 1) = 4096 \cdot 8191 = 33550336.$$

Es ist nicht bekannt, ob es unendlich viele Mersennesche Primzahlen gibt. Man hat aber gezeigt, daß zu den Primzahlen

$t = 17, 19, 31, 61, 89, 107, 127$ Mersennesche Primzahlen gehören und daß dies für $t = 23, 29, 37, 41$ und viele andere Primzahlen t nicht der Fall ist.

In der Theorie der Kreisteilung spielen die Primzahlen der Gestalt $2^t + 1$ eine wichtige Rolle. Man nennt sie *Fermatsche Primzahlen.* Der 19jährige *Gauß* zeigte 1796, daß ein reguläres p-Eck für eine Primzahl $p > 2$ dann und nur dann mit Zirkel und Lineal konstruiert werden kann, wenn p eine solche Fermatsche Primzahl ist (→ Gleichungen). Um Primzahlen der Gestalt $f = 2^t + 1$ zu finden, bemerken wir zunächst, daß t notwendig eine Zweierpotenz sein muß. Gilt nämlich $t = 2^r \cdot s$ $(r > 0)$ mit einer ungeraden Zahl $s > 1$, so ist (geometrische Reihe mit dem Quotienten -2^{2^r})

$$2^t + 1 = (2^{2^r} + 1)\,[1 - 2^{2^r} + (2^{2^r})^2 - + \ldots + (2^{2^r})^{s-1}]$$

eine Zerlegung von $2^t + 1$ in zwei Faktoren, die wegen $1 < 2^{2^r} + 1 < 2^t + 1$ beide größer als 1 sind. Setzt man nun in $t = 2^\nu$ nacheinander $\nu = 0, 1, 2, 3, 4$, so ergeben sich in $f = 3, 5, 17, 257, 65\,537$ wirklich Fermatsche Primzahlen. Dagegen ist $2^{2^5} + 1$ (wie wir auf S. 330 mittels des Kongruenzenkalküls zeigen werden) durch 641 teilbar und daher keine Primzahl. Bis heute ist nicht bekannt, ob es unendlich viele Fermatsche Primzahlen gibt.

g) GRÖSSTER GEMEINSAMER TEILER UND KLEINSTES GEMEINSAMES VIELFACHES. Wir wollen als weitere Anwendung des Hauptsatzes den größten gemeinsamen Teiler d sowie das kleinste gemeinsame Vielfache v von a und b bestimmen. Werden die Primzahlzerlegungen von a und b wie oben angeschrieben, so sind die gemeinsamen Teiler von a und b offensichtlich gerade die Zahlen $p_1^{v_1} \cdot p_2^{v_2} \cdot \ldots \cdot p_r^{v_r}$, wo jeweils v_i von 0 bis zu der kleineren der beiden Zahlen t_i, u_i läuft. Der größte unter allen gemeinsamen Teilern ist daher $d := p_1^{\min(t_1, u_1)} \cdot p_2^{\min(t_2, u_2)} \cdot \ldots \cdot p_r^{\min(t_r, u_r)}$, wobei $\min(x, y) := x$ bzw. y zu setzen ist, je nachdem ob $x < y$ oder $y \leq x$. Als Anwendung berechnen wir den größten gemeinsamen Teiler von 420 und 693. Es gilt $420 = 2^2 \cdot 3 \cdot 5 \cdot 7 \cdot 11^0$ und $693 = 2^0 \cdot 3^2 \cdot 5^0 \cdot 7 \cdot 11$. Daher ist $3 \cdot 7 = 21$ der größte gemeinsame Teiler von 420 und 693. Sind a und b nicht notwendig natürliche Zahlen, sondern lediglich von 0 verschiedene ganze Zahlen, so haben auch sie einen größten gemeinsamen Teiler. Sie gestatten nämlich offenbar eindeutig bestimmte Zerlegungen von der Gestalt $a = \varepsilon_1 a'$, $b = \varepsilon_2 b'$, wo $\varepsilon_1 = \pm 1$, $\varepsilon_2 = \pm 1$ ist und a', b' natürliche Zahlen sind. Der größte gemeinsame Teiler von a' und b' ist dann zugleich der von a und b. Schließlich darf auch noch *eine* der Zahlen a und b den Wert 0 haben. Ist z. B. $a = 0$, so ist der größte gemeinsame Teiler von a und $b \neq 0$ die Zahl b oder $-b$, je nachdem ob b positiv oder negativ ist.

Offenbar ist der größte gemeinsame Teiler zweier ganzer Zahlen a und b auch dadurch charakterisiert, daß er von jedem gemeinsamen Teiler der Zahlen a und b geteilt wird. Der größte gemeinsame Teiler von a und b kann 1 sein. Dann heißen a und b *teilerfremd*. Dies ist z. B. der Fall für $a = 231$ und $b = 2210$.

Entsprechend wie oben für d sieht man, daß die Zahl $v := p_1^{\max(t_1, u_1)} \cdot p_2^{\max(t_2, u_2)} \cdot \ldots \cdot p_r^{\max(t_r, u_r)}$, wo $\max(x, y) := x$ bzw. y je nachdem, ob $x > y$ oder $y \geq x$, das kleinste (positive) gemeinsame Vielfache von a und b ist. Im obigen Beispiel $a = 420$ und $b = 693$ gilt offenbar $v = 2^2 \cdot 3^2 \cdot 5 \cdot 7 \cdot 11 = 13\,860$.

Zwischen dem kleinsten gemeinsamen Vielfachen v und dem größten gemeinsamen Teiler d zweier natürlicher Zahlen a, b besteht die Beziehung $a \cdot b = d \cdot v$, durch welche die Bestimmung von v auf die Bestimmung von d zurückgeführt wird und umgekehrt.

h) Division mit Rest, euklidischer Algorithmus. Eine zweite Möglichkeit, den größten gemeinsamen Teiler zweier natürlicher Zahlen ohne Benutzung des Hauptsatzes der elementaren Zahlentheorie zu bestimmen, beruht auf dem sog. *euklidischen Algorithmus*. Um denselben zu erläutern, besprechen wir zunächst die sog. *Division mit Rest*. Sind n, m zwei ganze Zahlen mit $n \geq 1$, $m \geq 0$, so gibt es eine größte ganze Zahl $q \geq 0$ mit $qn \leq m$. Es gilt $q = 0$ stets dann, wenn $m < n$; in allen anderen Fällen ist q positiv.

Man kann zu q ein $r \geq 0$ so finden, daß $m = qn + r$. Diese durch m und n bestimmte Darstellung nennt man eine Division mit Rest. Offensichtlich gilt $r = 0$ genau dann, wenn n/m. Man hat stets $r < n$, da sonst auch noch $(q + 1)\, n \leq m$ im Widerspruch zur Wahl von q gelten müßte. Wir haben damit den

Satz von der Division mit Rest: Zu je zwei ganzen Zahlen $m \geq 0$ *und* $n \geq 1$ *gibt es genau eine Darstellung*

$$m = qn + r \quad \textit{mit} \quad 0 \leq r < n.$$

q heißt der *Quotient*, r der *Rest* der Division von m durch n. (Für $m = 693$, $n = 420$ gilt also z. B. $693 = 1 \cdot 420 + 273$.)

Die Bedeutung der Division mit Rest erhellt u. a. aus der folgenden Aussage: Sind a, b zwei natürliche Zahlen, $a = q \cdot b + r$ eine Division mit Rest, so haben b und r denselben größten gemeinsamen Teiler wie a und b.

Es sei nämlich d der größte gemeinsame Teiler von a und b. Dann folgt aus d/a, d/b und $a = qb + r$ sofort d/r, so daß d sicher ein gemeinsamer Teiler von b und r ist. Gilt aber t/b und t/r, so folgt auch t/a, so daß für t als gemeinsamen Teiler von a und b sicher $t \leq d$ gilt. Daher muß d der größte gemeinsame Teiler von b und r sein.

Die soeben bewiesene Aussage kann praktisch angewendet werden, um den größten gemeinsamen Teiler von a und b zu berechnen. Gilt etwa $a > b$ und ist

$$a = q_1 \cdot b + r_1, \qquad 0 \leq r_1 < b,$$

die Division mit Rest, so ist die gesuchte Zahl zugleich der größte gemeinsame Teiler von b und r_1. Diesen kann man i. a. einfacher finden als den von a und b, da die neuen Zahlen kleiner als die Ausgangszahlen sind. Falls bereits $r_1 = 0$, so ist b selbst der größte gemeinsame Teiler von a und b. Im Falle $r_1 \neq 0$ wendet man die Division mit Rest noch einmal an. Man erhält $b = q_2 \cdot r_1 + r_2$, und die Aufgabe ist jetzt darauf reduziert, den größten gemeinsamen Teiler von r_1 und r_2, wo $0 \leq r_2 < r_1$, zu finden. Falls $r_2 = 0$, so ist r_1 die gesuchte Lösung; andernfalls wiederhole man den Prozeß. Da die Reste mit jedem Schritt kleiner werden, kommt das Verfahren nach höchstens b Schritten zum Stillstand. Ersichtlich ist der letzte nicht verschwindende Rest, der vorkommt, der größte gemeinsame Teiler von a und b. Diese Methode, den größten gemeinsamen Teiler zu bestimmen, nennt man den *euklidischen Algorithmus*. Wir wollen ihn noch am bereits früher untersuchten Beispiel $a = 693$, $b = 420$ illustrieren. Wir erhalten die folgende Kette von Gleichungen:

$$\begin{aligned} 693 &= 1 \cdot 420 + 273, \\ 420 &= 1 \cdot 273 + 147, \\ 273 &= 1 \cdot 147 + 126, \\ 147 &= 1 \cdot 126 + 21, \\ 126 &= 6 \cdot 21. \end{aligned}$$

Der größte gemeinsame Teiler ergibt sich also zu 21, wie es sein soll.

Der euklidische Algorithmus liefert uns auch eine neue prinzipielle Erkenntnis über den größten gemeinsamen Teiler zweier natürlicher Zahlen a, b. Ist nämlich

$$\begin{aligned} a &= q_1 b + r_1, & 0 &< r_1 < b, \\ b &= q_2 r_1 + r_2, & 0 &< r_2 < r_1, \\ r_1 &= q_3 r_2 + r_3, & 0 &< r_3 < r_2, \\ &\vdots & &\vdots \\ r_{n-2} &= q_n r_{n-1} + r_n, & 0 &< r_n < r_{n-1}, \\ r_{n-1} &= q_{n+1} r_n \end{aligned}$$

die durch den Algorithmus produzierte *Gleichungskette* und also r_n der größte gemeinsame Teiler von a und b, so setze man in die Gleichung $r_n = r_{n-2} - q_n r_{n-1}$ sukzessive die ent-

sprechend umgeformten vorangehenden Gleichungen ein. Man bekommt auf diese Weise schließlich eine Gleichung der Form $r_n = ua + vb$ mit ganzen Zahlen u, v. Dies bedeutet:
Der größte gemeinsame Teiler zweier natürlicher Zahlen a *und* b *kann stets als eine Linearkombination von* a *und* b *geschrieben werden.*
Diese Einsicht ist für die weitere Entwicklung der *Zahlentheorie* von entscheidender Bedeutung; man benutzt sie z. B., um zu zeigen, daß der *Ring* **Z** *der ganzen Zahlen* ein *Hauptidealring* ist (→ Algebra). In unserem Beispiel a = 693, b = 420 liefert das geschilderte Einsetzungsverfahren die Gleichungen

$$21 = 147 - 126,$$
$$21 = 147 - (273 - 147) = 2 \cdot 147 - 273,$$
$$21 = 2 \cdot (420 - 273) - 273 = 2 \cdot 420 - 3 \cdot 273,$$
$$21 = 2 \cdot 420 - 3 \cdot (693 - 420) = 5 \cdot 420 - 3 \cdot 693.$$

i) Kongruenzen. Bereits *Gauß* hat erkannt, daß für viele zahlentheoretische Fragen der naive Teilbarkeitsbegriff zu grob ist. Er führte aus diesem Grunde den verfeinerten Begriff der Kongruenz ein und entwickelte einen Rechenkalkül, der nicht nur für den weiteren Ausbau der Zahlentheorie, sondern für die gesamte Mathematik von fundamentaler Bedeutung wurde. Der Begriff der Kongruenz, der auch in der *Gruppentheorie* zentral ist (→ Algebra), kann etwa so gefaßt werden:
Zwei ganze Zahlen a, b ∈ **Z** *heißen kongruent modulo einer fest vorgegebenen natürlichen Zahl* m, *in Zeichen*

$$a \equiv b \mod m,$$

wenn a – b *durch* m *teilbar ist.* m *heißt der Modul der Kongruenz.*
Ersichtlich gilt m/a genau dann, wenn $a \equiv 0 \mod m$. Es ist unschwer zu sehen, daß a und b genau dann kongruent modulo m sind, wenn sie beide bei Division durch m den gleichen Rest r lassen, wobei $0 \leq r \leq m - 1$. Der Kongruenzbegriff ist alsdann in folgendem Sinne ›feiner‹ als der Begriff der Teilbarkeit: Während bei der Teilbarkeit die Elemente aus **Z** in bezug auf m lediglich danach unterschieden werden, ob sie bei der Division durch m den Rest 0 lassen oder nicht, werden bei der Kongruenz die Elemente aus **Z** auch noch nach der Größe des Restes klassifiziert.
Der *Kongruenzbegriff* hat offensichtlich die Eigenschaften der *Reflexivität* ($a \equiv a \mod m$), der *Symmetrie* (aus $a \equiv b \mod m$ folgt $b \equiv a \mod m$) und der *Transitivität* (aus $a \equiv b \mod m$ und $b \equiv c \mod m$ folgt $a \equiv c \mod m$). Es handelt sich also um eine *Äquivalenzrelation* (→ Mengen, Abbildungen, Strukturen), die Anlaß gibt zu einer Einteilung von **Z** in Äquivalenzklassen. Man nennt sie die *Rest-*

klassen modulo m. Da bei gegebenem $m > 0$ genau die m Reste $0, 1, \ldots, m-1$ auftreten können, so gibt es genau m verschiedene Restklassen.
Mit Kongruenzen läßt sich wie mit Gleichungen rechnen. Es gilt die ohne weiteres zu beweisende *Additions-, Subtraktions-* und *Multiplikationsregel:*
Aus $a \equiv a' \bmod m$ und $b \equiv b' \bmod m$ folgt:

$$a + b \equiv a' + b' \bmod m,$$
$$a - b \equiv a' - b' \bmod m,$$
$$a \cdot b \equiv a' \cdot b' \bmod m.$$

Um die mathematische Kraft dieser Kongruenzregeln zu demonstrieren, zeigen wir etwa, daß die Zahl $2^{32} + 1$, von der *Fermat* noch vermutete, daß sie Primzahl sei, durch 641 teilbar ist. Wir schreiben die *Identität* $641 = 640 + 1 = 5 \cdot 2^7 + 1$ als *Kongruenz* $5 \cdot 2^7 \equiv -1 \bmod 641$ um und gewinnen – da Potenzierung mit 4 nach der Multiplikationsregel erlaubt ist – hieraus die Kongruenz $5^4 \cdot 2^{28} \equiv 1 \bmod 641$. Beachten wir die weitere Zerlegung $641 = 625 + 16 = 5^4 + 2^4$, d. h. die Kongruenz $5^4 \equiv -2^4 \bmod 641$, so folgt $-2^4 \cdot 2^{28} \equiv 1 \bmod 641$ und also $2^{32} + 1 \equiv 0 \bmod 641$ wie behauptet.
Auch die aus dem Grundschulunterricht bekannten ›*Neuner- und Elferproben*‹ beruhen auf den Kongruenzregeln. Ist $a = (q_r q_{r-1} \ldots q_0)_n$ die n-adische Darstellung der natürlichen Zahl a (→ Ziffern und Ziffernsysteme), so versteht man unter der *n-adischen Quersumme* bzw. der *n-adischen alternierenden Quersumme* von a die Zahl

$$Q_n(a) := q_0 + \ldots + q_r$$

bzw.

$$Q_n'(a) := q_0 - q_1 + - \ldots + (-1)^r q_r.$$

Dann läßt sich zeigen:

$$a \equiv Q_n(a) \bmod (n-1) \qquad \text{bzw.} \qquad a \equiv Q_n'(a) \bmod (n+1).$$

Hieraus ergibt sich weiter nach den Rechenregeln für Kongruenzen:

$$Q_n\,(a + b) \equiv Q_n\,(a) + Q_n\,(b) \bmod (n-1),$$
$$Q_n\,(a \cdot b) \equiv Q_n\,(a) \cdot Q_n\,(b) \bmod (n-1),$$
$$Q_n'\,(a + b) \equiv Q_n'\,(a) + Q_n'\,(b) \bmod (n+1),$$
$$Q_n'\,(a \cdot b) \equiv Q_n'\,(a) \cdot Q_n'\,(b) \bmod (n+1).$$

Von den rechten Seiten kann man nötigenfalls wieder die Quersumme bilden usw.
Beispiele: Wir wählen $n = 10$. Die Zahl 3794 läßt bei Division durch 9 (bzw. 11) den Rest 5 (bzw. 10), denn $Q_{10}(3794) = 23$ und $23 \equiv 5 \bmod 9$ (bzw. $Q_{10}'(3794) = -1$ und $-1 \equiv 10 \bmod 11$). Es gilt tatsächlich:

$$3\,794 = 421 \cdot 9 + 5 \quad (\text{bzw. } 3\,794 = 344 \cdot 11 + 10).$$

Neuner- bzw. Elferprobe, angewendet auf $1\,312 \cdot 911 = 1\,195\,232$, liefern, da

$$Q_{10}(1\,312) = 7,\ Q_{10}(911) = 11,\ Q_{10}(1\,195\,232) = 23,$$
$$Q_{10}'(1\,312) = 3,\ Q_{10}'(911) = 9,\ Q_{10}'(1\,195\,232) = 5,$$

die Kongruenzen:

$7 \cdot 11 = 77 \equiv 23 \mod 9$ bzw. $3 \cdot 9 = 27 \equiv 5 \mod 11$.

Diese Proben reduzieren die Fehlerwahrscheinlichkeit; doch schließen sie keineswegs Rechenfehler prinzipiell aus. Hätte man z. B. in der vorstehenden Multiplikation das (falsche) Ergebnis 1 193 252 getestet, so wären die Proben ebenfalls positiv ausgefallen.

k) RESTKLASSENRINGE. Wir wollen noch die *Restklassen* in **Z**, die durch die Kongruenzrelation mod m bestimmt sind, näher betrachten. Bezeichnen wir die das Element $a \in \mathbf{Z}$ enthaltende Restklasse mit $\bar{a}$, so besteht $\bar{a}$ gerade aus den Zahlen der Form $a + sm$, wo $s \in \mathbf{Z}$ beliebig gewählt ist. Erklärt man für die Restklassen mod m eine ›Addition‹, ›Subtraktion‹ und ›Multiplikation‹ dadurch, daß man Vertreter der Restklassen, also ganze Zahlen, addiert, subtrahiert und multipliziert, so implizieren die Rechenregeln für Kongruenzen, daß die so erhaltenen Summen, Differenzen und Produkte unabhängig von der speziellen Vertreterwahl eindeutig bestimmt sind. Überdies folgt aus den Rechengesetzen für ganze Zahlen, daß auch für dieses Rechnen mit Restklassen wieder die Kommutativ-, Assoziativ- und Distributivgesetze gelten. Man kann daher sagen:

Die Menge $\mathbf{Z}_m$ *der Restklassen ganzer Zahlen modulo* m *bildet einen kommutativen Ring mit Einselement, den sog. Restklassenring von* **Z** mod m.

Das Rechnen in $\mathbf{Z}_2$ geschieht z. B. wie folgt:

$$\bar{0}+\bar{0} = \bar{0},\quad \bar{0}+\bar{1} = \bar{1},\quad \bar{1}+\bar{1} = \bar{0},$$
$$\bar{0}\cdot\bar{0} = \bar{0},\quad \bar{1}\cdot\bar{0} = \bar{0},\quad \bar{1}\cdot\bar{1} = \bar{1}.$$

In $\mathbf{Z}_4$ dagegen gelten u. a. die folgenden Gleichungen:

$$\bar{1}+\bar{3} = \bar{0},\quad \bar{3}+\bar{3} = \bar{2},\quad \bar{2}+\bar{3} = \bar{1},$$
$$\bar{2}\cdot\bar{2} = \bar{0},\quad \bar{3}\cdot\bar{3} = \bar{1},\quad \bar{3}\cdot\bar{2} = \bar{2}.$$

Man sieht hieraus, daß $\mathbf{Z}_2$ ein *Körper* (→ Algebra) ist und daß $\mathbf{Z}_4$ ›*Nullteiler*‹, nämlich $\bar{2}$, hat. Allgemein kann gezeigt werden:

Der Restklassenring $\mathbf{Z}_m$ *mit* $m > 1$ *ist genau dann nullteilerfrei (und zwar sogar ein Körper), wenn* m *eine Primzahl ist.*

Die *Restklassenringe* $\mathbf{Z}_m$ sind die einfachsten Beispiele abstrakter Ringe, die nur endlich viele Elemente besitzen. Ihre

Entdeckung, insbesondere die *endlicher Körper* (= *Galois-Felder*, → Algebra), gehört mit zu den großen mathematischen Leistungen des 19. Jahrhunderts.
Die *Theorie der Kongruenzen bez. eines gegebenen Moduls* m ist nichts anderes als die *Strukturtheorie des Ringes* $\mathbf{Z}_m$. So ist z. B. die Frage, wann bei gegebenen Elementen a, b, c $\in \mathbf{Z}_m$ die Gleichung $ax + c = b$ eine Lösung in $\mathbf{Z}_m$ hat, äquivalent mit der Frage nach der Lösbarkeit der Kongruenz $ax + c \equiv b \mod m$ in **Z**. Es läßt sich zeigen, daß eine Lösung genau dann möglich ist, wenn der größte gemeinsame Teiler von a und m auch ein Teiler von b — c ist.
Mit der Theorie der Kongruenzen und Restklassen beginnt die eigentliche *Zahlentheorie.* Auf die Methoden und Resultate dieser mathematischen Disziplin, die nach *Gauß* die ›Königin der Mathematik‹ ist, können wir nicht weiter eingehen.
B. Die rationalen Zahlen. Unter Benutzung des Hauptsatzes der elementaren Zahlentheorie haben wir ein notwendiges und hinreichendes Kriterium dafür angegeben, daß die Gleichung $a \cdot x = b$, wo a, b $\in$ **Z** und $a \neq 0$, eine Lösung x in **Z** besitzt (s. o. S. 324). Es drängt sich indessen die Frage auf, ob die Tatsache der nur eingeschränkt möglichen Lösbarkeit linearer Gleichungen im Bereich der ganzen Zahlen nicht eine Unvollkommenheit des Integritätsringes **Z** ausdrückt, die durch eine nochmalige Erweiterung von **Z** zu einem größeren Zahlbereich behoben werden kann. Die weitere Verfolgung dieses Gedankens führt zu den *Brüchen,* die wir nun einführen werden. Wir wollen unsere Aufgabe wie folgt präzisieren:
Gesucht ist ein *Integritätsring* **P**, der **Z** als *Unterintegritätsring* enthält und in dem jede lineare Gleichung

$$a \cdot x = b, \quad a, b \in \mathbf{P}, \quad a \neq 0,$$

genau eine Lösung $x \in \mathbf{P}$ hat. **P** soll ›so klein wie möglich‹ sein, genauer: jeder Unterintegritätsring **P'** von **P** mit $\mathbf{Z} \subseteq \mathbf{P}'$, der ebenfalls die vorstehende Eigenschaft der Lösbarkeit linearer Gleichungen hat, soll mit **P** übereinstimmen.
Es sei angemerkt, daß der hier eingeschlagene Weg, zunächst die negativen ganzen Zahlen und dann die Brüche einzuführen, in der Grundschule gerade umgekehrt durchlaufen wird: man lernt zuerst die Bruchrechnung und erst viel später das Rechnen mit negativen ganzen Zahlen und negativen Brüchen. Eine Diskussion darüber, welches der vernünftigere Weg sei, dürfte höchstens für Pädagogen von Interesse sein; mathematisch läuft sie leer, da die Ringstruktur der ganzen Zahlen einfacher zu beschreiben ist als die Körperstruktur der rationalen Zahlen.
I. Konstruktion der rationalen Zahlen. Zur Konstruktion von **P** verwenden wir alle geordneten Paare (a, b) ganzer Zahlen,

deren zweite Komponente b nicht verschwindet, d. h. nicht 0 ist. (Der Leser tut gut, sich das Paar (a, b) im folgenden als ›Bruch mit a als Zähler und b als Nenner‹ vorzustellen; dann werden alle nachstehenden Bemerkungen zu geläufigen Aussagen der Bruchrechnung.) Wir nennen zwei solche Paare (a_1, b_1) und (a_2, b_2) *äquivalent*, wenn $a_1b_2 = a_2b_1$. Dadurch ist eine *Äquivalenzrelation* (→ Mengen, Abbildungen, Strukturen) in der Gesamtheit der betrachteten Zahlenpaare eingeführt. *Jede Äquivalenzklasse γ heißt eine rationale Zahl.* Addition, Subtraktion und Multiplikation rationaler Zahlen werden wieder mittels *Repräsentanten* definiert. Sind etwa die Paare (a_1, b_1) bzw. (a_2, b_2) Repräsentanten der beliebig vorgegebenen rationalen Zahlen γ_1 bzw. γ_2, so sei $\gamma_1 \pm \gamma_2$ diejenige Äquivalenzklasse, die das Paar $(a_1b_2 \pm b_1a_2, b_1b_2)$ enthält. Weiter sei $\gamma_1 \cdot \gamma_2$ die von (a_1a_2, b_1b_2) repräsentierte Äquivalenzklasse. Da $b_1b_2 \neq 0$ wegen $b_1 \neq 0$ und $b_2 \neq 0$, so haben wir in beiden Fällen zulässige Zahlenpaare angeschrieben. Man überzeugt sich sogleich, daß unsere Definitionen sinnvoll sind, d. h., daß die rationalen Zahlen $\gamma_1 \pm \gamma_2$ und $\gamma_1 \cdot \gamma_2$, unabhängig von der zufälligen Wahl der Repräsentanten von γ_1 und γ_2, eindeutig festgelegt sind. Man bestätigt nun weiter, daß die *Menge* **P** *aller rationalen Zahlen* bez. der so eingeführten Rechenoperationen ein *Integritätsring mit Einselement* ist. Repräsentanten der Eins sind genau die Paare (b, b), $b \neq 0$; Repräsentanten der Null sind alle Paare (0, b), $b \neq 0$. Die zugehörigen Rechnungen sind durchweg banal; wir demonstrieren etwa das Distributivgesetz D1. Seien also $\gamma_1, \gamma_2, \gamma_3$ rationale Zahlen mit (a_1, b_1), (a_2, b_2), (a_3, b_3) als Repräsentanten. Dann wird $\gamma_1 \cdot (\gamma_2 + \gamma_3)$ laut Definition von $(a_1a_2b_3 + a_1b_2a_3, b_1b_2b_3)$ und $\gamma_1\gamma_2 + \gamma_1\gamma_3$ von $(a_1a_2b_1b_3 + b_1b_2a_1a_3, \; b_1b_2b_1b_3)$ repräsentiert. Die angeschriebenen Zahlenpaare sind aber ersichtlich äquivalent.

Wir zeigen nun, daß der Integritätsring **P** auch noch die folgende Eigenschaft hat:

M4: Zu je zwei rationalen Zahlen γ_1, γ_2 mit $\gamma_1 \neq 0$ gibt es genau eine solche rationale Zahl ξ, daß $\gamma_1\xi = \gamma_2$.

Die *Eindeutigkeit* von ξ ist klar, da **P** nullteilerfrei ist. Um die *Existenz* von ξ aufzuweisen, seien (a_1, b_1) bzw. (a_2, b_2) Repräsentanten von γ_1 bzw. γ_2; es gilt $a_1 \neq 0$ wegen $\gamma_1 \neq 0$. Alsdann repräsentiert das Paar (b_1a_2, a_1b_2), wo $a_1b_2 \neq 0$, eine rationale Zahl ξ, welche die Gleichung $\gamma_1\xi = \gamma_2$ löst, denn $\gamma_1\xi$ wird vom Paar $(a_1b_1a_2, b_1a_1b_2)$ repräsentiert, das zu (a_2, b_2) äquivalent ist.

Die so konstruierte Zahl ξ wird mit $\frac{\gamma_2}{\gamma_1}$ bezeichnet.

Man nennt allgemein einen Integritätsring, der wenigstens zwei verschiedene Elemente enthält und für den auch M4 gilt, einen *Körper* (→ Algebra). Wir haben somit als bisheriges Ergebnis, daß die *Menge* **P** *der rationalen Zahlen* einen Körper bildet.

Wir wollen uns nun davon überzeugen, daß der Integritätsring **Z** der ganzen Zahlen als Unterintegritätsring im Körper **P** der rationalen Zahlen enthalten ist. Zu diesem Zwecke betrachten wir die *Abbildung* φ: **Z** → **P**, die der ganzen Zahl $a \in$ **Z** die durch (a, 1) repräsentierte rationale Zahl zuordnet. Falls $a_1 \neq a_2$, repräsentieren die Paare $(a_1, 1)$ und $(a_2, 1)$ verschiedene rationale Zahlen, so daß φ eine *eineindeutige Abbildung* des Integritätsringes **Z** in den Körper **P** der rationalen Zahlen ist. Überdies gilt immer

$$\varphi(a_1 \pm a_2) = \varphi(a_1) \pm \varphi(a_2),\ \varphi(a_1 \cdot a_2) = \varphi(a_1) \cdot \varphi(a_2),$$

d. h., φ ist ein *Isomorphismus* von **Z** auf φ (**Z**) (→ Mengen, Abbildungen, Strukturen). Wir identifizieren von nun an **Z** durchweg mit φ (**Z**) und bezeichnen weiterhin auch die rationalen Zahlen mit kleinen lateinischen Buchstaben. Für die durch das Paar (a, b) ganzer Zahlen repräsentierte rationale Zahl darf daher von nun ab die geläufigere Bruchdarstellung $\frac{a}{b}$ benutzt werden.

Aus unserer Konstruktion von **P** folgt unmittelbar, daß es keinen *Unterkörper* von **P** gibt, der **Z** umfaßt und von **P** verschieden ist. **P** löst somit die eingangs formulierte Aufgabe. Man nennt **P** den *Quotientenkörper* von **Z**. Offensichtlich kann unser Konstruktionsverfahren stets benutzt werden, um zu einem (abstrakt vorgegebenen) Integritätsring einen Quotientenkörper zu konstruieren. Diese Erkenntnis ist in der Algebra von großer Bedeutung.

Die in **Z** existierende *Anordnungsbeziehung* kann additions- und multiplikationstreu auf ganz **P** ausgedehnt werden. Die rationale Zahl $r_1 = \frac{a_1}{b_1}$ heißt *positiv* (in Zeichen $r_1 > 0$), wenn a_1 und b_1 beide positiv oder beide negativ sind. $r_1 \in$ **P** heißt *größer* als $r_2 \in$ **P**, wenn $r_1 - r_2$ positiv ist. Man zeigt leicht, daß O1 und O2′ jetzt auch für rationale Zahlen gelten. Die so definierte Anordnungsbeziehung ist in der Tat eine Fortsetzung der Anordnungsbeziehung von **Z** nach **P**; denn für zwei ganze Zahlen a_1, a_2 gilt $a_1 > a_2$ genau dann im alten Sinne, wenn die rationale Zahl a_1 größer als die rationale Zahl a_2 ist.

Die Anordnungsbeziehung > in **P** hat die folgende wichtige Eigenschaft: Zu jeder (noch so kleinen) positiven rationalen Zahl k und jeder (noch so großen) rationalen Zahl g gibt es eine natürliche Zahl n derart, daß $n \cdot k > g$. Man sagt hierfür auch, daß die Anordnung *archimedisch* und daß **P** ein *archimedisch angeordneter Körper* ist.

II. EIGENSCHAFTEN RATIONALER ZAHLEN (BRUCHRECHNUNG). Der für den Integritätsring **Z** geltende *Satz von der eindeutigen Primzahlzerlegung* überträgt sich in natürlicher Weise auf den Körper **P**. Ist a irgendeine von 0 verschiedene Zahl, so gilt jedenfalls, da a sich als Bruch $\frac{m}{n}$ mit ganzzahligem Zähler und Nenner schreiben läßt, eine Darstellung

$$a = \varepsilon \cdot \frac{p_1^{n_1} \cdot p_2^{n_2} \cdots p_r^{n_r}}{q_1^{m_1} \cdot q_2^{m_2} \cdots q_s^{m_s}},$$

wo $\varepsilon = \pm 1$, p_i, q_j verschiedene Primzahlen und n_i, m_j natürliche Zahlen sind; doch dürfen im Zähler oder Nenner die p_i bzw. q_j auch ganz fehlen und an Stelle ihres Produktes die Zahl 1 stehen. Man kann zeigen, daß diese Darstellung von a sogar eindeutig ist.

Um von der lästigen Bruchschreibweise loszukommen, wollen wir auch *negative Exponenten* zulassen. Die zu jedem $a \neq 0$ eindeutig bestimmte rationale Zahl x, für die gilt $x \cdot a = 1$, sei fortan mit a^{-1} bezeichnet. Dann ist also $a^{-1} = \frac{1}{a}$ und insbesondere $(a^{-1})^{-1} = a$. Setzt man noch weiter für $a \neq 0$:

$$a^0 := 1;\ a^n := (a^{-1})^{-n}, \text{ wenn } n < 0,$$

so gelten für $a \neq 0$ einschränkungslos die Regeln der Potenzrechnung:

$$a^n \cdot a^m = a^{n+m},\ n, m \in \mathbf{Z},$$
$$(a^n)^m = a^{n \cdot m},\ n, m \in \mathbf{Z}.$$

Die Verallgemeinerung des *Hauptsatzes der elementaren Zahlentheorie* erscheint nun in der gefälligen Form: *Jede rationale Zahl* $a \neq 0$ *ist – abgesehen von der Reihenfolge der Faktoren – in eindeutiger Weise als Produkt von Primzahlpotenzen darstellbar:*

$$a = \varepsilon \cdot p_1^{n_1} \cdot p_2^{n_2} \cdots p_r^{n_r}.$$

Dabei gilt $\varepsilon = \pm 1$; $p_1, \ldots, p_r$ *sind verschiedene Primzahlen und* $n_1, \ldots, n_r$ *sind von null verschiedene ganze Zahlen; die Primzahlpotenzen dürfen auch ganz fehlen.*

Von allen Darstellungen einer rationalen Zahl als Bruch wird die sog. *reduzierte Bruchdarstellung* besonders häufig verwendet. Sie besagt in präziser Formulierung:

Jede rationale Zahl a *besitzt eine Bruchdarstellung* $a = \frac{m}{n}$ *mit durch* a *eindeutig bestimmten ganzen, teilerfremden Zahlen* $m, n, n > 0$. *Jede weitere Bruchdarstellung* $a = \frac{c}{d}$ *von* a *mit*

ganzen Zahlen c, d (wobei $d > 0$) *entsteht aus der reduzierten Bruchdarstellung durch Erweiterung des Zählers* m *und Nenners* n *mit einer natürlichen Zahl* t, $c = tm$, $d = tn$.
Ist neben a noch eine weitere rationale Zahl b gegeben, so benutzt man häufig – z. B. zur Bestimmung von $a + b$ – die sog. *Hauptnennerdarstellung* von a und b. Sind etwa $a = \frac{m_1}{n_1}$ bzw. $b = \frac{m_2}{n_2}$ die reduzierten Bruchdarstellungen von a bzw. b, so sei v das *kleinste gemeinsame Vielfache* der Nenner n_1 und n_2. Dann lassen a und b Darstellungen

$$a = \frac{m_1'}{v}, \; b = \frac{m_2'}{v}$$

mit demselben Nenner v zu. v ist der kleinste (positive) gemeinsame Nenner für a und b und wird der *Hauptnenner* zu a und b genannt. Für die Summe $a + b$ hat man jetzt die einfache Bruchdarstellung $\frac{m_1' + m_2'}{v}$.
Beispiel: Der Hauptnenner zu $\frac{1}{420}$ und $\frac{1}{693}$ ist 13 860. Es gilt

$$\frac{1}{420} + \frac{1}{693} = \frac{33}{13860} + \frac{20}{13860} = \frac{53}{13860}.$$

Die multiplikative wie auch die additive Struktur des Körpers **P** der rationalen Zahlen erscheint so einfach, daß man meinen möchte, im Körper **P** einen sämtlichen Belangen gerecht werdenden Zahlbereich gefunden zu haben. Dies ist aber keineswegs der Fall. Zwar kann man in **P** *lineare Gleichungen* uneingeschränkt lösen; jedoch führt bereits die Frage nach der Lösbarkeit *quadratischer Gleichungen* in **P** zu neuen ernsthaften Schwierigkeiten, die darauf hinweisen, daß auch **P** noch nicht der bestmögliche Zahlbereich sein kann. So hat z. B. schon die Gleichung $x^2 = 2$ keine Lösung in **P**. Es lassen sich überhaupt i. a. weder *Quadratwurzeln* noch *Kubikwurzeln* usw. aus rationalen Zahlen ziehen. Wir können z. B. sofort beweisen: *Ist* p *eine Primzahl und* $n > 1$ *eine natürliche Zahl, so gibt es keine rationale Zahl* r *mit* $r^n = p$. Wäre nämlich r eine solche Zahl, so sei $r = \varepsilon p_1^{t_1} \cdots p_k^{t_k}$ die Primzahlzerlegung von r (mit $\varepsilon = \pm 1$ und ganzzahligen Exponenten $t_1, \ldots, t_k$). Da alsdann $r^n = \varepsilon^n \cdot p_1^{nt_1} \cdots p_k^{nt_k} = p$, so hätte die Primzahl p eine zweite Zerlegung in **P**, was unmöglich ist.
Die spezielle Erkenntnis, daß 2 das Quadrat keiner rationalen Zahl ist, geht auf die Griechen zurück und wurde von ihnen geometrisch so formuliert (wobei der *Satz des Pythagoras* benutzt ist), daß die Diagonale des Einheitsquadrates eine *Irrationalzahl* ist. Die dadurch bewiesene Existenz irrationaler

(= nicht rationaler) Zahlen brachte die Mathematik des Altertums und des Mittelalters in eine schwere Krise und hat jahrhundertelang Mathematiker und auch Philosophen zu spekulativen, zum Teil sogar mystischen Überlegungen veranlaßt, die vielfach ausschließlich um das unglücklich gewählte Wort »irrational« kreisten. Erst die Mathematik des 19. Jhs. hat in diesen Fragen Klarheit geschaffen und den Irrationalzahlen eine irdische, von allem Mythos befreite Existenz zugewiesen (s. u. Abs. C).

C. Die reellen Zahlen sind das Fundament der klassischen Analysis und als solches seit langem den Mathematikern wohlvertraut. Ein Bedürfnis nach einer selbständigen Theorie dieser ›Größen‹ ist indessen erst spät entstanden; so haben noch Klassiker der Analysis wie *Leibniz* und *Euler* unbedenklich mit den reellen Zahlen hantiert. Erst Richard *Dedekind* ist in seiner bereits 1858 erdachten und 1872 erschienenen Arbeit »Stetigkeit und irrationale Zahlen« auf die eigentümlichen Schwierigkeiten eingegangen, die beim Aufbau einer allgemeinen Theorie der reellen Zahlen entstehen. Dedekind ist wohl, neben Georg *Cantor*, der erste Mathematiker gewesen, der konsequent die reellen Zahlen studiert und konstruiert hat. Noch heute werden die von ihm entwickelten Methoden gelegentlich in den mathematischen Anfängervorlesungen besprochen, obgleich sich herausgestellt hat, daß das Cantorsche Verfahren kräftiger ist. Wir wollen im folgenden sowohl die Dedekindsche als auch die Cantorsche Konstruktion beschreiben.

I. Konstruktion der reellen Zahlen nach Dedekind. Wir wollen zunächst wieder so tun, als ob uns die reellen Zahlen bereits bekannt seien. Wir denken sie auf einer *Zahlengeraden* so aufgetragen, daß eine ausnahmslos eineindeutige Korrespondenz zwischen den Punkten dieser Geraden und den reellen Zahlen besteht. Zu jeder Zahl (= Punkt) r betrachten wir die Menge O_r aller rechts von ihr liegenden sowie die Menge U_r aller links von ihr liegenden Zahlen. Wir nennen O_r die *Oberklasse* und U_r die *Unterklasse* zu r. Die Zahl r selbst heiße die *Schnittzahl*, sie soll per definitionem weder zu U_r noch zu O_r gehören. In jeder Klasse liegen sicherlich auch rationale Zahlen. Man kann sogar, sowohl in der Unterklasse als auch in der Oberklasse, rationale Zahlen in beliebiger Nähe von r finden. Daher darf man sagen, daß der Punkt r durch die rationalen Zahlen aus seiner Unterklasse bzw. Oberklasse eindeutig bestimmt ist. Diese Vorstellung soll nun zur Konstruktion der reellen Zahlen verwendet werden.

Wir betrachten spezielle *Teilmengen* K des Körpers **P** der rationalen Zahlen, die den folgenden beiden Bedingungen genügen:

1. K ist nicht leer und von **P** verschieden, d. h., es gibt wenigstens eine rationale Zahl, die zu K, und wenigstens eine, die nicht zu K gehört.
2. Falls $a \in K$, so gilt auch $b \in K$ für jede rationale Zahl b mit $b > a$; es gibt wenigstens ein $c \in K$ mit $c < a$.

Die Forderung 1 versteht sich von selbst, die Forderung 2 bringt insbesondere zum Ausdruck, daß K kein kleinstes Element hat. Eine reelle Zahl γ ist nun (nach Dedekindscher Auffassung) nichts anderes als eine (unendliche) Menge K von rationalen Zahlen, für welche 1. und 2. erfüllt sind. Solche Mengen wollen wir gemäß der geometrischen Interpretation auch *Oberklassen* nennen; verschiedene Oberklassen sollen verschiedene reelle Zahlen sein. (Natürlich könnte man zur Definition der reellen Zahlen mit demselben Recht die Unterklassen verwenden. Da aber jede Oberklasse zwingend ihre Unterklasse bestimmt und umgekehrt, würde die Konstruktion mittels Unterklassen dieselben Resultate geben.) Das Überraschende ist, daß sich mit den so eingeführten reellen Zahlen in naheliegender und einfacher Weise rechnen läßt. Sind z. B. γ_1 und γ_2 zwei reelle Zahlen, die durch die Oberklassen K_1 und K_2 gegeben sind, so wird man, um ihre *Summe* zu definieren, die Menge K_3 aller derjenigen rationalen Zahlen betrachten, die sich in der Form $a_1 + a_2$ mit $a_1 \in K_1$, $a_2 \in K_2$ schreiben lassen. K_3 ist ersichtlich wieder eine Oberklasse (Beweis!) und somit eine reelle Zahl γ_3. Man setzt $\gamma_3 := \gamma_1 + \gamma_2$. Der Nachweis, daß die Menge aller reellen Zahlen bez. dieser Addition eine abelsche Gruppe (s. A II) bildet, ist dann leicht zu führen. Assoziativ- und Kommutativgesetz verifizieren sich beinahe von selbst und mögen daher hier übergangen werden. Definiert man nun die *reelle Null* durch diejenige Oberklasse, die aus allen positiven rationalen Zahlen besteht, so ist auch A3 erfüllt. Somit bleibt nur A4 zu bestätigen. Wird γ durch die Oberklasse K gegeben, so betrachte man die Menge K′ aller rationalen Zahlen der Form $-a$, wo a nicht zu K gehört. K′ ist dann eine Oberklasse, die eine reelle Zahl $(-\gamma)$ liefert, für welche gilt: $\gamma + (-\gamma) = 0$.

Wir bezeichnen die Menge aller reellen Zahlen fortan mit **R**. Es ist leicht, eine *eineindeutige Abbildung* φ: **P** → **R** des Körpers **P** der rationalen Zahlen in **R** zu konstruieren, die ein *Gruppenhomomorphismus* ist. Dazu hat man jeder rationalen Zahl a lediglich ihre Oberklasse K_a, bestehend aus allen rationalen Zahlen b mit $b > a$, zuzuordnen. Dann gilt ersichtlich $\varphi(a + b) = \varphi(a) + \varphi(b)$, so daß sich **P** unter φ als eine *additive Untergruppe* von **R** erweist.

Eine *Ordnungsstruktur* wird in **R** eingeführt, indem man $\gamma_1 < \gamma_2$ genau dann setzt, wenn die Oberklasse, die zu γ_1 gehört, die zu γ_2 gehörende Oberklasse umfaßt. Dadurch wird **R**

zu einer *angeordneten Gruppe*; denn es läßt sich zeigen, daß O1 erfüllt ist. Diese Ordnung ist sogar wieder archimedisch, worauf wir aber nicht näher eingehen wollen. Es gilt φ (a) < φ (b) stets dann, wenn a < b; daher ist φ *ordnungstreu.*
Als nächstes müssen wir der Gruppe **R** eine *multiplikative Struktur* aufprägen. Auch hier ist die Definition kanonisch, allerdings sind Fallunterscheidungen nötig: Falls die reellen Zahlen γ_1 und γ_2 beide nicht negativ und durch ihre Oberklassen K_1 und K_2 gegeben sind, hat man lediglich die Menge K_3 aller derjenigen rationalen Zahlen zu betrachten, die in der Form $a_1 \cdot a_2$ mit $a_1 \in K_1$, $a_2 \in K_2$ geschrieben werden können. K_3 ist eine Oberklasse und somit eine reelle Zahl γ_3, für die man setzt $\gamma_3 := \gamma_1 \cdot \gamma_2$. Der Fall, daß γ_1 oder γ_2 negativ ist, muß etwas anders behandelt werden, wir gehen darauf nicht näher ein. In jedem Fall läßt sich zeigen, daß die Menge **R** ohne die Null auch bez. der Multiplikation eine abelsche Gruppe ist. Da sich ferner das Distributivgesetz sowie O2′ bestätigen läßt, bildet die Menge **R** einen *archimedisch angeordneten Körper.* Da zu guter Letzt auch $\varphi (a \cdot b) = \varphi (a) \cdot \varphi (b)$, so ist der Körper der rationalen Zahlen vermöge φ ordnungstreu als ein Unterkörper des Körpers der reellen Zahlen realisiert.
Es ist keineswegs klar, daß durch das beschriebene Verfahren auch wirklich neue, d. h. nicht rationale reelle Zahlen entstanden sind. Es wäre ja denkbar, daß *jede* Oberklasse zu einer rationalen Zahl gehört; in diesem Falle wäre die ganze Konstruktion überflüssig. Man kann sich aber von der Existenz *irrationaler* (d. h. nicht rationaler) reeller Zahlen überzeugen, indem man beispielsweise zeigt, daß im Körper der reellen Zahlen aus jeder positiven rationalen Zahl die *Quadratwurzel* gezogen werden kann. Da wir gesehen haben, daß dies im Körper der rationalen Zahlen schon für die 2 nicht geht, folgt daraus die Existenz von Irrationalzahlen. Wir behaupten also:
Zu jeder positiven rationalen Zahl r *gibt es genau eine positive reelle Zahl* γ *mit* $\gamma^2 = r$.
Beweis: Die *Eindeutigkeit* ist klar: Sind nämlich γ und γ' positiv, $\gamma^2 = r$, $\gamma'^2 = r$, so gilt insbesondere $\gamma'^2 - \gamma^2 = 0$, d. h. $(\gamma' - \gamma)(\gamma' + \gamma) = 0$. Da mit $\gamma > 0$, $\gamma' > 0$ auch $\gamma' + \gamma > 0$, folgt auf Grund der Nullteilerfreiheit $\gamma' = \gamma$.
Den *Existenzbeweis* von γ wollen wir der Einfachheit halber nur für den Fall r = 2 führen. Wir zeigen zunächst, daß es zu jeder natürlichen Zahl n wenigstens eine positive rationale Zahl x_n gibt, für welche gilt:

$$0 < x_n^2 - 2 < \frac{1}{2^n}.$$

Wir definieren diese Zahlen durch *vollständige Induktion* (→ Kardinal- und Ordinalzahlen). Für $n = 1$ setzen wir $x_1 := \frac{3}{2}$. Dann gilt $x_1^2 - 2 = \frac{1}{4}$ und also $0 < x_1^2 - 2 < \frac{1}{2}$.
Wir nehmen jetzt an, daß wir bereits die rationalen Zahlen $x_1, \ldots, x_n$ so konstruiert haben, daß jeweils die obige Ungleichung erfüllt ist. Dann setzen wir

$$x_{n+1} := \frac{1}{2}\left(x_n + \frac{2}{x_n}\right).$$

Da ersichtlich

$$x_{n+1}^2 - 2 = \frac{1}{4}\left(x_n + \frac{2}{x_n}\right)^2 - 2 = \frac{(x_n^2 - 2)^2}{4x_n^2},$$

so gilt $x_{n+1}^2 - 2 > 0$ und weiter $x_{n+1}^2 - 2 < \frac{1}{4 \cdot 2 \cdot 2^{2n}} = \frac{1}{2^{2n+3}} < \frac{1}{2^{n+1}}$. Nach diesen Vorbemerkungen betrachten wir nun die Menge K aller positiven rationalen Zahlen a mit $a^2 > 2$. Wir behaupten, daß K eine Oberklasse ist, die die gesuchte reelle Zahl liefert. Sicher ist die Bedingung 1. erfüllt; ferner ist klar, daß K mit a auch alle rationalen Zahlen $b > a$ enthält. Andererseits gibt es in K keine kleinste Zahl, wie man etwa folgendermaßen einsieht: Es läßt sich zu jedem $a \in K$ eine natürliche Zahl n so finden, daß $a^2 - 2 > \frac{1}{2^n}$. Für die oben konstruierte rationale Zahl x_n gilt aber $0 < x_n^2 - 2 < \frac{1}{2^n}$, woraus folgt $x_n \in K$ und $x_n^2 < a^2$, d. h. $x_n < a$.
Somit ist gezeigt, daß K wirklich eine Oberklasse ist. Bezeichnet γ die zugehörige positive reelle Zahl, so wird die Oberklasse L von γ^2 per definitionem gerade von allen rationalen Zahlen der Form $a \cdot b$ mit $a, b \in K$ gebildet. Jede solche Zahl ist größer als 2. Denn ist etwa $a > b$, so folgt $ab > b^2 > 2$. Analog schließt man im Falle $a = b$ bzw. $a < b$. Da es andererseits zu jeder rationalen Zahl $c > 2$ ein 2^n mit $c > 2 + \frac{1}{2^n}$ gibt, so genügt das oben konstruierte x_n der Ungleichung $2 < x_n^2 < c$, und daher gehört – wegen $x_n^2 \in L$ – jedes rationale $c > 2$ zu L. Daher ist L die zu $r = 2$ gehörende Oberklasse, d. h., es gilt $\gamma^2 = 2$, w. z. b. w.
Im Körper der reellen Zahlen kann man nicht nur Quadratwurzeln, sondern auch Kubikwurzeln, vierte Wurzeln usw. aus positiven rationalen Zahlen ziehen. Es gilt sogar noch allgemeiner: *Ist* n *irgendeine fest vorgegebene natürliche Zahl, so gibt es zu jeder positiven reellen Zahl* β *genau eine positive reelle Zahl* γ *mit* $\gamma^n = \beta$.

Die Rechenoperation des *Radizierens* kann somit ohne Bedenken auf positive reelle Zahlen angewendet werden. Aus negativen reellen Zahlen lassen sich indessen nur ungerade, niemals aber gerade Wurzeln ziehen. So gibt es z. B. zu $\beta = -1$ sehr wohl ein γ mit $\gamma^3 = -1$, nämlich $\gamma := -1$, indessen existiert kein γ mit $\gamma^2 = -1$, da notwendig $\gamma^2 \geq 0$ sein muß.
Wir wissen noch nicht, ob durch die *Dedekindsche Konstruktion* bereits alle möglichen reellen Zahlen, die wir etwa auf der Zahlengeraden in Form von Punkten vor uns sehen, erfaßt sind. Es könnte a fortiori sehr wohl möglich sein, daß eine nochmalige Anwendung der Klassenkonstruktion auf den Körper **R** der bis jetzt gewonnenen reellen Zahlen neue reelle Zahlen liefert; ja, es wäre sogar denkbar, daß unser Verfahren bei sukzessiver Wiederholung niemals leer läuft, sondern stets noch wenigstens eine neue ›reelle Zahl‹ produziert. Die Einsicht, daß dies nicht der Fall ist, wird in dem berühmten *Dedekindschen Vollständigkeitssatz* ausgedrückt, den wir, ohne Andeutung des Beweises, so aussprechen wollen:
Zu jeder Oberklasse K *des Körpers der reellen Zahlen (d. h. zu jeder Teilmenge* K *von* **R**, *die den Bedingungen* 1. *und* 2., *jetzt aber für reelle Zahlen formuliert, genügt) gibt es eine eindeutig bestimmte reelle Schnittzahl* γ *derart, daß* K *aus allen reellen Zahlen* δ *mit* $\delta > \gamma$ *besteht.*
Von nun an sollen auch die reellen Zahlen wieder mit kleinen lateinischen Buchstaben bezeichnet werden. Wir definieren dann den *Absolutbetrag* einer reellen Zahl a, in Zeichen $|a|$, durch

$$|a| := \begin{cases} a, \text{ wenn } a > 0 \text{ oder } a = 0; \\ -a, \text{ wenn } a < 0. \end{cases}$$

$|a|$ ist also niemals negativ und verschwindet nur dann, wenn a verschwindet. Im übrigen gelten die folgenden Rechenregeln (deren Beweise dem Leser überlassen seien):

$$|a \cdot b| = |a| \cdot |b| \quad (\textit{Produktregel}),$$
$$|a + b| \leq |a| + |b| \quad (\textit{Dreiecksungleichung}).$$

Dabei haben wir $r \leq s$ wieder als Abkürzung für die Aussage ›$r < s$ oder $r = s$‹ verwendet.
II. Konstruktion der reellen Zahlen nach Cantor. Wir benutzen in diesem Abschnitt Grundbegriffe und Sätze der Analysis, die man im Abschnitt → Infinitesimalrechnung im $\mathbf{R}^1$ nachlesen möge. Eine *Folge* $(x_n) = (x_1, x_2, \ldots)$ reeller Zahlen x_n konvergiert nach dem *Cauchyschen Konvergenzkriterium* genau dann, wenn zu jeder reellen Zahl $\varepsilon > 0$ eine natürliche Zahl q, die von ε abhängt, so gefunden werden kann, daß für alle natürlichen Zahlen n, m mit $n \geq q$, $m \geq q$ gilt:

$$|x_n - x_m| < \varepsilon.$$

Folgen mit dieser Eigenschaft wollen wir auch *Fundamentalfolgen* nennen. Insbesondere kann die *Gesamtheit* G *aller rationalen Fundamentalfolgen* (x_n) – das sind solche, deren Elemente x_n sämtlich rationale Zahlen sind – betrachtet werden. Zwei rationale Fundamentalfolgen (x_n) und (x_n') werden addiert bzw. multipliziert, indem man gliedweise addiert bzw. multipliziert. Man setzt also

$$(x_n) + (x_n') := (x_n + x_n'); \quad (x_n) \cdot (x_n') := (x_n \cdot x_n').$$

Das Ergebnis ist in beiden Fällen nach den *Rechengesetzen für Limiten* (Grenzwerte) wieder eine rationale Fundamentalfolge. Auf diese Weise wird die Menge G zu einem *Ring*. Null bzw. Eins dieses Ringes sind die Fundamentalfolgen (0, 0, 0, ...) bzw. (1, 1, 1, ...). Der Ring G ist nicht nullteilerfrei, denn es gilt z. B.:

$$(1, 0, 0, \ldots) \cdot (0, 1, 0, 0, \ldots) = (0, 0, 0, \ldots).$$

Der Körper **P** der rationalen Zahlen wird als *Unterring* in G realisiert, wenn man der rationalen Zahl a die Fundamentalfolge (a, a, a, ...) zuordnet.
Wir stiften nun eine *Abbildung* φ von G in den im Dedekindschen Sinne konstruierten Körper **R** der reellen Zahlen, indem wir jeder rationalen Fundamentalfolge (x_n) ihren Grenzwert, also eine reelle Zahl, zuordnen. Da gezeigt werden kann, daß jede reelle Zahl *Limes* einer Folge rationaler Zahlen ist, so wird G vermöge φ *auf* **R** abgebildet. Die Rechenregeln für Limiten garantieren, daß φ ein *Ringhomomorphismus* ist, d. h. daß gilt:

$$\varphi\,[(x_n) + (x_n')] = \varphi\,[(x_n)] + \varphi\,[(x_n')],$$
$$\varphi\,[(x_n) \cdot (x_n')] = \varphi\,[(x_n)] \cdot \varphi\,[(x_n')].$$

Auf die reelle 0 werden durch φ neben der Folge (0, 0, 0, ...) auch noch alle *rationalen Nullfolgen* abgebildet. Allgemein haben zwei rationale Fundamentalfolgen (x_n) und (x_n') genau dann dieselbe reelle Zahl als φ-Bild, wenn ihre Differenz $(x_n) - (x_n')$ eine Nullfolge ist. Man kann daher auch sagen, daß jede reelle Zahl durch eine solche *Klasse rationaler Fundamentalfolgen* gegeben wird. Dies ist genau die Cantorsche Auffassung, die jetzt leicht zur Konstruktion benutzt werden kann.
Wenn man den *Körper* **P** *der rationalen Zahlen* kennt, so kann man sofort den *Ring* G *der rationalen Fundamentalfolgen* konstruieren (man muß sich nur in der obigen Definition der Fundamentalfolgen mittels der Cauchyschen Konvergenzbedingung auf rationale Zahlen $\varepsilon > 0$ beschränken!). In G nennt man zwei Fundamentalfolgen (x_n) und (x_n') *äquivalent* genau dann, wenn $(x_n - x_n')$ eine *Null-*

folge ist. Man überzeugt sich leicht, daß dadurch wirklich eine Einteilung der Fundamentalfolgen in *Äquivalenzklassen* gegeben ist. *Jede solche Äquivalenzklasse nennt man nun eine reelle Zahl im Cantorschen Sinne.* Addition und Multiplikation dieser reellen Zahlen kann durch Addition bzw. Multiplikation der Äquivalenzklassen erfolgen. Prinzipiell entstehen nirgends Schwierigkeiten; natürlich sind häufig kleinere Rechnungen nötig (man bildet nichts anderes als den *Restklassenring* des Ringes G nach dem *Ideal* der rationalen Nullfolgen, → Algebra). Man gewinnt in dieser Weise ebenfalls einen *Körper reeller Zahlen.* Es ist auf Grund unserer anfangs durchgeführten Überlegung klar, daß *dieser nach Cantor konstruierte Körper der reellen Zahlen zum Körper* **R** *der nach Dedekind konstruierten reellen Zahlen isomorph ist.*

Das Cantorsche Verfahren ist im Gegensatz zum Dedekindschen in seinen Anwendungen nicht ausschließlich auf die reellen Zahlen beschränkt. Man kann es vielmehr mutatis mutandis benutzen, um auch in allgemeineren Bereichen — vor allem in metrischen Vektorräumen — jede Fundamentalfolge zu einer *konvergenten Folge* zu machen.

III. Elementare Eigenschaften. Wir verwenden die Grundbegriffe der → Topologie und → Algebra. Der Körper **R** der reellen Zahlen wird zu einem metrischen Raum, wenn man eine Abstandsfunktion (Metrik) ϱ durch die Gleichung

$$\varrho\,(x, y) := |x - y|,\ x, y \in \mathbf{R},$$

definiert. Die Dreiecksungleichung für ϱ folgt unmittelbar aus der Dreiecksungleichung für den Absolutbetrag $|\ \ |$. Die Kugeln bzgl. dieser Metrik, d. h. die Mengen $K_r(x_0) = \{x \in \mathbf{R}: |x - x_0| < r\}$, wo $x_0 \in \mathbf{R}$ und $r > 0$ beliebig sind, heißen *(offene) Intervalle* (um x_0 von der Länge $2r$). Jedes Intervall ist demnach von der Form $\{x \in \mathbf{R}: a < x < b\}$, wo $a, b \in \mathbf{R}$ feste Zahlen mit $a < b$ sind. a und b heißen die *Endpunkte* dieses Intervalles; wir bezeichnen es abkürzend mit $\{a, b\}$. Die abgeschlossene Hülle $\overline{\{a, b\}}$ von $\{a, b\}$ ist die Menge $\{x \in \mathbf{R}: a \leq x \leq b\}$; man nennt sie das *abgeschlossene Intervall* mit den Endpunkten a und b. Gelegentlich hat man auch Mengen der Form $\{x \in \mathbf{R}: a \leq x < b\}$ bzw. $\{x \in \mathbf{R}: a < x \leq b\}$ zu betrachten; sie werden *links-* bzw. *rechtsabgeschlossene Intervalle* genannt.

Sowohl die Dedekindsche als auch die Cantorsche Konstruktion zeigen, daß die rationalen Zahlen **P** eine *überall dichte* Teilmenge von **R** bilden. Dies besagt genau, daß in jedem Intervall $\{a, b\}$ wenigstens eine und dann sogar unendlich viele rationale Zahlen liegen. Es gibt aber in jedem Intervall auch unendlich viele irrationale Zahlen; denn die Menge $\{x \in \mathbf{R}: x = \sqrt{2} + r,$

$r \in \mathbf{P}\}$, die nur irrationale Zahlen enthält, liegt in $\mathbf{R}$ überall dicht.

Man wird fragen, welche Zahlen häufiger auftreten, die rationalen oder die irrationalen. Die überraschende Antwort ist, daß es mehr irrationale Zahlen gibt als rationale. Diese zunächst vage Aussage wurde von G. Cantor in folgender Weise präzise gefaßt (→ Kardinal- und Ordinalzahlen):

Die Menge $\mathbf{P}$ *aller rationalen Zahlen ist abzählbar, d. h., es gibt eine eineindeutige Abbildung* φ *der Menge der natürlichen Zahlen auf* $\mathbf{P}$. *Hingegen ist die Menge der irrationalen Zahlen nicht abzählbar.*

Der Beweis verläuft wie folgt. Man betrachtet das Schema:

$$\begin{array}{l}
0, \rightarrow 1, -1, \rightarrow 2, -2, \rightarrow 3, -3, \; 4, -4, \ldots, \; p, -p, \ldots \\
\;\;\downarrow \;\nearrow \;\;\swarrow \;\;\nearrow \;\;\swarrow \\
\frac{1}{2}, -\frac{1}{2}, \;\; \frac{2}{2}, -\frac{2}{2}, \;\; \frac{3}{2}, -\frac{3}{2}, \; \frac{4}{2}, -\frac{4}{2}, \ldots, \frac{p}{2}, -\frac{p}{2}, \ldots \\
\;\;\swarrow \;\;\nearrow \;\;\swarrow \\
\frac{1}{3}, -\frac{1}{3}, \;\; \frac{2}{3}, -\frac{2}{3}, \;\; \frac{3}{3}, -\frac{3}{3}, \; \frac{4}{3}, -\frac{4}{3}, \ldots, \frac{p}{3}, -\frac{p}{3}, \ldots \\
\cdot \;\; \cdot \;\; \cdot \;\; \cdot \;\; \cdot \;\; \cdot \;\; \cdot \;\; \cdot \ldots \cdot \;\; \cdot \ldots \\
\frac{1}{q}, -\frac{1}{q}, \;\; \frac{2}{q}, -\frac{2}{q}, \;\; \frac{3}{q}, -\frac{3}{q}, \; \frac{4}{q}, -\frac{4}{q}, \ldots, \frac{p}{q}, -\frac{p}{q}, \ldots
\end{array}$$

in dem jede rationale Zahl wenigstens einmal vorkommt. Schreibt man die Zahlen in der durch die Pfeilrichtungen gekennzeichneten Reihenfolge auf, wobei schon einmal vorgekommene Zahlen auszulassen sind, so erscheint die Menge $\mathbf{P}$ als Folge

$$0, 1, \frac{1}{2}, -1, 2, -\frac{1}{2}, \frac{1}{3}, \frac{1}{4}, -\frac{1}{3}, -2, 3, \frac{2}{3}, \ldots .$$

Um die Nichtabzählbarkeit der Menge der irrationalen Zahlen zu beweisen, genügt es zu zeigen, daß das Intervall $\{0, 1\}$ nicht abzählbar ist, d. h. daß es zu jeder Folge $x_1, x_2, x_3, \ldots$ von reellen Zahlen x_n mit $0 < x_n < 1$ eine reelle Zahl a mit $0 < a < 1$ gibt, die von jedem x_n verschieden ist. Wir bedienen uns des sog. *Cantorschen Diagonalverfahrens.* Jede Zahl $y \in \{0, 1\}$ gestattet in eindeutiger Weise eine unendliche dekadische Entwicklung $y = (0{,}y_1y_2 \ldots)_{10}$ (→ Ziffern und Ziffernsysteme). Die Zahlen $x_1, x_2, \ldots$ ergeben somit eine Folge derartiger Dezimalentwicklungen:

$$\begin{array}{l}
x_1 = (0, x_{11}\, x_{12}\, x_{13} \ldots)_{10} \\
\qquad\qquad\;\; \ddots \\
x_2 = (0, x_{21}\, x_{22}\, x_{23} \ldots)_{10} \\
\qquad\qquad\qquad\;\; \ddots \\
x_3 = (0, x_{31}\, x_{32}\, x_{33} \ldots)_{10} \\
\cdot\;\cdot\;\cdot\;\cdot\;\cdot\;\cdot\;\cdot\;\cdot\;\cdot\;\cdot\;\cdot\;\cdot\;\cdot
\end{array}$$

Man bilde nun einen unendlichen Dezimalbruch $(0, \alpha_1 \alpha_2 \ldots \alpha_n \ldots)_{10}$, wobei $\alpha_n \neq 0$, $\alpha_n \neq 9$ und $\alpha_n \neq x_{nn}$. Derselbe repräsentiert eine reelle Zahl a mit $0 < a < 1$, die von allen Zahlen x_n verschieden ist, da sich die dekadischen Entwicklungen von a und x_n in der n-ten Ziffer unterscheiden.

Als ›besonders einfach‹ hat man seit jeher diejenigen reellen Zahlen angesehen, die einer *algebraischen Gleichung mit ganzzahligen Koeffizienten* genügen, d. h. Nullstelle eines Polynoms

$$g(x) = a_n x^n + a_{n-1} x^{n-1} + \cdots + a_1 x + a_0$$

sind, wo alle a_ν zu **Z** gehören und $a_n \neq 0$ ist. Solche Zahlen nennt man *algebraisch*, und zwar vom Grade n, wenn g(x) in **P**[x] irreduzibel (→ Algebra) ist. Insbesondere sind alle rationalen Zahlen algebraisch vom Grade 1; ferner sind sämtliche Wurzeln aus algebraischen Zahlen wieder algebraisch.

Cantor hat nun bewiesen: *Die Menge aller algebraischen Zahlen ist abzählbar.*

Zum Beweise unterscheidet man zunächst die Polynome mit ganzzahligen Koeffizienten nach ihrer »Höhe«, wobei man unter der Höhe von g(x) die natürliche Zahl $h := n + |a_n| + |a_{n-1}| + \cdots + |a_0|$ versteht. Die Gesamtheit der Polynome mit fester Höhe h ist eine endliche Menge, da $n \leq h$ und jedes $|a_k| \leq h$ sein muß. Nun hat (→ Gleichungen) ein Polynom n-ten Grades höchstens n verschiedene Nullstellen. Daher gibt es zu jedem Höhenwert nur endlich viele algebraische Zahlen. Schreibt man dieselben nacheinander auf, wobei man schon einmal berücksichtigte Zahlen ausläßt, so gewinnt man eine Folge, in der jede algebraische Zahl genau einmal vorkommt.

Aus den Cantorschen Sätzen folgt insbesondere, daß es nichtalgebraische reelle Zahlen gibt. Solche Zahlen heißen *transzendent*, da sie nach Meinung vieler Mathematiker und Philosophen des 17. und 18. Jahrhunderts jenseits unserer Vorstellungskraft liegen *(omnia rationem transcendunt)*.

Wir wollen im folgenden – über den reinen Cantorschen Existenzbeweis hinaus – ein Verfahren angeben, welches transzendente Zahlen effektiv zu konstruieren gestattet. Ausgangspunkt ist der folgende

Satz von Liouville: Ist ξ *eine algebraische Zahl* n*-ten Grades,* $n > 1$*, so gibt es eine positive Zahl* c *derart, daß die Ungleichung*

$$\left| \xi - \frac{p}{q} \right| < \frac{c}{q^n}$$

keine Lösung mit ganzen Zahlen p, q, $q > 0$, *hat.*

Wir gehen von der Tatsache aus, daß ξ Wurzel eines irreduziblen Polynoms $g(x) = a_n x^n + \cdots + a_0$ mit ganzen rationalen

Koeffizienten a_ν ist, $a_n \neq 0$. Nach dem Fundamentalsatz der Algebra (s. D III) gibt es komplexe Zahlen $\xi_1, \ldots, \xi_n$ mit $\xi_1 = \xi$, so daß gilt:

$$g(x) = a_n(x - \xi_1) \cdot (x - \xi_2) \cdot \ldots \cdot (x - \xi_n).$$

Die reelle Zahl $M \geq 1$ werde so gewählt, daß $|\xi_\nu| < M$ für alle $\nu = 1, \ldots, n$ gilt. Wir behaupten, daß alsdann jedes $c > 0$ mit $c < \min(M, |a_n^{-1}| (3M)^{1-n})$ das Verlangte leistet. Angenommen, es gäbe ganze Zahlen a, b mit $b > 0$, so daß $\left|\xi - \frac{a}{b}\right| < \frac{c}{b^n}$, dann folgt nach der Dreiecksungleichung für alle $\nu = 2, \ldots, n$:

$$\left|\xi_\nu - \frac{a}{b}\right| = \left|\left(\xi - \frac{a}{b}\right) + \xi_\nu - \xi_1\right| \leq \left|\xi - \frac{a}{b}\right| + |\xi_\nu| + |\xi_1| <$$

$$< \frac{c}{b^n} + 2M \leq c + 2M < 3M,$$

und weiter:

$$\left|g\left(\frac{a}{b}\right)\right| = |a_n| \cdot \left|\frac{a}{b} - \xi_1\right| \cdot \left|\frac{a}{b} - \xi_2\right| \cdot \ldots \cdot \left|\frac{a}{b} - \xi_n\right| <$$

$$< |a_n| \frac{c}{b^n} (3M)^{n-1}.$$

Da $b^n g\left(\frac{a}{b}\right) = a_n a^n + a_{n-1} a^{n-1} b + \cdots + a_0 b^n$ und $|a_n|\, c\, (3M)^{n-1} < 1$, so gilt also:

$$|a_n a^n + \cdots + a_0 b^n| < 1.$$

Hier steht links eine ganze rationale Zahl. Diese muß notwendig verschwinden. Daraus folgt: $g\left(\frac{a}{b}\right) = 0$. Dies ist aber unmöglich, da g als irreduzibles Polynom vom Grade $n \geq 2$ keine rationalen Wurzeln hat, w. z. b. w.

Unter Benutzung des ›Liouvilleschen Satzes‹ zeigen wir nun (wir setzen $m! := 1 \cdot 2 \cdot \ldots \cdot m$ für jede natürliche Zahl m), daß *die reelle Zahl* $y := \sum_1^\infty \frac{(-1)^m}{2^{m!}} = -\frac{1}{2} + \frac{1}{4} - \frac{1}{64} + - \cdots$ *transzendent ist.*

Zunächst wollen wir direkt beweisen, daß y nicht algebraisch vom Grade 1, d. h. nicht rational ist. Angenommen, es wäre $y = \frac{p}{q}$, $p, q \in \mathbf{Z}$, $q > 0$. Wir wählen dann eine ungerade natürliche Zahl k mit $2^{k \cdot k!} > q$ und setzen

$$s := 2^{k!} p - q \cdot 2^{k!} \sum_1^k \frac{(-1)^m}{2^{m!}}.$$

Diese Zahl ist ganz-rational, da jede Zahl $2^{k!-m!}$ für $m \leq k$ ganz-rational ist. Es gilt nun, da $k + 1$ gerade ist:

$$s = 2^{k!} q \left(y - \sum_{1}^{k} \frac{(-1)^m}{2^{m!}}\right) = 2^{k!} q \sum_{k+1}^{\infty} \frac{(-1)^m}{2^{m!}} =$$

$$= 2^{k!} q \cdot \left(\frac{1}{2^{(k+1)!}} - \frac{1}{2^{(k+2)!}} + - \dots\right).$$

Hieraus folgt zunächst $s > 0$, da jeweils $\frac{1}{2^{m!}} - \frac{1}{2^{(m+1)!}}$ positiv ist.

Andererseits gilt

$$\sum_{k+1}^{\infty} \frac{(-1)^m}{2^{m!}} = \frac{1}{2^{(k+1)!}} - \left(\frac{1}{2^{(k+2)!}} - \frac{1}{2^{(k+3)!}}\right) - \dots < \frac{1}{2^{(k+1)!}}$$

und daher

$$s < 2^{k!} q \frac{1}{2^{(k+1)!}} = \frac{q}{2^{k \cdot k!}} < 1.$$

Die ganze rationale Zahl s müßte also zwischen 0 und 1 liegen, was jedoch absurd ist.

Wir zeigen als nächstes, daß es zu jeder natürlichen Zahl $n \geq 2$ und jedem $c > 0$ ganze rationale Zahlen p, q mit $q > 0$ gibt, so daß gilt:

$$\left| y - \frac{p}{q} \right| < \frac{c}{q^n}.$$

Hieraus folgt dann auf Grund des ›Liouvilleschen Satzes‹, daß y nicht algebraisch vom Grade n sein kann. Insgesamt ist damit die Transzendenz von y bewiesen. Wir wählen eine ungerade natürliche Zahl d so groß, daß gilt:

$$d \geq n,\ 2^{d!} > c^{-1}.$$

Dann setzen wir

$$q := 2^{d!},\ p := 2^{d!} \sum_{1}^{d} \frac{(-1)^m}{2^{m!}}.$$

Ersichtlich sind p, q beide ganz-rational, q ist positiv. Weiter gilt:

$$y - \frac{p}{q} = y - \sum_{1}^{d} \frac{(-1)^m}{2^{m!}} = \frac{1}{2^{(d+1)!}} - \left(\frac{1}{2^{(d+2)!}} - \frac{1}{2^{(d+3)!}}\right) - \dots,$$

woraus wie oben die Abschätzung folgt

$$\left| y - \frac{p}{q} \right| < \frac{1}{2^{(d+1)!}}.$$

Auf Grund der Wahl von q und d gilt aber

$$\frac{1}{2^{(d+1)!}} = \frac{1}{q^{d+1}} = \frac{1}{2^{d!}} \cdot \frac{1}{q^d} < c \frac{1}{q^d} \leq \frac{c}{q^n},$$

womit alles bewiesen ist.

Das ›Liouvillesche Kriterium‹ steht am Anfang einer analytischen Theorie der algebraischen und transzendenten Zahlen. Man kennt heute genaue, notwendige und hinreichende Bedingungen dafür, daß eine reelle Zahl algebraisch ist (Satz von

Thue-Siegel-Roth). Weiter weiß man bereits seit dem vorigen Jahrhundert, daß wichtige Konstanten der Analysis transzendent sind. So bewies *Hermite* 1873, daß die Basis e der natürlichen Logarithmen transzendent ist. *Lindemann* löste 1882 das Problem der Quadratur des Kreises negativ, indem er zeigte, daß die *Ludolphsche Zahl* π ebenfalls transzendent ist (→ Gleichungen). Allgemein gilt, daß von zwei Zahlen α und e^{α} stets wenigstens eine transzendent ist, wenn $\alpha \neq 0$.

D. Komplexe Zahlen. Wohl kaum eine andere mathematische Theorie richtete und richtet in den Gemütern mathematischer Laien eine größere Verwirrung an als die Theorie der komplexen Zahlen. Die Vorstellungen, die selbst heute noch von denkenden Menschen mit sog. guter Allgemeinbildung über diese Größen, insbesondere über die ›imaginäre Einheit‹, entwickelt werden, sind häufig von einer erschreckenden Naivität. Dabei gehören die komplexen Zahlen seit langem zum gesicherten Bestand der Analysis. Da es unter den reellen Zahlen kein Element c mit $c^2 + 1 = 0$ gibt (auf Grund der Ordnungsbeziehung in **R** ist jede solche Quadratsumme positiv!), und da dies eine Unvollkommenheit der reellen Zahlen zum Ausdruck bringt, die sich häufig in Rechnungen störend auswirkt, wird durch eine nochmalige Erweiterung des Zahlenbereiches die Existenz eines Elementes mit dieser Eigenschaft (das dann natürlich außerhalb von **R** liegt) erzwungen.

I. Konstruktion der komplexen Zahlen. Wir gehen aus vom Körper **R** der reellen Zahlen und verwenden die Sprache der Vektorräume (→ Algebra). Es sei V ein 2-dimensionaler Vektorraum über **R** [etwa der arithmetische Vektorraum $\mathbf{R}^2$ der geordneten Zahlenpaare (a, b), wo a, $b \in \mathbf{R}$]. Wir wählen irgendwie eine Basis $\mathfrak{e}_1$, $\mathfrak{e}_2$ in V ein für allemal fest. Dann schreibt sich jeder Vektor $\mathfrak{x} \in V$ eindeutig in der Form $\mathfrak{x} = x_1\mathfrak{e}_1 + x_2\mathfrak{e}_2$, $x_1, x_2 \in \mathbf{R}$. Ist $\mathfrak{y} = y_1\mathfrak{e}_1 + y_2\mathfrak{e}_2 \in V$ ein weiterer Vektor, so kennt man die Operationen der *Vektoraddition:* $\mathfrak{x} + \mathfrak{y} = (x_1 + y_1)\,\mathfrak{e}_1 + (x_2 + y_2)\,\mathfrak{e}_2$ und der *Multiplikation mit einem Skalar:* $r\mathfrak{x} = rx_1\mathfrak{e}_1 + rx_2\mathfrak{e}_2$ für $r \in \mathbf{R}$. Als neue Operation wird nun eine *Multiplikation* (nicht zu verwechseln mit der Bildung des sog. Skalarprodukts) eingeführt, die den Vektoren $\mathfrak{x}, \mathfrak{y} \in V$ einen *Produktvektor* $\mathfrak{x}\mathfrak{y} \in V$ zuordnet. Diese Multiplikation soll dabei – wenn möglich – die folgenden Eigenschaften haben:

1) Die Produktbildung ist *bilinear* in dem Sinne, daß gilt:
$$\mathfrak{x}\mathfrak{y} = (x_1\mathfrak{e}_1 + x_2\mathfrak{e}_2) \cdot (y_1\mathfrak{e}_1 + y_2\mathfrak{e}_2) =$$
$$= x_1y_1\,(\mathfrak{e}_1\mathfrak{e}_1) + x_1y_2\,(\mathfrak{e}_1\mathfrak{e}_2) + x_2y_1\,(\mathfrak{e}_2\mathfrak{e}_1) + x_2y_2\,(\mathfrak{e}_2\mathfrak{e}_2).$$
2) Der Vektor $\mathfrak{e}_1$ ist ein *Einselement* bzgl. der Multiplikation: $\mathfrak{e}_1\mathfrak{x} = \mathfrak{x}\mathfrak{e}_1 = \mathfrak{x}$.

3) Der Vektor $\mathfrak{e}_2$ ist die *›imaginäre Einheit‹*, d. h. es gilt $\mathfrak{e}_2^2 + \mathfrak{e}_1 = 0$.

Aus 1) folgt, daß die Multiplikation bereits dann eindeutig festgelegt ist, wenn man die Werte der vier Produkte $\mathfrak{e}_1\mathfrak{e}_1$, $\mathfrak{e}_1\mathfrak{e}_2$, $\mathfrak{e}_2\mathfrak{e}_1$, $\mathfrak{e}_2\mathfrak{e}_2$ kennt; 2) impliziert $\mathfrak{e}_1\mathfrak{e}_1 = \mathfrak{e}_1$, $\mathfrak{e}_1\mathfrak{e}_2 = \mathfrak{e}_2\mathfrak{e}_1 = \mathfrak{e}_2$; 3) schließlich besagt $\mathfrak{e}_2\mathfrak{e}_2 = -\mathfrak{e}_1$. Wir sehen somit, daß sich die Bedingungen 1) – 3) auf genau eine Weise erfüllen lassen. Die so eingeführte Multiplikation im Vektorraum V ist nun in der Tat vernünftig; denn es gilt:

V *ist bezüglich der Vektoraddition und der durch die Multiplikationstabelle*

	$\mathfrak{e}_1$	$\mathfrak{e}_2$
$\mathfrak{e}_1$	$\mathfrak{e}_1$	$\mathfrak{e}_2$
$\mathfrak{e}_2$	$\mathfrak{e}_2$	$-\mathfrak{e}_1$

beschriebenen Multiplikation ein Körper. Dieser Körper heißt Körper der komplexen Zahlen.

Der Nachweis, daß wirklich alle Körperaxiome erfüllt sind, erfolgt durch Nachrechnen. Die zur komplexen Zahl $\mathfrak{x} = x_1\mathfrak{e}_1 + x_2\mathfrak{e}_2 \neq 0$ inverse komplexe Zahl $\mathfrak{x}^{-1}$ z. B. wird durch den Vektor $\frac{x_1}{x_1^2 + x_2^2}\mathfrak{e}_1 + \frac{-x_2}{x_1^2 + x_2^2}\mathfrak{e}_2$ gegeben.

Der Vektor $\mathfrak{e}_1$ erzeugt in V einen eindimensionalen Untervektorraum U, dessen Elemente gerade die Vektoren $x_1\mathfrak{e}_1$, $x_1 \in \mathbf{R}$, sind. Durch die Zuordnung $x_1 \rightarrow x_1\mathfrak{e}_1$ wird eine bijektive Abbildung φ von **R** auf U definiert. φ ist sogar ein *Körperisomorphismus*. Man kann somit den Körper **R** der reellen Zahlen mit einem Unterkörper des Körpers der komplexen Zahlen identifizieren. Dann darf man 1 an Stelle von $\mathfrak{e}_1$ und entsprechend x_1 an Stelle von $x_1\mathfrak{e}_1$ schreiben. Traditionsgemäß schreiben wir noch i für $\mathfrak{e}_2$ und **C** für V. Dann stellen sich die Elemente $z \in \mathbf{C}$ in der üblichen Form $z = x_1 + ix_2$ dar, wo x_1, x_2 reelle Zahlen sind. Man nennt x_1 auch den *Realteil* und x_2 den *Imaginärteil* von z. Verschwindet der Realteil, so heißt z *rein imaginär*. Die Multiplikationsregel schreibt sich jetzt wie folgt:

$$(x_1 + ix_2)(y_1 + iy_2) = (x_1y_1 - x_2y_2) + i(x_1y_2 + x_2y_1).$$

Speziell gilt $i^2 = -1$; daher findet sich gelegentlich auch die Schreibweise $i = \sqrt{-1}$.

Aus der Konstruktion der komplexen Zahlen ist klar, daß es keinen echten Unterkörper von **C** gibt, der die reellen Zahlen umfaßt und in dem die Gleichung $z^2 + 1 = 0$ ebenfalls lösbar ist. Daher läßt sich zusammenfassend sagen: *Es gibt eine Erweiterung des Körpers* **R** *der reellen Zahlen zu einem Körper* **C**, *der ein Element* i *mit* $i^2 = -1$ *enthält. Der Körper* **C** *ist eindeutig* *(d. h. bis auf Isomorphie) bestimmt durch die Forderung, daß er der kleinste Körper dieser Art ist.*

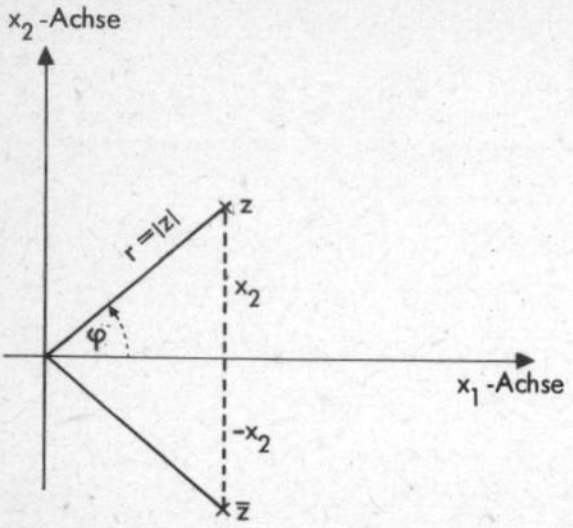

Abb. 53: Gaußsche Zahlenebene

II. DIE GAUSS'SCHE ZAHLENEBENE (Abb. 53). Die Konstruktion des Körpers **C** als eines reellen 2-dimensionalen Vektorraums legt es nahe, die komplexen Zahlen durch die Punkte einer *kartesischen* Zahlenebene darzustellen, indem man der komplexen Zahl

$$z = x_1 + ix_2$$

den Punkt mit der *Abszisse* x_1 und der *Ordinate* x_2 zuordnet (Abb. 53). Man spricht alsdann von der komplexen bzw. *Gaußschen Zahlenebene.* Die euklidische Länge des Vektors z, das ist die Zahl $r := +\sqrt{x_1^2 + x_2^2}$, heißt der *Absolutbetrag* von z, in Zeichen $|z|$. Unter der zu $z = x_1 + ix_2$ *konjugierten* komplexen Zahl versteht man die komplexe Zahl $\bar{z} := x_1 - ix_2$. Dann gilt

$$z \cdot \bar{z} = (x_1 + ix_2)(x_1 - ix_2) = x_1^2 - (ix_2)^2 = x_1^2 + x_2^2 = |z|^2$$

und also insbesondere $z^{-1} = \frac{\bar{z}}{|z|^2}$. Für das Rechnen mit Absolutbeträgen gelten wie im Reellen die Rechenregeln:

1) $|z| \geq 0$; $|z| = 0$ *genau dann, wenn* $z = 0$.
2) $|z \cdot z'| = |z| \cdot |z'|$ *(Produktregel).*
3) $|z + z'| \leq |z| + |z'|$ *(Dreiecksungleichung).*

Die Aussage 1) folgt unmittelbar aus der Definition von $|\ |$. Um 2) zu verifizieren, bemerken wir zunächst allgemein, daß die Zuordnung $z \to \bar{z}$ einen Körperisomorphismus von **C** definiert, der genau die reellen Zahlen elementweise fest läßt. Dies impliziert insbesondere $\overline{z \cdot z'} = \bar{z} \cdot \bar{z}'$ und daher $|zz'|^2 = (zz') \cdot \overline{zz'} = (z\bar{z}) \cdot (z'\bar{z}') = |z|^2 \cdot |z'|^2$, woraus 2) durch Radizieren folgt. (Die Produktregel besagt – als reelle Gleichung interpretiert – gerade, daß für 4 beliebige reelle Zahlen x_1, x_2, x_1', x_2' stets gilt: $(x_1^2 + x_2^2)(x_1'^2 + x_2'^2) = (x_1x_1' - x_2x_2')^2 + (x_1x_2' + x_2x_1')^2$.) Die Dreiecksungleichung 3) ist, wenn gilt $z' = x_1' + ix_2'$, identisch mit der Ungleichung für reelle Zahlen x_1, x_2, x_1', x_2':

$$\sqrt{(x_1 + x_1')^2 + (x_2 + x_2')^2} \leq \sqrt{x_1^2 + x_2^2} + \sqrt{x_1'^2 + x_2'^2}.$$

Diese Ungleichung geht durch Quadrieren über in die äquivalente Ungleichung

$$x_1x_1' + x_2x_2' \leq \sqrt{x_1^2 + x_2^2} \cdot \sqrt{x_1'^2 + x_2'^2}$$

und diese durch nochmaliges Quadrieren nach leichter Umformung in die äquivalente Ungleichung

$$0 \leq (x_1x_2' - x_2x_1')^2,$$

woraus die Gültigkeit von 3) erhellt.

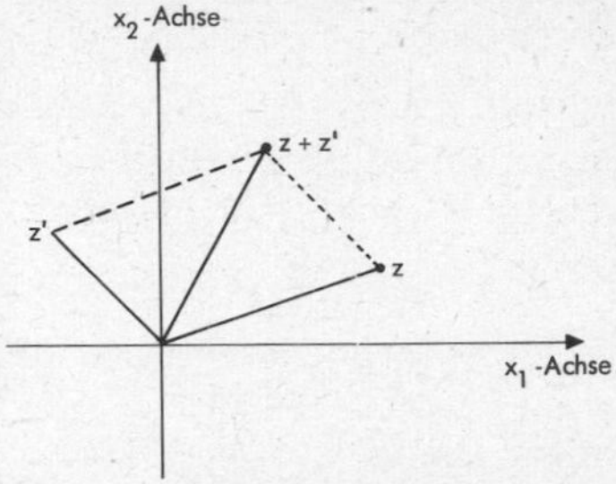

Abb. 54: Addition komplexer Zahlen

Die Addition zweier komplexer Zahlen z, z′ geschieht vektoriell gemäß dem Parallelogramm der Kräfte (Abb. 54). Um auch die Multiplikation zu veranschaulichen, führen wir *Polarkoordinaten* ein. Jede komplexe Zahl

$$z = x_1 + ix_2 \neq 0$$

wird eindeutig durch die zwei Polarkoordinaten r und φ beschrieben, wo $r := |z|$ die *Länge* von z und φ der *Winkel* zwischen der x_1-Achse und der durch Nullpunkt und z bestimmten Geraden ist (Abb. 53). φ heißt das *Argument* von z, in Zeichen $\varphi = \arg z$. Es gilt $0 \leq \varphi < 2\pi$ und weiter:

$$\varphi = \operatorname{arc\,tg} \frac{x_2}{x_1}, \quad x_1 = r \cdot \cos\varphi, \quad x_2 = r \cdot \sin\varphi,$$

$$z = r(\cos\varphi + i\sin\varphi).$$

Ist $z' = x_1' + ix_2' = r'(\cos\varphi' + i\sin\varphi')$ eine zweite komplexe Zahl in Polarkoordinaten, so gilt für das Produkt zz′ auf Grund der Additionstheoreme über trigonometrische Funktionen

$$zz' = rr'[(\cos\varphi \cdot \cos\varphi' - \sin\varphi \cdot \sin\varphi') + i(\cos\varphi \cdot \sin\varphi' + \sin\varphi \cdot \cos\varphi')] = rr'[\cos(\varphi + \varphi') + i\sin(\varphi + \varphi')].$$

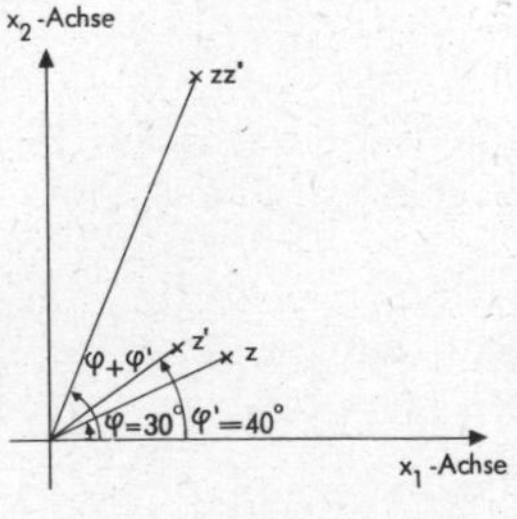

Abb. 55: Multiplikation komplexer Zahlen

Das Argument des Produktes ist daher die Summe der Argumente der Faktoren:

$$\arg(zz') = \arg z + \arg z'.$$

Man nennt dies gelegentlich auch die *Moivresche Formel*; allerdings sollte man bemerken, daß sie nur modulo 2π richtig ist. Falls nämlich arg z + arg z′ gleich 2π oder größer ist, muß man links noch 2π addieren. (Abb. 55.)

Benutzt man die Exponentialfunktion (→ Funktionentheorie), so folgt aus der für alle $w \in \mathbb{C}$ geltenden Identität $e^{iw} = \cos w + i \sin w$ die besonders handliche Darstellung $z = re^{i\varphi}$ und entsprechend $z \cdot z' = rr' e^{i(\varphi + \varphi')}$.

Die *n-ten Einheitswurzeln*, d. h. die Lösungen der Gleichung $z^n - 1 = 0$, in der n eine fest vorgegebene natürliche Zahl ist, lassen sich ebenfalls in der Gaußschen Zahlenebene bequem veranschaulichen. Ist $\varepsilon = re^{i\varphi}$ eine n-te Einheitswurzel in Polarkoordinaten, so gilt $\varepsilon^n = r^n e^{in\varphi} = 1$. Hieraus folgt zunächst $r = 1$. Für φ ergeben sich die n verschiedenen Lösungen $\varphi = 0, \frac{2\pi}{n}, \ldots, k\frac{2\pi}{n}, \ldots, (n-1)\frac{2\pi}{n}$. Denn die eine komplexe Gleichung $e^{in\varphi} = 1$ ist zu den zwei reellen Gleichungen $\cos n\varphi = 1$, $\sin n\varphi = 0$ äquivalent, und diese haben modulo 2π genau die angegebenen Lösungen. Setzt man $\omega := \cos\frac{2\pi}{n} + i\sin\frac{2\pi}{n}$, so erhält man die n verschiedenen Lösungen der Gleichung $z^n - 1 = 0$ in der Form $1, \omega, \omega^2, \ldots, \omega^{n-1}$. Geometrisch kann unser Resultat so formuliert werden: *Die komplexen Einheitswurzeln* n*-ten Grades sind die Eckpunkte des dem Einheitskreis einbeschriebenen regelmäßigen* n*-Ecks, dessen einer Eckpunkt der Punkt* 1 *ist.*

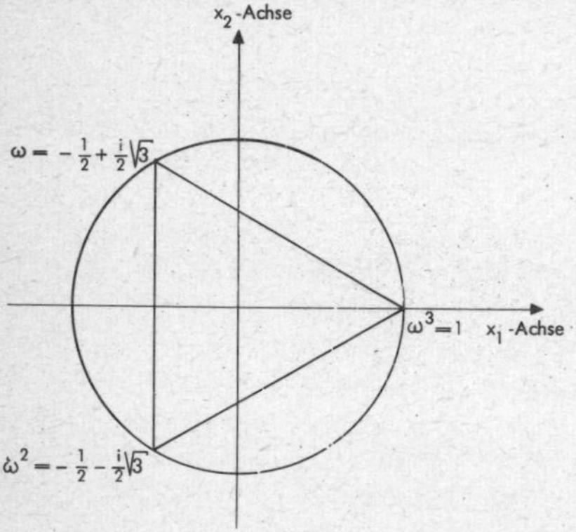

Abb. 56: Regelmäßiges n-Eck, n = 3

In Abb. 56 ist der Fall $n = 3$ skizziert. Da $z^3 - 1 = (z-1)(z^2 + z + 1)$, so sind neben 1 noch die Zahlen $\omega = -\frac{1}{2} + \frac{i}{2}\sqrt{3}$ und $\omega^2 = -\frac{1}{2} - \frac{i}{2}\sqrt{3}$ dritte Einheitswurzeln.

III. Der Fundamentalsatz der Algebra. Wir haben die komplexen Zahlen als Erweiterungskörper des Körpers der reellen Zahlen so konstruiert, daß die Gleichung $z^2 + 1 = 0$ eine Lösung erhält. Man könnte fragen, ob das benutzte Konstruktionsverfahren wohl so ausgebaut werden kann, daß es zu jeder Gleichung $a_n z^n + \cdots + a_0 = 0$, $a_n \neq 0$, $n > 0$, mit reellen Koeffizienten, die keine reelle Lösung hat, einen Oberkörper von **R** produziert, in welchem die gegebene Gleichung Lösungen besitzt. Diese Frage ist nun glücklicherweise gegenstandslos. Sobald man die Gleichung $z^2 + 1 = 0$ lösen kann, kann man

bereits jede Polynomgleichung lösen; daher braucht man keine neuen Zahlen mehr zu erfinden, um algebraische Gleichungen zu lösen. In präziser Formulierung gilt der sog.
›Fundamentalsatz der Algebra‹ (→ Gleichungen, → Funktionentheorie): *Jedes Polynom positiven Grades mit komplexen Koeffizienten hat eine komplexe Wurzel.*
Für diesen berühmten, tiefliegenden Existenzsatz gibt es viele Beweise; allein Gauß lieferte acht. Alle Beweise benutzen indes nichtalgebraische (= transzendente) Hilfsmittel. Wir wollen nur den Fall eines quadratischen Polynoms $a_2z^2 + a_1z + a_0$, $a_2 \neq 0$, diskutieren, da sich hier die Behauptung elementar bestätigen läßt. Dividiert man durch a_2 und setzt $2\alpha := a_1a_2^{-1}$, $\beta := a_0a_2^{-1}$, so soll also die Gleichung $z^2 + 2\alpha z + \beta = 0$ gelöst werden. Setzt man $w = z + \alpha$ (Methode der quadratischen Ergänzung!), so genügt es offenbar, die Lösbarkeit der reinen Gleichung $w^2 = \gamma$, wo $\gamma := \alpha^2 - \beta$, zu zeigen; denn ist ξ eine Lösung derselben, so löst $\xi - \alpha$ die Gleichung $z^2 + 2\alpha z + \beta = 0$.
Wir setzen $\gamma = a + ib$, $a, b \in \mathbf{R}$, und $r := \sqrt{a^2 + b^2}$. Für w werde der Ansatz $w := u + iv$ gemacht, wo u, v also gesuchte reelle Zahlen sind. Es soll gelten

$$(u + iv)^2 = a + ib, \text{ d. h. } u^2 - v^2 + i2uv = a + ib.$$

Man muß daher prüfen, ob das reelle Gleichungssystem

$$u^2 - v^2 = a,$$
$$2uv = b$$

für beliebige reelle Zahlen a, b stets eine reelle Lösung u, v hat. Für diese muß jedenfalls gelten
$(u^2 + v^2)^2 = (u^2 - v^2)^2 + (2uv)^2 = a^2 + b^2$, d. h. $u^2 + v^2 = r$.
In Verbindung mit $u^2 - v^2 = a$ folgt hieraus durch Addition bzw. Subtraktion

$$2 \cdot u^2 = r + a, \quad 2 \cdot v^2 = r - a$$

oder

$$u = \pm \sqrt{\frac{r + a}{2}}, \quad v = \pm \sqrt{\frac{r - a}{2}}.$$

Die angeschriebenen Quadratwurzeln können wirklich reell gezogen werden, da $r + a \geq 0$ und $r - a \geq 0$ wegen $|a| \leq \sqrt{a^2 + b^2}$. Es folgt natürlich noch keineswegs, daß die angeschriebenen Werte für u, v das reelle Gleichungssystem auch wirklich lösen, da wir ja rückwärts gerechnet haben. Setzt man aber ein, so sieht man, daß die erste Gleichung $u^2 - v^2 = a$ stets erfüllt ist, unabhängig davon, wie man die Vorzeichen der Wurzeln wählt. Um auch die zweite Gleichung zu erfüllen, wählen wir etwa beim u-Wert das positive Vorzeichen. Legt man sich dann beim v-Wert auf das positive bzw. negative Vorzeichen fest, je nachdem ob $b \geq 0$ oder $b < 0$, so folgt, daß auch die zweite Gleichung erfüllt wird. Damit ist der Fundamentalsatz der Algebra für quadratische Polynome bewiesen.

Sobald die Existenz komplexer Wurzeln zu Polynomen gesichert ist, läßt sich der folgende *Zerlegungssatz für Polynome* einfach herleiten: *Zu jedem Polynom*

$$a_n z^n + a_{n-1} z^{n-1} + \cdots + a_0,\ a_n \neq 0,\ n \geq 1,\ a_\nu \in \mathbf{C},$$

existieren komplexe Zahlen $d_1, \ldots, d_n$, *so daß gilt*

$$a_n z^n + \cdots + a_0 = a_n \cdot (z - d_1) \cdot \ldots \cdot (z - d_n).$$

Ist nämlich d_1 eine Wurzel des Polynoms, so gilt

$$a_n d_1^n + \cdots + a_0 = 0$$

und daher

$$a_n z^n + \cdots + a_1 z + a_0 = a_n (z^n - d_1^n) + \cdots + a_2 (z^2 - d_1^2) + \\ + a_1 (z - d_1).$$

Nun hat man für jedes $k \geq 2$ die Zerlegung

$$z^k - d_1^k = (z^{k-1} + z^{k-2} d_1 + \cdots + z d_1^{k-2} + d_1^{k-1})(z - d_1).$$

Daher läßt sich in obiger Gleichung auf der rechten Seite aus jedem Summanden der Faktor $z - d_1$ ausklammern. Man erhält so eine Gleichung

$$a_n z^n + \cdots + a_1 z + a_0 = (z - d_1)(b_{n-1} z^{n-1} + \cdots + b_0),\ b_\nu \in \mathbf{C},$$

wo insbesondere $b_{n-1} = a_n$ ist. Wendet man dasselbe Verfahren auf eine Wurzel d_2 des rechts stehenden Polynoms $(n - 1)$-ten Grades an usw., so gewinnt man nach n Schritten eine Zerlegung

$$a_n z^n + \cdots + a_1 z + a_0 = (z - d_1) \cdot (z - d_2) \cdot \ldots \cdot (z - d_n) \cdot a_n.$$

Ist insbesondere das Polynom $a_n z^n + \cdots + a_0$ reell, d. h. sind alle Koeffizienten a_ν reelle Zahlen, so ist mit d stets auch die konjugierte komplexe Zahl $\bar{d}$ eine Wurzel; denn aus der Gleichung $a_n d^n + \cdots + a_1 d + a_0 = 0$ folgt durch Konjugieren, da $a_\nu = \overline{a_\nu}$:

$$0 = \bar{0} = \overline{a_n d^n + \cdots + a_1 d + a_0} = \overline{a_n d^n} + \cdots + \overline{a_1 d} + \overline{a_0} = \\ = \overline{a_n}\,\overline{d^n} + \cdots + \overline{a_1}\,\bar{d} + \overline{a_0} = a_n \bar{d}^n + \cdots + a_1 \bar{d} + a_0.$$

Faßt man nun in der Faktorzerlegung, wenn d eine nicht reelle Wurzel ist, die Faktoren $z - d$ und $z - \bar{d}$ zusammen und beachtet, daß in

$$(z - d)(z - \bar{d}) = z^2 - (d + \bar{d}) z + d\bar{d}$$

die Koeffizienten $d + \bar{d}$ und $d\bar{d}$ beide reell sind, so ergibt sich der folgende Satz: *Jedes reelle Polynom* $a_n z^n + \cdots + a_1 z + a_0$ *gestattet eine Produktzerlegung*

$$a_n (z - d_1) \cdot \ldots \cdot (z - d_r) \cdot (z^2 + b_1 z + c_1) \cdot \ldots \cdot (z^2 + b_s z + c_s).$$

Dabei sind $d_1, \ldots, d_r$ *die reellen Wurzeln des Polynoms.* $b_1, c_1, \ldots, b_s, c_s$ *sind reelle Zahlen, derart, daß kein Polynom* $z^2 + b_\sigma \cdot z + c_\sigma$ *reelle Nullstellen hat. Es gilt* $n = r + 2s$.

Insbesondere sieht man, daß reelle Polynome ungeraden Grades notwendig wenigstens eine reelle Nullstelle haben.

B e i s p i e l : Die reelle Zerlegung von $z^6 - 1$ ist

$$z^6 - 1 = (z - 1)(z + 1)(z^2 - z + 1)(z^2 + z + 1).$$

IV. Quadratische Zahlbereiche. Der Körper **C** der komplexen Zahlen enthält interessante Integritätsbereiche als Teilmengen, die vor allem in der Entwicklung der Zahlentheorie eine wichtige Rolle gespielt haben. Schon *G a u ß* hat die Gesamtheit aller komplexen Zahlen der Form a + bi, wo a, b ganze rationale Zahlen sind, untersucht. Man nennt solche Zahlen *G a u ß s c h e Z a h l e n.* Da Summe, Differenz und Produkt Gaußscher Zahlen stets wieder Gaußsche Zahlen sind und auch die Zahl $1 = 1 + 0 \cdot i$ eine Gaußsche Zahl ist, so sieht man, daß die Menge der Gaußschen Zahlen einen *I n t e g r i t ä t s r i n g* mit Einselement (→ Algebra) bildet. Allgemeiner erkennt man, daß für jede feste Zahl $m \in \mathbf{Z}$ die Menge

$$\{a + b\sqrt{m},\ a, b \in \mathbf{Z}\}$$

einen Integritätsring mit Einselement bildet. Wir bezeichnen diese Menge mit $Z(\sqrt{m})$; es gilt $Z(\sqrt{m}) \neq \mathbf{Z}$ genau dann, wenn m keine Quadratzahl ist. Wir machen stets diese Voraussetzung und nennen dann $Z(\sqrt{m})$ einen *q u a d r a t i s c h e n Z a h l b e r e i c h.* Speziell ist also $Z(\sqrt{-1}) = Z(i)$ der Bereich der Gaußschen Zahlen.

Für die Zahlbereiche $Z(\sqrt{m})$ lassen sich – wie überhaupt für jeden Integritätsring – die Grundbegriffe der Teilbarkeitstheorie formulieren. Sind $a, b \in Z(\sqrt{m})$ gegeben, so nennt man (analog wie früher beim Integritätsring der ganzen Zahlen) das Element a einen Teiler von b – in Zeichen a/b –, wenn die Gleichung $ax = b$ in $Z(\sqrt{m})$ lösbar ist. Will man nun in Analogie zur Zahlentheorie von **Z** eine Zahlentheorie für die Integritätsringe $Z(\sqrt{m})$ entwickeln, so wird man als erstes nach einer Übertragung des Hauptsatzes der elementaren Zahlentheorie suchen müssen. Dazu benötigt man zunächst ein Analogon zum Begriff der *P r i m z a h l.* Eine Primzahl $p \in \mathbf{Z}$ ist dadurch charakterisiert, daß $p > 1$ und ± 1 sowie $\pm p$ die einzigen Teiler von p in **Z** sind. Die Zahlen ± 1 können noch dadurch beschrieben werden, daß sie die einzigen Teiler der 1 sind. Wir wollen nun allgemein die Elemente $e \in Z(\sqrt{m})$, welche die 1 teilen, *E i n h e i t e n* nennen. Dann sind ± 1 die Einheiten von **Z**, die Einheiten von Z (i) sind ± 1 und $\pm i$. Ein Teiler a von $b \neq 0$ heißt *e c h t e r T e i l e r,* wenn $b = ac$ und c keine Einheit ist. Weiter werde definiert: *Ein Element* $u \in Z(\sqrt{m})$ *heißt unzerlegbar, wenn* $u \neq 0$ *keine Einheit ist und außer Einheiten keine echten Teiler hat.* Dann läßt sich die Aussage des *H a u p t s a t z e s d e r e l e m e n t a r e n Z a h l e n t h e o r i e* wie folgt (ohne Benutzung der Anordnungsbeziehung in **Z**) in eine Existenz- und eine Eindeutigkeitsaussage zerlegen:

a) *Jede Nichteinheit* $c \neq 0$ *ist darstellbar als Produkt* $c = u_1 \cdot \ldots \cdot u_m$ *von unzerlegbaren Elementen* $u_1, \ldots, u_m$.

b) *Ist* $c = v_1 \cdot \ldots \cdot v_n$ *eine zweite Produktdarstellung von* c *durch unzerlegbare Elemente, so gilt* $n = m$ *und bei geeigneter Numerierung* $v_\nu = e_\nu \cdot u_\nu$, *wo* e_ν *eine Einheit ist.*

Man hat nun zu fragen, ob der Satz in dieser Formulierung vielleicht für alle quadratischen Zahlbereiche gilt. Alsdann könnte man – analog wie für den Integritätsring **Z** – alle Teiler eines festen Elementes überblicken, da sich das Teilbarkeitskriterium (s. o. S. 324) sofort übertragen läßt. Es zeigt sich aber, daß die Aussagen a) und b) nicht für jeden quadratischen Zahlbereich $Z(\sqrt{m})$ gelten. Zwar läßt sich stets noch jedes Element c als endliches Produkt unzerlegbarer Elemente darstellen; doch ist diese Zerlegung im allgemeinen nicht mehr im Sinne von b) eindeutig. Bereits *R. Dedekind* hat hierfür den Ring $Z(\sqrt{-5})$ als Beispiel angegeben. Die Zahl 6 hat z. B. die beiden Zerlegungen

$$6 = 2 \cdot 3 = (1 + i\sqrt{5})(1 - i\sqrt{5}),$$

und es läßt sich zeigen, daß $2, 3, 1 \pm i\sqrt{5}$ unzerlegbar in $Z(\sqrt{-5})$ sind, daß indessen keine Gleichung $2 = e(1 \pm i\sqrt{5})$ mit einer Einheit $e \in Z(\sqrt{-5})$ besteht.

In gewissen Ringen $Z(\sqrt{m})$ ist aber auch noch die Eindeutigkeitsaussage für die Zerlegung in unzerlegbare Elemente richtig. Zum Beispiel gilt dies, wie schon *Gauß* gezeigt hat, für Z (i). Ferner haben noch $Z(\sqrt{-2})$ und $Z(\sqrt{3})$ diese Eigenschaft.

Die Primzahlen von **Z** brauchen im Ring Z (i), der ja ein Oberring von **Z** ist, keineswegs mehr unzerlegbar zu sein. So gilt z. B. $2 = (1 + i)(1 - i)$, $5 = (2 + i)(2 - i)$. Dagegen bleiben 3 und 7 auch in Z (i) unzerlegbar. Die hierher gehörenden allgemeinen Sätze wurden bereits von Gauß gefunden.

E. Quaternionen. Wir haben den Körper **C** der komplexen Zahlen als Erweiterung des Körpers der reellen Zahlen konstruiert, indem wir in einem 2-dimensionalen reellen Vektorraum V_2 eine Multiplikation mit den üblichen Eigenschaften einführten. Schon früh hat man die naheliegende Frage untersucht, ob sich nach diesem Vorbild auch in reellen Vektorräumen V_n höherer Dimension $n > 2$ eine Produktoperation »in sinnvoller Weise« definieren läßt. Dabei spielte insbesondere auch der Wunsch, die Geometrie – vor allem die des 3-dimensionalen Anschauungsraumes – zu algebraisieren, eine leitende Rolle. Sehr bald erkannte man, daß *man für* $n > 2$ *keine Produktoperation im* V_n *so einführen kann, daß ein Oberkörper von* **R** *entsteht.* Hat man nämlich eine Körperstruktur in einem Vektorraum V_n, $n > 1$, so sind für jeden Vektor $\mathfrak{x} \in V_n$ die $n + 1$ Vektoren $1, \mathfrak{x}, \mathfrak{x}^2, \ldots, \mathfrak{x}^n$ linear abhängig (→ Algebra), d. h. $\mathfrak{x}$ ist Nullstelle eines Polynoms

$$p(x) := c_0 + c_1 x + \cdots + c_n x^n,$$

dessen Koeffizienten $c_0, \ldots, c_n$ alle reell sind und nicht sämtlich verschwinden. Aus dem Fundamentalsatz der Algebra folgt dann, daß $\mathfrak{x}$ sogar Nullstelle eines linearen bzw. quadratischen Polynoms ist. Wählt man $\mathfrak{x}$ außerhalb von $\mathbf{R}$, so scheidet der lineare Fall aus. Der von 1 und $\mathfrak{x}$ erzeugte 2-dimensionale Untervektorraum $V_2 := \{a_0 + a_1\mathfrak{x};\ a_0, a_1 \in \mathbf{R}\}$ von V_n ist nun sogar ein Unterkörper von V_n, der notwendig zu $\mathbf{C}$ isomorph ist. Es gilt $V_n = V_2$, da jeder Vektor ein Polynom mit komplexen Koeffizienten annulliert.

Es gibt nun aber sehr wohl vernünftige Produktoperationen in gewissen Vektorräumen der Dimension > 2. So gelang es im Jahre 1843 dem irischen Mathematiker und Astronomen *W. R. Hamilton*, den reellen 4-dimensionalen Vektorraum V_4 so mit einer multiplikativen Struktur zu versehen, daß (zusammen mit der üblichen Vektoraddition) alle Körperaxiome bis auf das kommutative Gesetz der Multiplikation erfüllt sind. Hamilton nannte diese von ihm entdeckten Zahlen *Quaternionen*. Um sie zu konstruieren, gehen wir aus von einem reellen 4-dimensionalen Vektorraum V_4, in dem wir eine Basis $\mathfrak{e}_1, \mathfrak{e}_2, \mathfrak{e}_3, \mathfrak{e}_4$ fest vorgeben. Jeden Vektor $\mathfrak{x} = x_1\mathfrak{e}_1 + x_2\mathfrak{e}_2 + x_3\mathfrak{e}_3 + x_4\mathfrak{e}_4$, wo x_1, x_2, x_3, x_4 reelle Zahlen sind, nennen wir eine *Quaternion*. Ist $\mathfrak{y} = y_1\mathfrak{e}_1 + y_2\mathfrak{e}_2 + y_3\mathfrak{e}_3 + y_4\mathfrak{e}_4$ eine zweite Quaternion, so soll eine Produktquaternion $\mathfrak{x} \cdot \mathfrak{y}$ definiert werden. Wir verlangen wieder, daß der Vektor $\mathfrak{e}_1$ das Einselement sein soll und daß die Multiplikation *bilinear* ist, d. h. daß gilt

$$\mathfrak{x} \cdot \mathfrak{y} = \left(\sum_{\nu=1}^{4} x_\nu \mathfrak{e}_\nu\right) \cdot \left(\sum_{\mu=1}^{4} y_\mu \mathfrak{e}_\mu\right) = \sum_{\nu,\mu=1}^{4} x_\nu y_\mu (\mathfrak{e}_\nu \cdot \mathfrak{e}_\mu).$$

Dann hat man also nur die 16 Quaternionen $\mathfrak{e}_\nu \cdot \mathfrak{e}_\mu$, $\nu, \mu = 1, 2, 3, 4$, zu definieren, und man weiß bereits, daß $\mathfrak{e}_1 \cdot \mathfrak{e}_\mu = \mathfrak{e}_\mu \cdot \mathfrak{e}_1 = \mathfrak{e}_\mu$. Hamilton setzt nun für die verbleibenden neun Produkte:

$$\begin{array}{lll} \mathfrak{e}_2 \cdot \mathfrak{e}_2 := -\mathfrak{e}_1, & \mathfrak{e}_2 \cdot \mathfrak{e}_3 := \mathfrak{e}_4, & \mathfrak{e}_2 \cdot \mathfrak{e}_4 := -\mathfrak{e}_3, \\ \mathfrak{e}_3 \cdot \mathfrak{e}_2 := -\mathfrak{e}_4, & \mathfrak{e}_3 \cdot \mathfrak{e}_3 := -\mathfrak{e}_1, & \mathfrak{e}_3 \cdot \mathfrak{e}_4 := \mathfrak{e}_2, \\ \mathfrak{e}_4 \cdot \mathfrak{e}_2 := \mathfrak{e}_3, & \mathfrak{e}_4 \cdot \mathfrak{e}_3 := -\mathfrak{e}_2, & \mathfrak{e}_4 \cdot \mathfrak{e}_4 := -\mathfrak{e}_1. \end{array}$$

Wir schreiben dies wieder in Form einer Multiplikationstabelle, wobei wir die klassischen Bezeichnungen übernehmen und 1, i, j, k an Stelle von $\mathfrak{e}_1, \mathfrak{e}_2, \mathfrak{e}_3, \mathfrak{e}_4$ schreiben:

	1	i	j	k
1	1	i	j	k
i	i	–1	k	–j
j	j	–k	–1	i
k	k	j	–i	–1

i, j, k heißen *imaginäre Einheiten.* Man verifiziert nun an Hand vorstehender Tabelle, daß die Multiplikation der Quaternionen assoziativ und, zusammen mit der Addition, distributiv ist. Hingegen ist das Kommutativgesetz verletzt, zum Beispiel gilt $i \cdot j = -j \cdot i \neq j \cdot i$. Unter der zur Quaternion $\mathfrak{x} = x_1 + ix_2 + jx_3 + kx_4$ *konjugierten Quaternion* versteht man das Element $\overline{\mathfrak{x}} := x_1 - ix_2 - jx_3 - kx_4$. Eine Quaternion $\mathfrak{x}$ heißt *reell,* wenn $\mathfrak{x} = \overline{\mathfrak{x}}$, d. h. $x_2 = x_3 = x_4 = 0$, und *vektoriell,* wenn $\mathfrak{x} = -\overline{\mathfrak{x}}$, d. h. $x_1 = 0$. Man nennt x_1 den *Realteil* von $\mathfrak{x}$ und $ix_2 + jx_3 + kx_4$ den *Vektorteil* von $\mathfrak{x}$. Für die Konjugierung von Quaternionen gelten die wichtigen Rechenregeln (Beweis durch Ausrechnen):

$$\text{I)} \quad \overline{\overline{\mathfrak{x}}} = \mathfrak{x},$$
$$\text{II)} \quad \overline{\mathfrak{x} + \mathfrak{y}} = \overline{\mathfrak{x}} + \overline{\mathfrak{y}},$$
$$\text{III)} \quad \overline{\mathfrak{x} \cdot \mathfrak{y}} = \overline{\mathfrak{y}} \cdot \overline{\mathfrak{x}} \ (!).$$

Man drückt dies auch so aus, daß man sagt: *Die Abbildung $\mathfrak{x} \rightarrow \overline{\mathfrak{x}}$ bildet eine antikommutative Involution.* Zwei Quaternionen $\mathfrak{x}$ und $\mathfrak{y}$ heißen vertauschbar, wenn gilt $\mathfrak{x} \cdot \mathfrak{y} = \mathfrak{y} \cdot \mathfrak{x}$. Eine reelle Quaternion ist mit jeder anderen Quaternion vertauschbar. Solche Quaternionen heißen *zentral.* Es gilt auch die Umkehrung: *Jede zentrale Quaternion ist reell.* Denn: Ist $\mathfrak{x} = x_1 + ix_2 + jx_3 + kx_4$ zentral, so gilt insbesondere $i \cdot \mathfrak{x} = \mathfrak{x} \cdot i$ und $j \cdot \mathfrak{x} = \mathfrak{x} \cdot j$. Da $i \cdot \mathfrak{x} = ix_1 - x_2 + kx_3 - jx_4$ und $\mathfrak{x} \cdot i = = ix_1 - x_2 - kx_3 + jx_4$, so folgt bereits $x_3 = x_4 = 0$. Aus $j \cdot \mathfrak{x} = \mathfrak{x} \cdot j$ folgt analog $x_2 = x_4 = 0$, d. h. $\mathfrak{x}$ ist reell.

Jede Quaternion $\mathfrak{x}$ ist mit ihrer konjugierten $\overline{\mathfrak{x}}$ vertauschbar; genauer gilt, wie man nachrechnet:

$$\mathfrak{x} \cdot \overline{\mathfrak{x}} = \overline{\mathfrak{x}} \cdot \mathfrak{x} = (x_1 + ix_2 + jx_3 + kx_4) \cdot (x_1 - ix_2 - jx_3 - kx_4) = x_1^2 + x_2^2 + x_3^2 + x_4^2.$$

Macht man daher den V_4 zu einem *euklidischen Vektorraum,* indem man die Vektoren $\mathfrak{e}_1, \mathfrak{e}_2, \mathfrak{e}_3, \mathfrak{e}_4$ als *Orthonormalbasis* wählt (→ Algebra), so wird analog wie bei den komplexen Zahlen die euklidische Länge der Quaternion $\mathfrak{x}$ durch $|\mathfrak{x}| = \sqrt{\mathfrak{x}\overline{\mathfrak{x}}}$ gegeben. Es gelten dann neben der Dreiecksungleichung noch folgende Rechenregeln:

1) $|\mathfrak{x} \cdot \mathfrak{x}'| = |\mathfrak{x}| \cdot |\mathfrak{x}'|$ (Produktregel),

2) $|\mathfrak{x}| = |\overline{\mathfrak{x}}|$.

Die Gleichung 1) folgt aus

$$|\mathfrak{x}\cdot\mathfrak{x}'|^2 = \mathfrak{x}\cdot\mathfrak{x}'\cdot\overline{\mathfrak{x}\cdot\mathfrak{x}'} = \mathfrak{x}\cdot(\mathfrak{x}'\cdot\overline{\mathfrak{x}'})\cdot\overline{\mathfrak{x}} = \mathfrak{x}\cdot|\mathfrak{x}'|^2\cdot\overline{\mathfrak{x}} =$$
$$= \mathfrak{x}\cdot\overline{\mathfrak{x}}\cdot|\mathfrak{x}'|^2 = |\mathfrak{x}|^2\cdot|\mathfrak{x}'|^2,$$

denn $|\mathfrak{x}'|^2$ ist reell; die Gleichung 2) folgt aus

$$|\mathfrak{x}|^2 = \mathfrak{x}\cdot\overline{\mathfrak{x}} = \overline{\mathfrak{x}}\cdot\mathfrak{x} = \overline{\mathfrak{x}}\cdot\overline{\overline{\mathfrak{x}}} = |\overline{\mathfrak{x}}|^2.$$

Falls $\mathfrak{x} \neq 0$, so gilt $|\mathfrak{x}|^2 \neq 0$ und also

$$\mathfrak{x}\cdot\frac{\overline{\mathfrak{x}}}{|\mathfrak{x}|^2} = \frac{\overline{\mathfrak{x}}}{|\mathfrak{x}|^2}\cdot\mathfrak{x} = 1.$$

Die Quaternion $\mathfrak{x}^{-1} := \frac{\overline{\mathfrak{x}}}{|\mathfrak{x}|^2}$ heißt die *inverse (reziproke) Quaternion* zu $\mathfrak{x}$. Es folgt jetzt, daß die Gesamtheit aller Quaternionen bzgl. der Operationen der Vektoraddition und der Quaternionenmultiplikation alle Körperaxiome bis auf das Kommutativgesetz der Multiplikation erfüllt. Man drückt dies auch so aus, daß man sagt: *Die Quaternionen bilden einen Schiefkörper.*

Wir bezeichnen den Schiefkörper der Quaternionen mit **Q**. Der Körper **R** der reellen Zahlen läßt sich in natürlicher Weise als ein Unterkörper von **Q** auffassen, indem man jede reelle Zahl als eine reelle Quaternion auffaßt. Dieser Unterkörper der reellen Quaternionen besteht gerade aus allen zentralen Elementen von **Q**, aus diesem Grunde heißt er auch das *Zentrum* von **Q**.

Der Körper **C** der komplexen Zahlen kann ebenfalls als Unterkörper von **Q** realisiert werden; z. B. bilden alle Quaternionen $\mathfrak{x} = x_1 + ix_2 + jx_3 + kx_4$ mit $x_3 = x_4 = 0$ einen zu **C** isomorphen Körper. **Q** enthält indessen noch weitere zu **C** isomorphe Unterkörper, z. B. die Quaternionen $\mathfrak{x}$ mit $x_2 = x_4 = 0$ bzw. mit $x_2 = x_3 = 0$.

Die Quaternionen werden in der Theorie der euklidischen Vektorräume vor allem benutzt, um die eigentlichen Drehungen des V_4 und des V_3 einfach zu beschreiben. Ferner ermöglichen die vektoriellen Quaternionen eine durchsichtige Darstellung des Vektorproduktes $\mathfrak{x} \times \mathfrak{y}$ für Vektoren $\mathfrak{x}, \mathfrak{y}$ eines 3-dimensionalen Raumes.

Es drängt sich die Frage auf, ob es außer den Quaternionen noch weitere Schiefkörper über dem Körper **R** der reellen Zahlen mit **R** als Zentrum gibt. Die Antwort liefert ein berühmter *Satz von Frobenius: Es sei* K $\neq$ **R** *ein Schiefkörper* (d. h. nicht notwendig kommutativer Körper) *über* **R**. *Der* **R**-*Vektorraum* K *sei endlich-dimensional, überdies sei* **R** *im Zentrum von* K *enthalten. Dann ist* K *entweder isomorph zum Körper* **C** *der komplexen Zahlen oder zum Schiefkörper* **Q** *der Quaternionen.*

Unter Benutzung dieses Satzes gelang es dem sowjetischen Mathematiker *L. Pontrjagin* im Jahre 1932, die Schiefkörper der klassischen Mathematik, d. h. **R**, **C** und **Q**, durch innere Eigenschaften zu charakterisieren. Um den Pontrjaginschen Satz, den man den Rechtfertigungssatz der klassischen Analysis nennen könnte, zu formulieren, benötigen wir den Begriff des *topologischen Schiefkörpers*. Ein Schiefkörper k heißt ein topologischer Schiefkörper, wenn k zusätzlich zur Schiefkörperstruktur eine Hausdorffsche Topologie trägt (→ Topologie) derart, daß die Operationen der Addition, Subtraktion, Multiplikation und Division stetig sind. Offensichtlich sind **R**, **C** und **Q** topologische Schiefkörper (Limesregeln). Infinitesimalrechnung läßt sich prinzipiell über jedem topologischen Schiefkörper treiben. Soll eine reichhaltige Theorie entstehen, so benötigt man indessen früher oder später den Satz von Weierstraß-Bolzano (bzw. sein Äquivalent: den Satz von Heine-Borel) und den Zwischenwertsatz für stetige Funktionen. Dies bedeutet dann, daß der topologische Schiefkörper k, den man zugrunde legt, lokal-kompakt und zusammenhängend sein muß (→ Topologie). Die Schiefkörper **R**, **C** und **Q** haben diese zusätzlichen Eigenschaften. Der Satz von Pontrjagin besagt, daß sie die einzigen sind:

Ist k *ein zusammenhängender und lokal-kompakter Schiefkörper, so ist* k *entweder zum Körper* **R** *der reellen Zahlen oder zum Körper* **C** *der komplexen Zahlen oder zum Schiefkörper* **Q** *der Quaternionen topologisch isomorph, d. h., es gibt jeweils einen Schiefkörperisomorphismus, der überdies ein Homöomorphismus für die unterliegenden topologischen Räume ist.*

Analysis kann daher in befriedigender Weise nur über den klassischen Körpern **R**, **C** und **Q** entwickelt werden.

F. CAYLEYSCHE ZAHLEN. Nach der Entdeckung der Quaternionen beschäftigten sich viele Algebraiker mit dem Problem, bilineare Produkte in reellen Vektorräumen zu definieren. Da die Quaternionen nach dem Satz von Frobenius den einzigen Schiefkörper von endlicher Dimension über **R** mit **R** als Zentrum bilden, wird man für solche Produkte weitere Pathologien zulassen müssen. Der britische Forscher *A. Cayley* entdeckte 1845, daß sich im reellen, 8-dimensionalen Vektorraum V_8 eine Multiplikation einführen läßt, die zwar nicht mehr dem assoziativen oder kommutativen Gesetz genügt, aber noch nullteilerfrei und bilinear ist. Diese Größen heißen heute *Oktaven* oder auch *Cayleysche Zahlen*. Fixiert man eine Basis $\mathfrak{e}_0, \mathfrak{e}_1, \ldots, \mathfrak{e}_7$ im V_8, so kann die *Cayleysche Multiplikation*, da sie bilinear bzgl. der Vektoraddition ist, wieder durch eine Multiplikationstabelle, die jetzt aus den 64 Elementen $\mathfrak{e}_\nu \cdot \mathfrak{e}_\mu$,

$\nu, \mu = 0, 1, \ldots, 7$, besteht, angegeben werden. Der Vektor $\mathfrak{e}_0$ übernimmt die Rolle des Einselementes, d. h.

$$\mathfrak{e}_0 \cdot \mathfrak{e}_\nu := \mathfrak{e}_\nu \cdot \mathfrak{e}_0 := \mathfrak{e}_\nu, \quad \nu = 0, 1, \ldots, 7.$$

Weiter setzt man analog wie bei den Quaternionen:

$$\mathfrak{e}_\nu^2 := -\mathfrak{e}_0, \nu = 1, \ldots, 7.$$

Damit sind bereits $15 + 7 = 22$ Produkte definiert. Die restlichen 42 Produkte werden durch die Antikommutativpostulate

$$\mathfrak{e}_\nu \cdot \mathfrak{e}_\mu := -\mathfrak{e}_\mu \cdot \mathfrak{e}_\nu, \quad \nu, \mu = 1, \ldots, 7, \nu \neq \mu,$$

auf 21 noch zu definierende Produkte $\mathfrak{e}_\nu \cdot \mathfrak{e}_\mu$, $1 \leq \nu < \mu \leq 7$, reduziert. Hier liegt die eigentliche Schwierigkeit. Man definiert nach Cayley zunächst 7 Produkte:

$$(*) \quad \begin{array}{l} \mathfrak{e}_1 \cdot \mathfrak{e}_2 := \mathfrak{e}_3, \mathfrak{e}_1 \cdot \mathfrak{e}_4 := \mathfrak{e}_5, \mathfrak{e}_1 \cdot \mathfrak{e}_6 := \mathfrak{e}_7, \mathfrak{e}_2 \cdot \mathfrak{e}_5 := \mathfrak{e}_7, \\ \mathfrak{e}_2 \cdot \mathfrak{e}_4 := -\mathfrak{e}_6, \mathfrak{e}_3 \cdot \mathfrak{e}_4 := \mathfrak{e}_7, \mathfrak{e}_3 \cdot \mathfrak{e}_5 := \mathfrak{e}_6. \end{array}$$

Die restlichen 14 Produktdefinitionen erhält man daraus, indem man in jeder dieser Gleichungen (*) die vorkommenden drei Indizes zyklisch permutiert (so entstehen jeweils 2 neue Gleichungen; z. B. erhält man $\mathfrak{e}_2 \cdot \mathfrak{e}_3 := \mathfrak{e}_1$ sowie $\mathfrak{e}_3 \cdot \mathfrak{e}_1 := \mathfrak{e}_2$ aus der ersten Gleichung; und $\mathfrak{e}_5 \cdot \mathfrak{e}_6 := \mathfrak{e}_3$ sowie $\mathfrak{e}_6 \cdot \mathfrak{e}_3 := \mathfrak{e}_5$ aus der letzten Gleichung). Damit ist die Multiplikation für Cayleysche Zahlen definiert. Das Assoziativgesetz gilt zwar für je drei Vektoren $\mathfrak{e}_a, \mathfrak{e}_b, \mathfrak{e}_c$, deren Indizes a, b, c eines der 7 in (*) vorkommenden Indextripel bilden; indessen gilt, wie man nachrechnet,

$$(\mathfrak{e}_a \cdot \mathfrak{e}_b) \cdot \mathfrak{e}_c = -\mathfrak{e}_a \cdot (\mathfrak{e}_b \cdot \mathfrak{e}_c) \neq \mathfrak{e}_a \cdot (\mathfrak{e}_b \cdot \mathfrak{e}_c)$$

für je drei verschiedene Indizes, die kein solches Tripel bilden. Da das Assoziativgesetz verletzt ist, so gestaltet sich das iterierte Multiplizieren von Oktaven recht kompliziert. Die Multiplikation der Cayleyschen Zahlen wird durchsichtiger und einfacher, wenn man an Stelle der schwerfälligen Vektorschreibweise $\sum_{\nu=0}^{7} x_\nu \mathfrak{e}_\nu$ die Oktaven als geordnete Quaternionenpaare (q_1, q_2), $q_1, q_2 \in \mathbf{Q}$, schreibt. (Dies geschieht etwa, indem man setzt:

$$\sum_{\nu=0}^{7} x_\nu \mathfrak{e}_\nu = (x_0\mathfrak{e}_0 + x_1\mathfrak{e}_1 + x_2\mathfrak{e}_2 + x_3\mathfrak{e}_3) + \\ + (x_4\mathfrak{e}_0 + x_5\mathfrak{e}_1 - x_6\mathfrak{e}_2 + x_7\mathfrak{e}_3)\, \mathfrak{e}_4,$$

und die rechts in Klammern stehenden Ausdrücke als Quaternionen q_1 bzw. q_2 interpretiert.) Die Multiplikation zweier Oktaven (q_1, q_2) und (q_1', q_2') wird dann durch

$$(q_1, q_2) \cdot (q_1', q_2') := (q_1 \cdot q_1' - \overline{q_2'} \cdot q_2, q_2' \cdot q_1 + q_2 \cdot \overline{q_1'})$$

gegeben, wo rechts jeweils Quaternionenprodukte stehen. Definiert man die zur Oktave $c = (q_1, q_2)$ *konjugierte Oktave* $\bar{c}$ durch $\bar{c} := (\overline{q_1}, -q_2)$, so ist $c \cdot \bar{c} =: |c|^2$ reell und nicht negativ, und es gilt $|c| = 0$ genau dann, wenn c die Nulloktave (0, 0) ist. Falls $c \neq 0$, so ist wieder $c^{-1} := \frac{\bar{c}}{|c|^2}$ ein Rechts- und Linksinverses zu c. Die Oktave e := (1, 0) ist das Einselement. Vermöge der Abbildung $x \to e \cdot x$ wird der Körper der reellen Zahlen **R** als Unterkörper in der Menge aller Cayleyschen Zahlen realisiert; dabei bildet **R** wieder das Zentrum, d. h. es gilt $r \cdot c = c \cdot r$ für alle Oktaven c genau dann, wenn $r \in \mathbf{R}$. Aus der Gleichung

$$|cd| = |c| \cdot |d|,$$

die durch eine direkte Rechnung folgt, ergibt sich die Nullteilerfreiheit des Oktavenproduktes.

Es fragt sich, wie stark das Assoziativgesetz verletzt ist. Es läßt sich zeigen, daß die folgenden abgeschwächten Assoziativgesetze gelten (c, d sind zwei beliebige Oktaven):

$$c\,(cd) = c^2 \cdot d, \quad (c \cdot d)\,d = c \cdot d^2.$$

Die von zwei beliebigen Oktaven c, d erzeugte algebraische Struktur ist mithin assoziativ; man kann sogar zeigen, daß sie zu einer Teilmenge des Quaternionenkörpers **Q** isomorph ist. Man faßt gelegentlich die für die Cayleyschen Zahlen geltenden Rechengesetze auch zu folgender Aussage zusammen: *Die Cayleyschen Zahlen bilden einen Alternativkörper über den reellen Zahlen* **R** *mit* **R** *als Zentrum.* Es gibt in Analogie zum Satz von Frobenius einen Eindeutigkeitssatz für Alternativkörper.

Es ist nicht von ungefähr, daß in der klassischen Mathematik nur in den reellen Vektorräumen V_n der Dimensionen n = 1, 2, 4 und 8 nullteilerfreie bilineare Produkte gefunden wurden. Es besteht nämlich der tiefliegende

Satz von Milnor und Bott (1958): *Existiert im reellen Vektorraum* V_n *eine bilineare nullteilerfreie Produktform, so gilt notwendig* n = 1, 2, 4 *oder* 8.

Hier ist besonders zu vermerken, daß dieser seiner Natur nach algebraische Satz mit modernen topologischen Hilfsmitteln bewiesen wurde und bis heute kein rein algebraischer Beweis gefunden werden konnte.

Es gibt sehr wohl nicht-triviale bilineare Produkte in endlichdimensionalen Vektorräumen V_n, die assoziativ sind. Dann muß man aber notgedrungen Nullteiler in Kauf nehmen. Eine allgemeine Theorie solcher komplizierter algebraischer Strukturen, die man kurz *hyperkomplexe Systeme* oder auch *Algebren* nennt, wurde in diesem Jahrhundert, u. a. von der aus Deutschland stammenden Mathematikerin *Emmy Noether*, systematisch aufgebaut.

Ziffern und Ziffernsysteme. Die Entwicklung der Zahlzeichen und der Zahlschrift ist ein wesentlicher Teil der Kulturgeschichte. Die Beherrschung des elementaren Rechnens mit großen Zahlen ist eine Notwendigkeit des täglichen Lebens. Die Möglichkeit, Rechnungen größeren Ausmaßes durchzuführen, hängt vor allem von der Entwicklung der Zahlschrift ab. Die ersten Zahlzeichen entstanden aus der Bündelung von Marken, die beim Abzählen gesetzt werden. Die römische Ziffer X für 10 ist ein typisches Bündelungszeichen. Auch die römischen Ziffern V, L, C, D, M sind aus solchen Bündelungszeichen entstanden. Ein systematisches, einfaches Rechnen ist mit der römischen Zahlschrift nicht möglich. So kam schon in Rom das *Rechenbrett (Abakus)* auf, an dem mit Rechenmünzen gerechnet wurde. Es war bis in die Mitte des 16. Jhs. hinein bei den vereidigten Rechenmeistern in den Städten allgemein in Gebrauch und verschwindet in Deutschland erst um 1700 wieder.

Unser heutiges algorithmisches Rechnen kam in einzelnen Schriften im 12. Jh. von den Arabern nach Europa. Um 820 hatte ein Araber namens *Alchwarazmi Muhammed* nach indischer Überlieferung ein Rechenbuch geschrieben, von dem sich alle diese Schriften ableiten. Dieser Muhammed leiht der neuen Rechenkunst auch seinen Namen. So beginnt eine der überlieferten Schriften (Codex des Klosters Salem, jetzt in Heidelberg) mit den Worten: »Incipit liber algorizmi . . .« Durch das neue Stellenrechnen wird der Rechenvorgang ›algorithmiert‹; er wird auf mehrere Einzelschritte mit Rechnungen mit Zahlen unter 10 reduziert. Dazu mußte konsequent die Stellung der einzelnen Ziffern in der Reihenfolge des Anschreibens ausgenutzt werden können. Dies aber hatte wiederum zur Voraussetzung, daß es ein Leerzeichen für eine Stellenangabe gab. So war die Einführung der Null für die neue Zahlschrift unbedingt erforderlich. »Es mußte etwas da sein, das anzeigte, daß nichts da war.« Um 1500 erschienen die ersten *Rechenbücher*, die das algorithmische Verfahren auseinandersetzten. Adam *Riese* gab 1518, 1525 und 1550 in 3 Auflagen die bekannten Rechenbücher heraus, in denen — neben dem Rechnen auf dem Rechenbrett — unser heutiges *Stellenrechnen* erklärt wird.

I. Das Rechnen mit natürlichen Zahlen im n-adischen System. So wie man im *Dezimalsystem* jede natürliche Zahl nach Potenzen der Zahl 10 zerlegt (z. B. $a = 7\,821$ in $7 \cdot 10^3 + 8 \cdot 10^2 + 2 \cdot 10^1 + 1 \cdot 10^0$), so kann man grundsätzlich die Zerlegung der natürlichen Zahlen nach Potenzen irgendeiner fest vorgegebenen natürlichen Zahl $n > 1$ betrachten. Man gewinnt alsdann allgemeine Aussagen, die im Spezialfall des Dezimalsystems hinlänglich bekannt sind.

Die Zerlegung einer natürlichen Zahl $a \geq n$ nach Potenzen der festen Zahl $n > 1$:

$$a = q_t n^t + q_{t-1} n^{t-1} + \cdots + q_1 n + q_0,$$
$$0 < q_t < n,\ 0 \leq q_i < n \text{ für } 0 \leq i < t,$$

die wir auch die n-*adische Darstellung* von a nennen wollen, wird wie folgt gewonnen: Man bestimmt zu a zunächst diejenige eindeutig bestimmte ganze Zahl $t > 0$, welche die Ungleichungen $n^{t+1} > a \geq n^t$ erfüllt. Dann bildet man

$$\begin{aligned}
a &= q_t n^t + r_t && \text{mit } 0 \leq r_t < n^t, && 0 < q_t < n,\\
r_t &= q_{t-1} n^{t-1} + r_{t-1} && \text{mit } 0 \leq r_{t-1} < n^{t-1}, && 0 \leq q_{t-1} < n,\\
&\vdots && \vdots && \vdots\\
r_2 &= q_1 n + r_1 && \text{mit } 0 \leq r_1 < n, && 0 \leq q_1 < n.
\end{aligned}$$

Zusammengesetzt ergibt das, wenn man noch $q_0 := r_1$ setzt, die obige Darstellung. Man kann sogar zeigen, daß diese n-adische Darstellung von a eindeutig ist, d. h. daß für jede weitere Darstellung

$$a = q_s' n^s + q'_{s-1} n^{s-1} + \cdots + q_1' n + q_0',$$
$$0 < q_s' < n, \; 0 \leq q_j' < n \text{ für } 0 \leq j < s,$$

gilt: $s = t$, $q_0' = q_0, \ldots, q_t' = q_t$. Damit ist dann der Satz gewonnen:

Zu jeder natürlichen Zahl a *gibt es genau eine Darstellung im* n-*adischen System.*

In Analogie zu der im Dezimalsystem völlig vertrauten Schreibweise kann man die n-adische Darstellung von a abkürzend wie folgt schreiben:

$$a = (q_t q_{t-1} \cdots q_1 q_0)_n.$$

In dieser Schreibweise heißen die q_τ die *Ziffern* der Darstellung.

Beispiel: Die Zahl $a = (5\,926)_{10}$ stellt sich im Achtersystem wie folgt dar: $a = 1 \cdot 8^4 + 3 \cdot 8^3 + 4 \cdot 8^2 + 4 \cdot 8 + 6 = (13\,446)_8$.

Sobald $n > 10$, ergibt sich eine technische Schwierigkeit. So hat z. B. die Zahl $11 = (11)_{10}$ im Zwölfersystem die Darstellung $0 \cdot 12^1 + 11 = (11)_{12}$, die indessen mißverständlich ist, da man sie auch auffassen kann als $1 \cdot 12^1 + 1 = (13)_{10}$. Die Ziffernschreibweise wird erst dann eindeutig, wenn man verabredet, daß Ziffern stets eingliedrig sein sollen. Dann steht in der Klammer nämlich jedes Zeichen für genau ein q_τ. Man benötigt also bei der n-adischen Darstellung für alle Zahlen $< n$ eingliedrige Grundsymbole. Im Zwölfersystem hat man entsprechend zwei weitere Ziffern einzuführen. Setzen wir etwa

$$\text{Л} := \text{zehn}, \; \text{Ц} := \text{elf},$$

so rechnet sich im Zwölfersystem wie folgt:

$(5)_{12} + (7)_{12} = (10)_{12}$, $(3)_{12} + (8)_{12} = (\text{Ц})_{12}$,
$(\text{Л})_{12} + (\text{Ц})_{12} = (19)_{12}$, $(5)_{12} \cdot (7)_{12} = (2\text{Ц})_{12}$,
$(\text{Л})_{12} \cdot (\text{Л})_{12} = (84)_{12}$, $(\text{Л})_{12} \cdot (\text{Ц})_{12} = (92)_{12}$.

Es ergibt sich sofort aus den expliziten Darstellungen

$$a = q_t n^t + \cdots + q_0, \; b = q_s' n^s + \cdots + q_0',$$

daß man die elementaren Rechenoperationen $a + b$, $a - b$, $a \cdot b$, $a : b$ in jedem n-adischen System ebenso durchführen kann wie im Zehnersystem. So beherrscht man etwa die Multiplikation, wenn man das ›kleine Einmaleins‹ des n-adischen Systems, d. h. die Multiplikation von Zahlen $< n$, erlernt. Beispiele:

$$\begin{array}{r} (646)_8 \\ +\,(537)_8 \\ \hline (1\,405)_8 \end{array} \qquad \begin{array}{r} (646)_{12} \\ +\,(537)_{12} \\ \hline (\text{Ц}81)_{12} \end{array} \qquad \begin{array}{r} (646)_8 \\ -\,(537)_8 \\ \hline (107)_8 \end{array} \qquad \begin{array}{r} (646)_{12} \\ -\,(537)_{12} \\ \hline (10\text{Ц})_{12} \end{array}$$

$$\begin{array}{r} (15)_{10}\cdot(27)_{10} \\ \hline (105)_{10} \\ (30)\ \ _{10} \\ \hline (405)_{10} \end{array} \qquad \begin{array}{r} (15)_8\cdot(27)_8 \\ \hline (133)_8 \\ (32)\ \ _8 \\ \hline (453)_8 \end{array} \qquad \begin{array}{r} (15)_{12}\cdot(27)_{12} \\ \hline (9\text{Ц})_{12} \\ (2\text{Л})\ \ _{12} \\ \hline (37\text{Ц})_{12} \end{array}$$

$$\begin{array}{l} (4752)_8 : (144)_8 = (31 \text{ Rest } 46)_8 \\ (454)\ \ _8 \\ \hline \ \ (212)_8 \\ \ \ (144)_8 \\ \hline \ \ \ \ (46)_8 \end{array}$$

$$\begin{array}{l} (4752)_{12} : (144)_{12} = (34 \text{ Rest } \text{ЦЛ})_{12} \\ (410)\ \ _{12} \\ \hline \ \ (652)_{12} \\ \ \ (554)_{12} \\ \hline \ \ (\text{ЦЛ})_{12} \end{array}$$

Das *kleine Einmaleins* wird um so einfacher, je kleiner die Zahl n ist. Es besteht z. B. im *Zweiersystem* (auch *Dualsystem* oder *dyadisches System* genannt) nur aus der einen Gleichung $1 \cdot 1 = 1$. Allerdings muß man, wenn man diesen Vorteil ausnutzen will, in Kauf nehmen, daß die dyadischen Darstellungen selbst kleiner Zahlen sehr groß werden, da man nur die beiden Ziffern 0 und 1 zur Verfügung hat. So gilt etwa
$(33)_{10} = 1 \cdot 2^5 + 0 \cdot 2^4 + 0 \cdot 2^3 + 0 \cdot 2^2 + 0 \cdot 2^1 + 1 \cdot 2^0 =$
$= (100\,001)_2$,
$(198)_{10} = 1 \cdot 2^7 + 1 \cdot 2^6 + 0 \cdot 2^5 + 0 \cdot 2^4 + 0 \cdot 2^3 + 1 \cdot 2^2 +$
$+ 1 \cdot 2^1 + 0 \cdot 2^0 = (11\,000\,110)_2$.
Das Zweiersystem hat sich als besonders wichtig bei der Entwicklung der *Großrechenmaschinen* erwiesen.

II. Darstellung von Brüchen im n-adischen System, kleiner Fermatscher Satz. Es sei zunächst an die Darstellung von Brüchen im Zehnersystem erinnert. Es gibt drei Arten von *Dezimalbrüchen* für rationale Zahlen. Die einfachsten Dezimalbrüche sind *endlich*, z. B. $\frac{1}{2} = 0{,}5$, $\frac{3}{40} = 0{,}075$. Daneben gibt es *rein-periodische* Dezimalbrüche, etwa $\frac{4}{9} = 0{,}4\overline{4}\ \ldots$, $\frac{1}{7} = 0{,}142\,857\,\overline{142\,857}\ \ldots$. Schließlich kennt man noch *ge-*

misch t-periodische Dezimalbrüche:

$$\frac{1}{6} = 0{,}1\overline{6}\ \ldots,\quad \frac{3}{14} = 0{,}2\,142\,857\,\overline{142\,857}\ \ldots\,.$$

(Hier und im folgenden sind die Perioden jeweils überstrichen; der Querstrich bedeutet also, daß sich der überstrichene Ziffernkomplex ad infinitum wiederholt.)
Wir wollen allgemein die Darstellung der rationalen Zahlen im n-adischen System untersuchen. Wir betrachten der Einfachheit halber nur *positive Zahlen* und setzen ein für allemal voraus, daß die rationalen Zahlen in ihrer *reduzierten Bruchdarstellung* $\frac{a}{b}$ gegeben sind. Um die n-adische Entwicklung von $\frac{a}{b}$ zu finden, bedient man sich des sog. *n-adischen Algorithmus.* Zunächst wird a durch b mit Rest dividiert:

$$a = q_0 b + r_0 \text{ mit } 0 \leq r_0 < b.$$

Alsdann bildet man die Tabelle

$$\text{(T)}\quad \begin{array}{lll} n \cdot r_0 = q_1 b + r_1 & \text{mit } 0 \leq r_1 < b, & 0 \leq q_1 < n \\ n \cdot r_1 = q_2 b + r_2 & \text{mit } 0 \leq r_2 < b, & 0 \leq q_2 < n \\ \vdots & \vdots & \vdots \\ n \cdot r_j = q_{j+1} b + r_{j+1} & \text{mit } 0 \leq r_{j+1} < b, & 0 \leq q_{j+1} < n \end{array}$$

usw.
Es gilt

$$a = q_0 b + b\frac{q_1}{n} + b\frac{q_2}{n^2} + \cdots + b\frac{q_j}{n^j} + \frac{r_j}{n^j},$$

d. h.

$$\frac{a}{b} = q_0 + \frac{q_1}{n} + \frac{q_2}{n^2} + \cdots + \frac{q_j}{n^j} + \frac{r_j}{bn^j}.$$

Abgekürzt schreibt man dafür

$$\frac{a}{b} = (q_0, q_1 q_2 q_3 \cdots q_j \cdots)_n$$

und nennt die rechte Seite die n-adische Entwicklung von $\frac{a}{b}$. Es kann q_0 eine beliebig große ganze Zahl ≥ 0 sein, dagegen kommen für die q_1, q_2 usw. nur die n Zahlen 0, 1, 2, ..., $n-1$ in Frage, die daher als Ziffern im n-adischen System geschrieben werden können. Offenbar hat jede (positive) rationale Zahl nach dem angegebenen Verfahren eindeutig eine n-adische Entwicklung. Die nachstehende Tabelle enthält die Entwicklung der Brüche $\frac{1}{2}, \frac{1}{3}, \frac{1}{4}, \frac{1}{7}, \frac{1}{9}, \frac{1}{13}$ im Zehner-, Siebener- und Zwölfersystem.

	n = 10	n = 7	n = 12
$\frac{1}{2}$	$0{,}5$	$0{,}33\overline{3}\ldots$	$0{,}6$
$\frac{1}{3}$	$0{,}33\overline{3}\ldots$	$0{,}22\overline{2}\ldots$	$0{,}4$
$\frac{1}{4}$	$0{,}25$	$0{,}15\overline{15}\ldots$	$0{,}3$
$\frac{1}{7}$	$0{,}\overline{142857}\ldots$	$0{,}1$	$0{,}\overline{186\text{Л}35}\ldots$
$\frac{1}{9}$	$0{,}11\overline{1}\ldots$	$0{,}053\overline{053}\ldots$	$0{,}14$
$\frac{1}{13}$	$0{,}\overline{076923}\ldots$	$0{,}\overline{035245631421}\ldots$	$0{,}0\text{Ц}\,\overline{0\text{Ц}}\ldots$

Es drängt sich die Frage auf, ob und wie man es einem Bruch $\frac{a}{b}$ ansehen kann, daß seine n-adische Entwicklung endlich bzw. periodisch ist. Zunächst ist eine einfache Charakterisierung der Brüche mit endlichen n-adischen Entwicklungen möglich. Es läßt sich nämlich zeigen:

Die rationale Zahl $\frac{a}{b}$ (reduzierte Bruchdarstellung!) *hat dann und nur dann eine endliche* n*-adische Entwicklung, wenn es eine natürliche Zahl* s *gibt derart, daß* b *ein Teiler von* n^s *ist. Die Zahl der Ziffern hinter dem Komma ist gleich dem kleinsten* s *mit dieser Eigenschaft.*

Über rein-periodische n-adische Entwicklungen gilt zunächst:

Die rationale Zahl $\frac{a}{b}$ *hat dann und nur dann eine rein-periodische* n*-adische Entwicklung, wenn* b *und* n *teilerfremd sind.*

Dieser Satz macht keinerlei Aussage über die *Länge der Periode* der n-adischen Entwicklung von $\frac{a}{b} = (q_0, q_1 q_2 \cdots q_j \cdots)_n$, d. i. über die kleinste natürliche Zahl λ mit $q_{t+\lambda} = q_t$ für alle $t = 1, 2, \ldots$. λ ist ersichtlich eine *Funktion* von a, b und n. Es läßt sich relativ einfach zeigen, daß stets $\lambda \leq b$ gilt. Tiefer liegt die folgende Aussage, durch die λ genau beschrieben wird:

Die Periodenlänge λ *der rein-periodischen* n*-adischen Entwicklung von* $\frac{a}{b}$ *ist die kleinste natürliche Zahl* s, *für welche* b *ein Teiler von* $n^s - 1$ *ist.*

Hieraus folgt insbesondere, daß λ nicht vom Zähler a des gegebenen Bruches abhängt. Weiter ist in dieser Aussage (bei Benutzung des oben formulierten Kriteriums für rein-periodische

n-adische Entwicklungen) der folgende merkwürdig anmutende Satz enthalten:
Sind b *und* n *teilerfremde natürliche Zahlen, so gibt es stets eine solche natürliche Zahl* λ, *daß gilt:* $b/n^\lambda - 1$.
Zur effektiven Bestimmung der Periodenlänge λ ist das angegebene Teilbarkeitskriterium bei großem n und b nicht geeignet, da die notwendigen Rechnungen zu umfangreich werden. Man interessiert sich daher für weitere, anders geartete einschränkende Bedingungen für λ. Die wohl wichtigste dieser Art soll jetzt erläutert werden. Dazu führen wir zunächst die sog. *Eulersche* φ*-Funktion* ein. Ist $c > 1$ eine natürliche Zahl, so versteht man unter $\varphi(c)$ die Anzahl aller natürlichen Zahlen $< c$, die zu c teilerfremd sind. Es ist also

$$\varphi(2) = 1,\quad \varphi(3) = 2,\quad \varphi(4) = 2,\quad \varphi(5) = 4,$$
$$\varphi(6) = 2,\quad \varphi(7) = 6,\quad \varphi(8) = 4,\quad \varphi(9) = 6,$$
$$\varphi(10) = 4,\quad \varphi(11) = 10,\quad \varphi(12) = 4,\quad \varphi(13) = 12 \text{ usw.}$$

Allgemein gilt

$$\varphi(c) = c \prod_{p/c} \left(1 - \frac{1}{p}\right),$$

wo das endliche Produkt Π über alle Primteiler von c zu erstrekken ist. Man setzt zweckmäßigerweise noch $\varphi(1) := 1$.
Die φ-Funktion spielt in der gesamten Zahlentheorie eine große Rolle. Ihre Bedeutung für die Bestimmung der Periodenlänge erhellt aus folgendem Satz:
Die Periodenlänge λ *der rein-periodischen* n-*adischen Entwicklung von* $\frac{a}{b}$ *ist für jedes* n *ein Teiler von* $\varphi(b)$. *Insbesondere gilt also* $\lambda \leq \varphi(b)$.
Wir haben oben bereits aus unseren Überlegungen gefolgert, daß zu zwei teilerfremden natürlichen Zahlen b und n stets eine solche natürliche Zahl λ existiert, daß gilt: $b/n^\lambda - 1$. Diese Aussage können wir jetzt dahingehend verschärfen, daß wir ein solches λ explizit angeben. Wir erhalten damit den sog. *kleinen Fermatschen Satz*, dessen Bedeutung weit über die hier angestellten Betrachtungen zu n-adischen Systemen hinausgeht und erst in der *Gruppentheorie* unter anderen Gesichtspunkten sichtbar wird (→ Algebra).
Kleiner Fermatscher Satz: Sind b *und* n *teilerfremde natürliche Zahlen, so gilt stets* $b/n^{\varphi(b)} - 1$.
(Die etwas unglückliche Bezeichnung ›kleiner Fermatscher Satz‹ hat sich in der mathematischen Literatur eingebürgert, um diese Aussage vom sog. ›großen Fermatschen Satz‹ abzuheben. Darunter versteht man die Behauptung, daß die Fermatsche Vermutung über die ganzzahligen Lösungen der Gleichung $x^n + y^n = z^n$ richtig ist. → Gleichungen.)

Der Beweis des kleinen Fermatschen Satzes ist bei Benutzung der vorstehenden (hier nicht bewiesenen) Aussagen reine Spielerei. Bezeichnet λ die Periodenlänge der n-adischen Entwicklung von $\frac{1}{b}$, so wissen wir, daß es eine natürliche Zahl q mit $\varphi(b) = \lambda q$ gibt. Aus der Identität (geometrische Reihe)
$n^{\varphi(b)} - 1 = (n^{\lambda})^{q} - 1 = (n^{\lambda} - 1) \cdot [1 + n^{\lambda} + n^{2\lambda} + \cdots + n^{(q-1)\lambda}]$
folgt dann $b/n^{\varphi(b)} - 1$, da b ja sogar ein Teiler von $n^{\lambda} - 1$ ist.
Wir wissen noch nicht, ob auch zu einer beliebig vorgegebenen rein-periodischen n-adischen Darstellung $(q_0, \overline{q_1 \cdots q_\lambda})_n$ eine rationale Zahl mit dieser Entwicklung gehört. Es läßt sich zeigen, daß dies stets der Fall ist, wenn man die Darstellung $(q_0, \overline{n-1})_n$ als unzulässig ausschließt.

Bisher wurde die n-adische Darstellung derjenigen Brüche $\frac{a}{b}$ behandelt, bei denen b eine Potenz von n teilt oder b und n teilerfremd sind. Im allgemeinen Fall kann man b zerlegen in ein Produkt $b_1 b_2$, wo b_1 eine Potenz n^s teilt und b_2 und n teilerfremd sind. Ist etwa $b_1 b_1' = n^s$, so gilt

$$\frac{a}{b} = \frac{1}{n^s} \cdot \frac{(ab_1')}{b_2},$$

wo ab_1' und b_2 teilerfremd sind. Ist dann $(q_0, \overline{q_1 q_2 \cdots q_\lambda})_n$ die rein-periodische n-adische Entwicklung von $\frac{ab_1'}{b_2}$, so hat $\frac{a}{b}$ wegen der Division durch n^s eine Entwicklung, bei der vor q_1 noch s Vorziffern stehen. Somit folgt, daß genau die Brüche, deren Nenner weder eine Potenz von n teilen noch zu n teilerfremd sind, *gemischt-periodische* n-adische Entwicklungen haben. Umgekehrt gehört auch wieder zu jeder gemischt-periodischen n-adischen Entwicklung mit Ausschluß solcher der Form $(q_0, q_1 q_2 \cdots q_s \overline{n-1})_n$ genau ein Bruch, zu dem die Darstellung gehört.
III. Reelle Zahlen und n-adischer Algorithmus. Durch den n-adischen Algorithmus wird jeder rationalen Zahl $\frac{a}{b}$ ein wohlbestimmter Ziffernkomplex $(q_0, q_1 q_2 \ldots)_n$ zugeordnet. Die Berechnung der q_j geschieht dabei rein formal nach der Tabelle (T), doch gilt im Falle einer endlichen Entwicklung $(q_0, q_1 q_2 \cdots q_s)_n$ jedenfalls die Gleichung

$$\frac{a}{b} = q_0 + \frac{q_1}{n} + \frac{q_2}{n^2} + \cdots + \frac{q_s}{n^s}.$$

Dies führt dazu, bei einer *unendlichen* n-adischen Entwicklung die entsprechend gebildete *unendliche Reihe*

$$\sum_{j=0}^{\infty} \frac{q_j}{n^j} = q_0 + \frac{q_1}{n} + \frac{q_2}{n^2} + \dots + \frac{q_k}{n^k} + \dots$$

zu betrachten. Die Konvergenz derselben ist gesichert, denn die geometrische Reihe $q_0 + \sum_{j=1}^{\infty} \frac{n-1}{n^j}$, deren Summe

$$q_0 + \frac{n-1}{n} \cdot \frac{1}{1-\frac{1}{n}} = q_0 + 1$$

ist, ist eine konvergente Majorante (→ Infinitesimalrechnung). Es gilt überdies

$$\sum_{j=0}^{\infty} \frac{q_j}{n^j} = \frac{a}{b},$$

da man für jeden Index $k \geq 0$ die Abschätzung

$$0 < \frac{a}{b} - \left(q_0 + \frac{q_1}{n} + \frac{q_2}{n^2} + \dots + \frac{q_k}{n^k}\right) = \frac{r_k}{b n^k} < \frac{1}{n^k}$$

hat und $\frac{1}{n^k}$ wegen $n > 1$ eine Nullfolge ist. Zusammenfassend läßt sich also sagen:

Die rein-periodische bzw. gemischt-periodische n-*adische Entwicklung einer rationalen Zahl stellt, wenn man sie als unendliche Reihe auffaßt, gerade diese rationale Zahl dar.*

Durch diese Aussage erhalten unsere zunächst ausschließlich formalen Betrachtungen über n-adische Entwicklungen einen analytischen Untergrund. Man wird jetzt versuchen, für *jede positive reelle Zahl r* eine n-adische Entwicklung $(q_0, q_1 q_2 \cdots)_n$ so anzugeben, daß $r = \sum_{0}^{\infty} \frac{q_j}{n^j}$. Wir gehen folgendermaßen vor: Ist x eine beliebige reelle Zahl, so bezeichnen wir mit [x] die größte ganze Zahl c mit $c \leq x$. Die gegebene reelle Zahl $r > 0$ wird alsdann dem folgenden Algorithmus unterworfen:

$$\begin{aligned} r &= [r] + r_0 && \text{mit } 0 \leq r_0 < 1,\\ nr_0 &= [nr_0] + r_1 && \text{mit } 0 \leq r_1 < 1,\\ &\vdots && \vdots\\ nr_j &= [nr_j] + r_{j+1} && \text{mit } 0 \leq r_{j+1} < 1 \text{ usw.} \end{aligned}$$

Dabei ist jeweils die in der k-ten Gleichung ganz rechts stehende Zahl r_{k-1} als durch diese Gleichung definiert zu denken. Ist r irrational, so ist auch jedes r_j irrational. Es gilt aber stets

$$r = [r] + \frac{[nr_0]}{n} + \frac{[nr_1]}{n^2} + \dots + \frac{[nr_k]}{n^{k+1}} + \cdots.$$

Da immer $[nr_j] < n$ wegen $r_j < 1$, so wird man wieder setzen $q_0 := [r]$, $q_j := [nr_{j-1}]$, $j = 1, 2, \dots$, und an Stelle der unendlichen Reihe auch kürzer schreiben: $r = (q_0, q_1 q_2 \cdots q_j \cdots)_n$. Dies ist dann die n-adische Entwicklung der reellen Zahl r. Falls $r = \frac{a}{b}$ rational ist, erhält man natürlich die alte n-adische Entwicklung, wie man sofort feststellt, wenn man in der Tabelle (T) zunächst alle Gleichungen durch b dividiert und sie dann mit obigem Schema vergleicht. Wir haben damit gesehen, daß jede reelle Zahl $r > 0$ eine eindeutige Darstellung im n-adischen System gestattet. Umgekehrt gehört auch zu jeder n-adischen Entwicklung $(q_0, q_1 q_2 \cdots)_n$ mit $0 \leq q_j < n$ für $j \geq 1$ eine reelle Zahl, nämlich $\sum\limits_{j=0}^{\infty} \frac{q_j}{n^j}$. Die so hergestellte Beziehung zwischen positiven reellen Zahlen und n-adischen Entwicklungen ist sogar ausnahmslos eindeutig, wenn man noch die Entwicklungen des Typs $(q_0, q_1 \cdots q_s \overline{n-1})_n$ ausschließt. (Dies ist nötig, da offenbar $(q_0, q_1 \cdots q_s \overline{n-1})_n$ und $(q_0, q_1 \cdots q_{s-1}\, q_s + 1)_n$ – etwa 1,379 und 1,38 im dekadischen System – vermöge ihrer Reihen dieselbe reelle Zahl darstellen.)

Man könnte jetzt glauben, daß auf Grund der gefundenen eineindeutigen Beziehung zwischen reellen Zahlen und n-adischen Entwicklungen eine besonders elegante Konstruktion der reellen Zahlen dadurch erreicht werden kann, daß man diese Zahlen einfach durch ihre n-adischen Entwicklungen definiert. Doch ist dies eine Täuschung: Die Definition der Zahlen ist jetzt zwar direkt, doch bereitet die Definition der Rechenoperationen überraschend große Schwierigkeiten. (Wie soll man z. B. im dekadischen System die Summe zweier Dezimalbrüche definieren, wenn alle Ziffern mindestens 5 sind?) So bringen die n-adischen Entwicklungen für die Konstruktion der reellen Zahlen leider keine Vereinfachung; ihre Bedeutung liegt allein in den prinzipiellen neuen Einsichten, die sie von den Zahlen vermitteln.

BIBLIOGRAPHIE

Das folgende Verzeichnis will dem Leser Hinweise für weitere Studien geben. Es wurden vor allem solche Publikationen ausgewählt, die dem deutschen Leser verhältnismäßig leicht zugänglich sind.

Mit einem • sind solche Werke gekennzeichnet, die ihrer Bedeutung wegen aufgeführt werden, obgleich sie an den Leser sehr hohe Anforderungen stellen.

Allgemeines

NAAS, J. u. SCHMID, H. L. Mathematisches Wörterbuch. 2 Bde., 2. Aufl. 1962

BRONSTEIN, I. N. u. SEMENDJAJEW, K. A. Taschenbuch der Mathematik. 3. Aufl. 1962

BEHNKE, H. u. BACHMANN, F. u. FLADT, K. u. SÜSS, W. (Hrsg.) Grundzüge der Mathematik. Band I: Grundlagen der Mathematik, Arithmetik und Algebra. 2. Aufl. Band II: Geometrie. Band III: Analysis. 1960/62

• BOURBAKI, N. Eléments de mathématique. Fascicule I–XXVII. Paris (erscheint in ständigen Neuauflagen)

DUSCHEK, A. Vorlesungen über höhere Mathematik. Band I–IV. 1.–3. Aufl. 1958/60

ROTHE, R. Höhere Mathematik für Mathematiker, Physiker und Ingenieure. Teil 1–5; Teil 6 (Szabó); Teil 7 (Schmeidler). Ständige Neuauflagen 1958/61

SMIRNOW, W. I. Lehrgang der höheren Mathematik. Teil 1–5. 1961/62

Zeitschriften

• Archiv der Mathematik, Basel-Stuttgart

Elemente der Mathematik, Basel

• Jahresbericht der Deutschen Mathematiker-Vereinigung, Stuttgart

• Journal für die reine und angewandte Mathematik, Berlin

• Mathematische Annalen, Berlin-Göttingen-Heidelberg

• Mathematische Nachrichten, Berlin

• Mathematische Zeitschrift, Berlin-Göttingen-Heidelberg

Mathematisch-Physikalische Semesterberichte, Göttingen

• Monatshefte für Mathematik, Wien

• Zentralblatt für Mathematik und ihre Grenzgebiete (Referatenorgan für die mathematische Forschung), Berlin-Göttingen-Heidelberg

Algebra und Gleichungen

ARTIN, E. Galoissche Theorie. 1959

BEHNKE, H. u. BACHMANN, F. u. FLADT, K. u. SÜSS, W. (Hrsg.) Grundzüge der Mathematik. Band I: Grundlagen der Mathematik, Arithmetik und Algebra. 2. Aufl. 1962

HASSE, H. Höhere Algebra. 1. Teil. 5. Aufl. 1963

KRULL, W. Elementare und klassische Algebra vom modernen Standpunkt. Band I u. II. 1952/1959

PERRON, O. Algebra. 2 Bände. 3. Aufl. 1951
PESCHL, E. Analytische Geometrie. 1961
PICKERT, G. Analytische Geometrie. Mathematik und ihre Anwendungen in Physik und Technik, Reihe A, Band 24. 4. Aufl. 1961
REDEI, L. Algebra. 1. Teil. 1959
SPERNER, E. Einführung in die analytische Geometrie und Algebra. 1. Teil, 5. Aufl., 2. Teil, 4. Aufl. 1961
TIETZ, H. Lineare Geometrie. 1964
WAERDEN, B. L. van der. Algebra. 1. Teil, 5. Aufl. 1960; 2. Teil, 4. Aufl. 1959

Algebraische Zahlen

HASSE, H. Vorlesungen über Zahlentheorie. 1950
• –, Zahlentheorie. 2. Aufl. 1963
HECKE, E. Vorlesungen über die Theorie der algebraischen Zahlen. 1923
HOLZER, L. Zahlentheorie. Teil I–II. 1958/59
• ZARISKI, O. u. SAMUEL, P. Commutative Algebra. Vol. I. 1958

Funktionentheorie

BEHNKE, H. u. SOMMER, F. Theorie der analytischen Funktionen einer komplexen Veränderlichen. 2. Aufl. 1962
CARATHÉODORY, C. Funktionentheorie. Band I–II. 1960/63
KNESER, H. Funktionentheorie. 1958
• NEVANLINNA, R. Uniformisierung. 1953
• PFLUGER, A. Theorie der Riemannschen Flächen. 1957
• WEYL, H. Die Idee der Riemannschen Fläche. 3. Aufl. 1955

Infinitesimalrechnung im R^1 und Infinitesimalrechnung im R^n

BARNER, M. Differential- und Integralrechnung. 1961
BEHNKE, H. Vorlesungen über Infinitesimalrechnung I. 8. Aufl. 1962
–, Vorlesungen über Infinitesimalrechnung II. 9. Aufl. 1961
• BOURBAKI, N. Eléments de mathématique. Livre IV, Fonctions d'une variable réelle (Théorie élémentaire). 1958
COURANT, R. Vorlesungen über Differential- und Integralrechnung. Band I, 3. Aufl. 1961; Band II, 3. Aufl. 1955
• DIEUDONNÉ, J. Foundations of Modern Analysis. 1960
ERWE, F. Differential- und Integralrechnung. 2 Bde. 1962
MAAK, W. Differential- und Integralrechnung. 2. Aufl. 1960
MANGOLDT, H. v. u. KNOPP, K. Einführung in die höhere Mathematik. Band 1–3. 11. Aufl. 1958
NEVANLINNA, F. Absolute Analysis. 1959
OSTROWSKI, A. Vorlesungen über Differential- und Integralrechnung. Band 1–3. 2. Aufl. 1960/62
SMIRNOW, W. I. Lehrgang der höheren Mathematik. I, II. 1953/54

Kardinal- und Ordinalzahlen

• BACHMANN, H. Transfinite Zahlen. 1955
DEDEKIND, R. Was sind und was sollen die Zahlen? 9. Aufl. 1961
FREGE, G. Die Grundlagen der Arithmetik. 1884 (Wiederabdruck 1959)
RUSSELL, B. Einführung in die mathematische Philosophie. 1953
(siehe auch Mengen, Abbildungen, Strukturen)

Bibliographie

Logik und Methodologie

CARNAP, R. Einführung in die symbolische Logik. 1954
HASENJAEGER, G. Grundbegriffe und Probleme der modernen Logik. 1962
HERMES, H. Einführung in die mathematische Logik. 1963
HILBERT, D. u. ACKERMANN, W. Grundzüge der theoretischen Logik. 4. Aufl. 1962
LORENZEN, P. Formale Logik. 2. Aufl. 1962
• SCHMIDT, H. A. Mathematische Gesetze der Logik, I. 1960
• SCHOLZ, H. u. HASENJAEGER, G. Grundzüge der mathematischen Logik. 1961
TARSKI, A. Einführung in die mathematische Logik und Methodologie der Mathematik. 1937
(siehe auch Mathematische Grundlagenforschung)

Mathematische Grundlagenforschung

BETH, E. W. The Foundations of Mathematics. 1959
HERMES, H. Aufzählbarkeit, Entscheidbarkeit, Berechenbarkeit. 1961
HEYTING, A. Intuitionism, an Introduction. 1956
HILBERT, D. u. BERNAYS, P. Grundlagen der Mathematik I–II. 1934/38
• KLEENE, S. C. Introduction to Metamathematics. 1952
LORENZEN, P. Einführung in die operative Logik und Mathematik. 1959
• –, Metamathematik. 1962
SCHMIDT, H. A. Mathematische Grundlagenforschung (Enzykl. d. math. Wissensch.). 1950
SCHOLZ, H. Mathesis Universalis. 1961
• SCHÜTTE, K. Beweistheorie. 1960

Mengen, Abbildungen, Strukturen

• BOURBAKI, N. Théorie des Ensembles. 1954
• FRAENKEL, A. A. Abstract Set Theory. 1958
GERICKE, H. Theorie der Verbände. 1963
HALMOS, P. R. Naive Set Theory. 1960
HAUSDORFF, F. Grundzüge der Mengenlehre (Wiederabdruck). 1949
HERMES, H. Einführung in die Verbandstheorie. 1955
KAMKE, E. Mengenlehre. 4. Aufl. 1962
SUPPES, P. Axiomatic Set Theory. 1960

Topologie

ALEXANDROFF, P. S. Einführung in die Mengenlehre und die Theorie der reellen Funktionen. 1956
BEHNKE, H. u. BACHMANN, F. u. FLADT, K. u. SÜSS, W. (Hrsg.) Grundzüge der Mathematik. Band II: Geometrie. Kapitel 13: Weise, K. H. u. Noack, H.: Ausgewählte Fragen der Topologie. 1960
• BOURBAKI, N. Eléments de mathématique. Topologie générale, Livre III
FRANZ, W. Topologie. Band I: Allgemeine Topologie. 1960
HAUSDORFF, F. Grundzüge der Mengenlehre. (Wiederabdruck) 1949
• KOWALSKY, H. J. Topologische Räume. 1961

Zahlen und Ziffern/Ziffernsysteme

BEHNKE, H. u. REMMERT, R. Vorlesungen über allgemeine Zahlentheorie. Ausarbeitungen mathematischer und physikalischer Vorlesungen, Band XVIII. 1956
HARDY, G. H. u. WRIGHT, E. M. Einführung in die Zahlentheorie. 1958
HASSE, H. Vorlesungen über Zahlentheorie. 1950
LANDAU, E. Grundlagen der Analysis. 1930. (Neudruck: 2nd Americ. ed., 1948)
NEISS, F. Einführung in die Zahlentheorie. 1952
PERRON, O. Irrationalzahlen. 4. Aufl. 1960
SCHOLZ, A. u. SCHOENEBERG, B. Einführung in die Zahlentheorie. 3. Aufl. 1961
TROST, E. Primzahlen. Elemente der Mathematik vom höheren Standpunkt aus, Band II. 1953
WINOGRADOW, I. M. Elemente der Zahlentheorie. 1956

REGISTER

Die Stichwörter sind im Text auf den angegebenen Seiten jeweils in *Kursivschrift* oder, wenn sie als Zwischentitel erscheinen, durch Kapitälchen hervorgehoben. Die in **Fettdruck** erscheinenden Wörter und Seitenzahlen verweisen auf die Sachwortartikel und deren Anfänge. (Die Bearbeitung des Registers erfolgte durch die Redaktion des Fischer Lexikons.)